吴承明全集

第五卷

经济评论
研究与创新
书评与序言
会议发言

社会科学文献出版社

SOCIAL SCIENCES ACADEMIC PRESS (CHINA)

目　　录

经济评论

研究与创新

书评与序言

会议发言

经济评论

法币问题之一

——货币政策的意义

人类基本经济行为是生产与消费，货币作用其中，不过是媒介。国民经济的原理，在使一国之中生产和消费平衡，货币价值自然稳定，否则必发生币值变动，而形成经济紊乱或恐慌。货币政策严格说来只是一种技术，目的在帮助国家经济政策，以使生产与消费平衡，单独货币政策，不能解决任何问题，这是我们谈法币问题首先要认清的。

国父讲过："钱不过是货物的代表，所以钱不是万能的，货物的能力是更大的。如果货物不能流通，钱的价值便要低。"今日中国的问题就在于此，法币的贬值，正由于货物不能流通。"如果有钱没有货物，还是没有用"，这道理很简单，但人类的智慧，竟有几世纪之久不能了解。重商主义时代，迷信"金钱万能"，即由于此。所以拉雷维耶故问："假使我将世上所有的钱都交给你，你还向谁去赚钱？"但重农学派，甚至以后的正统主义者，虽知钱之无用，却还不真了解货之有用，国父说："一般普通人不知道这个道理，便为钱所束缚，要打破它的束缚，便要有多有货物，要多有货物，就在我们多做工。"多做工是增加生产的基本条件，有钱无钱，资本大小还是其次的问题。货币政策，其实也就在如何使生产不受本钱的束缚，甚至无钱也能生产，但人类的思想——对于货币的了解，直到第一次世界大战结束，可以说都未能"逃出钱的束缚"。

拿破仑曾说战争的三要素是"金钱、金钱、金钱"，奥名将蒙德哥古里也同样讲过，其实此话早不适用，威廉第二准备称霸欧洲，在司盘岛的犹利亚斯塔中储蓄了 2.02 亿金马克，结果无补于事，"现在人明白，货币之储藏正与货币之目的相反，货币是应该拿出去流通的"。因为有了流通，才可以生产。上次欧战的经验，没有粮食或油铁，便不能作战，从未闻没有钱不能作战者。劳合·乔治于其大战回忆录中说，著名学者曾于 1915 年预测英国将于 1916 年春因军费过大而破产，但为时四载，协约国战费并未到无法筹措之境，而德国则因粮食缺乏至于投降。俾斯麦早经昭告德国人"今后战争是经济战"，威廉第二似未能了解此话的意义。即在今日，仍有许多人未经了解。现代战争，胜负决定于经济力，但经济是什么？"有人特别注重财政，有人特别注重资源，有人特别注重人力，有人兼重三者，即所谓'3M 论'"；更有"5M 论"，即再加上精神和军火；又有人提倡"制造力说"，而所谓农业国家不适于现代战争。其实所谓经济力者，并非个别的经济、条件，而是全体性的有机配合，无论人力、物力或财力，无论工业、农业或商业，某一项特别高明，又不一定便打胜仗，必须全体配合的发展，才是经济力的加强。金钱在战争中的作用一如平常，不过是经济利益发展的媒介，并非它的本身。

如何发展国家经济力是经济政策，如何用钱是财政政策，前者是目的，后者是手段，财政政策的基础不是钱，而是国家的经济力，如单为收钱，则莫善于开征鸦片税，但种植鸦片必妨碍生产力。无钱亦可讲财政，但国家经济力破产，则无财政可言。财政家有如魔术家，有时虽可买空卖空，但不能无中生有，"巧妇难为无米之炊"。德国人是最会讲财政的，没钱可以扩军，注射信用可以避免膨胀，但在戈林将军领导下的最高经济会议中，有党政军各部首脑，而无财政部长的席位。伦敦《经济学家》评论谓："德国深知战时财政不是司令兵是随从兵，财政部长只管收税放债，不是国家经济首脑，一切决定，不斤斤于国家预算的平衡。"财政把戏，在国社党的"艺术"中只是配角。

谈到财政问题，一般人都特别注重预算平衡，这种见解先应改正，若单为平衡预算，并不困难，无为而治时代的中国，倒都能量入为出，府盈库满；但从国家生产力上来看，却宁可借钱修铁道，透支开工厂，这道理也很简单，而人类的智慧，也竟有 20 世纪之久未能了解。第一次世界大战结束后，各国又都纷纷恢复金本位，支持高汇率，紧缩预算，所谓"稳健财政"

风行各国，结果工商凋敝、失业遍野、生产锐减，1929 年大恐慌后，金本位便无法维持，而罗斯福的新政乃应时而出，新政的原理，即不顾预算的平衡，举行国债，膨胀通货，开办公共工程，但因之失业减少，国民经济繁荣，国家税收增加，不平衡的预算，反而渐得平衡。希特勒在德国采取的方法与罗斯福相同，不过不是开办公共工程，而是扩充军火工业，德国曾以短期债券等方式，膨胀军备达 900 亿马克，然因之生产指数提高，失业减少，税收激增，预算亏空，稍得补偿，更用储蓄、募集、捐债等方法，使膨胀的信用复归政府，做再度扩充之用。希特勒扩军之初，正统经济学者无不为之担心，以为必"膨胀致死"，但最近欧战之结果，方知吃亏者并非德国，而是英国。近年来英国学者，如著名之凯恩斯等亦盛倡"不平衡预算政策"，英经济作战部长道尔敦亦提出"不平衡预算论"。平时平衡预算，已未必是财政良策，更何况战时，根本不能平衡？前面讲过，一国的基本经济行为是生产与消费，货币作用其中，不过是媒介，财政政策，无非是怎样使用货币，以增加生产，而减少消费。"生财有大道，生之者众，食之者寡，则财恒足矣"，这实在是财政学的金口玉言，预算能否平衡，尚在其次。

自从克纳普的货币论出版后，"货币是国家的产物"之说已获得普遍承认，货币只是一种法定的代表，即所谓法币。法币与信用，根本没有分别，正统派的经济学者把信用看作资本的转移，如密尔说信用只是使用他人的资本的一种允准，只是资本的一种转移，从一人手中移至另一人手中，其中并不包含生产的意义。凯恩斯"货币改革"出版后，货币管理说，已成不易之论，且为各国所采用，但凯恩斯亦只把货币看成交易的工具。最近德国的全体主义者，把货币看成一种"较高级的资本"和信用，或国际商约一样，在经济"部分的集合体"中有其生产作用。史盘称："货币是生产的，这句话的意义和机器是生产的一句话不同，它所具备的生产作用，乃是较高级意义的，犹如商约及其他较高级资本的生产作用，他只帮助机器的生产，并帮助消费品的生产，简括来说，他只在生产历程中，占据一个无形的部分。"我们前面说，货币政策不过是帮助经济政策，以发展国家经济生产，其意亦在此。

（署名吴之光。原载《银行界》1942 年第 1 卷第 1 期）

法币问题之二

——对数量说的认识

数量说之在中国，如在任何国家一样，已不需要介绍，世界的学者对于他只有批评，并无否认；实际上，现在也没有人企图推翻他，英国马歇尔、凯恩斯等的现款盈余说，德国维塞、什维狄内克等的收入说，实际亦不过数量说的修正。

数量说可以弥尔的一句话表明："如其他情形不变，则货币的价值，依其数量，相反的变动。"即是说货币增加一倍，其价值便减低一半，亦使物价增高一倍。费雪著名的公式，即是货币的数量（M）与其流通速度（V）的乘积，等于物价（P）与货物的贸易量（T）之乘积。即 MV = PT 或 P = MV/T。即是说物价与货币数量成正比，与贸易量成反比。

这说法是否正确？我们先从事实上观察。法国自 1918 年 11 月至 1919 年 11 月，纸币急速增加而物价不涨。1919 年 11 月至 1920 年 7 月，纸币几乎停止发行，而物价大涨。英国自 1917 年至 1918 年大量增加纸币，而物价未涨，1918 年至 1919 年缩减发行，而物价高涨不已。这种现象于大战后甚为普遍，或解释物价的反应较货币数量的变动为迟缓，但看法国情形：1920 年度中，纸币增发 52%，而物价反跌落了 43%，1922 年钞票较 1919 年增加了 2587%，物价则突涨至 18377%，1923 年 2 月至 4 月，纸币增加一倍，而物价反见跌落。

或解释货币数量与物价关系，需在长时期中观察，但看美国的情形，自

1920 年 5 月至 1924 年底，四年半中币制库存金增加 73%，活期存款增加 14%（美国交易通用支票，活期存款等于纸币），而趸售物价反跌落 337%，1930 年后逐渐膨胀通货，至 1936 年，纸币增发 40%，而趸售物价反跌落 6%，同时英国纸币增发 18%，而趸售物价亦跌落 6%。英国在拿破仑战争时，自 1797 年至 1815 年，18 年中纸币增加 300%，而物价只涨 14%。郎林统计美国 1860 年至 1900 年之 40 年中，货币数量与物价变动情形，并不与数量说相合。

陶西称："数量说在长久期间可以说是对的，而在短期间或许多年中，竟找不到货币数量与物价的关系，即使在长期间，也找不出货币值与其数量恰成反比例。"事实上恰成反比例之事，历史上从未有过。数量说的假定是"其他情形不变"。马歇尔说："如果真其他情形不变，我相信物价可以直接随货币数量变动，但其他情形，总是在变的。"

数量说之谓"其他情形不变"实际上是谓贸易量（T）不变。在通货需要量（PT）中，T 不变，故通货需要量之增加，必使物价（P）之增高。通货供给量（MV）与需要量相等（PT = MV）。故通货供给量之增加，决定了通货需要量之增加，这即是说通货数量增加一倍，消费者的需求也增加一倍，物价因之增加一倍。

数量说的缺点即在于此，他只是从消费的观点立论，不是从生产的观点入手。事实上，某几种物品的需要增加，常使其他物品的需要减少，通货增加一倍，消费者的需求未必即增加一倍，增加的货币，可用之于消费，亦可用之于生产，前者提高物价，后者则抑低物价。货币政策的目的，即在怎样使增加的货币，并非增加消费力，而是增加生产力。德国人用"创造"一词，如谓信用可以创造劳动，故发行"劳动创造票据"。我们前述"货币是生产的"其意义亦与此相同。史盘谓："货币的出路，决定了货币的机能，至于货币的数量，只于间接中牵涉到我们。"此之谓货币的"出路论"，或称为"流向论"。

货币数量增加可以提高物价，但物价之提高亦可使货币数量增加，如一物因特殊原因而涨价，其代用品亦涨价。生产此物品之工资原料等亦提高，因之使用同原料及劳工之其他产品亦涨价。又如一物涨价后，其连带物亦涨价，如布价涨而棉价涨，而棉田价涨，而地租涨，而粮食涨，以致无物不涨，而成涨价之蔓延，是即物价自动高涨说，物价自动高涨，货币之需要增加，货币数量因此也必增加，数量说者反对此点，谓一物涨价，则该物必生产增加而消费减少，结果使该物价格复归于平，若用 Mv = Pt 解释，货币之供给（Mv）既未增加，t 又不变，则 P 不能自变，亦即是物价不能自变。

前面说数量论未能注意到货币的出路，此处则数量说又未能注意到货币的性质，货币的供给，可因使用者加速流转（v）或将游惰资本变为流动资本而使（M）增加，艾狄谓："长期变动中，货币数量增加先于物价之高涨，短期变动中，数量与物价之变动互有先后。繁荣时，物价常先于货币数量而增高，萧条时，物价常先于货币数量而跌落，物价变动之原因，受商业心理与外汇变动之影响。"物价与货币数量的变动，互相影响，孰先变，孰后变，须视情形而定，此点于下述战时膨胀时将有提及。

总之，数量说者只看到货币的数量，不注意其他的性能，货币的价值，考其性能，不在其多寡。数量说之被称为机械派者，即在于此，其根本缺陷，即在从消费的观点上立论，而不从生产的观点上入手，这实在是正统派经济学者一贯的特征，巴斯底亚在临死时，尚对他学生讲述最后的箴言："政治经济学之研究，此须从消费者的立场入手"，"一切东西总归是消费"。亚当·斯密主张消费者利益不能为生产者而牺牲。这种看法从个人来讲，固属无误，但就国民全体或国家来说，则生产力的提高，为永久之需要，货币政策的目的，则在使消费者适应此逐渐提高的生产，或于必要时（如战时），为生产牺牲消费，以求其平衡。资本主义的生产过剩，事实上是与消费不足并存，"倾咖啡于大海"之时，亦正失业饥饿恐慌之时，正所谓"朱门酒肉臭，路有冻死骨"。从货币上来讲，即是此时货币的性能未能发挥，货币的流向未能调整，物未尽其用，而货（币）未畅其流。货币政策的作用即在调整其流向，于繁荣期中转移国家生产力，于萧条期中刺激生产，于战争其中限制消费。如其调整得法，虽然数量加多，无大影响，否则必致膨胀。

（署名吴之光。原载《银行界》1942 年第 1 卷第 2 期）

法币问题之三

——战时的通货膨胀

纸币的发行，缘于商业的需要。货币支付居于纸币发行之前，故纸币数量增加与金属币增加不同，并不影响物价，此即银行说之原理。照此说，纸币之发行，无须充分的金准备。此说初行时曾被通货说所打倒（即认为纸币须有充分之金准备）。但近年以来，无疑的银行说又占了决定的优胜。

依银行说，纸币于完成其任务后，即返归银行兑现，故不至于膨胀。但法币时代，纸币根本已不兑现，则其与金银准备的关系将如何确定？纸币发行至何种程度始为膨胀？

法币时代，既以纸为币，则生金银等已非货币，正如昔日之布帛、贝，只是货物，金银与其他物品一样，需要以货币为媒介而交易，而其本身则已无货币性质，亦不再流通为货币或作为支付工具。去年来华之居里博士即有言谓："金银与物价之唯一联系即是货币。"故主张将美国法币44％之金准备降至5％。货币之价值，专靠管理其数量及用途以维持之。近代学者如班迪生、凯恩斯、叔姆彼得、瓦尔纳等，均持此说。故有人谓，马克之金准备只有4％，但马克为现有最稳定之金本位币。

法币之价值不以金银为准，而是以其交易物为准。社会上有某些东西，或预期有某些东西，即可发出某些支付工具（纸币或信用），以与之交换，如此则不为膨胀。如发出某些支付工具，而无某些货物与之交换，则为膨胀。膨胀之定义很多，我们可引最简单明了的一个，即"膨胀者乃增加偿付方法而无相等之货值可换是也"。故膨胀与否，不在发行之多寡，不在准备之大小，而在生产之盛衰，商品之盈亏。应付膨胀的根本办法是增加生产，如生产不能增加则须限制消费，计口售粮，凭证买卖，统制物价，管理分配，以使膨胀之货币，不致恶化而为害。如膨胀有恶化趋势，则又须运用种种技术，延缓支付、自动支付、循环信用、利润归公、膨胀中性化等。如技术统制再不能奏效，即须实行紧缩，否则即陷入恶性循环。

战时财用浩繁，膨胀殆所难免，但从财政上讲，膨胀亦有其特殊作用。

第一，通货之膨胀原含有一种租税性，普遍降低人民购买力，无一幸免，尤其对财产之持有者，无形中课以财产税，对投资者，无形中加重其所得税。战时财政无非征发人民，而最简单有效者莫过于膨胀。如凯恩斯、阿士德等，都认为在相当限度内膨胀实为最公平的租税政策。去年美国国会讨论扩军，毕德即主张可膨胀货币，不必仅发公债，因公债有利息，膨胀则否。"救国之举，不应给息！"

第二，现今国家无一不是负债国，战时以募债维持财政，无异债上加债；而膨胀实为一种减债政策，减轻旧债，发行新债。凯恩斯估计，上次欧战时，因膨胀之结果，英国政府之债务减轻 1/2，法国减轻 7/8，意大利减轻 11/12。政府之债主，皆为大资本家，战时牺牲些不为不公平。私人之债务亦多属不同阶级，如我国农村之债主大皆地主，债务人大皆佃农，因通胀而解放佃农之债务，亦属合理。又对外债务之膨胀而减轻者（如上次欧战之德国），就国家立场说，亦属不差。

第三，战时政府因利用外资，必力求国际收支平衡，平衡之道不外增加出口，限制进口，防止逃资，奖励回笼。通货膨胀实具有辅助此种政策之作用，因通货之贬值必提高汇率。但贬值之利弊均有，必须能适应环境，始能有效。故战时各国多放弃钉住政策，或一部分放弃，而实行汇兑管制。

战时膨胀虽属难免，其膨胀之方式则又各异。我们试举三个实例以说明之。

一，如本星期英国政府收支不敷，向英国银行借款 1000 万镑。英国银行依例乃将政府之存款账中登入 1000 万镑，政府即可随之支取。政府支取此款后付与某位商人，该人如将此款消费，则市场上流通之货币则增加 1000 万磅。该人将此款存入普通银行，普通银行必以之转存入英国银行。

于是普通银行在英国银行之准备增加 1000 万镑，普通银行之存款账与负债账亦均增加 1000 万镑，而其准备率乃大为提高，其授信或投资能力乃增加至四五千万镑。此 1000 万镑之政府借款乃因银行之信用扩大作用，辗转而膨胀为数千万镑。

二，如德国于上次欧战之始，以大量之国库券付与各银行贴现，各银行如照贴现钞，则法币流通量如数增加；如不付现而登入政府之存款账，则其膨胀过程一如前例。但德国于每年 3 月及 9 月发行长期公债，以偿还到期之国库券，故膨胀之货币又逐渐收回。但自 1916 年 9 月第 5 次公债发行后，即未能如数偿清国币券，国币券之膨胀乃进行未已，至 1918 年终，达 104.65 亿马克。

三，如日本政府，于 1939 年预定发行公债 59.25 亿圆，就有上年底未发出之公债 17.32 亿圆，共计 76.57 亿圆，以之交与日本银行，银行按例以预约券收买，银行之保证准备，即如数提高，其投资与授信能力，乃比例膨胀，于是政府乃努力向人民劝募公债以收回法币。但到是年年底，只销出 27 亿圆，尚有 49 亿圆在循环膨胀中，故公债能发而不能销，无异于借款，即使全部销出，其膨胀作用亦不能完全避免，因游惰资本改购公债，一变而为政府之活动支出。同时亦必有一部分公债，作为保证准备之用。

上三例，说明政府借款、短期债券与公债之膨胀过程。普通所谓膨胀者，大都指此。此外在货币方面，尚有降低准备金，取消发行限制，集中金银外汇，增加金产等，亦系膨胀之步骤，不必细述。上述之过程，如不加以适当之处治，即将流入恶性循环，其循环道路，又可分析如下。

一，通货膨胀使物价提高，物价提高则货币支付之需要更为迫切，纸币之发行必更增加，战时政府以增发通货弥补国用之不足，通货愈增发物价愈高涨，因而国用之不足亦更巨。

二，通货增加，物价提高，外汇率乃降低，即国币对外价值跌落。进口货需要更多之货币与之交换，通货之发行必更增加。同时出口之土货因国内物价高涨而成本提高，若国际市场仍旧，则输出乃减少，因之外汇率更降低，即刺激通货更膨胀。又外汇率降低时，商人竞购外币，人民资金外逃，亦使外汇率更降低，通货与外汇变成循环影响。同时因舶来品价格之提高导致土货代用品价格之高涨，于是又走入通货与物价循环之途。

三，政府因增发纸币，降低金准备，乃竭力收黄金或开采金矿，故不作支付用之大量金银乃化为法币之纸币，数量愈多膨胀愈甚。战时金银输往外国，本国之纸币及存款并不减少，结果使外国之黄金膨胀，如第一次欧战时瑞典、美国之情形。若战事继续扩大，则因国际贸易，而使物价在各国间循环膨胀。

四，各国为吸收过多之通货，多提高利率奖励存储。但若不能充分控制银行，则银行必增加放款，以保障其利息，因而又增加其存款，发挥扩大信用作用。信用之膨胀，与通货膨胀相等。同时利率之提高，亦增加货物之成本，而提高物价。

五，膨胀时期，投机活跃，利润提高，囤积居奇之风在所难免，资金愈流入投机市场，则市场上物资愈缺乏，物价愈高涨。人民之窖藏法币者，储蓄存款者，皆改储货物，通货之流通因之激增。各种借贷因物价日变，亦多变长期为短期，易期货为现货，定期存款化为活期，活期存款提为现钞，金融周转异常活泼，结果亦如通货之再度膨胀。

上述之循环过程如一任其发展，必致全部物价制度崩溃，纸币等于废纸。且通货对于物价之作用，大抵最初通货之膨胀系数大于物价，其后则物价之膨胀系数大于通货。如德国在 1919 年时马克膨胀率大于物价 2 倍，至 1923 年时则物价膨胀率大于马克 20 倍。

但事实上，现代之管理通货办法，并无一任其膨胀者，普遍皆用两种办法削减通货之压力，或用租税节储等办法收回过多之货币！同时从生产与消费上控制物资与消费品，最后所用之办法则为紧缩政策。

（署名吴之光。原载《银行界》1942 年第 1 卷第 3 期）

利　息

利息之本质随时代而递变，古代社会，借物者多，借钱者少，借钱并非为新企业之投资，而大都为衣食之急需。债权者皆豪强，借钱者多贫弱，为数甚小，取利极高，不能偿还时，甚至卖身为奴，中外皆然。此种借款之应否取息，颇成疑问。亚里士多德谓金钱不生产，故不应取息。苏格拉底谓以马借与人，牺牲马之服役，故应取息；以钱借与人，无所牺牲，故不应取息。

但近代之借贷，性质迥异。借钱者非为衣食之急需，而大皆将钱买马，或为其他生财之投资。借钱买马与借马何异？出借一切有用之物皆应取息，而货币者乃支配一般物之权利，自亦应取息。

近代借物之事绝少，借钱之事极多。债主非必豪强，而往往为勤劳之存款储蓄者。借钱者非必贫弱，而往往为有声有色之企业家，甚至往往并非人，而为法人。所借之钱皆用以生利，其钱之本身自当生息。

但近代亦有一种不应取息之思想，认为一人不应占有超过其自用以外之生产手段或享乐品，剩余之房地应贷与人而无租，剩余之钱财应贷与人而无息。此说之是否，故不置论。但有二前提：第一，此说必先承认一切价值之来源由于劳动，剩余之资本来自剩余劳动；第二，一切出借之资本，由于剩余，而非由于节约。

前者为题外之事，后者则为近代利息学说，利息为资本期待之报酬

（Reward of waiting），并非节欲之报酬（Reward of abstinence）。资本家之生活，往往甚为奢侈。致富之道，不在其人能否节制现在之享受，而在于能否对未来精密之打算；非在其节制力，而在其远见力（prospectiveness）。节欲固为美德，但美德非所以致富，美德亦不必取息。孔曰克己，孟曰寡欲，老曰日损，墨曰节用。克己所以为仁，寡欲所以养性，日损无为，节用致治，非所以发财。"储蓄致富"一语，必近代金融资本家之宣传，古圣贤耻之。

利息与储蓄

储蓄虽无由致富，但可保生。储蓄之最初动机，非在取息而在备患，如农夫常储谷若干，此谷并不能生谷。工人每周发工资 7 元，发薪之第一日用去 1 元余 6 元，第二日 1 元余 5 元，平均经常有 3.5 元之储蓄，此亦非为生息。储蓄之用以生息者，乃资本主义发达以后之事，每人每年储蓄若干，老年后可依利息为生，或为子女教育费，或以为固定之奖金、年金等。

利率愈高，储蓄愈多，倡储蓄者莫不提高利率，但亦有例外。利率高之时，或利率高之国家，工商业往往在有相当积蓄后即停止经营，而专门吃利息，变为金融资本家，社会之储蓄额便因之减少。吉尔德（Sir Josiah Child）在 18 世纪时即注意及此，近代我国的经济发展，更有此现象。金融资本臃肿，工业资本缺乏。又如某人预计其晚年每年有 5000 元收入以终天年，如利率为 10%，需有 50000 元储蓄，如利率高至 20%，则有 25000 元之储蓄时即可退休矣。

但一般说来，高利率之形成，究竟增加储蓄者多，减少储蓄者少。储蓄既非全为利息，即使无利息，亦有储蓄。况人类对于财富之爱好，乃多多益善，未必适可而止也。

利息如何决定

利息可用影响储蓄额，但利率并不由储蓄额决定。

利息决定于资本之供求，如某人以百元投资于某工厂，该厂不需再增加其他开支，除此百元投资本身之耗损外，其生产可增加 4 元，而以之赠予某人，某人于考虑此百元之其他用途后，决心投资于此工厂，则此时一般利率即为 4%。市场上资金充斥，则利率降低，银根奇紧，则利率提高。但此是就一般讲，事实上还有其他因素。

严格讲，利息为资本之等待报酬，即此货币在等待期间之功效。若借款者将此货币化为货物，则其价值即不可再以货币计，其所生之息亦不可以货币计。如某工厂借款千元修造厂房，又借千元发工资，则厂房之报酬或效用与工人迥异，厂房之价值，于若干日后已非千元，工资分散于工人手中后，仍为千元。在前者情形下，其利率应为 4% 之厂房（设市场利率为 4%），而后者为 4% 货币。

严格讲来，只有流动资本之投资可谓利息，所谓市场利率或一般利率者，应指新投自由资本之净收益而言。然普通工商资本，大部分为补充旧资本。以英国论，每年新投自由资本亦不过 1/5。

利与租

流动资本之报酬为利息，固定资本之报酬为租（rent）或等租（quasi-rent），两者性质不同，可举例以明之。

设一物之数量固定，不能增加生产，亦不因消费而破灭，则该物之价值，即决定于其功能（service），购买该物者，即须计算该物所能增加之生产价值（设为 4），与该物之价值（设为 100），即该物之租为 4%。设该物之需求增加，而其供给之数量有定，是新购得该物者不过自他人手中竞购之，故实质上该物之需求并不能增加。设该物之功能对于此人甚高（设为8），彼即不惜以高价购买之（设为 200），即其租仍为 4%。故租决定于其物之功能，不决定于其供求，亦不决定于其生产成本。

设又有一物，可无限制生产，而又有规律之生产成本，同时极易毁灭，则该物之价值，即决定于生产成本。需求多时，生产亦多，如使生产常与需求相等，则其价值必与其生产成本相等。设此时市场利率 4%，而此物所增加之生产（即其功能）仅达其 3%，如其价值不抑低，则无人愿用此物，如其价值抑低，又无人愿生产此物。故在平衡状态时，此物之功能恒与其生产成本之利率相等。

但上两者皆为极端之例，事实上无有。土地最近乎前者，故土地之报酬曰地租，流动资本略近乎后者，故流动资本之报酬曰利息。介于土地与流动资本之间者尚多，可称为半租或等租（quasi-rent），介于流动资本与土地者尚多，可称为半利息或等利息。

毛利息

上述之利息并非纯利息，可称为毛利息（gross interest），纯利息为资本期待之报酬，毛利息则甚复杂，至少尚包括两者：一为冒风险之报酬，一为怕危险之报酬。

风险愈大之贷款，其利率愈高，如欧洲中古时对王室之贷款，事实上不能全部偿还，故利息亦特别高。如18世纪航海之贷款亦然。冒危险之报酬，理论上无存在之理由，但事实上作用极大。怕危险之报酬，则可视为资本主勤劳之报酬。借钱与人后心中必惴惴不安，又时时注意对方之行动，此惴惴不安与时时注意之报酬，俱在毛利息之中。大资本主（如银行）又须专用若干人（如征信部）为此惴惴不安与时时注意之工作，其开支亦取自毛利息中。危险性不同，毛利息之差别亦极大。故一社会中纯利息率可趋一致，而毛利息率则各自不一，自费之商人与借钱经营之商人，虽同行同业，风险与共，其经营之心理则大异。自费者小心翼翼，患得患失；借钱者则放胆大作，利润归己，而损失在人。

借钱还钱

除经营风险之外，尚有一种风险，即货币之变值。设100元之贷款，年息5元，而一年后币值跌落10%，所还来之105元，若用以购买物品不过相当于以前94.5元，照费希（Fisher）云，即实利息（real interest）为5.5元。实利息要保持不变，利息必须提高到16元左右。故大膨胀时代，利率都甚高，视今日后方之比期可知。

　　但事实在债主方面，此还来 100 元，并不一定用于购买物品，而常为再贷与别人，此 100 元之价值若何，可以不管，债主所吃者为利息。所注意者只为利息，故此时利率不必高至 16 元左右，能提高至 5.5 元就可以了。对借款者言，此时所还之 100 元不过是以前 90 元，似乎占便宜。但现代工商业中，多为借钱还钱，还去 100 元虽占 10 元便宜，此时所借之 100 元却吃了 10 元亏，故其便宜亦不过在利息上，不在本金上。

　　长期债务和永久贷款（permanent loans）、信用公司债等，根本不还本，货币贬值不影响其本金，只影响其利息，证券可以转手交易，但不还债主，其价值之涨或跌，即利或损，与债主无关。短期债务而为连续过程者，即借债还钱，收钱放债之类，亦与之相同。整个言，货币资本为一连续过程。货币资本家（如银行），则从不因货币贬值而受损失。100 元之款虽愈放愈少，只要利息能常保持以前 5 元之购买力，即不吃亏。

利息与物价

　　上述之问题即利息与物价问题，亦即利息与币值问题。所谓货币政策者，无非在稳定物价，或稳定币值，而其方法则为改变利率，是谓之利息政策。利率提高后，储蓄增加，投资减少，货币流通量降低，信用收缩，物价乃跌，币值乃高。反之，反是。

　　但事实上，并非如是之玄玄。高利率常伴随高物价，低利率常伴随低物价。有琼斯者（Prof. J. H. Jones）曾为统计上之证明。但此所谓"伴随"非必其因，亦非必其果。高利率可为高物价之因，亦可为低物价之果，可为低物价之因，亦可为高物价之果。

　　谈利息政策者，大皆注意于利息对物价之影响，而不注意物价对利息之影响。一般物价上涨，可提高企业家之储蓄力，而降低资本家之储蓄力，其作用于利率者未可卜。物价上涨如伴随生产膨胀，是增进社会总储蓄力，同时扩大信用机能，增加放款需要。自资本之供给言，则高物价之结果如何虽可预卜，自资本之需要言，则高物价之作用必使利率提高。

　　自物价对利率之影响，其作用为正的，自利率对物价之影响，其作用为负的。两者交相影响，则情形异常复杂，且随环境而变异。用利率以控制物价成功者，如 1921～1929 年时之美国，有失败者，如 1931～1933 之英国，大抵利息政策可应付平时物价波动，而不能应付战时通胀，或大规模之恐慌。

（署名吴之光。原载《银行界》1942 年第 1 卷第 4 期）

论当前生产政策

最近言论界有关于经济上有无"充分就业"的争论，平心而论，双方都有理由。我觉得，从金融政策上看，充分就业是讲得通的，但从生产政策上看，则大有讨论的余地。

一般讲来，一国金融政策的目的无非在稳定货币的购买力，即稳定物价水平。过多的投资和放款，使产业界尽量开发劣等的土地，使用老旧的机器，雇用拙笨的工人，以致生产成本超过其生产价值，即是充分就业现象。平时此种事业必无利可图，此种现象亦自然停止。但战时物资需要孔急，物价常决定于最高成本，故其结果，一方面提高物价，一方面增加生产者地租式的利润。物价与利润的膨胀，乃造成产业界投机的活跃。此时若不能用其他方法平抑物价限制利润，则利润将脱离其原有生产报酬率基础，而转变为对物价的投机。此时一切投资和放款，必将转入商业性投机，而不能增加生产，甚至破坏生产。此时在金融上自应采取紧缩政策，压低物价与利润，以期恢复产业的正常状态。

但从生产政策上看，则战时最重要的是物资，不是生产效率。低效率的生产，亦胜似不生产。劣等土地所产的粮食，老旧机器所产的纱布，亦胜于无此粮食，无此纱布。问题即在如何利用低效率生产而不致影响其他产业和全部物价机构。细观上述过程，可知造成恶果的原因，不只是充分就业一途。如能用其他方法控制物价和利润，则上述过程决不致达到破坏生产的地步，低效率的生产也仍可并行。所谓其他方法，不外两种：一假重于经济方式，如发行公债、强迫储蓄等以收缩购买力而平抑物价，如增高所得税、利得税以抑制利润；一假重于政治方式，如定量分配、凭证购买以统制物资、平抑物价，如限制提存、延缓支付以管制利润。前者可以英国为代表，后者可以德国为代表。这两种方式，一有赖于法律习惯，一有赖于政治组织。在我国能否充分实行，颇成疑问。但此非本文范围。即使不能充分有效，我们仍可从具体的生产政策方面求得问题的解决。此则为本文讨论的中心。

我们所谓低效生产，即充分就业下之生产。此所谓充分就业，自然是局部的，全部充分就业，事实上不会有，理论上也还成问题。事实上我们观察充分就业是以"边际效率"为标准，不是以就业量为标准。就业量是无法确定的，因劳工的弹性很大，如凯恩斯之所谓"不自愿失业者"即无法统计。同时边际效率一词，又是相对的而非绝对的。如以我国的生产效率和美国比，则差不多所有的生产都在边际以下，是一切生产都该停止，而由美国运来制成品，这不但在战时不可能，平时也做不到。旧日的经济学者头脑中存在着一个"自由贸易"的理想，边际效率要在这种理想下才着边际，而这种理想从未实现过，将来也不会实现。同时，我们用生产成本和价值来计算边际效率都是以货币为单位，即用价格来代表价值，这也必须是在自由市场的情形下才有可能，而此种可能在战时又是不存在的。战时各种生产品的价值是看他们对抗战的贡献如何，不是对货币的交换率如何。平时大家用什么都是拿钱从市场上买来，战时所需要的物资却不能全从市场上买来。平时市价指导生产，战时则否。

但我国产业界之有局部充分就业现象则系事实。例如煤和铁，都有生产过剩的现象，纺纱工业还有许多未开工的锭子，酒精有原料缺乏的困难，许多机器厂有动力不足的感觉，重要工业如炼钢、汽油等几乎都是在边际效率下生产的。但这些现象却不能以"充分就业"一语来包括，亦不能以"生产紧缩"一法来治疗。如果一定要用一句话来对付的话，则只能说"生产调整"而非"生产紧缩"。这里我们且撇开理论，举几个实例，来说明当前生产政策中的几个要点。

第一，我们需知道生产界的困难，并非由于一种或一类原因，有些时候是必须容忍的。试以煤为例。煤的情形，最严重是在去年夏季，岷嘉两江滞销之煤达十数万吨，停工矿场有 100 余家。其原因，除季节关系及江水陡涨外，主要由于岷江盐场之减产及粮价之飞腾（矿工供粮食），尤以粮价影响为巨。而粮价之高涨一部分由于天时，一部分由于囤积。至于盐场之减产亦大部分为人事问题，绝非食盐需要减少。如依生产效率说，此时煤之成本实已高过价值（当时煤之黑市已低于官价），但绝不能说此时煤的价值（对抗战的贡献）已不如从前，而应该紧缩，不过与飞腾之粮价比相形见绌而已。如此时粮价之高涨确由于农工之不足而来，则紧缩煤矿，变矿工为农夫，亦不失为调整之道。但事实并非如此，观近来粮价之稳定可知。是季节、天时、囤积、人事等原因，必须容忍或另想办法，而不能从紧缩生产入手。又如目前某金属矿，因提炼设备缺乏每天出品尚不足其本身自用，在这种情形下该矿自该紧缩了，但据云该矿的提炼机已有一部分抢运入国境，装置完备后生产力即可增加 30 倍，则目前的等待期间（虽则已有半年之久）仍是要忍受的。

第二，说我们应该全部计划生产，是太奢了。但个别的调整，是可能做到的。除非在个别调整无效或根本不能调整时，紧缩政策不能贸然实行。试以纺纱业为例，亦以去年夏天来说，当时重庆四家纱厂，停工的纱锭有 39000 之多，停工的原因，约有 10000 余锭由于电力不足，10000 余锭由于零件缺乏，7000 余锭由于装配问题，5000 余锭由于熟练工人不够。照充分就业来看，此时自当紧缩，但若详究其实，则又不然。因为各厂情况不同，电力不足之厂，配件并不缺乏，配件尚未进口之厂，又自有发电设备，缺乏技工之厂，其他设备尚属完整，倘各厂如能统一（至少是合作），据估计可有万余锭开工。同时若再减少城中商户用电，由已开工之厂代调工人，由各厂帮助装配，则一部分锭子又可开工。此时所应用的，即是局部调整，而非一般紧缩。局部调整固非彻底办法，但总胜于不调整。不过在这种工作中，人事问题就特别重要了。这是题外之话，我们也可举个题外之例。现在有两条大铁路停工，闲置的工具和技师遍布沿线，同时一条不到 100 公里的铁路要动工，却在那里开高价买不到工具，请不到技工。这是否工具和技工缺乏？

第三，我们谈另一种调整办法。我们所谓低效率生产是对不生产而言，低效率生产绝对不如高效率生产，但胜似不生产。在他未妨碍高效率生产时应由政府补助，以免因其高成本而影响高效率生产的价格。在他妨碍高效率生产时，即应勒令解散，将生产因素化入高效生产中，或行再组合，提高效率。我们可以酒精为例。任人皆知目前酒精工业已因原料不足而达充分就业现象。但如何处理，并非简单的紧缩。以四川而论，现已准登记的 48 厂生产能力达年产 580 万加仑，而本省酒精原料，糖浆（漏水）、桔糖、干酒三项合计可制酒精 470 万加仑，不过生产力的 80%，其余未准登记的 59 厂更不必说了。但这是根据平均生产效率而言的。据专家计算，效率高之厂家与效率低者相差 30% ~ 50%，故若取缔低效率生产使高效率者得以充分利用原料，则生产可增加 20% 以上，而生产力则可节约 50% 以上。所以我们主张应该就每种生产（至少是重要的几种）订立一个标准效率，在标准以下的分别性质勒令解散、并合，或予以补助。

第四，我们要谈一个比较根本的问题。凡稍悉工业情形者，都知道在中国办工业有一种特别困难，即许多设备和配件都须自行制造，别家出品很少合用。例如要办一个炼钢厂须先设炉制铁，要制铁须先开窑烧耐火砖，要烧耐火砖又须先开一个小窑以烧耐火砖窑的砖。此并非笑话，例如某某兴业公司，即设有炼铁厂、机器厂、电机厂、动力厂、火砖厂等，而各厂生产都是供该公司的炼钢厂自用的。现在钢还没有炼，因为其他各厂还没有完成他的使命。这现象似乎奇怪，其实说穿了无非是一个标准化问题。一切零件配件原是有的，不过是各式各样的，随主管人是哪一国的留学生而不同。外国差不多每国有一套工业标准，中国则兼有世界标准。最乱莫过于汽车工业，一个较完备的修车厂要预备 4 万种零件，才能修四种牌子的车。这是极大的浪费，也是中国工业发展极大的阻力。中国工业刚在开始，而标准化正是开始时应做的工作。

第五，我们谈一个小而重要的问题。普通的生产因素，无非土地、人工、机器、原料，但近代高度技术化的工业中。常需要一些稀少的因素，并非土地人工资本可能代替的。在这种情形下，全部生产量就要受这稀少因素的支配。这些东西往往价值并不甚高，但如果缺乏，纵有丰富的其他原料和设备，亦只好弃置。这是最不经济的事。例如汽车工业中的制轮膜（lynchpin film），染料工业中的二硝氯化苯，在中国都是无法制造，亦无法代用的。这些东西不受人注意，商人囤购者也不多，而一旦缺乏则影响其巨。如仍以汽车为例，现在无论哪一局处的卡车，恐怕都至少有一半成了病车。某公司能开动的汽车只有 5%，更不必提。停车的原因很多，而买不到零件或零件太贵也是一大原因。假如当初我们少买 100 部汽车，而买成 600 套零件，则今日可多修 500 部车子了。这种稀少零件是不能凭商人自由订购、自由竞价的，而必须由政府统筹购置，计划分配。以统制经济上说，这也是以简驭繁的一个妙法。

最后，我们谈一个不易谈的问题。目前后方劳工究竟缺乏与否？如缺乏，缺多少？我们不是专家，不敢妄答。后方的工厂，尤其是矿场，有出钱雇不到工人的事，是实情。但此所谓"出钱"和生产膨胀时不同。产业工人生活费涨了 30 多倍，工资增加不足 20 倍，以此论人工缺乏是不正确的。失业者确属很少，不过倒真是"不自愿失业者"减少，因为物价高涨生活艰难，迫使每人都不得不马马虎虎找个职业。这是"不自愿就业"。就业未必有事做，有事做也未必是生产者。退一步讲，假使现在已没有多余的劳工，那么有否调整的办法呢？例如重庆市如增加一辆公共汽车，则至少可代替 100 个洋车夫的劳力。这里就谈到一个节约劳力的最重要问题：效率愈高，劳力就愈省。或以为我国机器工业落后，新设备不能进口，提高效率不可能。此话只讲对一半，因为提高生产效率一半是靠技术与设备，一半要靠组织与管理。我们现在的情形，往往是设备愈完备的大工厂，管理效率愈低；技术愈差的工厂，工作效率愈高。半间门的铁匠铺所打出来的工具，往往比大工厂翻砂的出品成本还低。设若将翻砂车间和蒸汽锤搬进铁匠铺，或将铁匠铺学徒式的劳动搬入大工厂，则生产效率不知增几倍。前者是笑话，后者则正是解决问题的关键。任人皆知，我们半间门式的手工业之所以能与现代化工业竞争者，内中不知包含多少残酷的劳力剥削。反过来讲，现代化的大工业之所以和手工业差不多者，内中不知包含多少可惜的劳力浪费。

以上几点，自然谈不上生产计划，也谈不上生产调整。但我们相信如果做起来还不太难，并相信如果真能做起来，"充分就业""紧缩生产"等问题也可暂时搁置一下了。

〔原载《时事新报》（重庆）1942 年 4 月 12 日〕

论管理银行

我国银行法早经公布，但迄未实行。抗战后财政部几度商讨，皆以其中问题过多，一时不易实施，遂于 1940 年 8 月 7 日公布"非常时期管理银行实行办法"，为管理银行之根据。其内容要点有三：（一）集中各银行之存款准备金 20%；（二）规定各银行业务以投资于建设生产事业及联合产销事业为原则；（三）禁止银行自营商业以免囤积居奇。1941 年 12 月 9 日，又将该法修正，补充之要点亦有三：（一）除县银行及华侨内移资金之银行外禁止新银行设立；（二）规定抵押放款以加入同业公会之正当商人为限，每户数额不得超过总数 5% 并限制转期；（三）取缔银行职员利用行款经营商业。

此修正办法系于 12 月 3 日经行政院经济会议通过，8 日起财政部即会同市政府派员分组检查本市银行 85 家，27 日毕事，发现各行中存在颇多违法经营者，其集中放款，挪用行款，押品过期不赎等情事尤多，遂即咨请经济部会同财政部及市政府，于 29 日开始检查与上述有关之公司商号 173 家，于 1942 年 1 月 26 毕事。兹就此次两方检查之结果及财政部处理之经验，略论银行管理之重要问题。

此次检查中值得注意者即为信用放款问题。川籍银行之放款大皆比期，而中国全部为信用，并无抵押，因之各公司商号之借款颇多，超过其资本额有达数倍以致十余倍者。173 家商号之资本不过 9000 余万元，据云平时借款可达 3 亿元，现因年底归账尚有 8000 余万。此种信用放款之活跃可表示几种事实：第一，其放款用途必大部为商业周转。因生产事业类皆有较大之资本与充分之抵押品；第二，信用之活跃有赖于高额之利润，此种利润大部由投机利润所造成；第三，放款之对象必多为银行所附设或与其有关之商号，否则不能有如此高度之信用。

信用放款如此活跃而修正管理银行办法上或无任何限制之规定，所有条文皆指抵押放款而言，此实为管理银行办法上最大的漏洞，亦为造成信用活跃之原因。据财政部表示，信用放款之限制乃于各银行之注册章程中规定，即银行于注册时不予列入信用放款一科目。此法固可杜患未来，但对既成事实则无法应付。事实上各行之会计科目极不一致。比期放款又未禁止，银行之以借入科暂记科同业科入账者，亦无法稽考。例如某川籍银行即列有"定期整还信用放款""定期活还信用放款"等项目。银行注册条例中有银行科目并为明文规定，临时之审查自更感困难。此项检查后，财政部即限令各行于一个月内将信用放款全部收回或提供押品，自属正当措置。但事实上能否行通，还是疑问。设所提押品不过是公债之类，则无异将封存之购买力重行提用。至于今后取缔办法如何，亦应明令规定。

信用放款实即比期问题。此事财政部曾数度讨论，各报章杂志亦屡有论述，现已由财政部规定由中央银行控制利率之办法，每于比期前二日由中央银行核定利率，并规定放率不得超过存款利率 2 厘，需款之行庄并得提供押品向中央银行请求放款。此法之实行效果如何，尚不知情。然其法并未取消比期，亦未改革半日结算及日拆制度，其所能奏效者。仅在利率之控制一点。已往比期利率名义上是由钱庄与银行代表之钱业公会决定，实际上亦系由川籍两家银行操纵，存款与放款利息相差达三四元（指对一般顾客言，即达 1 分以上）。故此种中央银行控制办法，除看法律之执行程度外，尚须看中央银行对各银行之贷款如何。中央银行若尽量承担贷款，虽可降低利率，但必造成膨胀，与紧缩信用之本意相反。如不然则控制利率，恐无其实效。此次修正管理银行暂行办法中，对于比期存款，既不提存准备，对于比期信用放款，又不明文制止，则今后之存放款将全部假手于比期之途，中央银行之责任岂不过大？故现财政部所订之办法，仅可作为过渡期间之用，将来必须设法将比期取消，否则即应于管理银行办法中明定各种限制条例。

本次检查知银行放款多集中于少数商家，银行经理人或职员每有兼任在其他公司商店经理等事，同时经检查公司商店有一家化作数家向各行借款者，甚至仅有名称并无组织捏造地址者。川籍银行更多有以负责人手条向本行庄支拨巨款，商家中亦有以个人名义借款达 50 万之巨者。此种种现象均可表示银行除本业之外，兼营商业，其实即使不经检查，任何人亦知此种事实。修正管理银行暂行办法中规定银行对每户之放款不得超过放款总额5％。商业银行职员自营商业而挪用行款者以侵占治罪。同时 1941 年 7 月政府曾公布姓名使用限制条例，人民不得以堂名户记等代替真实姓名，凡此均所以限制银行之自营商业者。此次财政部以修正管理银行办法甫经公布，依法律不追既往习惯，对于上面情事，除个人挪用较巨之天祥、恒聚二钱庄勒令停业外，其余均限期纠正，不加处罚。此种办法，自属公允，但今后能否即防止银行之附业，则大有问题。法律规定甚为简单，而商业内幕则甚复杂。例如管理办法只禁止官办及官商合办之银行职员经营商业，则一般商业银行负责人尽可自立商号，该办法禁止银行职员利用本行行款，则各银行与其各商号之间，尽可互相利用，不过同业中一转账之劳。每户放款不超过总额5％，则各行尽可多立户头，或以客款名义转入商号账目中，或介绍货币借入款项直接存于商号。此次检查，即发现公司商号之自行吸收存款者不在少数，深恐银行管理再加严格，资金即将脱离金融市场，以后管理更形困难。

论者皆谓中国今日之若干银行钱庄，其主要业务根本不在金融业而在其附属之商号，金融业之利润亦不足以保持银行钱庄之开支，是禁止其经营商业无异于危害其生命。设果真如此，则今日我国之银行管理政策，殊可怀疑。因管理愈加严格，银行之经营必愈加巧妙，否则必迫于停业一途。吾人以为，此问题不能仅从银行一方面讲，银行之投机放款同为促长商业投机之原因，而商业投机利润之活跃亦为促成银行业务畸形发展之原因。若仅管理银行信用而不能管理商业市场，则不是资金脱离金融市场，即是管理有名无实。

银行缴存存款准备一点，早在 1940 年之管理办法中规定，但迄未严格执行，最近加强管理，银行方面已大都照缴，钱庄方面仍在往返洽商，故此次检查结果，未依法缴纳之钱庄仍属不少，就法令言，自应依法从处，但财政部为顾全事实，仍予通融办理。按此种缴存准备，只系由四行代各行庄保管性质，且亦给以利息，与集中准备之办法不同。即使能全部照缴，亦只有保障存户安全之作用，并无控制银行授信之能力，然在其他办法未实行前，亦不失为管理银行重要步骤之一。今后必须严格执行，且渐谋改进，不必固定于20%。使中央银行能随时适应市场情况而改变其缴存额，以控制信用。

此外尚有两点为管理银行所必须实行者。一即户名之限制，一即会计科目之统一。前者早由政府公布姓名使用限制条例，而此次检查，发现使用堂名户记者仍极多。今后对此必须严格执行，违犯者应即认为系"意图避免统制法令之限制"，即依该法第5条惩办，而不能如此次之宽大。会计科目不统一，为此次检查上最大之困难。四联总处早有存统一会计科目之议，而迄未见实行。其实此事原甚简单，其不实行之故，全因政府缺乏决心，恐怕行庄方面反对，技术方面并无大问题。如此点不能实行，则管理银行办法将大部等于具文，但有一点必须注意者，即所设计之会计科目必须简易切实，且不可如过去之某局因试行新式会计而增加三倍之盖图章的人。

最后吾人对管理的机构尚可略加检讨。一般说来，管理银行之权属于财政部，而执行管理者为中央银行。银行为营业机关，欲求其管理有效，不只在有法律条文之规定，尤须有业务上的控制能力，如英格兰银行之于英国各银行，联邦准备银行之于美国各银行。财政部仅规定硬性的条例，随时运用管理仍靠各中央银行的政策，如利率政策，公开市场政策，或改变储备额等。此点恰为我国银行系统中最大弱点。四联总处只是四个银行的联合办事处，而中央银行只是四个行的一行。无论四行或一行都无运用此种政策的能力和地位。20%的准备只是由四行代为保管，并非集中储备。因此财政部的管理仅可依据法律从事消极的制止或事后的取缔，绝无积极的领导或事前的统筹。

吾人以为欲求银行之管理有效，除财政部对于管理银行办法严格执行外，仍须力求扩充四联总处或中央银行的业务能力，必须使之真正成银行之银行始能有效，而此中最重要的步骤即为集中储备法之实行。因我国中央银行之历史甚短，欲求其如英格兰银行之能力恐不可能，而以我国幅员之广，将来必采取晚近流行之中央储备制度。中央银行改为储备银行之蓝本在战前已决定，此时虽不必多事更张，但不妨提前实行储备法，即以现有之中央银行或四联担任之。现财政部已令中央银行控制比期利率，又闻不久将由中央银行办理票据交换，中央银行现已有经营外汇，代理国库等特权，将来如再能独占银行，益以集中储备与办理清算，则银行之银行亦不难实现。至是银行之经营管理机构始可告完成，管理政策始能运用自行也。

〔原载《银行界》（月刊，重庆）第 1 卷第 3 期，1942 年 4 月〕

利润之谜

　　正当利润是正当工商业者的应有报酬，一如工资为工人的报酬，薪金为公务员的报酬。其大小决定于社会报酬率（social rate of returns）。技术之精进，管理之合理，勤劳与努力之结果，皆足以增进报酬率，即提高正当利润。但通常经营者之所得，往往超过其应得，此超过部分可名之曰额外利润。超过多少始为额外利润，颇难计算，但额外利润之存在则为事实。例如我国战前工商利润不过百分之十几二十几，如今能到百分之二百三百，绝非此时经营者之勤劳与努力较战前增加百倍，其来源由于额外利润无疑。

　　额外利润在英文称之曰"飞来福"（wind fall），飞来福并非经营者之应得，而为转移别人之应得为经营者之所得。故其增加，并不增加一社会之总所得。经营者之飞来福愈大，社会上其他人之财富被飞去者亦愈多，而社会之总收入不变，国富亦不变。

　　为了解飞来福之性质，可略引一代经济大师凯恩斯之学说，依凯氏之论，社会总所得中除去消费者外即为储蓄（非指银行存款），社会总生产中除去被消费者外即为投资（非指银行放款）。一社会之总所得须等于其总生产，故如储蓄额与投资额相等，则保持平衡，物价不变，亦无飞来福；如储蓄少于投资，则物价提高，飞来福乃发生。设若经营者将飞来之利润用于消费，则社会总所得中消费增加而储蓄减少（因总所得并未增加）。于是储蓄更小于投资，物价更提高，飞来之利润亦更大。故凯氏有言曰："经营者无论如何挥霍而消费其利润，即如数增加其财富。故利润为经营者增加资本之泉源，有如寡妇之聚宝盆（The Widows Cruse），无论如何奢侈浪费，永无枯竭之一日。"聚宝盆摇钱树之说，言之似甚眩惑，但实有此情形。试问今日沉湎于歌楼酒肆之投机商人，殆皆有"千金散尽还复来"之心理。物价虽高而奢侈品麇集，娱乐场人满者以此。

就一般而论，物价提高时，其他报酬（如工资薪金）亦提高，但其他报酬与经营者之报酬（利润）却不相同。理论上言，其差别有三：第一，物价之变化总在工资薪金之前。经营者皆系大量买卖，物价稍有变动，即可使其利润增加数倍，但工资薪金之增加，绝不能达于数倍。第二，工资薪金乃个人之报酬，而利润则常包括他人之应有报酬，因获利者乃集中许多经营者之幸运而来，如每个工人皆有工资，而不一定每个经营者皆有利润。其经营损失者，其幸运即化为他人之利润。故获利者利润之增加乃包括他人之增加在内，其变动必较其他报酬为大。第三，其他工作之所得，大部分为其个人勤劳之报酬（reward of a diligent），只小部分可称为等租金（quasi-rant），报酬其人过去之生活教育与处世训练等"资本"者。而工商经营之利润，大部视社会环境市场状况而定，其个人所能为力者甚少。物价变动时，对个人勤劳之影响甚小，面对社会环境市场状况影响极大。故利润之变动，恒较其他报酬为大。

企业之危险性愈大者，其通常利润愈高。正如亚当·斯密所述，此种企业合有"罗曼蒂克"。战时膨胀时，此种企业必特别活跃，投机利润亦特别提高。工商业利润不能与之比拟，乃脱离其原有报酬率基础，而追逐投机利润扶摇直上。此时在商业上即发生买空卖空现象一如行之于投机市场者（如证券市场、金市场），是可谓之"商业投机化"。可行在工业上则脱离生产，而以原料工具与存货之买卖为利润之源泉。如一工厂以其设备抵押贷款。以此款购买工具，再以工具抵押借款，购买原料，数月之后，工具原料均大涨价，工厂乃获厚利，远较消耗其工具原料以制造货物售卖者为大。此种现象，实已普遍今日后方市场中，多少厂家照生产成本计算月有亏损，而年终皆获厚利者以此。此可谓之"工业商业化"。其结果，必使利润之基础，转为对物价之投机，此后物价必须继续高涨，始能保持其高额利润，膨胀政策之结果，大皆如此。

利润与流动资本之关系，远较以固定资本为大。故普遍固定资本较大之企业，如自来水公共汽车等，此时利润皆相对地降低。社会资本，乃群逐于流动商品市场，物价（尤其是消费物价）更提高。又就资本之周转利润（Capital turnover profit）而言，周转期愈长者利润愈大。部分产业年周转一次之利润率，应为周转三次者之总和外加复利息。但平时经营者但恐物价波动并感资金缺乏，莫不如速周转，膨胀时期则物价不会下跌，资本又不患不足，长期利润有保障，囤积之风乃日炽。囤积愈甚，物价愈涨，利润也愈大。若囤积又能居奇，则利上加利，飞来之福更多。

平时利润常与市场之利率保持联系，且可以中央银行利率政策影响利润率。"工业商业化，商业投机化"以后，利润率早已脱离利息基础，金融业无法控制工商业，自身便也同流合污，卷入投机漩涡，此谓之"金融业工商化"，同时物价不断高涨时，利息率亦必提高，始足补偿货币跌价之损失。此时冀希所谓"实利息"（Real interest）作用。例如100元之贷款，5元利息，满期后币值跌落10%，放款人所收回之购买力仅相当原有之94.5元，实利息为负5.5元。实利息若保持不变，利率即须提高至16元左右。试一观今日比期利息与利润之关系，即可了解此种现象。

利润与利息演变至此程度后，一切投资与信用，必直接间接化为投机利润，此时膨胀之信用无论如何导之于生产之业，亦将无法增加生产。近来论紧缩与生产者，集中于辩论"充分就业"一点，我们觉得问题尚不只此。以中国后方之人力、物力，若能力行调整一定还有可用之生产力，但如不能恢复利润于生产报酬率之基础，即使有剩余之生产力，亦无法利用。如最近检查银行发现有抵押二年未用之问题，其他原料工具之入库仓存储者亦极多，是证明厂家有剩余生产力亦用之，以谋高额投机利而不从事生产。多次检查发现厂家有向四行借得低利巨资而以之投放比期者，是则利用因高利润而生之高利息率。利润利息高到此种程度，即已达到破坏生产之阶段，此后则生产愈衰微，利润愈提高，更由前述之飞来福作用，利润愈提高，飞来之福亦愈大。

是故战时政府无不努力设法限制利润。其最通用者为租税政策，而最成功者为英国。英国战时所得税利得税高至83.5%，据凯恩斯估计，其所膨胀之信用有3/4可由租税中收回。是利润转入国家之手。自不产生前述之作用。今年（1941~1942）年度之英国预算，更将战时过分利得全部归公，仅发还 20% 为战后工商复兴之用。德国则在扩军时代即限制公司股利不得超过 6%，超过部分须以之购买公债。欧战爆发后，此项公债皆不偿还，同时又开办股利税。股利超过 6% 者课以高额税，如公共电气公司 1939 年度之纳税额达其纯益 507%。美国亦于战后起草一份法案，限制公司利润不得超过 6%，日本则规定"七七"事变前三年之平均利润为准，其超过部分课以高税率。

租税政策乃限制利润最好之方法，但必须平时有健全之租税系统，人民有良好之纳税习惯。否则税率愈高，逃税愈大，而税收如故。此外如能限制提存，管理分红，延缓支付，强迫储蓄等方法，亦可同样限制利润，但此亦需工商机构完整，同业组合严密，直接管理物资与物价，再不然就限制消费，统制分配，则利润率不平自平。但此又须人民有高度组织力，政府有强大管制力。如此点再办不到，则唯有老老实实行紧缩政策，收回信用，使工商暂时凋替，利润惨跌，俟其达到生产报酬率之基础时，再进而增加信用，始能增加生产。此法虽笨，但舍此亦别无良途了。

〔原载《经济新闻周报》（重庆）第 13 期，1942 年 4 月〕

论大小生产

——再论当前生产政策

从亚当·斯密起，资本主义经济学就讲大规模生产，讲资本集中。小工厂不是被大工厂吞并，就须本身变成大工厂。时至今日，这个原则仍然存在，但本质上已起了变化。

第一，自计划经济倡行后，生产已扩大到以国家为单位。全国工业在一个总的计划下生产，不论规模大小，在全部生产中都占一个有机的地位。如果全国变成一个大工厂，就一方面说大规模生产原则已充分发挥，就另一方面说它也将成为过去。原来大规模生产的优势是因为它最合乎经济原则，并非因为它最合乎科学原则；因为它可用最低成本获取最高利润，并非因为它可以最佳组织发展最高技术。大规模生产自然较适合高度技术与新式机器，但资本家之采用与否仍是以利润为依据的。资本主义之妨碍技术发展的例子，早就有人举出过。反之，国家计划之中，如德国近年来发明许多代用品，多半比原来成本高，但是在一定条件下这是必需的，也是科学的。这就是说，以追求利润为目标的大规模生产原则将成为过去，今后新技术的发展不应受利润原则的限制。

第二，近年来管理物质的科学进步太快，而管理人的科学却发展很慢。现代技术绝非百年前人所知，但谈到社会道德还尽可引用远圣先贤的遗训。这从工业生产说，即工厂的管理赶不上规模的扩大。从一个工厂说，规模愈大管理愈难。从一个国家说，资本家的势力愈大，对国家社会的阻碍愈多。

从一个工厂说，一个包罗各部的万能工厂不如一个以契约为联系的小厂集团。例如美国在复兴运动以前，福特公司是汽车界的唯一领袖，现在却不得不让位给通用公司了。福特是个万能工厂，一针一钉都自己设厂制造，大恐慌一来便无法支持，全面停顿。通用是由许多小厂组成，恐慌只扫荡了一部分，而风险由大家分担。近年来福特也解散万能厂，采用小厂制了。从一个国家来说，战时工业动员最佳办法是所有工厂都平等地站在一个计划之下，任何人不得操纵居奇。采用这法的，即所谓成品分工制。一辆汽车，甲厂造引擎，乙厂造零件，丙厂打车身，丁厂制轮胎，再由一个总厂装配成车。每一成品厂都可扩大生产，但不能独自谋利，大规模生产的意义变了。

目前我们工业界，正潜伏着一个大小生产问题。我们的极为薄弱的机器工业，尚未建立基础时，已要被迫万能化了。而仅有的一些大工厂，尚未羽毛丰满就不能和小厂竞争了。这两点都是矛盾现象。前一点在拙作《论当前生产政策》（见 4 月 12 日本报）中曾经提出讨论，后一点则是本文所要讨论的。

为什么许多大工厂不能和小工厂竞争呢？从现在情况看，有下列五点。

一、设备问题。小工厂设备简陋，资本小。设备少工作范围也狭，但可随用随添，有些设备可等顾主订了货后拿定洋去买，同时有许多代替方法，可以应付。例如大工厂制造平面，至少要一架水平仪，小厂用打线方法也就对付过去。许多高贵的设备并非天天用，大工厂不可不备，小厂则可到时去借。例如一条天轴，必用铁盘，小厂装个木盘，也可用上几个月。又如锻铁，必须有地炉、电风，小厂用几块砖垒起来，不用时可烧水煮饭。从经济上讲，自然木盘不如铁盘，正如牛车不如汽车，但这是平时经济，不是战时经济，战时经济是不计未来的。所以因陋就简，总是小厂占便宜。更有时小厂没有的设备可以向大厂去借，不能做的可以交大厂代做，这又是小厂可以利用大厂，而大厂不能利用小厂。

二、技术问题。小厂技术自然不如大厂。但战时的需要往往只问有无，不重品质，香烟就是一例。有些产品战时不计精粗，如现在小厂风行的印度式纺机，成本甚低，但只能纺 20 支以下粗纱，而战时有此粗纱已够好了。又如七七纺机、三一纺机，成本更低，出纱也更粗，而销路更畅（另一原因是小厂不受平价收购管制）。纱的粗细一看便知，还有许多产品要靠仪器检测才能明确质量，小厂便可鱼目混珠了。如精确机台，须翻砂后经历风吹日晒数月后再刨光。大厂有一定规程，保证质量；小厂三五天即刨光，装配来却分辨不出。大厂每年要花一大笔费用研究试验和培训技工，培训完成，其所训技工就辞职自己去办小厂，试验成果也带走了。这正是现在中央机器厂的大苦恼。

三、原料问题。目前大部分工业原料不足，而受统制的原料大都有黑市。大工厂限于会计制度，原料不足时只好停工。小厂则可在黑市活动，多购多做，少购少做，没有原料时改做别的生意。有时市场来货，小厂虽分得甚少，但已足十天半月之需；大厂分得较多，但仍不能开工。如中国植物油料厂只两只坦克便容量 100 吨，运了半个月的原料不够几天消耗。又如酒精制造，全川每年 900 万加仑的产量，只够 470 万加仑生产的原料，而竞购中往往小厂占便宜。小厂高价购料，用浪费的方法（因技术差）生产，但不吃亏。因大厂虽不浪费原料，却因原料不足而浪费设备、技师、工人、管理人员；这种浪费，从全局来看远大于原料浪费。

四、风险问题。战时百货奇缺，但也有风险问题。如现在五金奇缺，但洋元过剩。因为炼钢设备少得可怜，而轧钢设备更可怜。价格飞涨中也有涨得慢的，即属风险。这里，小厂可按市面需要随时调整产品，并可和买方灵活协商；而大厂因设备关系，不能小做，大做又怕积压资金。再如防空设施，是大厂的一项很大开支，其实保护范围有限，重庆 25 家大厂合计不过 3.5 万多立方公尺，所能保护的财产，怕不及 1/5，轰炸来时仍然损失巨大。小厂则天然地疏散，省却防空费用。

五、最重要的是工人问题。小厂工人几乎全来自大厂。大厂的练习生，技术业务熟习后便相约跑出来开小工厂。另外还有兼任工人，大厂生意少或停工时，工人便纷纷到小厂做工，甚至有请假到小厂做工者。小厂工作灵活，人多多做，人少少做。小厂的工人都是"给自己做"，与大厂之给老板或给公家做不同，效率较高。尤其兼工者，回到大厂都不免打盹。工人跳槽，是目前大工厂最头痛的问题。

那么，今天中国的生产制度究竟应该怎样呢？从理论上讲，自然应该努力发展大规模生产。但平心而论，支持抗战五年之久的功劳，小工厂和手工业者并不亚于声势喧赫的大工业。例如纺纱，后方新式机纱年产不过 6.8 万余件，而木机和手纺则每年有 40 余万件，为机纱的 6 倍。织布，机布年产不过百余万匹，手工织布则逾 900 万匹，为机布的 9 倍。例如冶铁，至 1939 年底川省 15 吨以上的 4 家大厂没有一家全部完成的，5 吨以下的小厂则 13 家中已有 11 家出货，而大部分仍靠民间土炉。滇缅路已断绝，大工业的设备也更难。今后战事愈紧张，大工业受的打击也更大。从过去看，大工业代替不了小工业；就今后看，小工业远较大工业有发展余地。现在增加对大工业投资，战争中未必能收利；但若尽量发展小工业，则中国工业基础永建立不起来。何去何从，真是个难题。

要解决这个问题，还须对上述各点再进一步分析。上述小厂占便宜多，但须注意。

第一，有许多便宜是由一个原因来的，即战时的特殊环境。设备与技术的因陋就简，原料与工人的互为竞争，以及意外风险小，都是战时的特殊现象。现在中国的工业界还是在无组织状态中，在无组织状态中，小的比大的更能适应多变的环境。这原理非只工业界如此，各界都是一样，说穿了不值一钱。但解决问题的关键就在这里。要使大小生产能各安其位，协调运作，就非从组织上入手不可。从这一点说，上述小生产的许多便宜，可以说是政治的，而非经济的。

第二，上述小厂的许多便宜，是说它有许多赚钱的便宜，不是说有许多发展的便利。从技术上讲，小厂永远要拾大厂的牙慧。小厂虽能赚钱，但所赚的钱只能随手消费，不能用来发展事业，因为一扩大设备，就成大厂，种种便宜就随之消失了。有个朋友有家修车厂，一年赚了 10 万，后来同人合伙扩充，生意就差得多了，最后将它分为两个小厂。从这一点说，小生产的许多便宜是经济的，而非科学的。

本文一开始就讲，时至今日，大规模生产的原则已发生本质的变化。现在经济事业已在政治控制之下。全国生产都应在国家计划之下各守岗位，无大无小。同时，大规模生产的原则已由经济的意义转为科学的意义，不问赚钱多少，但问技术如何。认识这两点，我们就可以给今后中国的工业生产制度找到一条出路。

第一，上述所谓政治的原因，要用政治的方法来治理，这就是要把生产界组织起来。此事却非容易，但问题不在难易，而在有无实行的精神和毅力，大约一切政治工作都是这样。最近国家总动员法实施了，工业动员也在其中。不过如果没有组织，动员是自动的。现在要有决心做这件事，是时候了。要真干起来，不是开会做文章，最好从具体问题入手，如前述原料的分配，稀有因素的控制，以及资金贷放、连锁制度、订货制度、易货制度、集中购买等，一项一项制度化，生产就组织起来了。

第二，上述所谓经济上的便宜，要用经济的方法来对付。简言之，即打破传统竞争的利润制度。或谓根本推翻利润制度非革命不可，也许是对的，但大敌当前，现在是说打破，不是推翻。以英国这种资本主义的老祖宗，战时的利润也是被所得税打破了；所得税高达100%，就是说多赚的钱不是你自己的。战时的利润率，不论经营的大小，都该一样，德国和美国都是6%，日本是"七七"事变前的平均数，过高的利润要征发，过低的就要补助。大小生产能利润率相等，至少是差不多，竞争的事就少了，国家的政策就可多用些科学考虑，少一些利害纠缠了。管制利润之说现已成最时髦的文章，事实上是几年来统制来统制去，不得不统制这一着了。这里面自然问题还很多，不过非本文所能述了（可参见拙作《利润之谜》，《经济新闻周报》第13期）。

以上两点还不是真正的生产政策，不过如能做到，生产政策就好谈了。战时的生产政策是以物资为中心的，大小生产都应利用，而不彼此妨碍。虽是适应战时环境和需要，但应看到，就大形势说，经济学上大鱼吃小鱼的一套原理已成过去，代之而兴的是新的生产理论，科学重于经济，技术重于利润，全体重于个体。就建设说，不可仅注意建立大工业而忽视小工业。今后的企业家也不应再梦想成为什么大王，大王的时代已经过去了，自由主义终成幻想，计划生产听之甚远，但看来也就在目前了。

〔原载《时事新报》（重庆）1942年6月8日〕

利息与利息政策

一　利息政策

利息政策之议论始于 1937 年之恐慌。依凯恩斯氏之分析，一般对利息政策之理解可分为四种。第一，以为银行可以利息保护一国之金准备（如吸收外国投资等），而稳定金融。如高森氏（Goschen）、白芝浩氏（Bagehot）皆倡之。第二，以为利息可影响社会心理，借之以控制资本流动，此皮古氏（A. C. Pigou）之主张。第三，认为利息可控制银行之发行及授信，即可控制货币量，而直接应用数量说，旧日学者如马歇尔、皮古、霍曲莱（Dr. Hawtrey），基芬（Giffen）等皆主之。第四，以为利息可变更投资与储蓄，如利息提高，投资减少而储蓄增加，物价乃降低，如加赛尔（Gazeru）、凯恩斯、威克塞尔（Wicksell）等皆倡之。

第一种事实上为英国及欧陆常用之方法，平时亦可奏效，但以之应付金融恐慌则力有未足，此可于英国最后一次之脱离金本位时之失败中证明。今各国均已脱离金本位，此项作用，乃属至微。第二种心理作用自随时皆存在，但未能解释利息政策全部理论。第三种之说法，在旧日最为通行，即高利息必影响工商业之成本而阻止其大量借款。但银行利息所影响者为短期贷款，此种贷款与工商业之已投资本相比，为数甚微。已投资本及永久性或半永久性贷款（如信用公司债）并不受银行利率之影响。新德氏（Carl

Synder）曾谓短期放款不过如一与大蓄水池相连之小蓄水池，大池水稍有升降，即可使小池涨溢或枯竭，反之，小池水尽量升降到大池之影响则甚微。新氏曾从统计上证明，利息之变化性与资金之总量成反比，利息之不变性与借贷之期限成反比。并结论谓："高利息为产业膨胀或投机活跃之结果"，因商人在计算成本时，对利息一项并不重视。密契尔（Wesley Clair Mitchell）亦从统计上证明，如 1919 年美国制造业所付之利息占其利润的 13.7%，矿业中占 45%。故利息之变化在短期内不过影响利润，尚不足以影响成本。观今日我国比期对工商之影响亦可略知。

利息政策之作用，仍当于第四种投资与储蓄之学说中推求之。此说始于费希与加赛尔等氏之稳定货币（Stable Money）论，至威克赛尔与凯恩斯等之手始完成，稳定货币运动，近年来已渐渐消沉，代之而起的是产业稳定。银行界之任务，即在以银行利息及信用能力，造成产业之平稳的进步。

二 理想利息——平衡观念

储蓄与投资之学说，为利息理论上之一大进步。此虽在李嘉图之著作中已见端倪，然加赛尔之前竟无人做此努力。

加赛尔之论有所谓"真利息"者（Real Rate）其作用"在使安排新资本（New Capital-disposal）之需求与其供给相合——即与新储蓄之资本相合"，又谓："银行利息如与平衡利息（即真利息）相等，物价即可保持平稳。即此时银行不干涉利息市场，而使其自寻自然之平衡"，此所谓平衡利息者即由储蓄之供求所决定之利息。其意即银行之放款应以储蓄为准，资金无过剩与不足，物价自平稳（利息原为一比例数，非数值，本文所称利息者即利息率之意，下同）。

但储蓄之大小能否受银行之控制颇成问题。储蓄非银行存款，乃社会中不用于购买之购买力。其大小视个人对钱之处理观念如何，随市况与风习而异。加氏又谓，如利息提高，"则可限制安排新资本之需求，同时增加储蓄，结果实物资本之总额必增加，社会之生产力乃自社会消费品之生产转移至投资品之生产上，或其生产力较前更加强运用，此即通常所谓商业循环中之景气高潮。待至生产不能负担此高利息时，反作用即发生，实物资本之生产一般的减退，而萧条至矣"。此如就凯恩斯之投资与储蓄学衡之，实似是而非之论。加氏虽亦分别实物资本与储蓄，但究未能分清。彼相信任何储蓄之后皆跟随投资，此正一般经济学者之错误。此点容后述之。

再就其说推论，设如利息降低，投资增加，则资本之边际效率亦降低，因使资本之需要减少，市场利息亦降低，此时真利息亦必降低，始能保持平衡。于此，则加氏之真利息则实与资本之"边际报酬率"（Marginal Returns）相混，因如加氏所说，物价既保持不变，则投资增加后，已投资本之边际报酬率自然降低，即货币之价值逐渐降低，利息亦降低。加氏虽申述其真利息并非"边际生产力"（Marginal Productivity）。但实未能脱离此观念。事实上借款并不受边际报酬率之限制，因第一，如物价看涨时，则实物资本边际生产之货币价值反可增高，是边际报酬率（以货币计值者）可以较市场利息为高，而不妨碍借款之进行。第二，借款者事实上并不看现有资本之边际报酬率如何，所关心者乃将来之投资报酬如何，即须看未来之市场（亦即物价）趋势如何。故加氏之说，如欲保持物价水平不变，则真利息等于虚幻，如欲求理论上之真利息，则物价不能不变。此正一般平衡观念利率之相同缺点，正如哈耶克（Hayek）所说："银行可使实物资本之需求与储蓄之供给相等，亦可使物价稳定，但不能使两种任务同时完成。"

三　理想利息——实物观念

此间矛盾，乃出于追求理想利息之"中立性"而来者，即希望其不对物价发生作用，而使其达于自然之平衡。此外尚有欲保持一不变实物值者，如费舍尔（Fischer）之"实物利息"（Real rate），或斯拉法氏（Sraffa）之"商品利息"（Commodities rate）。费氏之实物利息，乃将借贷之本金与利息同按物价指数修正者。如借款百元，利息 5 元，若满期后币值已跌落 10%（即物价高涨 10%），则资本主所收回者不过原来 94.5 元之购买力，实物利息则为负 5.5 元。保持实物利息不变，则利息应加至 16 元左右。膨胀时期或繁荣时期，高利息之现象，可一部分由此中解释之。但费氏之错误，在未了解货币资本之连续过程，实际上，本金不应与利息同受物价之影响。此点见本期拙作《利息》一文中，兹不赘。

斯拉发之商品利息乃就易货制度中推论者，如借款百元，年利息5元，以之购买商品，一年后售出，又收回百元，此时期中所借入者实际为商品，称其"商品利息"即5元所能购买之该项商品。在平衡状态中，如若物价不变，各商品之"商品利息"均相等，即均等于货币利息。如物价变动，一年后售价仅得90元，则其成本为10元加5元即15元，"商品利息"即此15元所能购买之该项商品，即商品利息与市场利息不合，如各商品价格有涨有跌，平均价格不变，平均商品利息亦不变。银行利息政策，即应以此平均商品利息为标准。斯氏之说，有若干未能成立者，事实上市场利息并非与理想利率相合始能稳定币值，市场利息稍有变动即可使物价波动甚剧，此可于威克塞尔之学说中说明之。又谓平衡状态中物价不变者亦非确论，此可于凯恩斯之学说中见之。

四　理想利息——正常利息

首先对利息学说作有系统之研究者当推威克塞尔氏（Knut Wicksell）。提及威氏每忆及瑞典"稳定货币"政策之成功，其实威氏学说在理论上并不能使币值稳定。威氏学说之最精彩处亦在于此。

威氏之理想利息为"正常利息"（Normal Rate），"正常利息者，即贷放资本之需求与储蓄来源之存蓄正相等时之利息，此利息，多少与新投之实物资本之希望的报酬相合"。威氏又定义其正常利息，为一时期之投资，与该时期之可利用的储蓄相合时之利息。一时期投资之大小，不决定于储蓄额〔如储蓄增加，物价降低，投资可保持不变，此即凯恩斯有名的"香蕉例"，亦不决定于该时期可用资本（指实物资本）〕，而决定于当时生产之资本化的组织（Capitalized structure）此即投资品之生产者（非消费者之生产者），将银行货币加以组织而用之于生产之资本。此种分别，乃威氏（凯氏亦然）学说之所以异于他人者。

威氏更重要之贡献，在说明促使实物价值变动者，并非市场利息之实际的高低，而为其与正常利息间之差异。其差异之由来，往往由于正常利息变动后（如因资本运用方式之改良而使新投资本之未来的报酬提高，即正常利息提高），市场利息不能追踪而变动之故。高利息时有高利息下之平衡，低利息时有低利息下之平衡，唯利息与正常利息差异时，平衡乃破坏，物价乃波动，如银行在正常利息之下放款，则（一）储蓄减少，消费品之需求增加，其物价高涨。（二）因需求之增加，并因低利借款容易，经营者对劳工原料等之需求增加，劳工之总收入亦增加，乃造成消费品物价之再度上涨。此时如市场利息提高至与正常利息相合，而得到新平衡，物价乃留于高利息之水准上。

威氏又认为其正常利息，即在非货币经营中应出现之利息，因依威氏之说，正常利息决定于可利用之储蓄，经资本化之组织之资本，其意即实物储蓄也。如在非货币之经济中，由实物储蓄之供求所决定之利息，自最为正常。故在货币经济中，市场利率与此正常利息有稍微之差异，即足以造成物价之波动，因就货币形式言，储蓄之供求虽失调甚微，而就货物形式而言，则差异甚大。此点亦为威氏重要贡献之一。但"非货币经济"之说，实为威氏学说中最大之漏洞。因所谓"实物储蓄"者本身实不存在，此稍悉凯恩斯之学者即知之。任何储蓄皆为储蓄购买力，如储蓄实物，仅为个人所节余之消费品，此消费品除预备将来消费外不能用于投资也。

威氏学说之另一缺点，即多少将其正常利息与实物资本之未来的边际报酬率相混，而受后者决定。前述加赛尔之真利息时会论及，边际报酬率非理想之利息，下于凯恩斯之学说中仍可见之。

五　理想利息——自然利息

凯氏之理想利息为"自然利息"（Natural rate）。自然利息者乃保持储蓄率与投资率相等之利息，此时生产品之物价水平与以货币计值之"生产诸因素之有效报酬率"（Rate of Efficiency Earning of The Factors of Production）正相等。

凯氏学说之第一特点，即所谓储蓄率与投资率之相等，此固与加氏、威氏等新增储蓄或新投资并非相同，但就凯氏之本意而言，似乃谓二者如保持相等，则短期性之物价波动无由发生，至于长期性之变化，仍属另论。此可由凯氏基本公式中前项后项之作用见之。第二，凯氏之自然利息，似亦与加氏及威氏之理想利息一样以资本之未来报酬率为标准。但凯氏于"有效报酬率"一点，则另有说明。有效报酬率与勤劳报酬（Effort Earning）不同，后者为每单位勤劳之报酬，前者为每单位生产之报酬，如工资为计时工资，与工人之勤劳是否无关，如为实物工资，则随生产量而异，货币管理当局能使投资与储蓄之比例不变，物价自不变，但如此时有效报酬率改变，物价亦可自变。凯氏称此为"自变"，此种自变统由现在之工资制度而来。主管当局如不欲此种"自变"发生，亦可再变更投资与储蓄，而引起反作用以抵消此"自变"之趋势，故凯氏谓："吾人如能对报酬制度（或工资制度）与货币制度皆能控制，则可强制改变报酬率，并可于改变此报酬率时供给适量之货币，亦可控制投资率，吾人即可稳定币值——货币之购买力及劳动力或其他。但事实上吾人能大部分控制货币制度而不能控制报酬制度，故不能强运用前者以抵消后者。"由此可知凯氏"自然利息"之说，不过就货币制度中投资率等于储蓄率之利息言，非使物价不变之利息。欲物价不变亦可，但非以自然利息率为标准，是与加氏及威氏之资本报酬率为标准者不同。

凯氏著作中曾有一段声称：利息提高后，资本商品之价值乃降低，故利息上升，投资品之价格下降，结果即使新投资受妨碍，新投资价值与投资品价格之比例亦减低，投资率乃小于储蓄率，而物价下降。揆凯氏此段之意，似亦承认资本之报酬率作用，但究之此段乃叙述银行利息变更之影响者，非叙述自然利息之决定者也。

再有，凯氏之视资本之未来报酬率者，乃专就固定资本（Fixed Capital）而来，工作资本与流动资本均除外，此点曾遭受若干学者之批评。凯式之辩护为由统计证明，后两种资本在数量上所占比例甚小，可略而不计。同时工作资本之未来报酬难与生产成本划分，极难计算。

凯氏对利息之其他见解，已散见于前节各处。吾人再就其大著中"银行利息政策"一章加以研究，作简短之结论如下：

1. 银行利息之改变影响市场利息，脱离"自然利息"，即破坏储蓄率与投资率。

2. 影响储蓄者甚简单：储蓄增则消费减，消费品物价乃降低，反之亦然。

3. 影响投资者甚复杂：（1）使资本商品之生产者利润改变，而（2）改变其产量，并（3）改变其价格。其原因：（4）由于该项商品之需求价格改变，及（5）购买该商品之心理改变。需求价格之改变乃由于（6）固定资本之未来报酬率改变，及（7）未来所需资金之利息改变。其未来报酬率之改变，乃由于（8）未来之实物报酬（Real Yield）改变，及（9）此实物报酬之价格改变。（5）（6）（8）（9）为直接影响者，余为间接影响者。

4. 使消费品价格（第二条）与投资品价格（第三条）（3）同时同方向改变（同涨或同跌），两种物品之生产利润必亦同方向改变。于是平均利润率乃向此方向改变，而使报酬率向此方向改变。此方向者，乃与银行利息之改变相反者（此点见于凯氏书第四卷中）。

5. 因报酬率改变，使货币之需求量改变（因在凯氏基本公式中由于第一项之利息而改变物价者必改变其货币量）。但此种改变如大部由于储蓄方面者，则生产量不受影响，货币量之改变甚微，若大部由于投资方面者（通常如此），则生产量改变，货币之变更甚大。

6. 银行利息又同时影响通货流通速度，影响商业循环时间，影响国际资金之流动。三者均影响货币之数量。

六　结论

由上述吾人可得若干结论。

1. 理想之利息，乃使社会一时期之新储蓄与该时期之新投资相等之利息，在此利息下可减除产业上短期性之波动。

2. 理想之利息，并非资本之未来报酬率，亦不以其为根据。未来报酬率乃根据已投资本"预测"而尔，其实现与否，尚须根据当时之利息如何。

3. 理想利息对物价并不中立，并不能保持物平价稳。物价之变化并非由于市场利息之高低，而由于其与理想利息差异之大小。

4. 利息政策之目的，如在使物价平稳，则不与理想利息相等。如在使商业稳定，则应与理想利息相合。

〔原载《银行界》（月刊，重庆）第1、4期，1942年6月〕

如何收缩通货

1941 年夏天美国讨论扩军时，毕德门曾在国会提出高论："政府为救国而借钱，应付利息么？"其结论是：政府财用不足，应发钞，不应募债，公债要赔上利息，发钞则否。这话在稳健的美国人提出，颇为有趣，许多报纸大加议论。欧战爆发时凯恩斯在伦敦《泰晤士报》上连载"如何筹战费"，这次美国报纸便标题"如何不筹战费"。

发钞有许多便利，不只在不付利息。更有许多理由，不失为借充战费方法之一。近来"统制膨胀"的理论阐明，世界上已无第一次欧战时之"怕膨胀病"。但世界上还没有一个国家敢发钞而"不"筹战费。发钞票尽管发钞，还要另有方法筹钱以偿还所发的钞。通货问题的困难，不在如何不增发，而在如何能收回，或虽不收回而无害。于是便有两种对付的方法。

一种是如何收回的，这大部是靠经济力。普通皆于开战之始尽量发钞，然后再拼命推销公债，以收回过多的通货。但公债要以租税担保，以租税付利息，最后还是以租税还本，所以最好的方法是直接以租税收回。这可以英国为例，据凯恩斯估计，英国战时增发的通货有 3/4 可由租税中收回。此中最常用的是所得税和利得税，如英国 1942 年度已将过分利得全部归公。公债和租税之外，如强迫储蓄，延缓支付，提倡保险等皆为此类之方法。

一种是如何不收回而使之不为害的，这大部要靠政治力，普通皆从掌握物资入手，如实行定量分配，计口授粮，凭证购买，限制消费等，虽有过多的通货，也买不到物资，无形中等于购买力被封锁。若再能管制工商，则又可实行德国式的"金融技术"，如膨胀中性化，自动偿付，封锁货币，循环支付等。

我们现在是两种方法都用过了，而事实上是都未十分有效。时至今日，上自当政首脑，下至更夫走车，几无人不知通货与物价的原理，几无人不谈论法币回笼的计划。时至今日，可以说古今中外所有的回笼妙计，能提出的已都提出过，能试行的也都试行过，然而仍是不十分有效。

其故何在？任何办法，不外上述两类，而两类都非易易。第一种须要有健全的经济组织，良好的租税系统，人民有购买公债和储蓄纳税的习惯。如以利得税而论，现美日德等均限制利润率于6%，我国现行利润怕有达600%者，利得税之效果可知。第二种须要有健全的政治组织，良好的行政效率，人民有服从法律和遵守命令的习惯。如德国式的物资统制办法，在我国如何行得？

如两者都不能有效，试问尚有第三法否？曰有，不过是吃力不讨好的笨法，即紧缩政策是。此政策有两方面：一是财政节约，既不能收回通货，不如趁早少发点，如裁减骈枝，汰除冗闲，罢土木，停大会之类是；一是信用紧缩，使工商暂时萧条，利润式微，消费锐减，物价回落，币值升高，投资无路，货币乃暂时回笼。

这个方法我们也曾试行，不幸也少见成效。财政节约似乎无人不赞成，但也无人肯实行。不肯实行之故，或即由于其吃力不讨好一点。但平心而论，即使施行，效果也难说。其实现在政府的预算，若照币值折算，不但不大，反比战前小得多。政府支出的大部分是薪津公费，薪津事实上是不能再减，公费所能省者也有限，一部分人员虽可裁撤，但彼等仍须生活，并不减少社会消费量。依1941年年度之预算，中央行政经费不过占总支出4%，行政、教育、文化、债务、救济等合计亦不过占11%。行政院一部行政费不过八九万元。即裁撤10个部亦不抵一个大企业公司的开支（某公司开支400万元）。所以欲行紧缩政策，势非自信用紧缩入手不可。此问题非本文范围，但我们站在法币回笼的立场上无妨说，信用紧缩是法币回笼的最后一招。如其他办法行得通，尚可暂不紧缩信用，如其他方法均已无效时，则不得不乞灵这一招了（从生产上看自然别有信用紧缩的理论，但此点吾人另有意见，见4

月 12 日《时事新报》"星期专论"拙作《论当前生产政策》)。

现在我们不谈法币回笼则已,一谈免不了多头并进,三管齐下。我们相信,要找一个轻而易举的新奇妙计,恐怕是没有。此无它,就是因为我们的国家是如此,既不能完全用资本主义的政策,又不能完全用统制经济的手段。因时制宜,我们还得想自己的办法。

首先,租税是早就该提高的,自然是指直接税。目前我国利润率已冠于全球,而所得税利得税率较任何交战国都低。提高之说,说了几年,过去因循的原因,是怕税率愈高,偷漏愈大。今后此怕仍然存在,但不能畏难而止。此外征税范围,亦应扩大。最近财政部已规定,征收财产转移所得税,财产租赁所得税,征收的是纯收益,不是以利润合资本额为准,且为累进,由 2% 至 10%。此种办法,为我国直接税开一新纪元,其他如开办都市地价税及土地增值税等,亦应相机进行。印花税率已经提高,成绩不坏,此税习惯已成,亦不妨再增。

如此增税的效果究竟如何?就难得讲了,如仍无效,势不得不于旧有系统之外,别谋出路。租税中最重要的原则是公平,但公平有平时战时之分。平时人民对国家的义务是贡献,战时的义务是牺牲。贡献以所得大小为准,牺牲则以能力大小为准。直接税大都是课所得的,所得愈大,纳税愈多,而不是课其纳税能力的,如某君资本百万,赢利 50 万,即纳 50 万利得税,税率不能算不高了,对国家贡献也不能算不大,但纳税后此公仍有资本百万,其对国家的牺牲何在?较之捐躯沙场者如何?这次我们抗战的口号是"有力出力,有钱出钱",而直接税的基础大都是"赚钱出钱",赚钱出钱是贡献,不是牺牲,合于平时,不合于战时。如增税办法无效,则不如根本不增税,而改行有钱出钱。财产税或资本税是有钱出钱的办法之一,此外,不用说,更有直截了当的办法。

租税之外,公债政策仍要努力推行,公债劝销不易,势非派销不可,财政部早拟有"征募公债实施计划纲要",其所定标准,似甚恰当,但至今尚未批准实行。最近拟定 10 亿元的同盟胜利公债发出后,似不可再迟疑了。此外 1 亿美金的同盟胜利美金公债,当能对游资发生若干效果,最近发行的金储蓄券,功效可视同公债。

最近各方面讨论证券市场问题,中枢已大致决定开办,证券市场对游资的作用可分两种：第一是吸引部分资金，从事于公债股票之投机，投机虽不是好事，但总比用去囤积货物好；第二种是吸收一部分资金投入生产事业，而减少银行的信用膨胀。开办证券市场自然问题还很多，何项证券可开拍，何项不应开拍，还大有讨论的余地，不过此非本文范围，大体说来，开办证券市场对法币回笼是有益的。

如果我们能拿出些金银或金银券，开办金市场，收回法币的效力一定比任何证券都好。此事早有人提出过，财政当局则考虑唯谨。一则存金不多，二则恐破坏法币准备。前者是事实上的困难，后者其实不成问题。如今纸币时代，准备金早成告朔之羊，除供国际支付之用外，并不能维持币值。今吾人如若有许多之外汇，国际支付又何患无法交付？有人主张出卖美金，其作用亦相仿，当局对此尚在考虑中。目前关金库券已经流通，其价值与美金相等，如此次金公债之效果不大时（视前此所发之英镑、美金、关金等公债可知），出卖美金一点，似应值得考虑。

此外，增加储蓄的办法，还需多头并进，最近有人倡办合会，农民银行已在试行。其实过去民间的合会不过是帮助周转，积小量呆滞之资金为流动资本，并无增加储蓄的功效。今后如办合会，最好由深入民间的各地邮局主持，同时限定贷款用途，以补助工业合作为准。又有人提倡开办投资储金，此为信托事业之一，人民见于目前工商业利润之优厚，或甚乐于存储蓄，亦未可知。此外如社会保险，人寿保险等自应随时进行。原有的节约建国储金，数目已不少，但流弊也不少，有些储蓄，变成了账面储金，必须设法予以纠正。此外关于储蓄有两点注意：一是强迫制必须实行，二是限制提存必须彻底，各国行强迫储蓄都是以所得税为基础的。我们所得税的困难是"查无实据"，任人皆知某公司赚钱多，某公司分红厚，但账面上查不出来。最近经济部制订有审核账目的办法，然只是将每日账簿交主管当局盖印。主管当局日理万机，岂能一一过目？即使查清，如所盖印的账簿本是假账，又有何用？审查的办法愈密，规避的诀窍愈多，道高一尺，魔高一丈。为今之计，莫若根本舍弃租税系统，另制定摊销摊派的办法，大户多派，小户少派。此法虽笨，但也颇合中国人已往的脾气，偶一行之，不为一策。

最后，我们该谈到信用紧缩这一招了，此间本刊曾有专人撰文讨论，不必多赘。此间所要讲的，即我们明知今日的病源是通货过多，并非信用膨胀，但仍不妨以收缩信用来遏制一部分通货作用，因为因果之间，总是要联的。

紧缩信用的第一步是管理银行，此问题有专文讨论，此处不再赘述。最近财政部规定限制信用放款办法，可谓百尺竿头又进一步。借款者须有两家担保，呈报用途，每户不得超过信用放款总数5%，其总数又不得超过全部放款额50%。此法较前此"一律提供押品"之规定已切实得多，但仍未能达收缩信用之目的。信用收缩不只在量上，尤须注意质上，即贷款之真正用途，与此政府除一般政策外，仍须另作专门的管理。

一般政策是指以金融控制工商言，如银根之松紧，利息之高低，公开市场政策等，此间所谓专门的管理，则指以工商业指导金融而言，如以商业论，政府可调查各地市场，排列商贷顺序，使银行放款于最需要之物资。如此时重庆最需要者为棉麻，次为粮食纸张等，再次为食盐等，即银行放款应尽棉麻商人先做，粮食纸张等次之。其利息应棉麻商人最低，粮食纸张等次之。同时在顺序最末位者，应禁止贷款。此次财政部限制信用放款办法中曾规定其借款须用于集散市场购运必需物品销售者，并举例"如盐商由产地运盐至销地之借款，或五金商由衡阳、金华采购货物来后方销售之借款"，此种规定，嫌过于笼统，且不应限于信用放贷、商业押款押汇等，亦应同受管理。

工业方面，情形较复杂，但更重要。第一，政府应规定数种生产专业标准效率，在标准以下者，应禁止普通银行投资或放款，而另由政府补助或勒令停办。因我国生产技术落后，物价高涨以来，效率极低之生产亦多运行开业。以致生产成本超过其价值，是即"充分就业"之现象。系因物资上涨过狂，并有种种投机利润，故经营者仍有利可图。然其浪费原料及人工动力之处，以致影响高效率生产之成本。又因物价常决定于最高成本，故低效率之生产有抬升物价之功能特点。此种低效率之生产有为国防民生所必需者，应由政府特别补助，不应由普通银行资济，其足以影响高效率生产者，则应勒令解散。如最近经济部对于酒精工业之处置。据估计若将低效率之厂停办，将其原料加入高效率之厂，则生产量可增加20%。而生产力可节省50%。此所节省之资本，即为最正当之信用紧缩。

一般之生产贷款，亦应仿商贷之例，由政府调查市况，按土地、人工、工具、原料等生产因素排定贷款顺序。如此时纺织工业中最缺乏为原料，次为动力，次为人工，则厂家之以原料请求押放者应由银行尽先承做。因该厂既有原料，取得贷款后立即可以增产。同时又可依市场情形排定产业顺序，如本例中生产酸碱之因素尚有余力，而酒精原料已感不足，则应令银行承做酸碱工业贷款，而禁止酒精贷款，将化学工业之劳工、动力、技师等自酒精工业移至酸碱工业。同时又可排定产业放款用途之顺序，如过去限定农贷之应用于农田水利之改造，不应放于一般用户。

此种办法，实行自非易事，政府须设立专门委员会处理之。但此种办法，实为信用紧缩之正当途径，否则一般的减少投放，则所减少者必非高利润之投机资本，而为低利润之生产资本。

〔原载《银行界》（月刊，重庆）第 1 卷第 5 期，1942 年 7 月〕

论生产调整

缅甸和东南战事的结果，中国已被动地成为一个自给自足的国家。此时我们经济上最主要的课题，即在如何运用后方现有的生产力，增加物资供给，以求得真正的自给自足。此时我们在确定生产政策之前，有几点前提是必须认清的。

第一，我们对于物价问题的观念，该有些改变了。过去我们是太注重物价了，政府为此不知花了多少心血，人民为此不知发了多少议论，而物价始终没有平稳。一般讲来，平稳物价的最终目的在稳定生产与消费，因为物价是生产与消费的指标，但这是就平时说，不是就战时说。平时货物的价值可以它的市场价格来代表，所以政府和私人都可有一张以货币为单位的预算表。战时则各物的价值不是它的价格，而是它对战争的贡献，香珠宝玉虽价值连城，就战争讲都无足重视。战时物价的波动也不能表示其价值之高低，例如日来因江水陡涨而煤价大跌，并非是煤的价值（对抗战的贡献）忽已不如往昔，不过是一时来货过多无法销售而已。平时大家用什么都是拿钱从市场上买来的，战时政府所需的物资却不能全靠钱买来，现在的情形更是有此钱未必有此物，有此物未必有钱。况且时至今日，物价的变化神奇莫测，已成了一个靠不住的数目字，政府与其专心于预算的数目，不如根本抛开物价，而替国家造一张实物的资产负债表，我们究竟有多少煤、多少铁、多少粮食、多少布匹，我们究竟要用多少煤、多少铁、多少粮食、多少布匹，如何生产这些东西，如何分配这些东西，这便是今后全部经济政策的任务。

第二，政府既要管制生产和分配，便不能惮烦，必须样样周到，处处入手，平时价格指导生产和消费时，价格的作用是无微不至，无远弗届的。任何一项生产因素，甚至一点一滴的零件配件，过多或过少时，自然由其价格涨落而获得调整。任何地方某物稀少了，商人自然运去，某物过多了，商人自然运来。所以自由价格是自由经济的灵魂，自由经济的好处也就在这里，这时政府对经济行为是无为的，正因为无为，也可以无不为，现在政府要对经济行为加以干涉，则这无微不至、无远弗届的自然法则已遭破坏，政府必须在每一角落里都辅以人为的管理。就生产来说，每一生产因素，土地、人工、资本、机器、动力、原料、技术、管理，甚至一齿一轮、一钳一钻，以至于与生产有关的工人卫生、教育、衣食用品等，都要计划周到。政府既要对经济行为有为，便不免有不为，这是干涉主义的天然缺陷，没有办法讨巧的，政府只有不惮其烦，处处管理，日日加强，初行时不免手忙脚乱，也是无可奈何的事，等逐渐进入全部计划经济之图，也就泰然了。

第三，现在谈全部计划经济也许还太奢，但有计划的调整已是再不容缓了。最近经济界有"充分就业"问题之争，这问题并非三言两语可以解决。但我们觉得目前中国的情形，与其谓之充分就业，不如谓之生产不调整，一般讲来，过多的投资和放款，使产业界尽量开发劣等土地，使用老旧机器，雇用笨拙工人，以致生产成本超过其生产价值时，是即所谓充分就业。所以事实上我们观察充分就业，是以"边际效率"为标准，不是以就业量为标准。因劳工的弹性很大，就业量是无法确定的，同时边际效率一词，又是相对的而非绝对的，而且是平时的非战时的。如以我国的生产效率和美国比，则差不多的生产都在边际以下，是否一切生产都该停止，而由美国运来成品？此非但战时为不可能，即平时也做不到。战时所最重要的是物资，不是生产效率，低效率的生产，亦胜似不生产，问题即在如何利用低效率生产而不致影响其他产业和全部物价机构。其方法，即是如何调整生产了。平时低效率生产必无利可图，充分就业的现象自然停止，战时因物资需要孔急，物价常决定于最高成本，故其结果，乃至提高物价。紧缩政策的办法是根本使低效率的生产无利可图，而使充分就业的现象自然停止，无异于变战时为平时。调整生产的办法，则在使低效率的生产不妨碍高效率生产，使其高成本不影响一般物价，以适合战时的需要。调整生产的精义，也就在此。

根据这个意义，我们可以谈调整生产的几个要点：

第一，我们过去以物价为中心的管制政策，仍是不脱离成本与利润的观念的，今后以物资为中心的调整政策，则应完全摆脱价格的束缚。而以争取每样物资的最有效利用为原则，此"有效"是对广义的抗战说的。如因汽油太贵而改用植物油开汽车，是说用汽油成本太大，不如用植物油合算；如因汽油的来源有限，应留备飞机及坦克之用而改用植物油开汽车，是说汽油用于飞机坦克较为更有效利用。如因菜油较桐油贵而用桐油提炼汽油，是说用菜油成本大不如桐油合算；如因菜油应留为食用，而桐油无大用途，而用桐油提炼汽油，是说菜油用于食用较更为有效利用。前者是纯经济学的观念，后者是纯科学的观念。经济学的原则是如何以最低的成本获取最高的利润，科学的原则是如何以最高技术发挥最大效用，二者时相合，时不相合。例如一块土地，用来生产酒精原料也许比生产粮食利润大，但此时生产粮食是比生产酒精原料为更有效利用的。城市商户用电灯比用油灯来得经济，但值此电力缺乏时，电力用于工厂是比用于商户更为有效利用。一吨原料，究竟供给哪项工业？若干劳工，究竟分给哪个工厂？在这时候，我们必须抛开一切利润的算盘，而完全用科学的头脑，服从最有效利用的原则。

第二，但是一切工商业的经营者，都是以获取利润为目的的，平时物价之能指导生产者，原因也就在此，政府如不设法对付利润制度，这一面调整生产，一面又要破坏调整。例如现在提炼桐油者，多将可炼汽油的部分也炼成煤油，因汽油受统制而煤油价格较自由，利润较丰。所以要能充分发挥有效利用原则，非打破传统的利润制度不可，此点诚难。或谓欲根本推翻利润制度非革命不可，也许是的，但现在所说的是打破，不是推翻。以英国这个利润之源的国家，战时的利润制度也是被利得税打破了的，利得税高到100％，即是说多赚无益，不如听从政府的指挥，战时百业不论经营什么，利润都应相等。德国和美国都是限定6％，日本是"七七"事变前的平均数，过高的利润征发，过低的利润还要补助，各业的利润如能相等（至少是差不多），竞争的事就少得多了，政府的政策也就可以多用科学头脑，少一些利害纠缠。此虽非调整生产，但确定是调整生产的第一步工作。

第三，利润既能控制，效率便可成为取舍之标准了。我们所谓低效率生产是对不生产而言，低效率生产胜似不生产，但绝对不如高效率生产。在它未妨碍高效率生产时，应由政府特别补助，以保障其利润，以免因其高成本而提高物价；在它妨碍高效率生产时，即应勒令解散，将生产因素化入高效率生产中，或行再组合，提高效率。如以川省酒精工业为例，全川107家酒精厂，其生产力每年有900万加仑，而原料的供给，糖浆（漏水）、桔糖、干酒三项合计，不过可制酒精470万加仑，仅足半数，是早已达充分就业。但以上的估计，是根据平均生产效率而言的，即每加仑需糖浆30斤，桔糖20斤，或干酒13斤。据调查现高效率之厂与低效率者相差达30%~50%，故若停止低效率生产而充分供给高效率生产厂家原料，则产量可增加20%，而生产力可节约50%，此是一举两得的调整办法。所以我们主张政府应就若干生产事业，规定其标准效率，标准以下的厂家，分别予以补助、解散或合并改组。

第四，此所谓合并改组，确是调整生产的一步重要工作，可名之为联合工厂，目前我国正有许多工厂因原料、动力、工人或其他原因而陷于半停顿状态，这些工厂都有联合的必要，联合以后的新工厂未必与原来的性质相同，我们可举广西的纺织机器厂为联合工厂的好例子。这个厂机器部的机器大部分系收购上海铸亚铁工厂汉口分厂者，制冰设备系收购汉口特四区冰厂者，制钉机系自黄石港收购者，纺织机为中央研究院棉纺织染实验馆之设备，漂染机则系福星染厂一部分之设备。此种办法如能有计划的实行，我们相信一定有许多浪费的闲置着的生产力，发挥于最有效利用之途。推而广之，则一切大小设备，如炮舰上的锅炉钢板，集合起来也可以变成有效的生产力。不能联合的，至少在技术上应该合作。例如重庆的四家纱厂，各有未开工的锭子，但原因不同。一家因电力不足，一家因配件缺乏，一家因技工不够，一家因装配未完（指去年夏的情形），电力不足之厂，配件并不缺乏，配件缺乏之厂，自有发电设备，是各厂如能合作，生产自可增加。联合或合作，说来原理简单，不值一钱，但实行起来，则必须有计划。不过这所谓计划还是局部的、个别的，并非计划生产之奢谈，实行也许不甚困难。

第五，普通的生产因素，可以局部调整，联合工作的方法解决，但近代高度机器技术化的工业中，常需要一些稀少因素，并非普通因素可以代替的。在这种情形下，全部的生产量就要受这稀少因素的支配，纵有丰富的其他原料和设备，亦只好弃置，这是最不经济的事。例如汽车工业中的制轮模，电机工业中的细线圈，染料工业中的二硝氧化苯，在中国都无法制造，亦无法代用的，这些东西固不如汽油轮船等之受人注意，商人囤购者也不多，而一旦缺乏则影响极巨。如仍以汽车为例，现在无论哪一机关的车子，都至少有一半是病车，某公司开不动的车子有95%，更不必提。现在汽车界的恐慌，不是汽油，而是零件，车上一个绝缘磁卖600元还有人抢购，假如当初我们少买100部汽车，而买成600套零件，则今日可多修500部车子了。抗战一天天延长，我们的稀少因素也一天天加多。这些稀少因素必须由政府统筹，由国家购买，必要时用飞机运输，而作有计划的分配。政府手中有这些东西，便可管制生产，如被商人拿去，便可操纵物价了，所以掌握稀少因素，也是调整生产的一个执简驭繁的妙法。

第六，我们谈一个较根本的问题。稍悉内幕者皆知在中国办工业有种特别难处，即一切设备及用品都需自制，别家出品很少合用，如要炼钢须先设厂制铁，要制铁须先开窑烧耐火砖，要烧耐火砖又须先开一个小窑以烧烧耐火砖的窑的砖，此并非笑话。假如中国兴业公司，内设有制铁厂、机器厂、电机厂、动力厂、火砖厂等，而各厂皆系为公司的炼钢厂而设，现在钢还没有炼，因为各厂的使命还没有完成。此现象说穿了不过是一个标准化问题，一切配件用品原有的，不过是各式各样的，随其主管人是那一国留学生而不同。最乱莫过于汽车工业，一个较完备的修车厂要预备4万种零件，才能修四五种牌子的车，这是最大的浪费，也是发展中国工业最大的阻力。中国工业刚在开始，而标准化正是开始时的工作，现在谈起来，实不过早。

第七，我们谈目前生产界另一问题，即大小工业问题。目前有一个畸形现象，即小工业赚钱多，而大工业赔钱或赚钱少。机器工业特别明显，其他工业也有类似的趋势，大工厂的熟练工人纷纷跑出来，自开小工厂，生产力愈分散，其效率愈低，而工业基础愈加动摇。为什么会这样呢？一方面由于大工厂的管理不善，工作效率低，开支浪费；一方面由于小工厂因陋就简的设备，品质低劣的出品，能适合战时的要求。因为此时的需要，是但问有无，不计品质的。同时小工厂更可随时抢购黑市原料，随时变更生产计划，任意要价还价，以适应市场情况。此种情势的发展，自然不是好印象。但平心而论，支持抗战至5年之久的功劳，小工厂和手工业者并不不亚于声势赫赫的大工业家,如纺纱,后方机纱年产不过 7 万件,而木机和手纺每年有 40 余万件,如织布,机布每年不过百余万匹,而手工织布则达 900 万匹。如冶铁,至 1941 年底川省 15 吨以上的四家大厂没有一家全部完成的,5 吨以下的小厂 43 家中已有 11 家出货,而大部分铁仍靠民间土炉,今后国际交通断绝,大工业之发展更难。目前若对大工业增加投资,战争中未必能收利,如尽量发展小工业,则中国的工业基础永远建立不起来,究竟何去何从呢?我们觉得首先要认清的,即过去所谓大规模生产的理论,现在需要改变了。现代的生产已扩大到以国家为单位,全国工厂在一个总的计划下生产,不论规模大小,在全部生产机构中统占一个有机地位,同时万能工厂的时代已经过去,代之而起的是成品分工,造引擎的专造引擎,造零件的专造零件,大规模生产已从经济的意义转变为科学的意义,即非在以最低的成本获取最高利润,而在以最新方法发展最高技术,例如近年来德国所发明的许多代用品,多半较原来成本尤高的。其次,要达成这种生产方式,全要靠生产上的组织。目前小工业之所以占便宜者,亦正因为生产界的无组织,在无组织的状态中,小组织比大组织更能适应非常环境,此理甚简单,固不只工业如此。所以要想调整大小工业,使之能并行生产,就必须从产业界的组织上入手。这一着虽难,但这是调整生产开始的方法,也是调整生产最终的目的,我们不调整则已,要想调整则免不了要勉为其难的。

总之,战时的生产政策,是以物资为中心的,调整的目的,无非在使一切生产力都发挥最有效利用。高效率生产,低效率生产,大工厂、小工厂,只要调整得好,都可同时并进,日夜开工,而不彼此妨碍,正如阳关大道上,汽车和驮马并行一样。只要生产条件许可,战时的生产是不计成本,不管利润的。物资重于物价,科学重于经济,技术重于利润,全体重于个体,生产能调整得好,计划生产虽听之甚远,看看也就在目前了。

〔原载《中国工业》(月刊,桂林)第 7 期,1942 年 7 月〕

商业银行资金运用问题

试一检讨过去的银行管制，至少有两大缺点：第一，是金融管制的时机轻易错过了，金融界是对战争最敏感的，所以各国都是在战争一开始即先颁布若干金融法令，以避免资金逃窜。我国情形与欧美稍异，金融资本还没有达到控制全部工商业的地位，广大区域之农业经济更与之无关，故经济管制必须直接管理物资。待 1940 年物价问题严重后，工商与物资之统制日益加强，而金融方面却若无其事。是年 8 月虽公布管理暂行办法，但直至 1941年底修正以前，实未曾实行。此时后方金融业大兴，新建之银行如雨后春笋，游资集中，其实正是管理资金的最良时机。作者当时曾发表一文，谓："战后百业俱受统制而金融业最自由，试就所得税报告言，利润最高是银钱业，最稳定是银钱业，业务秘密最多也是银钱业。市上不少关门的商店，从未见倒闭的银行。"同时向当局提出一些管理银行建议，不幸当时大家最热烈注意的是物价，而非金融。时机一过，遂使金融业与物价发生不解之缘，资金大量流入投机事业。到 1942 年度，政府忽大刀阔斧管理银行，修正管理银行办法，禁新银行成立，追交准备金，举行大检查，管制比期，成立稽核处，设置监理官，公布限制投资办法，管理信用款办法，管理抵押放款办法，以及最近的统一发行，改组四联、四行专业等。但此时物价波动已达倍数跃进，商业利润已远在金融业之上，由沪港等地集中的大量资金，已逐渐流入正当和不正当的工商业中，利息和利润相比见绌，资金已大量流出金融

057

市场，正如居里博士对罗斯福总统的报告，中国的资本已大部入于商人之手，脱离银行系统。时机已失，无从管制了。

第二，是各项管制法令都偏重于消极的限制政策。如前述各种法令，内容无非是规定投资不得超过若干，某种放款不得超过若干，为期不得超过几月，以及不得从事某业，不得为某种投放之类，而从未有一积极方法，领导银行资金走向正当之途。因之一方面银行资金感到臃肿，一方面工商资金感到奇紧，而其结果则更使社会资金脱离银行，而流入商业投机，商人不得银行资济，只得自行吸取存款，于是金融黑市。资金一入黑市便如野马脱缰、狡兔出笼，欲统制而莫由。

上述两缺点所造成的结果，便是（一）社会资金脱离金融系统，（二）银行资金找不到正当出路。针对这两种结果，我们觉得应一反过去的办法而实行积极性的财力动员。

财力动员的目的，可以用两句话归纳起来，即"动员一切公私财力，运用于抗战最有效之途"。其中"公"财力之动员，即是财政方面如何开源节流充实抗战军需的问题；"私"财力之动员，即是金融方面如何吸收游资充实建国资本问题，亦即银行资金之运用问题。针对上面两种结果，我们对此问题的主张，亦是两种，即（一）动员社会资金集中于银行，（二）领导银行资金运用于生产。两者在精神上都是积极的，在办法上也应该是积极的。

近代的货币学说，更说明了两者间及与社会经济的关系。一社会中之总所得常等于其总生产（生产中包括输入及存积），而物价低造成此恒等之变数。总所得中除用于消费者外为储蓄，总生产中除用于被消费者外为投资。如储蓄等于投资则用于消费之货币与用于被消费之货物，在现有物价下相等，是即凯恩斯所谓平衡状态。故一般来说投资之大小，应视储蓄为准，如投资大于储蓄，则做消费用之货物少于做消费用之货币，物价因之升高，一保持其平衡。今日物价高涨之原因，大部分实由于此。今人但知不妨膨胀通货投资于生产，以为生产增加后物价自低，殊不知此生产之资本即非来自储蓄者，则购买力未减小，而膨胀之通货又增大之，同时用于消费之货物尚未增加，而膨胀之投资又减少之，是物价必更形飞涨。此金融方面储蓄与投资的原则，正如财政方面开源与节流的原则，同是财力动员基本的原则。

前所谓储蓄虽非止银行之存款而言，但欲用此储蓄，就必须以银行为集中点。同样投资并非止银行放款，但如欲增加生产资本，亦必须以银行为出发点，银行之使命亦在此。

集中资金之道甚多，论者亦众，但我们认为最主要的是提高利率。反对提高利率的最大理由是怕增加成本提高物价，殊不知存储利率提高，放款不一定比例提高，因银行家珍视其信用扩大作用远过于利率。即使放款利率提高，其影响者亦大皆短期资本，与正当工商业之长期投资相较实微不足道，故高利率之影响大抵在利润，鲜及成本，新德氏及密契尔氏之统计可证明之。至于专靠借款之不正当商业则更收紧缩信用之效。况且，我国较大之生产事业仰仗民间储蓄投资者实在甚少，其影响也几希。以目前币值变动之速，如仍按以往利率匪特人民视储蓄为畏途，即使能强迫储蓄，亦实非公平之道。但利率究竟提高几许？则颇费研究。依费希氏实利息之说，或威克塞尔、凯恩斯等标准利息之说，恐提高至四五分不为多。但窃以尚无须此。因人民之心理，究竟安全第一，收益第二。投机利润虽厚，风险也实在大，今年来犹然。若储蓄及定存利率至三分以上，大部资金想即可回笼。此视过去比期之作用可知。

领导资金运用之道也很多，论者亦众，但我们认为最重要的是保障工业的利润。此非说是工业利润太少，而是说实在不能和商业竞争。政府如不能抑制商业利润，就必须提高工业利润，二者必择其一。其实政府是可以二者并进的。政府过去对银行的办法，是限制其投放于商业，而是希望其投放于工业。殊不知限制银行投放于商业后，商业的利润乃更高，相形之下工业利润乃更低。结果适得其反。在此种情形下政府限制银行投资于商业很易，但希望其投放于生产却难，因为前者可用法令执行，后者不能用法令执行。所以与其如此，不如政府转来限制商业的利润，而保障生产的利润。此两者都不难做到，因为于此政府除用法令外还可用其他的办法，如捐税等。

此二者其实是表里一件事。因为生产投资大都是长期资本，要银行供给长期资本，必使银行吸收大量存储。如以高利率吸收大量存储，更必须用其他方法保障工业的利润。政府若恐怕利率与利润的循环高涨，则必须抑低商业投机利润。

〔原载《银行界》（月刊，重庆）第 1 卷第 8 期，1942 年 12 月〕

生产资金之困难及其解决

一　导言

目前生产中最大的困难无过于资金问题。所谓资金困难的感觉可有两种：一是生产者总是借债度日，借债少不足以扩充生产，借贷多又负息太重，借来的钱如用以充实设备，则无法周转，如用以周转，则不能增加产量，减低成本，未必能偿付本息；另一种感觉是资产日渐增价，赢利和赋税都很大，但一看现金则库存极少，虽赚钱而不见钱，再一看成本账则存料的现值甚至超过成品，如将原料制成成品，即售货所得未必能再买同量原料。这两种感觉，性质不甚相同，前者可谓是由于产业资金组织的不健全所致，后者则由于物价变动的影响所致，但其综合的感觉都是资金不足。

我们充分论证这两种原因，再谋解决之道。

二　产业资金组成的不健全

生产资金组成不健全的症结，在于长期资金的缺乏。因长期资金不足，而生产者又急于开工谋利，遂不得不借入短期贷款，权做长期之用，因此产业在一个开始时即已债台高筑，待至开工，更不得不借入临时性的借款，以资周转，于是产业遂与短期债务结不解之缘。长期资金与短期债务性质迥异，前者是由生产的每年盈余中摊还，如股息及长期性公司债之还本付息等，后者则为期不过三数月，长者亦不过一二年，到期即须还本；如用以充实设备，则在此短期内其所投资本绝不能还原，于是不得不借债还债。借债愈多，产业之信用愈坏，债务之期限愈短，利息之支付愈繁，而所需债款也愈大，因因果果，生产便永远陷入债务纠纷中。

抗战以后，此种资金投机不健全的情形，较前更有加无已，其原因可分述如下。

第一，后方的资金集中，本较上海、天津等埠相差远甚，而资本市场又根本阙如，所以企业家除向至亲好友募股外，无法募集资金，只有从事借债。

第二，后方工厂大部分为内迁，在迁移时就负了大量的债务（虽有一部分政府贷款期限较长，但为数不多，如迁往桂林之 7 家机电铁工厂获得工厂调整处贷款总数不过 7900 元），迁移后之装配整理，又须举债。

第三，后方因物资缺乏，生产利润相当厚，故企业家不待装配完成，即行开工，因之设备资本亦不克周转；等到再扩充设备，只好举债。又有若干企业家以为有厚利可图，故不惜依赖借款，而谋以盈利偿还债务。

第四，物价不断高涨，新建企业在设备进行中预算既已不足，未及完成即须举债，旧有事业则设备补充费与周转金亦随物价高涨，厂家为防涨价，又多囤购器材原料，所需款项自然加多，而所制成品或未能立即销售，或受统制价格，或存栈以待价，皆未能收入现金，所需自赖举债。

第五，物价高涨后各业原有资产俱已增值，原有股份代表之产权亦增高数倍，所以原有股东不愿再增新股，而却愿借债。

第六，币值不断跌落，跌落愈速则债务人愈有利，故借债务成投机，大凡能借得钱者必可赚钱，生产者亦无不希望多借。

此外，商号之吸收存款，在后方原较外埠为盛，自加强管理银行，限制利率后，资金更大量脱离金融市场，流入黑市，而由各商号以高利吸收，所以存款所占的成分也必远较战前为大。

现在在产业资金的组织中，不但短期资金所占的成分较战前大，其所发生的不良作用也较战前强。第一是利率的膨胀，虽说利率仍赶不上利润，但此是指商业利润言，因商业利润优厚，生产资金日益缺乏，厂家不得不以黑市高息吸收借款，其利息有高至十四五分者，可谓惊人。第二是比期制度，此为川省所特有者，比期放款虽以商业为主，但其猖獗，大有影响于产业资金的来源。目前若干生产事业亦不得不仰仗于比期，其半月一结，与生产周期相差甚远，经营者日忙于张罗款项，借债还债，一期通过，一期又至，妨害生产，莫此为甚。第三是抵押办法，四行贷款，限定以成品或原料抵押，而机器厂房设备等不能押款，厂家出品，受统制分配者早已固定销路，按时提货，不能寄栈；未受统制者亦因物资缺乏，急求销售，无从押款，原料物品，则各业无不感觉缺乏，不能多事囤购，因之押借款项，不能不靠情面，奔走交际，托人活动，所以借债虽是经济行为，却带有几分政治色彩了。其间流弊，不言而喻。生产资金依赖于短期债务，已为极不健全之组织，若在平时，社会资金充裕之埠，金融机构灵活之地，尚可勉强周转，但一至银根奇紧，周转不灵，如今日后方情形者，则其一切弊端，都要暴露无遗了。

三　物价变动对产业资金的影响

目前银根奇紧，周转不灵的原因，未始不由于货币过多物价高涨，此如所谓战时钱荒的现象，钱愈多愈感不足。如今我们要分析的，是这种现象对于生产事业的影响，可分三方面讲。

第一是对于产业固定资产的影响，生产事业的固定资产，如房地、机器设备等，占资产的最大数目，其价值随物价而逐渐升高，如战前设备的至少增加50倍。许多五金器材、外国机器等还不只此。但此种增值，并非现金，除非把资产拍卖了，其增益之值也无法利用；相反的，因设备之逐渐消耗，其每年之折旧费仍须计入，修理补充等替代资金仍须按年支出，而此种支出却是现金，和战前比较，也至少增加50倍；同时原有的资本并未增加，而每股所代表的股数则已增长至少50倍，一出一入，则知所增的收入都不是现金，而所增的支出都是现金。同时因为股本已经申值，股东自不愿意招募新股，故产业之增加资本，极为困难，唯一办法，只好举债。举债结果非但如前所述，愈多愈难周转，且借款用于补充固定资金，又使固定资产与原有资本失调之现象更为加重。欲求补救则又须举债，推其原因皆由于物价高涨所致。

第二是对于利润和租税的影响，现行所得税及利得税皆非盈余税，而是依资本额计算，课其所得及利得，而资本额为实在缴足之股金。物价高涨以后，厂商之收入自然比例增高，然其资本仍如前数，故计算其所得为数极大。依此课税生产者当然吃亏，产业界称此为"虚盈实税"。其中所得税，系依所得合资本额定累进税率，影响尚小（如战前所得5万，资本100万，应纳税3%，今所得随物价高涨至25万，资本仍旧，则应纳10%）。利得税系依利得超过资本额计算，故影响极大（如以前利得20万，资本100万，纳税10%，现在利得随物价高涨至100万，资本仍旧，即应纳税50%）。同样情形影响于利润。资本即未增，故红利极大，尝闻某厂有年终分100个月之事，殆属可能。此"虚盈"之说，理论上尚有问题，但其结果则使生产者仅有之现金，非纳于税则分于红（两者都是现金支出），生产资金乃更紧缺，债务乃更频繁，最后必使资金全部押为债务，而借款都用于纳税分红。愈吃愈空，前途不堪设想。

第三是对于生产成本的影响，近来后方生产有一种畸形现象，即原料品或半制成品，以及生产工具等价格上涨的程度，大部分超过消费的上涨，因此生产成本超过其价值，生产变成无利可图。现在生产界稍有盈余者，专靠囤积原料，然预囤原料者愈多，原料品之涨价愈甚，生产者的亏蚀愈大，此实为产业界一大危机。

这三种影响，对于生产业都发生根本的危机。第一种使产业的负债成愈来愈失调，以致非将产业全部拍卖实不足以平衡负债，第二种使利润及租税逐渐侵蚀资产，以致将产业全部拍卖都不足以平衡负债，第三种使产业利润化为虚乌，有使生产全部停滞的可能，但推其根本原因，仍是一个资金问题。

四　长期资金的来源

上面两节的分析，可以归纳成如下的结论：（一）欲纠正产业资金不健全的组织，必须设法以长期资金替代生产者短期债务。（二）欲解除物价上涨对生产界的不良影响，必须设法以长期资金整理产业资本，并投资于高级生产。目前我们所要讨论的即长期资金来源问题。

长期资金的真正来源，必为社会的储蓄，此意义非常重要，因为凡以其他方法筹募的资金（如通货膨胀，政府垫款等），其结果仍不能负起长期资金的任务。

但有储蓄不一定有投资，如人民皆储蓄而少消费，则物价降低，币值提高，而消费仍旧（如前以 10 元买衣，今人持储蓄 2 元，以 8 元买衣，而此时衣价已自 10 元跌为 8 元，是消费仍旧），此时储蓄者财富增加，但生产者则因货物跌价而减，此增减之数正相等，故单储蓄不能增加财富，亦不能增加生产。

此所谓储蓄，指人民未用于消费之所得言。故于使储蓄用之于生产，第一步必须使社会之储蓄能汇集于一处。汇集的方式不外乎两种，一种是存储于银行，一种是购买证券，银行和证券是吸收储蓄的两种市场。

普通银行的定期存款和储蓄存款，可部分充作长期的资金之用。就是活期存款，在金融稳定时期，亦可拉做部分长期资金。但其应用都有一定限度，因为产业投资的周期，较一般定期储蓄的都长，银行吸收短期款项，而大量放出长期信用，使立于不稳定的普通银行，一旦金融界有变化，即不免于恐慌。所以在经济先进的国家，证券市场对于产业的功效，远较普通银行为大，证券（如股票、公司债等）所吸收的皆为长期资金，证券持有人的利益与产业利益一致，国民购买证券的人愈多，期有关于生产的人愈多，所以产业证券化是一国生产发达的最重要步骤。然而在落后的国家初行工业革命时，证券市场一定不发达，专业银行（如股票银行、工矿银行、产业信托公司、投资商店等）亦难取得良好信用，故产业之发达不得不取助革命之初韧，即得力于普通银行最多。

目前我国各方对于产业资金问题的意见，亦不外增加储蓄，扩大工货及设置证券市场、发行产业债券等，时贤宏论甚多，不必叙述。但我们觉得，究取何法，应当听从实施的功效，必须能适合于人民的要求，根据此种观点，我们试提出几个具体的办法。

五　具体的意见

第一要提出来的是提高利率。目前提高利率的目的与其说在吸收资金，毋宁说在防止资金流入黑市。现在币值变动过甚，人民视存储如畏途，社会游资纷纷集入投机商业，以前说是"多财善买"，现在则闺秀亦无不出其私蓄做买卖，化零为整，无人不商，不能自己经营的便投入黑市金融，利息高达十分以上。统制比期后，此风尤长。于是银行之存汇，仅余同业兑划。建设之资本端依赖政府发钞，发钞继入黑市暗流，如野马脱缰，将有去而无返，资金脱离金融系统，如狡兔出笼，欲统制而莫由，金融最大危机莫过于此，而补救之法唯有提高利率。

反对提高利率的理由是唯恐增加成本、刺激物价，殊不知银行提高存储的利率，不一定就同比例的提高放款利率，因为善经营的银行家重视银行的扩大信用作用，利息尚在其次。即使放款利率稍有提高，则所影响者大皆短期资金，与正当工商业的长期资本相较，实微不足道。兹就目前我国投资与储蓄之关系言，其应有利率虽无法正确计算，但必甚高无疑，其差异亦必甚大，即对市场之影响甚巨，欲求解决，亦非提高利率不可。

现今黑市利率，少在五六分，多则有达十五六分者（如内江、自贡等地）。若依费希氏实利率之计算法，即本金与利息应同按币值变动修正，则目前利率提高至五六分实不为多，但今如行提高利率政策，却不必以此为准，因利率对市场影响既不在其实际高度，而在其与应有利率之差异。且以实际情形言，储户的心理是安全第一，利益第二，黑市利率虽高，究竟风险甚大，所以银行如能提高利率至三分左右，游资便可回笼了。

第二要提出来的，是开办一种投资储金和发行一种产业债券，而两者都要充分利用目前人民的心理。稍有游资在手的人，考虑其资金的出路，无非是投资和储蓄（此储蓄是指存储于银行言，下同），投资利润很大，但风险也很大，储蓄最为稳妥，但利润又过低。我们所谓投资储蓄者，既要兼利用投资与储蓄之利又要去其弊。此种储金由四行开办，以所收的储款投资于生产事业。四行对储户保本保息，同时投资的红利也全部分给储户，则储户之稳妥，投资之厚利，可兼而有之，较之自行从事经营者，还多一个保本保息的保证，人民之稍有余财者必趋之若鹜，大批长期资金不难筹措。产业债券的办法与此相仿，亦由四行发行，优定利息，短期发息，必要时还可以一部分外汇做担保，债券售出之款，全部充作生产资金，生产所得红利，也全部分给债券持有人，所不同者，投资储金吸收零星的存储，其机构应进入城乡，产业债券则吸收较大额之资金，运用富有者之积蓄。

此种办法，四行既任其劳役，又担保其息，而收入都进储蓄户，岂非四行一无所得？我们觉得不然。四行所得的是资金的使用权，四行是国家银行，目的非在与民争利，而在为国争利，四行如能吸收社会游资而发展国家所必需的生产，即产业发达即是为国造富，税收增加即是为国家生利，四行所报于国家者何多，岂必争分锱铢之红利？人民有钱，人民所要求的是生利，政府没有钱，而政府所要求的是权，所有权在人民，而使用权在政府；人民虽然有钱，但不能随便使用，政府虽然没有钱，但可以运用人民资金。照我们看，统制经济的意义便在于此。

第三要提出来的是要整理生产事业的资本，加入新股，而新股应由前项四行所吸收的资金优先认购，且新旧股份应享有同一权利。目前生产事业的固定资产价值，以致资本失调，已如前述，其结果不但使租税及利润侵蚀资本，且使长期资金之加入日感困难，所以整理资本的要求，生产界自身也感需要，但问题即在新股之如何认购。生产界的希望是将现有资产一律照市价估价，将其所增益的部分折作股本。但如将旧股的申值一律化为新股，即名义上资本增加，实际上仍无一文现金。例如原有 10 万元的资产，因物价高涨已估价到 100 万，如将原有 1 万元的股东增发 9 万元股票变成 10 万元股东，则此公司资本已增加 10 倍，而实际上并未增收一文股金，生产资金的困难仍一如往昔。所以我们主张新股份的增加，应以前项四行所吸收的资金（即投资储金及产业债券所吸收的资金）优先购买，旧股的申值只能在相当比例内折作新股，而新旧股东以后享有同等权利。这种办法对于旧股东自然不利，但须知此种不利是由于通货膨胀而来，不是由于产业界本身而来，战时的通货膨胀原含有课税性的，即凡是有钱的人都要牺牲一点，所以战前的储备钞票的人、存款于银行的人、购买公债的人、债权人等都要因通货膨胀而牺牲，那么产业股票的持有人何独不应牺牲？且战前的股票多在资本家之手，战时牺牲一点资本家的利益也不为过，如果旧股东愿以现钱购进新股，当然也可。总之，目的是在增加产业界的资金，产业界的资金愈多，消费愈少，社会的资产用于投资者乃更多，即产业界的实物资本增多，而生产得以扩大了。

〔原载《西南实业通讯》（月刊，重庆）第 7 卷第 1 期，1943年 1 月〕

产业资金问题之检讨

在第二次全国生产会议中，关于产业资金之议案，达一百余件，参加小组讨论者，亦较他组为多，足见此问题之重要。其中主要问题有三：一为产业资本额之调整；二为生产贷款之流通与扩大；三为产业证券之发行与买卖。此次大会决议，对三者皆有详细具体之解决方案，实乃产业界最堪告慰之事。然产业资金之困难，是否可即此解除，其办法实施后有无他种影响，实施之际应如何力谋改进，此则本文拟加以检讨者。

一 产业资金困难之根本原因

产业资金问题之由来，不甚简单；而任何解决办法，如不能针对其症结之所在，自不能谓为妥善之策，而应亟谋改进。就愚见所及，产业资金问题之根本原因有二。

甲 产业资金组织之不健全 其症结在于长期资金不足，营业周转，端赖债务维持，甚至有借入短期资金以补充设备者，是产业在一开始时即已债台高筑。长期资金性质与短期者迥异：前者系由产业之每年盈余中摊还，后者则须由营业支出中支付，是其所投资金不待还原，即须偿付本息，此时厂商只得借债还债，借债愈多，信用愈差，负息愈重，债期愈短，支付愈繁，运用愈绌，产业资金之困难乃与日俱增。战前我国产业资金组织，据王宗培先生研究，百家公司（其中88家为生产事业）之借款及所吸收存款约占原有资本68.08%，就纺织业论，即达98.1%。战后情形，据经济部统计，1942年度重庆百家公司之借款，约达资本额188%，有1万元资本之公司借款30万者，20万元资本之工厂借款360万元者，此种趋势，日在增长，而后方比期之习惯，利息之高涨，押汇之不便等，更增加产业资金周转之困难。

乙　物价上涨之影响　此乃尽人皆知之事，其影响约有三种：（一）为固定资产增值，而所增者除非将产业变卖，无法化为现金；反之，各项修理补充费用亦同样增值，而所需皆为现金，一出一入，资金乃感枯竭。（二）为对于租税利润等影响，即产业界所谓虚盈实税问题，不必详述。（三）为对于成本之影响，约自1940年后，一般原料品价格之上涨速度，即多有超过制成品者，以致售货所得，不足再生产成本，欲谋补苴，须预囤原料，然囤积愈多，其价上涨愈速，营运资金愈不足。此三者，实为产业资金之最大困难，易言之，即物价高涨，实为产业资金问题最大之原因。

物价问题常涉之范围至广，解决产业资金问题之办法，固不能同时解决物价问题，但如能减轻物价上涨之因素，即为上策。反之，即为下策。至于第一种原因，乃产业界本身缺陷，实更为重要，产业界反多忽略。实则物价上涨之压力，一部分亦系由此而来，如产业界不能吸收社会长期资金，而唯仰赖于银行信用之扩大，是即助长物价之一因。又如原料品价格上涨之过速，原因之一，即由于长期资金缺乏，资本品投资不足所致。因资本品之生产周期远，投资时期长（即汉约克所谓高级生产特性），所需长期资金亦多也。故解除产业资金困难之办法，有助于长期资金之吸取者，始为上策，相反者为下策。

二　调整产业资本额问题

甲　调整资本额之理由　调整产业资本额，即固定资产之增值问题，此事已成产业界一致之要求。其所持理由，约有三端：（一）为课税问题。现行所得利得税法，系以资本额计算纯益之百分比，累进课税，以战前或战初之资本额计算现在纯益，自然比例极高，纳税额极大，产业界称此为"虚盈实税"，其要求调整资本额，亦以此点最为殷切。（二）为折旧问题。依原资产价值提存之折旧准备，自然不足补充之用，此点对产业将来之影响，自属重大。（三）为借款问题。原有资本额过小，自然不易获得较大之信用，若干公司有规定负债额与资本额之比率者，更大受限制。此外尚有一点为产业界避而不谈者，即分红问题。以原有资本额计算现实纯益，利润当然甚大，分红自必甚多，分红既用现金，其削蚀产业资金之影响当与纳税相等。

乙　调整资本额之办法　欲解除此种困难，最好将产业之固定资产按时价重估，并入资本，则纳税与分红自然减少，折旧与负债能力自然加大。此事法令并不禁止，但重估资产增值部分，依法应纳所得税利得税，结果厂商更得不偿失，问题之关键，即在于此。厂商方面，以为机器设备乃应用之工具，非出售之商品，其增值乃由于物价之变动，非营业之利润，故不应纳税。因此所谓调整资本问题，主要系免税问题。

丙　调整资本额之限制　厂商此种要求，自属合理，舆论界亦大体支持，然若纯就理论而言，亦非无可訾议：第一，物价高涨乃战时不可免之现象，全国人民无不忍受牺牲，产业界独欲保持其原有资产之实值，岂得谓之公平！？第二，膨胀通货原有一种租税作用，对货币持有者，在降低其购买实力，对财产主无形中课以财产税，对于投资者无形中加重其所得税，全国人民无一幸免，故凯恩斯、福斯特等都认为在相当限度内，实为一种最公平之增税政策。今产业界独欲避免此种义务，岂非将膨胀之征发作用尽行转嫁于他人？第三，资本问题之发生，由于物价高涨，而其主因实由于税收不足，财政收支不能平衡，以致通货增多所致。今复调整资本，则税收将更减少，物价上涨之因素将更加重，全盘而论，殊非善策。欧美各国于战时常取消产业折旧计入战费，德国现行之"购买力指导法令"，更强迫公司减少其投资而予以冻结，英国亦将产业之补充资本加以冻结，其目的无非在增加财政收入而已。

是知吾人之所以支持产业界要求者，实以我国情形特殊，后方产业有特加辅助之必要，故其性质为政府之一种特许权利，并非产业之应有权利。此次生产会议中对增值之产业，定有若干限制，允称至当：如增值者须为国防或民生必需之工矿业，须为有限公司组织，估价时应打一适当折扣，增值后应征课特种资本税，增值时应加募现金新股等。而其中最后两点，尤有特殊意义，兹略申论之：

第一，特种资本税之创办，除弥补调整资本后国库之损失外，尚有两种含义：（一）在与所得税相辅，以完成税制中之制衡作用。盖经营者如匿报资本以期减轻资本税，则所得税将增加，如虚报资本以减轻所得税，则资本税将增加，二者相辅为用，美国现行之办法即属如此。我国采行此制后，直接税系统可更形完备。（二）为战时之财政政策指示一新途径，吾国战时之财政口号曰"有钱出钱"，实则旧有之税制，乃系"赚钱出钱"，间接税可转嫁于他人，固无论矣，直接税之课征对象，亦为其所得，而非其所得能力，以与"有力出力"者相比，则后者纯系牺牲己有，捐躯沙场，而前者不过赚取他人之钱，尽自己之纳税义务而已。今后欲彻底解决财政问题，必须真正使有钱者出钱，吾人尝倡议举办资本捐（capital levy）者，即系此义。唯其对象自非以产业为主，今之特种资本税，不过略示其端耳。

第二，关于增募现股，原决议案仅称"为吸收游资减轻国家银行负担计，应同时由各该工矿业增加适当数额之现金新股"，似觉过于笼统。愚意此节较其他限制更为重要，因（一）我国产业资本组织不健全，既为产业资金问题根本原因之一，设若固定资产增值而流动资本不变，则将更加重其不健全。例如二者设原为 2∶1，今前者增值 50 倍，即将变为 100∶1，同时负债能力加大；结果必将辗转加重资金困难之第二种根本原因。（二）固定资产增值后，如不增现股，则产业只需将旧股申值，或加给股东新股即可，是资本增加，资金并未增加，对股东之负担亦属如故，因每元之红利虽减少，股数或股额则增多。资金之困难，殊未见能解除，唯纳税之负担减轻而已。

值此币值变动之时，稍有资财之人，愿投资者实在不少，过去因产业股本之实值远超过票面，新股之加入至为困难，今值调整之时，实系大量吸收新股之良机，一方面可健全产业之资本组织，减轻债务负担；一方面可吸收游资，减轻物价上涨因素。如此，调整资本之举，始具有根本解决问题之作用。故吾人以为此事实施时应补充如下各点：（一）规定各业固定资本与流动资本之比例，调整时须同等增加：如固定资产增值 50 倍，流动资本亦须增加 50 倍，其原流动资本过低者，并须多增，以符比例标准。（二）固定资本准以旧股申值，流动资本则须增募现金。（三）旧股东有优先承购新股之权。再则此所谓流动资本者，指资本额中之流动部分，非指其营运资金，营运资金不感缺乏之厂家，仍须照增现股，如此乃可减少其负债。

三 扩大贷款问题

甲 要求增加贷款之原因 贷款之作用，原在辅助生产资金之周转，物价变动，其周转金随销售而自动改变，故除非在产业扩张时期，贷款额不应递增。然在物价上涨过速或不平衡时，周转金亦有缩小之势：第一，为成本支出时期之影响。生产成本不能在第一批成品售出后立即全部补进，而系陆续支出，其支出愈晚者，受物价之影响愈大，如此时物价变动超过利息，第一批售货所得即不足再生产之成本。现代层级生产制（Round-about Production）实行成品分工，可将每一生产时期缩短，故所受影响可较低。我国情形适正相反，分工既不发达，更因技术落后及物料不足，生产时期往往极长，故所受物价影响亦极大。第二，为原料品价格上涨速度超过制造品，此虽一时之现象，但在农业尚未工业化及矿业不发达之我国，改进亦颇不易。因原料品之大部分为农矿生产，其增产颇多困难也。同时战时游资群趋于周期较短之制造业，制造业愈膨胀，原料品价愈高，再生产之资金即愈短绌。

仅此二者，尚不足以构成贷款之有效需求，因生产者以贷款补充其流动资金，无异挖肉补疮，且须加负利息，目前生产者之切望贷款者，实受另一因素之鼓舞，即币值之变动，远超过利息之负担，其差额即化为生产者之利益。因此贷款无异一种津贴，能多借钱者必能赚钱，要求贷款之殷切，良由于此。

乙 增加贷款未必有利于生产 然目前贷款之增加，果能有益于生产者乎？则又未必。目前所谓工贷，大多由国家银行供给——据经济部统计，1942年初重庆各银行之工矿放款，仅占其放款总额9%——国家银行所能吸收之国民储蓄至为有限，是时增加贷款，无异增加一部分购买力，更促使物价上涨，故贷款额虽增加，其购买力则减低，同时生产者所需之各种生产因素，如机器、工具、原料、动力、人工等，目前均感缺乏，若干稀有因素，更早经充分利用，增加贷款后，只增加生产者间之购买竞争，其所能购得者如故，唯成本则提高而已。

丙　今后生产贷款之适当运用　但物价上涨之影响为普遍的，贷款则为个别的，同时在时间上，取得贷者亦有相当利益，故对全体产业言，增加贷款虽未必有利，但对个别产业言，其作用仍属重要。是贷款问题之关键，不在其数额之大小，而在其运用之当否。此次生产会议对贷款案之决议，虽亦注意增进其运用之效能，如规定贷款须集中于必需品生产等，但仍系一般原则。愚意在目前环境下，欲发挥贷款之效力，必须根本改变其运用之性质。目前工贷既大多皆为国家银行所贷放，其数额自属有限，同时社会游资则日见增加，社会资金之不流向产业界者，实因产业利润较薄，其所付之代价（即利息），不能与投机事业及商业竞争而已，并非资金真正缺乏。今欲持国家银行有限之贷款，与社会庞大之资金竞争，势力悬殊，自无往而不失败，且此有限之资金，一转移间，亦即流入游资市场，加入对方壁垒，故为今之计，似可根本不将其作为一般贷款看待，而作为特定之款项使用，试略申所见：

子　作为一种诱导性之贷款　产业不能吸收社会资金之原因，既由于其负息能力较差，故国家银行贷款，与其直接放与产业，不如用以增强其负息能力：例如对于能取得他方面借款者，得补助其半数利息。假定以十分高利计，半数为五分，即每笔款项，可用以吸收 20 倍之社会资金。除增强负息能力外，尚可加强其保证能力：如产业向他方面取得贷款者，得由国家银行代为保证，国家银行之贷款则可划为保证基金。此法亦可用于一般银行，凡银行承做指定之生产放款者，得补助其利息，或保证其债权。此种办法，无异使贷款变为补助费。其实在此物价急速变动之时，国家银行贷款原与补助无异：例如物价上涨，月以 10% 计，工贷利息以二分计，则 100 万元之放款，每月即亏损 8 万元。如以此 8 万元按前法补助利息，即可吸收 160 万元之社会资金，而减轻国家银行 92 万元之负担。两者相较，仍属有利。此外尚有一法，即以国家银行贷款为基金，发行一种保本保息之产业债券，贷与产业，使其自行向市场抛售，取得资金。债券之利息必甚高，贷与产业之利息则甚低，二者之差由国家银行负担，与前者之性质无异，唯此法同时更可发挥保证之作用，且可借债券直接吸收人民储蓄。

丑　作为一种管制性之贷款　即运用金融力量，控制产业之发展。此种贷款之运用，应纯视为经济问题，而非金融问题。普通银行之放款标准，如信用分散原则，押品流动性原则等，皆不能适用。同时，应特别注重于技术问题。对于厂方，须确切了解其生产力，对于市场，须确切调查其供需及各项生产因素之配合，以免贷款后购不得物料，或有所谓"瓶颈"（Bottleneck）现象，即虽购得物料而无由增加生产。再则对于生产效率，尤应特别重视，此于过去似未能做到。吾人尝建议采取一种分级制度，将产业按效率分级，并参酌各生产因素之供需，制定资济顺列（Financing Schedule），居于顺列之首者，即效率最高，其所需生产因素亦并不缺乏之产业，应尽先资济；其效率最低居于末列者，则不妨取缔。法国1942年所行之集团价格制度，即系将原依个别成本计算之价格，改以第一集团成本计算。所谓第一集团即效率最高之集团。彼等对于资金、原料、劳工等，有取得之优先权。日本于1941年实行之新经济体制，即系就每业高效率之厂家组成管制公会，效率低者不得加入，但须受其管制。各业对于效率之高低，并定有严密之标准。最近宣布之企业整备计划，更将低效率之生产全部毁灭，此种办法，颇可供吾人参考。

寅　作一种调整性之贷款　产业周转资金短缩之原因，如前所述，既由于成本支出时间之差异，及原料品上涨之过速，则贷款之运用，亦可针对此二者入手。关于前者，国家银行可运用政府力量及统筹方式，代生产者购买期货，或购进实物存储，以贷放于生产者，使其成本支出之时间差异减少，且避免投机及竞争作用。并可使贷款根本不必付现，仅在国家银行中转账。关于原料品，则可采取预购办法，以取得期货或实物，而应前项之需要，原料品价格上涨之速，未必由于成本增加，而多由于供给不足，需求者又彼此竞争所致，对于生产者采取直接资济方式，则商人之渔利可以取缔，价格亦易于平抑。

以上三者，果能配合进行，则贷款之效用，当可较现行办法为宏也。

四　产业证券之买卖

甲　证券买卖为解决产业资金问题之正途　由上分析，可知调整资本与扩大贷款，衡以本文开始所举之原则，均不能谓为解决产业资金问题之上策，即经改进，亦仅得其中。其比较理想之办法，仍以证券之买卖为唯一之正途，其作用一方面可供给产业长期资金，一方面可吸收社会游资，实为针对产业资金困难根本原因对症之药。然而产业界对此方面之兴趣则甚低，此次生产会议100余件资金问题提案中，仅有4件而已。

乙　**目前建立证券市场之利弊得失**　目前开办证券市场之利弊得失，时论已多，毋庸赘言。吾人之意，以为纯就利弊权衡，实利多于弊；然迟迟未能举办者，盖唯恐得不偿失耳。

所谓得不偿失者，即以目前能开拍之产业证券过少，恐不足以形成市场，不能维持交易所之营业。此在最初固不无事实上之困难，但须知证券过少之原因，正由于资本市场之缺乏，购买证券者无随时变现之可能，发行证券者无广征买主之便利，证券愈少，市场愈难形成，市场不成立，证券乃愈少，二者实互为因果。若互推其因，必自食其果，两无所成。为今之计，唯有一面由政府辅助证券市场之建立，一面由产业界努力于证券之发行，相辅而行，"产业证券化"之目标，庶几有及早实现之可能。

抑所谓不能维持营业者，系指交易所之方式言。历来交易所皆系商办，以营利为目的，政府仅行监督，并征交易所税。此项交易所，目前如亦由商办，营业必甚清淡，而无人敢于承办；然如采取政府主办之方式，并不必用拍板形式，证券价格由双方洽定，过高过低，政府有随时停止交易之权，则此种因素自可免除。此次生产会议决议之办法，"由国家银行、商业银行及产业团体办理产业证券买卖"，即系此意。

唯此事之成效如何，产业界本身实应负最大之责任。因证券之发行与买卖皆基于信誉，政府及银行纵能协助，究不能代产业制造信誉。如何健全产业组织，实为最根本之问题。如产业界不此之图，徒思从国家银行多得便宜贷款，或吁请政府少课税捐，以解决其资金困难，则政府之辅助愈多，产业之自立基础愈薄，所谓企业精神愈将堕落。吾人试一回忆十八九世纪欧洲企业家之精神，彼等所处之困苦环境，固十倍于今之我国，彼时各国之政府、教会、封建主、军事领袖皆为压迫产业发展者，资本主义最后之胜利皆由其本身基础之稳固而来。

丙　**目前为建立证券市场之良好时机**　吾人以为目前实为促进产业证券化，建立产业自身基础之良好时机，值此物价变动时代，稍有资财者，无不急谋变换其货币形式之财产，以保障其价值。囤积固为通行之法，然有一定限度，且非人人可作，比较妥当者仍为投资，尤其为产业投资，因其固定资产不断增值，资本最有保障也。实行调整资本后，产业股票价格明显增高，投资者之利益更为显著，同时调整资本经官方之估价，产业信用公开，投资者易于明了产业信用之实况，调整资本与证券市场配合办理，所需之现金新股，当不难筹措，旧股因经估价，上市亦较容易。如国家银行之贷款，复能用诱导性办法，则借款之公司可借以发行高息公司债或分红债券，自证券市场吸取资金，证券市场更可因此活跃。

总之，产业资金问题之解决，必以证券方式为主，配合资本之调整，贷款之改进，始可渐次消除此问题之根本原因，而收一劳永逸之效也。

〔原载《金融知识》（重庆）第 2 卷第 5 期，1943 年 9 月，邮政储金汇业局发行〕

理想利率

一　理想利率之由来

利息政策之理论，依凯恩斯之分析，可有四种：（一）以为银行可以利息保护一国之金准备（如吸收外国投资），如高森（Goschen）、白芝浩（Bagehot）等倡之；（二）以为利息可以影响社会心理，借以控制资本流动，此系皮古（Pigou）之主张；（三）以为利息可控制发行及授信，即控制货币，而直接应用数量说，马歇尔、皮古、霍曲莱（Hawtrey）、基芬（Sir Robert Giffen）等主之；（四）以为利息可改变投资与储蓄，借而应用修正数量说，如加赛尔、凯恩斯、威克塞尔（Wicksell）等，皆倡之。[①]

第一种为英国及欧陆常用之方法，平时尚可有效，但应对金融恐慌则力有未足。第二种心理作用自随时存在，但未能解释全部理论。第三种解释，旧日甚通行，其理论基于利率与成本之关系（高利率提高成本），近已证明不甚适宜。[②] 第四种为最进步之学说，此说始于加塞尔等稳定货币（Stable Money）之理论，以至现代凯恩斯等稳定实业之理论，其目的均在运用银行利率政策，以控制投资额与储蓄额，或控制投资率与储蓄率，使之相等，或

---

① J. M. Keynes, *A Treatise on Money*, Vol. I, pp. 186 – 191, 199 – 200.

② Carl Snyder, "Interest Rate and Business Cycle," *American Economic Review*, Dec. 1925.

使之调和，而保持物价之稳定或生产之稳定。

然银行之利率，究应以何者为标准耶？最理想之标准，即为"能达到上述目的之利率"，此即理想利率之由来：以为市场利率如能与理想之标准相合，则必可达到稳定物价或稳定生产之目的。因此货币专家皆在用种种方法以追求一理想之标准，如费休氏之"实物利率"，加塞尔氏之"真利率"，威克塞尔氏之"正常利率"等，皆此意也。兹分别介绍如后。

二　实物观念——实物利率、商品利率

理想利率之最初观念，系将利息还原为实物，使不受物价变动之影响，如费休氏之"实物利率"（Real Rate），斯拉发氏（Mr. Sraffa）之"商品利率"（Commodity Rate）皆是。费氏之说，乃将本金及利息同按物价指数修正者，如借款百元，利息 5 元，若满期后物价已涨 10%，则资本主所收回者只值原来 94.5 元，其利息变为负 5.5 元。如欲保持实物利率不变，则货币利率应提至 16 元左右，即利率提至此程度后，必能收缩通货而使物价稳定（费氏之公式为 R = r + s + rs，R 为实物利率，r 为货币利率，s 为物价之变动）。[1]

费氏之说已成过去，因第一，商业上之借款系一连续过程（Continuous process），或并不归还（如证券等为 Permanent or Quasi-permanent Loans），或则系借钱还钱，物价高涨后，其所还之百元虽贬值，而此时所借来之百元亦同样贬值，故受影响者只为利息，不及本金，即本金不应按物价指数修正。银行系以存款作放款，其本金亦不受影响。第二，近代银行家之经验，知银行利率有些微之变动，常可引起物价剧烈波动，二者程度不必相等。此点下文再述。此外，费氏之说与其他理想利率学说，有一共同缺点，即系说明在此利率下可稳定物价，而此利率又须以物价变动为标准，是成为循环之论，实物利率究为百分之几，不得而知也。

斯拉发氏所谓"商品利率"，乃纯就易货制度中推论者。如借款 100元经商，一年后还款 100 元，息 5 元，此时期中，借款人所借者实际为

---

[1]　I. Fisher, *Theory of Interest*, p. 443.

100 元之商品（因无人愿借钱存于手中不用也），其"商品利息"即此 5 元所能购买之商品。如物价不变时，各商品之"商品利率"均相等，即均等于货币利率。如纱价涨粮价跌，则纱商之"商品利率"低于货币利率，而粮商之"商品利率"高于货币利率。各物有涨有跌，平均价格不变，平均商品利率亦不变，银行利率以此平均商品利率为标准，则达稳定金融之目的。

斯氏之说，有若干缺点：第一，其商品利率系以现在价格与未来物价所决定者（Spot and forward prices），是无异于两时期的借款之两个现价，理论上欠完整。第二，将来之经营者须负担现时之成本与风险（Spot Cost and Risk），为商人经营之指针（如某物看涨，乃群起购之）。斯氏如欲以利率纠正（check）此种趋势，则与赫曲莱氏之贸易周期理论（Theory of the Trade Cycle）无异；然赫氏之说，已为凯恩斯氏所辩驳矣。①

三　中立观念——真利率、平衡利率

另一种理想利率之观念，乃使利率能对物价保持中立，不加干涉，则物价自归于平稳。此种思想见于加塞尔氏之"真利率"（True Rate）及海耶克氏（Dr. Hayek）之平衡利率（Equilibrium Rate）。

加塞尔之真利率，其最初之定义为"物价不变时之利率"，或"使以实物计算之利率保持于其真实水准之利率"，② 其立论殊不达。因物价稳定时真利率出现，但此真利率未必能使物价稳定也。其后加氏修正其说，谓真利率乃使用"安置资本"（Capital-disposal）之代价，其作用在使"新的安置资本之需求与其供给相合——即与新的储蓄之资本相合"。③ 此说实为利息学说开辟一新途径，从投资与储蓄理论中推究，不再拘泥于物价之标准。然加氏之意，仍在因此使利息市场不改变其原有力量（Check 新的供需），保持其中立性，故谓"银行利率能与平衡利率（即真利率）

---

① See Bhalchandra P. Adarkar, *The Theory of Monetary Policy*, 1935, pp. 40 - 42.

② G. Cassel, *Nature and Necessity of Interest*, p. 166.

③ G. Cassel, *Theory of Social Economy*, 1932, p. 501.

相等，物价即可保持平稳。此时银行即不干涉利息市场，而使其自寻自然之平衡"。[1]

加氏之意，谓利息应由储蓄之供求决定，不由放款之供求决定。但银行家能否控制储蓄，颇有问题。因储蓄非只银行存款，乃社会中不用于消费之购买力也。其次，加氏谓利率如提高，"则可限制新安置资本之需求，同时增加储蓄，结果实物资本之总额必增加，社会生产力乃自社会消费品转移于投资品上。或其生产力较前更加强运用，此即通常所谓商业循环中之景气高潮。待至生产不能负担此高利息时，反作用即发生，实物资本之生产一般的减退，而萧条至矣"。[2] 此即近代投资之理论。但加氏此间一如一般经济学者之见解，误以为任何储蓄之后，皆跟随投资，并以为任何储蓄皆可代表实物资本。故其说如以凯恩斯之投资理论衡之，似是而非矣。[3] 其三，就加氏之说推论，如利率降低，投资增加，则资本之边际效用亦降低，因使资本之需要减少，市场利率亦降低，此时如欲保持平衡，必须降低真利率。于此则加氏之真利率与资本之"边际报酬率"（Marginal Yield Rate）意义相同。因如加氏所说，物价既保持不变，则投资增加后，已投资本之边际报酬自然降低，即货币价值降低，利率亦不得不降低也。然事实上借款并不受边际报酬率之限制，因第一，如物价看涨，则实物资本边际生产之货币价值反可增高，是边际报酬率（以货币计值）可以较市场利率为高，而不妨碍借款之进行；第二，借款者实际并不看现有资本之边际报酬率如何，所关心者乃未来投资之报酬也。

海耶克之"平衡利率"散见于其各种著作中，未有明确之定义；但海氏之用意，系指一使货币之数量乘其流通速度保持一常数之利息率，而其"结果"使货币能对物价"中立"（Neutral toward Prices）。海氏批评威克塞尔之说时，曾谓市场利率与平衡利率相合时，则利息对物价之影响为"中立"，物价可不受其波动，但并非谓物价即不波动也。海氏称"银行可使实物资本之需求与储蓄之供给相等，亦可使物价稳定，但不能使两种任务同时

[1] G. Cassel, "Interrest Rate and Price Stabilization," *Quarterly Journal of Economics*, Aug. 1928.
[2] G. Cassel, "Interrest Rate and Price Stabilization," *Quarterly Journal of Economics*, Aug. 1928.
[3] J. M. Keynes, *A Treatise on Money*, Vol. I, p. 173.

完成",① 此说至为重要。盖在海氏理论中,利率政策之目的,在稳定生产而不在稳定物价也。

海氏以为货币流通速度之改变,可以改变货币数量平衡之。故其乘积可以利率政策保持不变,此点在理论与事实上均有问题。再则即使其平衡利率可以保持货币数量与流通速度之乘积,能否即平衡投资与储蓄,则又有问题也。

四 平衡观念——正常利率、自然利率

加氏学说,实际已有借利率政策平衡投资与储蓄,而稳定物价之观念;但完成此理想者,为威克塞尔氏之"正常利率"说(Normal Rate),及凯恩斯氏之"自然利率"说(Natural Rate)。

威氏首先悬想一非货币制度之静态经济(Non-monetary static Economy),其间之利率即为正常利率,市场利率若与此正常利率有些微之差异,即足以波动物价,而二者差异之由来,乃因人类对储蓄之供需并非依其自然形式(即货物形式)而为货币形式,而货币之数量又为可变者也。故理想利率之目的,乃在使此供需(储蓄与投资)相结合,此为其在《利息与物价》(*Geldzins und Güterpreise*)中之学说。② 其后在《国民经济学》(*Vórlesungénl über Nationaloknömie*)中,又将利率分为三类,而谓"正常利息者,即使资本贷放之需求与储蓄资金之供给正相合时之利率,而多少与新投实物资本预期报酬相当"。③

威氏学说最大之贡献,为说明影响物价者并非利率本身之高低,而为其与正常利息间之差异。其差异之由来,往往由于正常利率变动后(如因技术改良而使新投资之未来报酬增高,即正常利率提高),市场利率不能追踪而变之故。④ 高利率有高利率下之平衡,低利率有低利率下之平衡,唯此差异发生时,平衡乃破坏,如银行利率低于正常利率,则(一)储蓄减少,

① Dr. Hayek, *Prices and Production*, p. 208.
② See Bhalchandra P. Adarkar, *The Theory of Monetary Policy*, pp. 24 – 31.
③ Wicksell, *Vórlesungénl über Nationalokömie*, German Translating, 1928, p. 220.
④ Ibid. , p. 232.

消费之要求增加，消费品涨价；（二）因此需求之增加，并因借款利息甚低，经营者对原料劳工之需求增加，后者之收入即消费品之需求，乃再度增加，价格乃更涨。此时市场利率如提高与正常利率相合，则可得到平衡，物价乃留于高利率水准之上。[①]

威氏学说之缺点，在其非货币经济制度之观念，因此而引出"实物储蓄"之概念，此乃不可能之事。但其说谓在货币经济中市场利率与正常利率些微之差异，即足造成物价之波动，因就货币形式言，储蓄之供求虽失调甚微，就货物形式言，则差额甚大。此点亦为威氏之重要贡献。此外，威氏以正常利率为资本之预期边际报酬，如其预期报酬改变，而不改变利率，则必引起物价之变化，[②] 此虽系一极有价值之理论，但于前述加塞尔学说中之问题，仍无法解决。

是后吾人略述凯恩斯之"自然利率"。凯氏之投资与储蓄学说迭有改变，为学者习知，其利息学说亦然。今所论者，专言其前期之思想，即在"货币论"中之理论。盖此时凯氏之理想利率，纯为一平衡观念也。至于其以后之学说，拟另文详述之。

凯氏之所谓自然利率者，乃保持储蓄率与投资率相等之利率。此时生产品之物价水准，与以货币计值之"生产诸因素之有效报酬率"（Rate of Efficiency Earning of the Factors of Production）相等。[③] 其余理论，与威氏大体相同。

凯氏所谓储蓄率与投资率，与威氏所谓新的储蓄与新投资虽性质相同，但凯氏本意，如二者保持相等，则短期性之物价波动无由发生；但长期变化，仍须另论。此可由凯氏物价公式中前项后项之作用观察之。其次，凯氏之以有效报酬率为自然利息之标准，与威氏之以预期边际报酬为正常利息标准者，亦不相同。"有效报酬"与勤劳报酬（Effort Earning）不同。后者为单位劳动之报酬，前者为单位生产之报酬。如计时工资与工人之勤劳无关，如实物工资，则随生产而异。货币管理当局如能使投资与储蓄之比例不变，物价自可不变，但此时如有效报酬率改变，物价仍可自变。凯氏谓此种

---

① Ibid. , p. 234.

② Ibid. , pp. 237 – 238.

③ Keynes, *A Treatise on Money*, Vol. Ⅱ, p. 155.

"自变"（Spontaneous change）纯由现在之工资制度而来。当局如不愿此种自变发生，亦可再变更投资与储蓄，引起反作用以抵销此自变之趋势。故凯氏谓："吾人如能对报酬制度（或工资制度）与货币制度皆能控制，则可强制改变报酬率，同时供给适量之货币；亦可控制投资率，吾人即可稳定币值——货币之购买力及劳动力或其他。"[①] 但事实上吾人能大部分控制货币制度而不能控制报酬制度，故不能不加强运用前者以抵消后者。由此可知凯氏"自然利率"之说，不过说明为货币制度中投资率等于储蓄率之利率，并非使物价不变之利率。欲物价不变亦可，但非以自然利率为标准，有时更须"加强运用"之。

凯氏著作中曾有一段称：利率提高后，资本商品之价值乃降低，故利率上升，投资品之价格下降，结果使新投资受妨碍，新投资价值与投资品之比例（即凯氏之 C）减低，投资率小于储蓄率，而物价下降。[②] 此段似亦指资本报酬率之作用，但所述乃利率变动后之影响，非叙明自然利率之决定。再者，凯氏以为资本未来报酬率者，乃专就"固定资本"（Fixed Capital）而言，工作资本与流动资本均除外，此点曾受若干学者之批评；唯凯氏谓由统计证明，后两种资本在数量上所占比例甚小，可略而不计，同时工作资本之未来报酬，难与成本划分计算也。

五　结论

理想利率学说，虽经若干著名学者之研究，但其实用价值，仍属甚微，因其标准，概须根据于市场变动之状况，而市场之变动，原因固甚复杂也。但综上所述各家意见，吾人可得若干原则之结论：

一、理想利率之作用，在使社会一时期之新投资与该时期之新储蓄相合，以减除产业上短期之波动。

二、理想利率本质上并非资本之未来报酬率，但其趋势至少与后者相合。

---

① Ibid., Vol. I, p. 169.
② Ibid., pp. 151 – 155.

三、理想利率对物价并不中立，物价之变化，非由于市场利率之高低，而由于其与市场利率之差异。

四、利率政策之目的如在稳定物价，则不必与理想利率相合，如在稳定产业之发展，则应与理想利率相等。

〔原载《金融知识》（重庆）第 3 卷第 2 期，1944 年 3 月，邮政储金汇业局发行〕

美国战时公债与
金融政策评述

本文原系作者去年在纽约联邦准备银行经济研究处所作，对当时实施之资料，搜集甚丰。原文为英文，此篇则系节译其前四章而成。此部分偏重理论政策，实施情形则不能详述。本篇可说明一成熟之资本主义国家应付大规模战争之财政与金融政策，虽与我国情形不同，亦颇足借鉴也。

作者志于 1946 年 11 月

一 战时借债之理论

（一）税收与借款

战费应否全由税收支付，抑可部分仰赖借债，经济学者与政治家之辩论已有250年。[1] 英国于拿破仑战争中，税收供给战费63%，波尔战争中，供给39%。然税收之不能应付大规模战争，至第一次世界大战始为明显。彼时各国战费之出自税收者，美为37.3%，英28.7%，德仅12.3%，而法仅4.2%而已。[2]第一次世界大战时，仅英国已实行所得税，美国于战争中开始，其他国家均

---

[1] Cf. Jacob H. Hollander, *War Borrowing*, New York , 1919, p. 3.

[2] Based on Fisk's data. War is defined as the excess of actual wartime expenditures over the peacetime level of government expenditures. H. E. Fisk, *The Inter-Allied Debts*, New York-Paris, 1924, p. 330.

无反通货膨胀性之税制。

此次大战时，各国税制已有惊人之进步。英国较美国更能少赖战债之发行，加拿大甚至税收超过借债。其各年情形见表1。

表1 美、英、加战时财政

单位：百万美元

会计年		1940	1941	1942	1943	1944	总　计
美 国	借　债	2606	6836	21659	63805	61830	156736
	税　收	5144	7093	12513	21365	41457	86942
英 国	借　债	768	2466	2673	2780	2736	11423
	税　收	1017	1359	1962	2483	2948	9769
加拿大	借　债	308	678	1414	1963	2779	7142
	税　收	468	778	1361	2137	2592	7336

资料来源：Harold L. Seligmen, "Patterns of Wartime Borrowing in the United States, the United Kingdom and Canada," *Federal Reserve Bulletin*, November 1944, p. 1057.

美国于大战中，政府支出增加10余倍，税收增加8倍余，债务之增加达2000亿美元。其数字见表2。税收支付战费39.1%。

表2 美国战时财政

单位：10亿美元

年　份	1941	1942	1943	1944
财政收支				
所得税及利得税	4.3	11.1	26.6	34.3
其他	4.5	5.3	8.0	10.1
净收入[1]	8.8	16.4	34.6	44.4
战费支出	13.9	52.4	85.1	91.2
其他支出[2]	6.6	5.2	4.7	5.2
总支出	20.5	57.6	89.8	96.4
净支出	11.7	41.2	55.2	52.0
普通国库金增加	1.6	7.0	1.8	9.9
借款（有息公债之增加）	13.4	47.8	57.1	61.6

注：

[1] Exclude net appropriation to Federal old-age and survivors insurance trust funds.

[2] Includes net expenditures of trust funds and Government agencies except for war and debt retirement.

资料来源：*Annual Report*, Federal Reserve Bank of New York, for 1945, p. 10。

战费之筹措，不仅为来源问题，更须注意其对国民经济之影响。税收如不出自呆滞资金（Idle balance），足以防止膨胀并解除吾人后代因付债息而生之困难，又可防止战时利润膨胀并减少国民收入之不平等。但急剧之增税足以影响生产，且损害个人之工作情绪（Incentive to work），而此情绪在战时极为重要。同时高额累进所得税有减少人民储蓄之作用，是皆须考虑者也。

全部以税收支付战费为不可能之事，[①] 战时税收政策，实为一技术问题。各种税收之征取，应依资源运用之程度而定。战事初期经济活动尚在容限（Capacity）以下时，不妨用膨胀政策以刺激生产。就业渐增后，财政应渐取限制政策，而生产达于顶点时，膨胀政策乃不可复用。1941 年时，美国经济专家大致同意大量增税政策应于产业达充分就业后或物价上升达危险程度后，再为应用。[②] 但对于增税之时间及性质上，仍不少争论。充分就业点不易确定，且物价上升常在该点之前。由于战时产业改组而生之瓶颈现象（Bottleneck）及技术困难，可能使最大生产量在资源充分被利用以前而达到，故限制性之税收政策有提前实施之必要。[③] 一般而论，物价较就业更能做税收政策之指针，但亦须详查物价上涨之因素而后论定也。

1941 年 1 月罗斯福于总统演说中，称一旦美国经济容限被充分利用后，政府预算即须得平衡。[④] 但财政常为一技艺而非科学，任何财政部长均奢言将平衡收支，实则未有成功者。钞票可一按电钮而印出，新税则非旦夕可举办也。

（二）借债不能延付战争负担

战债虽家常便饭，而其意义常被忽略。一方面常将借债与税收过分对

---

① A. C. Pigou, *Political Economics of War*, 1941, New York, p. 3.

② E. G. Profs, A. H. Hansen, J. W. Angell, J. K. Galbraith, A. G. Hart C. Shoup, etc. Cf. E. Harris, *The Economics of America at War*, New York, 1913, p.195.

③ Cf. E. Stein and G. Backman, *War Economics*, New York, 1942, p. 121.

④ In his budget of January 1941, the President said: "As the national income increases, a larger and larger portion of the defence expenses should be met by tax revenues rather than borrowing. Whatever the point may be at which the budget should be balanced, there can not be by any question that whenever the country approaches a condition of full utilization of its economic capacity, with appropriate consideration of both employment and production, the budget should be balanced. This will be essential if monetary responsibility is to be discharged effectively."

立，如谓税收付战费于当时，借债迟延其负担于后代，又谓税收为收缩政策，借债为膨胀政策等。另一方面，美国有一派理论谓不必忧虑政府举债，因系"欠自己者"（"Owe to ourselves"），又谓政府债可无限增加，因国民所得常较债之增加为先。此种种错觉，必须先为纠正。

吾人常忽略一事实，即强敌必须以现有之物资与人力与之周旋，战争负担不能转嫁于后代。仅有一极小部分可延付者，即使用公私投资之折旧（Depreciation），延期产业之修理（Maintenance and repair），与减低消费品之盘存比例（Inventory ration）而已。此少数之负担，可转嫁于后代，盖彼等于恢复设备（Rehabilitation）及重建盘存时，须有实物负担也。但耗于炮火之大部分人力物力，无论采用公债或税收政策，必须由当时人负担。就此点论，借债与税收并无区别，同为自人民手中转移购买力于政府之方法而已。

战争之实际成本（Real Cost）必须在作战时支付，然如克拉克教授所指出，此并非谓后代将不负担战费。[1] 上述之复员费用，以及恢复战争破坏，救济伤亡兵士，改组战时生产机构，皆为实物之负担，与用借债或税收支付战费无关。再则，税收政策实际亦加重后代之负担，因高税限制个人消费，而个人消费中一部分乃个人生产力之投资。[2] 如战时道德之低落，教育之破产等，俱为后代须负担补救者也。[3]

（三）借债与所得再分配

借债政策虽不能迟延战费负担，但可迟延负担之分配。后代以税款还付战债本息时，战争之负担即自债券持有人之手转移于纳税人。因债券多为富者所持有，此种转移遂有使所得由贫人移入富人手中之可能。但亦有人谓战债足以使所得之分配更为平均者，因在美国政府公债为最可靠之债券，而小

---

[1] John M. Clark, *The Cost of the World War to American People*, New Haven, 1931, p. 81.

[2] A. C. Pigou, op. cit., p. 44.

[3] The best expression seems to be the conclusion made by Prof. Davenport, "War consumption has no future tense. And still there is a sense in which the burden can be shifted. The people who bear the burden now may be indemnified later at the cost of other people. Such is, in fact, the sole significance of bords... the future does not provide for the war; future producers merely indemnify the present Providers". H. J. Devenport, "The War Tax Paradox," *American Economic Review*, Vol. IX, March 1919, p. 36.

储蓄者及工人农民之真正节储常购买最可靠之债券。但在 1937 年，美国年收入在 5000 元以上之个人及合伙公司，持有 90% 之政府债券。[1] 韩森教授（A. H. Hansen）对此问题之结论为少数公债之增发，有利于所得之平均分配，大量增发则有利于富豪。[2]

借债之一有力理论，即可使有钱者出钱。自 1941 年 5 月至 1942 年 2 月，美国节储债券（Savings Bonds）有 9% 为票面在百万元以上者，有 25% 为 1 万元之大券。此表示该项债券多为富者所有。但此后小券之发行乃渐多。如 25 元小券自 1941 年之 7% 增至 1944 年之 35%。反之千元大券自 46% 降为 17%。[3]

战债利息之支付，为所得由纳税人转移于债券持有人之一部分，亦为后者"投资"于战争之利润。第一次世界大战，美国政府付与个人之利息，自 1915 年之 1700 万增至 1919 年之 7.85 亿。其详数根据金氏估计（Willford I. King）列入表 3。由此可见利息占个人总所得之百分数，自 1917 年，即增债之第二年开始激增。同时利润及股利（未列入表）占总所得之百分数则减少。是故债权人（Renters）得利而所有人（Ownership）吃亏。1923 ~ 1928 年利润及股利之百分数均增，利息百分数则因总收入激增而不甚重要。但此期为中产阶级最繁荣时期。1929 ~ 1933 大恐慌时，各项所得均大跌，独利息收入维持常态。

表 3　政府利息支付

单位：百万美元

年　份	利息所得总数	联邦政府付与个人之利息		个人所得总数	利息所得占所得百分比（%）
		数目	占总数百分比（%）		
1914	312	17	0.05	33227	0.94
1915	343	17	0.05	34690	0.99
1916	356	18	0.04	40585	0.88
1917	454	88	0.18	48314	0.94
1918	766	285	0.50	56658	1.35

---

[1]　Horst Mendershausen, *The Economics of War*, New York, 1943, p. 240.

[2]　Alvin H. Hansen, *Fiscal Policy and Business Cycle*, New York, 1941, pp. 184 – 185.

[3]　*Treasury Bulletin*, May 1942, August 1945.

年　份	利息所得总数	联邦政府付与个人之利息		个人所得总数	利息所得占所得百分比（％）
		数目	占总数百分比（％）		
1919	1412	780	1.27	61628	2.29
1920	1413	771	1.12	68442	2.07
1921	1427	741	1.26	58171	2.45
1922	1524	758	1.24	61187	2.49
1923	1540	702	1.01	69295	2.22
1924	1490	594	0.82	71905	2.07
1925	1499	560	0.73	76561	1.96

注：Total realized individual money income in current dollars。

资料来源：Based on King's figures. Willford I. King，"The National Income and Its Purchasing Power," New York，1930，pp. 74，370。

战债还本为转移负担之主要部分，其数目可自战债总数中求得，即假定所有债务最终须以税收付还也。

因各人所得内容复杂，战债对所得重新分配之影响不另断言。总之，如战债集中于少数人之手，则对所得集中之影响颇大。然因物价变动，此项影响变为不重要。战债持有人多为固定收入阶级者，战时物价膨胀必蒙损失，战后物价跌落时又蒙利益。就第一次世界大战言，战债对于所得再分配之影响，在战时确有平均之作用。[①]

（四）借债与膨胀

第二个误解，以为税收为紧缩政策而借债为膨胀政策，乃由于政府常向银行借债之事实而来。一般言，战债容易但不一定要引起膨胀。主要之分野为转移购买力对创造购买力，非税收政策对借债政策。如纳税人向银行借债付税，亦有膨胀之效果。如战债借自流动所得（Current income）或过去及未来之储蓄，则不致引起膨胀。

实际上向银行借款为战时所不能免。伦敦"经济学家"之论颇中肯："战争对银行有双重之压力。第一，扩张中之经济需要较多之通货与信用以

[①]　Cf. John M. Clark, *The Cost of the World War to the American People*, New Haven, 1931, p. 162. Also, Willford I. King, "The National Income and Its Purchasing Power," *National Bureau of Economic Research*, New York, 1940, pp. 74, 370.

资助之。其需要至少当与国民所得之增加成比例，而实际常超过之。战时之社会，不但所得较平时增加，且有较多部分保持于货币形式。第二，财政赤字必须弥补，任何交战国之战费皆不能全部引自个人所得，而须有一部分借自银行。"[1]

在某些情形下，通货增加亦有理由。生产扩张常伴随现代战争而来，依此而增加之通货不致提高物价。同时物价微涨，可以刺激生产，增进税收，并减少消费。私人消费与投资之货币价值可以刺激生产，增进税收，并减少消费。私人消费与投资之货币价值，可因此保持一相当水准，政府则因而多得购买力。战费之货币数字渐增，而其实际负担则可因物价上涨而抑低。同时政府支付债息之实际负担亦因物价上涨而变小。但从另一方面言，战费之货币数字亦因物价上涨而增高，因此举债之总额亦须加大。如战后物价暴跌，则政府在通货贬值时所举之债，须在币值提高时付还本息，彼时虽国民所得减少，工商萧条，亦须提高税率以偿债务矣。

总之，借债政府之中心问题在使债款来自个人所得（Individual Income）或储蓄，而少来自银行之信用扩张，则通货膨胀，非不可避免。

（五）发行公债之限度

"一国究能负担若干国内公债"为一有趣问题。一部分学者以为国内公债为欠自己人者，其数目几乎可无限制。[2] 亦有以为内债可增至产业达于充分就业时为止者。[3] 有估计美国内债可增至 40000 亿美元者。[4] 此派理论之要点，大略如下：

---

[1] "American Monetary Plethora," *The Economists*, London, July, 1917 1943, p. 81.

[2] E. g., R. Y. Gilbert, G. H. Hidebrand Jr., A. S. Stuart, M. Y. Sweezy, L. Tarabis and. J. D. Wilson, *An Economic Program for American Democracy*, New York, 1938. For discussion of the program, ef. Davlp M. Wright, "The Economic Limit and Economic Burden of an Internally Held Debt," *Quarterly Journal of Economics*, Vol. LV. November 1940.

[3] E. g., Alvin H. Hansen. Cf. Hansen, *Fiscal Policy and Business Cycle*, New York, 1941, pp. 170 - 171. Prof. Hansen once said: "A government debt internallty held is so completely different from and ordinary personal or business debt that it could hardly be called a debt at all," Cf. A. H. Hansen and Guy Greer, "The Federal Debt and the Future," *Harper's*, April 1942, p. 498.

[4] S. E. Harris, Postwar Economic Problems, New York, 1943, p. 184. This attitude, however, is not shared by most other economists who prefer a large domestic debt.

1. 以国家为一运行之总体，其内债即为其投资。使内债（投资）之增加率足以吸收国内之储蓄，乃健全合理之政策。除非认为储蓄率为过分，此项增加率不会过分。[1]

2. 内债可用于有收益之投资，此项投资之收益足付债息。[2]

3. 内债增加后人民之所得亦增加。如有适当之经济机构，所得之增加必成为投资与储蓄之增加。故内债之增加与私有财产之增加相抵消。[3]

4. 投资增加后，所得亦增加，其数为投资增加率乘以"投资倍数"（Investment multiplier）。故政府之支出对投资与消费有加倍数及加累积之影响。纳税能力之增进，因此足以应付因付债息而增之税率而有余。[4]

此项理论，要之以储蓄及所得为中心。但吾人亦可暂舍此而从别方面观察增债之影响。

第一，从实质方面看，公债系代表自私人企业中移入公家之资源与人力。如经济未达充分就业时，此种移转可无伤私人企业。但如在战时繁荣下，公家事业之发展，必以私人企业为牺牲。故在资本主义社会中，可能移转之物资与人力，即为公债发行之最高限度。

第二，自实际方面言，公债常须售与银行，于是减少银行之可用资金，[5] 同时增加其存款而耗用其准备金。同时通货数量必激增，银行信用必膨胀，而膨胀必引起无数之经济政治问题。

第三，自实际方面言，最重要之公债发行限度，乃人民之愿否购公债。政府自可贬价出售公债，但亦须顾及成本，因债息须以税收偿还。在一定之价格上，一个社会所能借出之钱为有限的，不但受游资之限制，亦受心理之

---

① This expression appears in the suggestion made by R. Y. Gillbert and others. Cf. An Economic Program of American Democracy, op. cit. , p. 62, et. sea.

② S. E. Harris, *Economics of America at War*, New York, 1941, p. 382.

③ S. E. Harris , op. cit. , p. 383. The impact upon income will be the same regardless of the purpose for which the debt is incurred. Cf. B. F. Haley, "The Federal Budget: Economic Consequences of Deficit Financing," American, Economic Review, Supplement Vol. XXXI. February 1941, p. 7.

④ John M. Keynes, "The General Theory of Employment, Interest and Money," New York, 1936, p. 115. Also, A. H. Hanson, op. cit. , p. 170.

⑤ This question, however, is not likely to be materialized. For various reasons, of John M. Clark, "An Appraisal of the Workability of Compensatory Devices," *American Economic Review*, supplement, Vol. XXIX , No. 1, March 1939, p. 203. Dennis H. Roberson, Essays in Monetary Theory, London, 1940, p 136.

限制。尤其战时人民之"流动倾向"（Liquidity preference）增大，愿保存财产于货币或活期存款形式。如公债无限发行，必有一日人民拒绝收购。至于银行是否会拒绝收购，则须视中央银行之政策而定。

第四，公债之货币成本，亦为一限制。债息为国库之一固定支出，国库虽不致因经济恐慌而破产，但固定支出愈大，财政之运用愈受限制。税收必因债息而提高，为提高税收，政府必须用一切可能方法来维持物价及国民所得，结果仍须增加债务。高税之种种困难，姑不论，而人民厌税心理实最重要。虽然自人民征来之税仍将以债息方式付还人民，但人民并不因此而愿纳税。

第五，自理论方面言，公债对国民所得分配之影响，亦须考虑。如前所述，债额极大时，有使所得集中于富者之危险。美国专家有建议为付债息而征之税应全部自债券持有人征来者。即使此法有实行之可能，亦不公平，因此无异对战时出钱之人，战后课税，而对战时不愿出钱之人，战后不课税也。[1]

第六，高税之结果，必减少储蓄与投资，因税款多系由储蓄中付纳，非由消费中付纳。高税政策，减低个人之努力及冒险性，此在资本主义经济中颇为重要。再如库兹涅茨（Simon S. kuznets）氏所述，高税有将资金自最能创造收益之人手中移入一般人手中之作用。[2] 美国战前数年来投资减少之原因，据安琪氏（James Angell）云，即系受高税政策之影响。[3]

（六）政府支出与"投资倍数"说

本文不能详细讨论"投资倍数"（Investment multiplier）学说。此说之有关结论为国民所得依政府之支出为加倍的（multiplied）及累积的（Cumulative）增加。故公债问题，可变为一债息之增加与国民所得之增加

---

[1] B. U. Ratchford, "The Burden of A Domestic Debt," *American Economic Review*, Vol. XXXII, September 1942, p. 456.

[2] Kuznets refers to it as a "transfer of income from areas in which its power to stimulate production is great to others in which such power is less." Simon Kuznets, "National Income and Taxable Capacity," *American Economic Review*, Supplement, Vol. XXXII, March 1942, p. 59. cf. also, B. U. Ratchford, op. cit., p. 459.

[3] Angell contents that heavy taxation is the most important factor which has reduced the demand for investment funds in recent years. Cf. James, W. Angell, *Investment and Business Cycles*, New York, 1941, p. 273, foot note, and p. 278.

之关系问题。专就此点言，投资倍数说不无真理。但须注意下列各点。

1. 无论凯恩斯氏本人或任何著名学者，从来言所得"必须"依倍数增加。[1] 凯恩斯氏承认减少投资之别种相反因素，并特别注意"消费倾向"（Propensity to consume）。[2] 故政府增加支出可能不引起任何投资与消费，仅与"自愿储蓄"（Voluntary savings）或"囤蓄"（Hoarding）相对消而已。[3]

2. 即使承认公共支出之倍数说，亦不能承认其"自动持久性"（Self-perpetuating effect）。如对于储蓄无诱导或足以凭借之机构，则支出之倍数性必中途而止，甚至只有一次。[4]

3. 如克拉克氏所指出，此倍数性亦可能为负的，而与正的之作用力相埒。[5] 支付之钱如不再支付，即生一负的"倍数"。故公共支出必须不断地增加，除非有私人支出起而代之，或"倍数"加大。是公共支出政策，仍须以私人投资之不断增加为前提。

4. 公共投资大量支出后，可与私人投资发生竞争作用。发展至相当程度后，每一元之政府投资可能吓回数元之私人投资，至此可谓得不偿失矣。[6]

第一点说明所得之增加不一定能保证因付债息而增之税收。公债与私债之大区别即在此。私债中不发生"谁付利息"之问题。公债中则利息须由国库负担，而所得则为人民所得。除非"倍数"极大，国库不能将所支出之债款全部由课税回库。如所支之债款被"囤蓄"抵销，或被私债之收缩

---

[1] Some, however, explain the multiplier in a much more rigid fashion, e. g. , A. A. Berle. Cf. David M. Wright, *The Creation of Purchasing Power*, Havard University, 1942, p. 138.

[2] keynes, *General Theory*, p. 122. However, in another place (p. 118) he says: "Unless the psychological propensities of the public are different from what we are supposing, we have here established the law that increased employment for investment must necessarily stimulate the industries producing for consumption and thus lead to a total increase of employment which is a multiple the primary employment required by the investment itself. "

[3] Cf. Dennis H. Robertson, "Saving and Hoarding," *Economic Journal*, Vol. XLIII, September 1933.

[4] John H. Williams, "Deficit Spending," *American Economic Review*, Vol. XXX, No. 5, February 1941, p. 55.
The perpetuating nature of the multiplier is emphasized in the earlier pump-priming arguments. Cf. A. H, Hansen, *Fiscal Policy*, op. cit. , pp. 261 – 262.

[5] John M. Clark, "An Appraisal of the Workability of compensatory Devices," *American Economic Review*, Vol. XXXIX, March 1939, p. 201.

[6] John M. Clark, "An Appraisal of the Workability of compensatory Devices," *American Economic Review*, Vol. XXXIX, March 1939, p. 204.

所抵销（此即 1929～1936 年之情形），则所得之增加有限矣。

第二、第三两点说明政府如采用扩债政策，必须继续扩债不已，除非私债可起而代之。如国民所得已达甚高水准（如战时），则私人投资（私债）甚少大量兴起之可能，此时扩债政策即将失败。

第四点说明公债已发行至甚大数目后，再有增加亦不易刺激工商活动，甚至有相反作用。在此情形下，债务将有延付或赖债之危险。

此次大战中，美英加公债及债息占国民所得之百分数，可比较如表 4。

表 4　美、英、加公债及债息占国民所得比率

单位：%

年　份	公债占国民所得百分数		债息占国民所得百分数	
	1939	1944	1939	1944
美　国	70.0	129.0	1.4	1.7
英　国	170.0	246.0	4.5	4.8
加拿大	100.0	125.0	3.1	2.8

资料来源：Harold L. Seligman，"Patterns of Wartime Borrowing in the United States the United Kingdom and Canada，" *Federal Reserve Bulletin*，November 1944，p. 1058.

此 5 年间，美国公债增加 6 倍，国民所得加 1 倍，债息加 3 倍，故债息与所得之比例仅增 0.3%。与英加相比，情形较佳。但须注意者即战后利率，或须提高（此时为空前之低），而国民所得之增加，不会如过去之速。战后之通货膨胀与紧缩时期尚须预防。应否渐行紧缩预算，为时贤所常论。但无论如何，短期内恐不能偿还大量债务。今日之负债虽去限度尚远，但战后如有不利之环境转变，亦颇有危险也。

二　美国战时公债政策

美国之战时公债政策曾由财政部长向国会明白宣布，其内容如下。

①必需资金之募集，须用足以减少膨胀威胁之方法。

②全国金融机构资金之流动性须妥为保持并加强，以使之有力应付战后问题。

③购买公债之小投资者，须保障其免致损失。

④借债之利率须保持合理之水准。[①]

实际讲来，第一原则在使公债尽量销入非银行之手，第二原则即短期公债政策，第三原则即发行储蓄券政策，第四原则即低利率政策也。此四者实为美国在第二次世界大战中公债政策之特征。

（一）反通货膨胀之借债

美财政部长于其报告中曾称，售与非银行之公债，可"直接在来源地吸收消费者之购买力，因而对消费限有最大之力量"。[②] 如此自无膨胀之危险。但购买力之吸收，并不能与销出之公债相等。因第一，购债者可向银行借款购债，第二，购债者可动用过去之储蓄。

第二次世界大战中，美国公债有60%销入非银行之手，而在上次大战中达80%以上。上次大战时之通货膨胀情形，反远较此次为甚。其故即因上次大战中"借钱买债"（Borrow and buy）之风甚盛，公债虽未由银行吸收，但实由银行信用支持之。而此次大战中则债券放款极少。故专信赖公债持有人之统计，必致发生错误。

过去储蓄之动用，可有数途。人民可提取储蓄存款而购公债，亦可将钱存入储蓄存款或保险而由储蓄银行或保险公司购买公债（在美国只有商业银行可以创造信用，故本文所称"非银行"包括商业银行以外之金融机关）。政府本身亦可将其"信托金"（Trust Funds）购买公债，此亦系动用过去储蓄，不能吸收购买力。如此种种储蓄原系投资于私人企业者，则此举不过将私人企业资本转化为战费而已。如此种种储蓄原未曾投资，则此举系将呆滞之资金化为灵活，不但不能吸收，反而增加购买力矣。

诚然，人民购买公债之资金大部来自经常所得（Current Income）。但此部分资金如不购买公债并非一定要增加消费而促成膨胀。美国大部分购买公

---

① *Annual Report*, U. S. Treasury, For 1943, p. 5.

② *Annual Report*, U. S. Treasury, For 1943, p. 6.

债者皆系投资目的，其资金如不购公债亦必存入储蓄存款或保险。而储蓄银行及保险公司，仍将以此资金购买公债。故在战时储蓄存款及定期存款增加甚微。1940~1944年只增47%，而活动存款增加125%。单看公债之销售数字，亦不能断定其政策之成败也。

减少私人投资，为战费来源之一，故统制私人投资可帮助公债之征募。1941年公司债券之增加有55亿美元，1942年及1943年降至20亿，1944年增为40亿。

为向非银行推销公债，美政府早于1941年5月1日（尚在珍珠港事件半年前）发动一储蓄券推销运动。对日战争爆发后，即开始自薪给中扣除储蓄券。自1942年秋季起，乃开始定期性之募债运动，前后共有八次，最后一次为胜利公债。

无论反通货膨胀之借债理论如何动人，但历史上银行一向为公债之主要购买人。上次大战时，美国银行购买战债43亿美元，又放款23亿为购债之用。此次大战中，1941年银行持有息公债发行总数38%，1942年增至41%，1944年增至42%。其总数，联邦准备银行合计，自1940年之231亿增至1944年之1047亿。此部分资金均可视为来自膨胀性之借款。

（二）短期公债政策

短期借债（Short-term financing）虽为学者不断评论，但实为美国之一传统政策。[1] 其主要原因乃在短期公债富有流动性质（Liquidity），购买者可不必完全具有投资心理。美政府既宣布要保持并增强金融机关资金之流动性，短期公债乃成为银行之购买对象。此次大战中发行短期债券之另一理由，乃因低利政策而起。因政府将短期利率"钉住"（Pegged）且使之低于长期利率，短期借债自较有利。

另一理由，即前节所谓"应付战后问题"，可自财政1944年之报告中得之。

---

[1] *Monthly letter*, National City Bank of the New York, February 1913 p. 3. Cf. also, B. H. Beckhart, *Discount Policy of the Federal Reserve System*, New York, 1924, p. 292.

此种公债（按指短期公债）在需要增加消费时可放出购买力而促
进经济稳定……此种公债政策所给予之经济流动性在战后维持充分就业
时为一重要之因素。将一部分短期公债改换为长期（按当时舆论常有
此主张）只不过增加政府利息负担，并将利率改变之风险（亦即公债
价格跌落之风险）由政府转嫁与国民。此办法将增加战后经济之不稳
定因素，因政府较任何种投资者均更有负担风险之能力也。[①]

由此可见短期公债之目的，在维持战后之购买力。战后之情况本难逆
料。就目前情形言，似不会有购买力降低之现象。目前美国政府亦渐改变
其政策矣。第一次世界大战后，许多国家因短期公债太多，而发生极严重
之"浮债问题"（Floating Debt）。就财政学理讲，短期债券只能做预期税
收，或告发长期公债前先行募集现金之用。发后应即到期还本或以长期公
债补还。至于维持战后购买力，为罗斯福一贯之膨胀政策。就目前情形
言，实与事实相左。今日美国已临通货膨胀之危机，今后或须改行紧缩政
策。唯短期公债政策与低利率政策为不可分者，美国如欲解决其浮债问
题，恐不能不改变利率也。

此次大战中，各国均盛行短期公债政策，尤以素少采此策之英国为是。
至 1944 年，美国公债中有 54% 系在 5 年之内到期或可收回（Callable）者。
英国为 44%，加拿大为 45%。[②] 至 1945 年 6 月底，美国之浮债，包括国库
券（Treasury Bill）（三月期）及借债证券（Certificate of Indebtedness）（一
年期）有 512 亿美元，合借债总额 20%。此外尚有 235 亿之国库券
（Treasury Notes）（三年期）及 206 亿之 5 年内到期的公债（Bonds）。另外
尚有 101 亿之国库纳税储蓄券（Treasury Tax Savings Notes）（可作纳税之
用）及 456 亿之储蓄券（Savings Bonds）。后者虽为期 10 年至 12 年，但均
可兑现。如不计后两种（此两种不可在市上售卖，但可向国库兑现），所有
可售卖之公债，有 33.3% 在一年内到期，52.5% 在五年内到期。每周发行
之国库券在第一次世界大战中未曾使用，此次则大量发行。兹将美国战时公

---

① *Annual Report*, U. S. Treasury, for 1944, p. 8.

② Harold L. Seligman, "Patterns of Wartime Borrowing in the United States the United Kingdom and
Canada," *Federal Reserve Bulletin*, November 1944, p. 1056.

债之期限公布，列为表 5 及表 6。自 1944 年后美国工商界及人民曾竞购长期公债，但政府并未利用时机将短期公债收回，换发长期公债。

表 5　美国公债期长分配

单位：百万美元

公债种类	1941 年 12 月	1942 年 12 月	1943 年 12 月	1944 年 12 月	1945 年 6 月
国库券（三月期）	2002	6627	13072	16428	17041
借债证券（一年期）	—	10534	22843	30401	34146
国库债券（三年期）	5997	9863	11175	23039	23497
公债	33367	42267	67944	91585	106448
5 年内到期	3460	5830	8524	7824	
5 年至 10 年	7585	17080	28360	44087	
10 年至 20 年	17252	16295	14310	14445	
20 年后到期	5070	10065	16751	25227	
有市场之公债总数	41562	76488	115230	161648	181319
政府借债总额	57938	108170	165877	230630	258682

资料来源：*Federal Reserve Bulletins*，various issue。

表 6　美国公债期长分配（1945 年 6 月 30 日）

单位：百万美元

公债种类	一年期	二年期	三年期	四年期	五年期
国库券	17041	—	—	—	—
借债证券	34136	—	—	—	—
国库债券	5238	10118	4394	3784	—
公债	4099	—	6860	2036	7630
总数	60514	10118	11254	5820	7630
占总数百分比（%）	33.3	5.5	6.1	3.1	4.2

资料来源：*Federal Reserve Bulletins*，various issue。

国库券之流动性，因联邦准备银行固定其收买价格而更增进。银行保存此券，可一如存在联邦准备银行之准备金，因可随时按定价变现。但银行则逐渐少购国库券，而以借债证券调整其准备金。至 1944 年底，银行所持之公债者有 54.5% 为五年内到期者，50% 为三年内到期者。自 1942 年起，财政部令各银行不得以普通存款购买十年以上之长期公债。定期存款则只能以小部分购买 2.5 分利之公债。银行之地位可谓极为流动。

借债证券，过去不少应用，但多为预期税收或长期公债而发，发后不久即收回。此次则变为战债之一，政府无随发随收之意向。

（三）可兑现之储蓄券

为达到公债政策之第三原则，储蓄券可以兑现，"以保障小投资者免致损失"。此种储蓄券于购买 60 日后即可兑现。该券分三种，Series E，F，G，以 E 种最普遍，如持之 10 年满期可有 2.9 分之利息，为公债中利最高者。可兑现之特性使该券变为流动资产（Liquid assets），几与存款无异。

1941 年初发储蓄券时，曾引起甚大之争论。舆论指出，一旦战局逆转持券人必大量要求兑现。战后爱国热情消失后亦将引起大量兑现。凡此均将引起通货膨胀。财政部之答复为，一旦战局逆转，即使发行不兑现公债，政府亦受同样影响，因持券人将大量向市场抛售而中央银行必须收买之。同时"财政部对无经验之小投资者应以信托人（Trustee）自命"，而加以保护。[1] 此外兑现性对政府尚有两利：（1）兑现证券之价值不会突然大跌，故持有人除非感觉急需现钞时，不致大量出兑，而有市价之它种公债，则有因跌价而抛售之危险。（2）政府可依彼时市场情况发行新公债以收兑储蓄券，而有市价之它种公债在同样情形下则不免被投机者操纵。

政府此政策可谓明智。因储蓄券乃售予一般人民者，以人民之爱国心为基础，不应奖励彼等从事市场投机。但自另一方面言，此法与短期借债同一目的，无非在使公债更富于流动性而已。对国内经济之影响，自亦相同。

储蓄券之兑回列入表 7。由此可见收兑率逐渐增加。E 字券之收兑，1941 年为流通额 5.2%，增至 1944 之 15.7%，1945 年统计不完全，约达 16.2%。F、G 二种发行较少，多为公司持有，收兑率亦有增加趋势。每月之兑换率（未列入表）更为明显，1943 年 6 月份为 0.68%，1944 年 6 月份为 0.74%，1945 年 6 月份为 0.92%。储蓄券之兑回与存户提取储蓄存款或卖回保险单有同等作用。

---

[1] *Annual Report*, U. S. Treasury, for 1943, p. 7.

表7　储蓄券之发行与兑回

单位：百万美元

	发行额	兑回额	流通额	兑回率（%）	
Series A-E				（当年）	（累计）
1935～1940	3573	379	3195	10.6	—
1941	1711	166	4750	9.6	10.3
1942	6090	313	10526	5.1	7.5
1943	10508	1461	19574	13.9	10.6
1944	12662	3082	29153	24.3	
合　　计	34554	5401	29153		15.6
Series F,G					
1941	1393	3	1390	0.22	—
1942	3170	37	4523	1.2	0.88
1943	3389	124	7789	3.7	2.1
1944	3678	259	11208	7.0	
合　　计	11630	423	11208		3.6

注：兑回率为兑回额占上半年流通额之百分比。

资料来源：Monthly Review, Federal Reserve Bank of New York, April 1945, p. 27。

　　另一重要事实，即愈后发行之储蓄券，其兑回率愈速。是表示人民之购买已渐近饱和，新购之券不过为应付"募债运动"之竞赛而已。[1] 再需注意者，小额券之兑回较大额者为速，此与财政部保护小投资者之目的相左矣。

（四）低利政策

　　财政部公债政策之第四原则"合理利率"，实即低利率政策，为经济学者辩论最多之问题。缘低利政策乃罗斯福"新政"（New Deal）之一贯作风，亦为美国历史上公债政策之传统观念。每次战争中，国会立法，均有限制公债利率之举。[2]

　　"新政"中之财政政策，以"灌钱"（Pump-priming）始至"补偿性之赤字财政法"（Compensatory Deficit-financing）止，盖皆系根据"过分储蓄说"而来（Theory of oversaving）。其目的无非在增加并分散人民之货币所得

---

[1]　Detailed date see *Monthly Letter*, National City Bank of New York, October 1944.

[2]　Details cf. Robert A. Love, *Federal Financing*, New York, 1931, pp. 203 – 209.

以提高有效购买力。贬低利率之目的，在增进人民消费倾向（Propensity to consume）。不过至 20 世纪 30 年代时，其着重点已渐由中央银行之贴现率政策移至政府发行公债政策。长期公债之利率，自 1932 年初之 4 分跌至 1940 年底之 1.89 分，同时公司债之利率亦自 4.5 分跌至 2.59 分。

第一次世界大战时，美国自由公债（Liberty Loan）之利率初为 3.5 分，后渐升至 4 分及 4.5 分。而 1917 年 6 月公债初发时，一般市场之利率为 5 分。[①] 公债利率既低于市场利率，公债之销售乃须依赖其免税特性。当时财政部之解释为：（1）高利将提高战债成本，（2）高利将使"他种证券投资贬值太大"。[②] 另有一种奇怪理论，即以为高利将引起通货膨胀，因证券将先涨价也。[③]

当时之低利政策，战后引起不少批评。免税及"调换"（Conversion）法均系用以助销公债，其后则又不得不提高利息，因而使购债者观望，以等待更高之利息。另一影响，即中央银行失掉控制市场利率之力量。同时公司债之利率较高，人民储蓄乃舍公债而投入私人企业。第一次世界大战中严重之膨胀问题，亦部分由低利政策而起。[④]

此次大战开始时，利率已降至极低。1940 年 6 月底，"国防案"初行时，公债之平均利率为 2.51 分，至 1945 年 6 月底，战事将终时，为 1.51 分。1942 年 10 月，财政部将利率"稳定"（Stabilized）。最短期之国库券（Treasury Bill）只有 3/8 分，一年期之借债证券（Certificate of Indebtedness）为 7/8 分，十年期之公债为 2 分，最长期之公债为 2.5 分。利率曲线（Interest Curve）为一由短期至长期而渐升之曲线，与吾人平常所想象者相反，曾称为"国库曲线"（The Treasury Curve）。自 1943 年至 1945 年，尤其是 1945 年，利率有不断降低倾向。同时因长期公债之购买者踊跃，价格提高，因而其利率降低最大（本文所称利率皆指 yield，非债面所定利率，故价格上涨利率乃下跌）。兹列各年情形如表 8。

---

①　*Federal Reserve Bulletin*，November 1918，p. 1070.

②　*Annual Report*，U. S. Treasury，for 1917，p. 4.

③　Benjamin H. Beckhart，*Discount Policy of the Federal Reserve System*，New York，1924，pp. 275 – 276.

④　Details，Ibid.，p. 278.

表 8　美国公债利率

单位：%

财政年	9～10 年期（不免税）	15 年期（不免税）	15 年期（部分免税）
1940	—	—	2.21
1941	—	—	2.05
1942	1.93	2.45	2.09
1943	1.96	2.47	1.98
1944	1.94	2.48	1.92
1945	1.60	2.37	1.66
1945 10 月	1.50	2.35	1.62
1945 11 月	1.38	2.33	1.51

资料来源：*Federal Reserve Bulletin*，December 1945，March 1946。

此次大战中，公债 97% 以上皆须课所得税，但平均利率，不过 1.68%。上次大战时平均利率为 4.25%，且皆部分免税或全免税。[①] 美国利率之低，更可由表 9 看出。其中加拿大利率虽降低甚速，但仍较英为高。

表 9　美、英、加公债成本

单位：%

财政年	美　国	英　国	加拿大
1939	2.53	3.09	3.71
1940	2.51	2.96	3.60
1941	2.44	3.61	3.31
1942	2.26	2.56	3.20
1943	1.98	2.47	2.83
1944	1.92	2.44	2.75

资料来源：Harold L. Seligman，" Patterns of Wartime Borrowing in the United States the United Kingdom and Canada"，*Federal Reserve Bulletin*，November 1944，p. 1056。

如以公债 3000 亿计，美国每年需付息 60 亿。如利率与上次大战时同高，则需付 125 亿，即高 3 倍。美国之借债，诚可谓便宜，其低利政策之主要动机亦在于此。

唯此政策有利亦有弊，学者争论，莫衷一是。大体银行界多反对之，民主党人拥护之，共和党人批评之，而经济学者亦分赞成、反对两派。老成持

———————

① *Annual Report*，U. S. Treasury，for 1945，p. 8.

重者多反对甚力。第一次世界大战中低利政策之害可为借鉴，综合反对诸说，可分列如后。

第一，低利政策之最大影响，为减低人民之储蓄意向，其理至明显。此就国民经济及道德言，恐非为福。而受影响最大者，则为储蓄银行与保险公司等。彼等无法有力地运用其资金，亦无法以利息吸收节储。[1] 小储蓄者固可购买储蓄券，不受市价影响，但该券利亦是甚低，远不如商业投机利润，且为期过长，不如有息票（Coupon）之普通公债可随时有收入也。

第二，长期之低利政策将迫使银行从事于投机性之贴放，否则不足以应付其开支。战前银行从事于长期放款（Term Loans），个人放款（Personal Loans），分期购买放款（Instalment Loans，为分期付款之购买消费品用），已迭遭物议。自彼时起，银行即须仰赖投资以得利润。1944 年底，美国银行有利资产中 78% 皆为投资，而其中 92% 为政府公债。在稳健之银行家看来已属危险。设政府公债之生息再低，银行只有转入投机证券以求利润矣。

第三，目前之利息结构，短期低而长期高，将引诱工商业从事短期借款。工商业借短期资金为长期使用，为经济上之大忌，1931 年之经济恐慌即始于此。同时工商业如竞借短期资金，则政府必被迫发行长期公债以收回短期债券，则低利政策之利益化为乌有矣。

第四，长期低利政策破坏利息与利润之正常关系。如目前储蓄之生利甚微，则过去储蓄（投资）之价值，因生有较高之固定利率，必因而暴涨。又如长期利率降低而利润升高，则工商业之利润必在繁荣之股票市场上变成资本。[2] 是故长期低利政策之后必造成股票市场之畸形繁荣，亦可造成房地产投机，1933 ~ 1939 年英国与瑞典之建筑繁荣即部分的由低利政策而起。[3] 凡此均为形成通货膨胀之先兆。股票投机在此次大战中已数度蠢动，赖政府压力未致大祸。此外，低利有刺激工商业繁荣之势。虽现代经济学者证明利

---

[1] Details cf. Monthly letter, National City Bank of New York, March 1945, p. 29.

[2] Cf. F. C. Conolly, "Reflections on the Cheap-Money Policy, Particularly in England," supplement to svenska Handelsbanken's Index October 1939.

[3] The housing boom in England was partly due to the fact that food prices declined while money incomes remained stable. Cf. *The Economist*, London, October 1935, p. 795. The building boom in Sweden was partly forced by the government's program of public works. Cf. Richard A. Lester, *Monetary Experiences*, Princeton University, 1939, pp. 271 – 272.

息在工商业成本中并不重要，但至少繁荣之股票市场对工业家为最有力之诱惑。①

第五，低利政策对社会经济有深入之影响。长期之低利使靠利息收入者之经济地位降低。而此类人多为小储蓄者，如在储蓄银行存款者，购买人寿保险者，购买公债者，等等。富有之大储蓄者则多投资于股票或地产，其价值因低利政策而更增进。通货膨胀除非过甚（如德国第一次世界战后），则对股票或地产主有人亦属有利。故低利政策中，中产阶级受害最深。

（五）分散债券种类

除上四项原则外，尚有两点为此次大战美国公债政策之特征：一为分散种类，一为废止免税办法。

上次大战中，除用少数借债证券调剂短期资金外，一律使用自由公债（Liberty Bonds）。此次则财政部特意使用多种债券，以适应各类购买者。其大致用意如下：

1. 对储蓄机关——长期公债：（1）2.5分利长期公债（Treasury Bonds），26年到期，21年可召回（Callable），（2）2分利中期公债，10年到期，8年召回。

2. 对工商业机关——中期及短期公债：（1）2分利中期公债，10年到期，8年召回。（2）国库纳税储蓄券（Treasury Tax Savings Notes），3年到期，6个月后可兑现。（3）E字及G字储蓄券（Savings Bonds，Series E and G），折扣出售，12年满期，60日后可兑现。

3. 对商业银行——中期及短期公债：（1）2分利中期公债，10年到期，8年召回。（2）7/8分利借债证券（Certificate of Indebtedness）1年到期。（3）国库券（Treasury Bills），折扣发行，3个月到期。

----

① Referring to the cheap money policy in England in the thirties, Conolly says："Business men are relieved from the depressing influence of low and falling share prices..., This cherry brandy effect of cheap money is, I believe, its most significant influence at the turn of business cycle." And this is "the most important single contribution towards overcoming the great depression in England or elsewhere." F. C. Conolly, op. cit. , p. 10.

4. 对个人——储蓄券：E 字储蓄券，折扣发行，10 年到期，60 日后可兑现。

此外尚有 1.75 分利之 5 年到期公债，1.25 分利之 3 年到期之国库债券（Treasury Notes），以及 2.25 分利之长期公债等，但使用不多。每次之"募债运动"（War Loan Drive）均系将四五种债券配合出售。其目的在使购买者能选择最适于己用之债券，而不致有日后大量转售之弊。

（六）废止免税习惯

公债利息免税为历史上之习惯，美国内战时代有法律规定。第一次世界大战时，第一次自由公债亦免税。以后四次则持有一定数目以内可免税。最后一次胜利公债乃全免税。此次大战，所有战时发行者均不免税。此实为财政上一大进步。

旧式免税理论，以为公债免税后可增加销路或减低利率，故税收之损失可由他方补偿。但此种事只有在一种前提下，即购债者对将来取息时课税之观念甚为确定而愿多购时，始有可能。如税率因战争进行而渐提高，则免税法不适合平均负担之原则。尤其所得税为累进时，则税收之损失依持债人持债数目而定，换言之，即拥有大量公债之富者所受免税利益最大，小储蓄者无利益可言。若此则免税实为不公平之政策矣。

三　募债运动与银行信用

（一）募债运动

大战中美国举行"募债运动"（War Loan Drives）八次，每次为期三四星期。最后一次为"胜利募债"，在日本投降之后，未列入表 10 之统计中。募债运动对联邦准备银行制度之关系至巨，但并非募债期外即无债券发行。除募债期外，发行之法为：1. 经常出售公债与储蓄券；2. 薪给扣除储蓄券；3. 发售国库纳税储蓄券；4. 每周出售国库券；5. 特别发行之特种债券。

每次募债均包括三种储蓄券及三四种公债。自 1943 年 9 月第三次募债起，银行不包括在募债对象内，以求债券充分销入投资者之手。每次均先定"定额"（见表 10）。推销时则无最高额，愈多愈善，唯个人每人购买储蓄券数量有相当限制。推销由各地组织委员会办理，包括金融界工商界新闻等人士。每次参加工作者有数十万人，大都为义务劳动。其情况之热烈，与各方合作之密切，为空前所未有。

表10 募债运动

单位：10亿美元

募债运动	一 次	二 次	三 次	四 次	五 次	六 次	七 次
年 份	1942	1943	1943	1944	1944	1944	1945
起日	11月30日	4月12日	9月9日	1月18日	6月15日	11月15日	5月14日
止日	12月23日	5月1日	10月2日	2月15日	7月8日	12月20日	6月30日
定额	9.0	13.0	15.0	14.0	16.0	14.0	14.0
E储蓄券	0.7	1.5	2.5	3.2	3.0	2.9	4.0
F&G储蓄券	0.3	0.7	0.8	1.0	0.8	0.7	1.0
纳税储蓄券	1.3	1.6	2.5	2.2	2.6	2.4	2.7
国库券	0.9	0.8	—	—	—	—	—
借债证券	3.8	5.2	4.1	5.0	4.8	4.4	4.8
国库债券	—	—	—	—	1.9	1.6	—
中期公债	3.1	4.9	5.3	3.3	5.2	6.9	1.7
2.5%长期公债	2.8	3.8	3.8	1.9	2.3	2.7	12.2[1]
总计[2]	12.9	18.5	18.9	16.7	20.6	21.6	26.3
募债总额[3]	12.9	18.6	22.1	17.6	22.0	23.4	28.7

注：

[1] Including $5. billion of 2.25% bonds and $7.1 billion of 2.5% bonds.

[2] First and second include offerings to banks and Government agencies；nd trust founds third includes offerings to Government agencies and trust funds；fourth fifth, sixth, and seventh exclude purchase by banks and Government agencies and trust funds.

[3] Includes offerings to banks and Government agencies and trust funds, and in third, offerings to banks after the drive.

资料来源：*Treasury Bulletin*, various is sues。

每次之募债运动，皆获成功。在推销战债成绩上，为空前之举。即数额最小之第一次，123亿，亦为历史上任何国所未有。回忆1918年之第四次自由公债，尚只有70亿也。但吾人于评论其结果时，须认清募债运动有两重目标：一为募集大量款项；一为使此款项募自非通货膨胀性之来源。后者尤其重要，因募债之目的乃在吸收人民购买力也。

（二）金融与工商业机关之吸收

募债之最重要原则为向非银行界推销，尤其是向个人推销。个人之"定额"虽逐次增加，而银行界与工商界之吸收亦不少。每次募债中债权之分配见表11。

表11　募债运动债款分配

单位：10亿美元

债款来源	一　次	二　次	三　次	四　次	五　次	六　次	七　次
个人、合伙及个人信托金	1.6	3.3	5.4	5.3	6.4	5.9	8.7
保险公司	1.7	2.4	2.6	2.1	2.8	3.2	4.2
互助储蓄银行	0.6	1.2	1.5	1.3	1.5	2.3	2.2
公司	2.7	5.1	7.0	6.8	8.2	8.6	9.1
经纪人	0.8	0.5	0.9	0.4	0.5	0.3	0.3
地方政府	0.2	0.5	0.8	0.8	1.3	1.3	1.8
非银行总计	7.6	13.1	18.3	16.7	20.6	21.6	26.3
政府机构及信托金	0.3	0.4	0.6	0.3[1]	0.6[1]	0.8[1]	1.1[1]
商业银行	5.1	5.1	3.2[1]	0.6[1]	0.8[1]	1.0[1]	1.3[1]
募集债金总额	12.9	18.6	23.1	17.6	22.0	23.4	28.7
对募债运动总百分比（%）							
个人	12.3	17.7	28.4	31.7	30.8	37.2	33.0
公司及其他	48.4	54.9	71.6	68.3	69.2	72.8	67.0
银行	39.3	27.4	—	—	—	—	—

注：[1] 不包括在募债运动之内。

资料来源：*Treasury Bulletin*，various issues。

第一次、第二次募债中，推销总数颇受银行之支持。银行吸收者每次皆有50亿。第一次非银行之76亿中，有5亿为储蓄银行，保险公司及工商界所买。此时金融界及工商界显然动用其积金（即过去之储蓄），甚至卖出它种证券（即过去之投资）以购公债。此类购债无补于购买力之吸收，自不能减少消费。当时即有人估计在下次募债运动中彼等将无偌大之胃口。① 但

---

① Cf. Monthly Letter, *National City Bank of New York*, April 1943, p. 41.

第二次募债时彼等吸收者更大，显然系卖出别种证券而购公债。此时又有人估计彼等之资金已用毕，但第三次募债时，彼等吸收数字又增加。[1] 盖金融界工商界常于募债时大量吸购，于募债期后又逐渐售出。

自第三次起，禁止银行于募债期中承购公债，但彼等仍可自市场中购进。工商业之"定额"亦经降低，并有若干规定限制金融界工商界之购买。政府迭经通令银行勿助长投机购债。然金融界工商界所收购之债券，每次仍在总额一半以上。故可谓大部债券，系落入彼等之手，最高时达 72.8%（第六次，银行除外，包括非个人之其他投资者）。表 12 更能显示工商界之势力，其每次收购皆超过定额甚巨。

表 12　募债运动中的工商业与个人购债额

单位：10 亿美元

	一　次	二　次	三　次	四　次	五　次	六　次	七　次
总定额	9.0	13.0	15.0	14.0	16.0	14.0	14.0
总销额	12.9	18.6	18.9	16.7	20.6	21.6	26.3
个人							
定额	[1]	2.5	5.0	5.5	6.0	5.0	7.0
销额	1.6	3.3	5.4	5.3	6.4	5.9	8.7
个人（E 字储券）							
定额	—	—	3.0	3.0	3.0	2.5	4.0
销额	0.7	1.5	2.5	3.2	3.0	2.9	4.0
工商业等							
定额	[1]	5.5	10.0	8.5	10.0	9.0	7.0
销额	6.3	10.2	13.6	11.4	14.4	15.7	17.6
银行							
定额	5.0	5.0	—	—	—	—	—
销额	5.1	5.1	—	—	—	—	—

注：[1] 包括于 4.0 非银行定额内。

资料来源：*Treasury bulletin*, August 1945。

（三）向个人销售之努力

第一次募债中，个人之定额仅有总数 12.3%，且包括合伙商店。结果在 1.3 亿人口中，只有 34 万人购债。第二次成绩较佳，但个人亦不过吸收

---

[1]　Cf. Monthly Letter, *National City Bank of New York*, August 1943, p. 89.

17.7％。当时联邦准备局及证券交易管理委员会（Securities and Exchange Commission）研究人民手中游资为数至巨，[①] 乃建议努力向个人推销。第三次募债，个人成绩增至28.4％，第四次增至31.7％，但未达"定额"。从此次起，又规定募债之前两星期中只报告个人数字，以资鼓励。此时研究人民手中之游资有370亿，故第五次中又提高个人"定额"，适逢进攻欧洲之刺激，故成绩极佳，但占总数不过30.8％。第六次又有增加，合37.2％。第七次号称"伟大之第七"（"Mighty Seventh"），时欧洲已胜利，销售之努力空前热烈，个人数字亦创新纪录，达87亿，合33％。

E字储蓄券为销售个人之主要工具，但其结果仅勉及"定额"，可自表12中见及之，第三次中且不足定额3亿。

在募债运动中，有不少情形可证明人民有过分购买之事。此大皆由于一时热情，或为达"定额"而加之宣传与压力所致。待运动过去后，彼等又将储蓄券兑现或将公债转售与银行。

（四）募债中之银行信用

若此巨大数字之债券，最后分析只有两种力量可以承购，一为广大人民之储蓄，一为银行之信用，其他皆有一定限度。银行得中央银行之助，可无限扩张信用。故任何未被人民所吸收之债券，必入于银行之手，而银行所未能吸收之部分，必须由中央银行买进。

募债时虽禁止银行承购，但彼等仍购有不少债券。其数目列为表13。银行曾被禁止购买10年期以上之公债，并接财政部劝告于募债时不自市场购进公债。自第四次起，银行只准以定期存款购买10％~20％之指定债券。

银行之收购公债，主要在募债期过后自市场吸进。此时非银行之持债人，有不少愿意出卖以得现款或改购长期公债者。保险公司及储蓄银行之惯例，为将零星积累之资金购买短期债券，再于下次募债运动前将其售与银行，而以所重现款购买长期公债。自1942年第一次募债运动后，市场上即逐渐有竞购长期公债之趋势。其后财政部之低利政策与短期公债政策坚持不变，对长期公债之需求乃益大，而于1944年波动债市。

---

① *Federal Reserve Bulletin*，March 1943.

表13　募债运动中之银行信用

单位：10亿美元

各项增加数	一　次	二　次	三　次	四　次	五　次	六　次	七　次
国债总额增加	11.9	20.1	21.0	17.2	22.2	20.3	23.0
商业银行							
公债增加	4.6	8.7	6.7	5.1	8.8	6.9	6.8
债券放款增加	0.5	0.6	1.5	1.1	1.7	1.6	2.5
信用总增加	5.1	9.3	8.2	6.2	10.5	8.7	9.3
占增债总额(%)	43.0	46.3	39.0	36.0	47.3	42.9	40.4
联邦准备银行							
公债增加	1.1	0.3	0.1		0.6	1.5	1.2
全银行系统							
信用增加	6.3	9.6	8.3	6.2	2.1	10.1	10.5
占增债总额(%)	53.0	48.0	40.0	36.0	50.0	50.0	46.0

注：本表每次时期与募债运动起讫日不全相合，增债总额因种种原因与募债运动报告不尽相合。

资料来源：First to six, estimated by National City bank of New York, Monthly letter, of the bank, January 1945, p. 4. Seventh War Loan, estimate by the writer, based on estimates made by the Federal Reserve Bank of New York and other source Monthly Review, Federal Reserve Bank of New York, August 1945。

　　银行之大量收购公债有数种动机。第一，银行为购买公债而扩张之信用，称为"战债存款"（War Loan Account，即财政部出售债券后在该银行所存之款）。自1943年4月起，"战债存款"可不缴准备金于联邦准备银行。故银行愿借购债以活动其准备金。第二，商业放款战时为数甚微，公司债亦甚少发行，银行只得以公债谋资金之出路。第三，以往银行常在联邦准备银行中存有相当数目之过分准备金（Excess Reserve，即超过法定准备金之数），以为应付紧急之需。而战争数年间，银行逐渐改变习惯，将过分准备金充分利用。其原因一方面由于财政部之稳定利率甚为成功，银行界不会因利率变更而需紧急措施，一方面由于银行持有大量之国库券及借债证券，可随时变现化为准备金，同时财政部亦鼓励银行资金之充分利用，以增强战费来源。此种习惯之改变，对今后银行业务有深远之影响。

　　联邦准备银行之报告，曾指出银行滥用"战债存款"免缴准备金之权利，向顾客招购公债，而约定顾客所得之售价仍存于该行（即成为"战债存款"），以为日后募债运用时购新债之用。[1] 因此财政部及联邦准备银行曾

---

[1]　*Annual Report*, Federal Reserve Bank of New York, 1944, p. 26.

发出警告，使银行勿滥用权利。

募债运动过后二三星期，财政部即开始大量使用其债款，因此银行之"战债存款"乃渐被财政部支去。此款付与军民或军火厂商，再存入银行时，已非"战债存款"而为普通存款，须依法缴存准备金于联邦准备银行。此时银行即须售出一部分债券，主要为国库券，以补充其准备金。故每届募债运动时，银行持有之债券大增，而在两次募债运动之中间期，又逐渐减少，减少数约为 20 亿。

银行除直接购买债券外，并可放款与公债经纪人（Brokers and Dealers，前者不自己持有债券）。亦可放与顾客为购买公债之用。此种"证券放款"（Loan ou securities）亦在募债运动期间大量增加。运动过后，借款者逐渐以收入付还借款，故渐减少。至下一次募债运动开始前，为数最低。其每次增加数，见于表 13。自第四次起，财政部曾要求银行拒绝投机性之债券放款，但正常之借款人，有经常收入以付还者，不受限制。

联邦准备银行于募债运动时亦增加公债购买，但于募债之最后两星期中，时常减少其持有量。因此时银行因"战债存款"增加，准备金之需要减少，不需联邦准备银行予以信用支持也。联邦准备银行债券之大量增加，多在两募债运动之中间期，因此时财政部支用其"战债存款"，付与个人或厂商，又存入银行为普通存款，银行即须向联邦准备银行售出大量债券，以缴法定准备金。

由表 13 可见，募债期间，银行信用（包括购债与放款），常支持销债总额 40% 以上，最高达 47%。连联邦准备银行合计，达 40%～50%。但银行之信用，并不能按表 13 累积计算，因在募债间歇期，银行常减少其所持债券及放款也。如按年计算，则银行所吸收之部分，自 1942 年后渐减少。总数约在 40% 以上，如表 14。

表 14　募债运动中的银行业

单位：10 亿美元

年　份	1941	1942	1943	1944	1945
公债增加(有息及保证者)	13.4	47.8	57.1	61.7	36.2
银行持有额之增加					
商业银行	4.0	19.7	18.7	17.9	5.0

年　份	1941	1942	1943	1944	1945
联邦准备银行	0.1	3.9	5.3	7.3	5.5
合计	4.1	23.6	24.0	25.2	10.5
银行所占百分数（%）	31.0	49.0	42.0	41.0	29.0

（五）募债运动对金融市场之影响

募债运动时因资金由普通存款移至不需缴准备金之"战债存款"，故银根常因募债而松动，此可由表15见之。过分准备金（Excess Reserve）于募债时约增5亿，而法定准备金（Required Reserve）则跌落甚大。第一次募债时情形相反：因彼时"战债存款"尚未准免缴准备也。"有购回权之国库券"（"Bills under repurchase option"）乃银行售与联邦准备银行之国库券并得按定价仍由出售银行购回者，故此项可视为银行之准备金，其所受影响亦与准备金相同。

募债时期，政府存款当然增加，普通存款（Demand Deposit）当然减少。但前者之增加超过后者，因一部分债券，系以现钞购买。通货流通量（Money in circulation）在此期中虽未减少，但增加率已减低。平均每月约增4亿余，募债期中只有3亿。

表15　募债运动对金融市场之影响[1]

单位：10亿美元

	一　次	二　次	三　次	四　次	五　次	六　次	七　次
政府存款	+3.7	+7.9	+10.1	+7.0	+13.2	+12.5	+3.5
修正活期存款[2]	-0.5	-3.5	-6.0	-4.4	-6.0	-5.1	-1.5
通货流通量	+0.6	+0.3	+0.3	+0.3	+0.3	+0.3	+0.2
法定准备金	+0.8	-1.3	-0.8	-1.0	-1.1	-0.9	-0.3
过分准备金	-0.9	+0.1	+0.4	+0.2	+0.5	+0.5	+0.4
有购回权之国库券[3]	-0.3	-0.1	-0.3	-0.4	-0.6	-0.6	-0.4

注：

[1] 此表数字系根据每周有报告之联准会员银行数字。

[2] 修正活期存款不包括银行同业存款及政府存款。

[3] 有购回保证之国库券，为银行售与联准之库券但仍得按定价购回者。此时购回保证法尚未实施，该数字为联准所有国库券数。

资料来源：Federal Reserve Bulletin, various is sues Some figures are estimated by the writer。

政府存款及通货流通量又受付税期之影响（所得税每季缴纳）。第三次及第五次时政府存款增加特多，即因适与纳税期相合之故。

金融市场所受之另一影响，为各省区间资金之移动。全部战争中，尤其早期，资金有自纽约及芝加哥流向外方之趋势，因军火工业及兵站多设西岸。募债之款，则多由纽约等大城市而来。第一次纽约募48%，第二次募43%。故资金外流情形，使纽约银根甚紧。其后政府力求分散募款。自第四次起，财政部规定别处公司所承购之公债不得由纽约银行付款。纽约资金外流情形稍见和缓。

利息市场因长期公债之需求增加而有下降之趋势，将于后章中再述之。

（六）公债之分配

公债之分配结果，根据财政部估计，列入表16。由此可见，银行所持有之数，自1943年6月后减少，而联邦准备银行持有者则增加。至1944年底，银行及联邦银行持有总数41%，此部分公债，可谓皆来自通货膨胀性之来源。至1945年6月，银行持有公债约800亿，为战前之4倍。

若依公债性质言，国库券有半数以上为联邦准备银行所有，借债证券半数以上为银行所有。银行持有68%之国库借债券，及41.4%之公债。储蓄银行与保险公司以购买公债为主持有28%。工商业持有23%公债。因社会需要长期公债，故短期之国库券等多入于联邦准备银行之手。

表16　公债所有权之估计（直接及保证之有息公债）

单位：10亿美元

	1941	1942		1943		1944		1945
	12月	6月	12月	6月	12月	6月	12月	4月
流通总额	63.8	76.5	111.6	139.5	168.7	201.1	230.4	234.2
银行所有者								
商业银行	21.4	26.0	41.1	52.2	59.9	68.4	77.8	77.5
联邦准备银行	2.3	2.6	6.2	7.2	11.5	14.9	18.8	20.5
合　计	23.7	28.6	47.3	59.4	71.4	83.3	96.6	98.0

	1941	1942		1943		1944		1945
	12 月	6 月	12 月	6 月	12 月	6 月	12 月	4 月
非银行持有者								
个人	13.8	18.2	23.8	30.3	37.1	45.1	52.2	53.8
保险公司	8.2	9.2	11.3	13.1	15.1	17.3	19.6	20.5
互助储蓄银行	3.7	3.9	4.6	5.3	6.1	7.3	8.3	8.7
公司	4.4	5.4	11.6	15.7	20.1	25.7	27.6	25.8
地方政府	0.5	0.6	0.8	1.3	2.0	3.2	4.2	4.3
中央政府机关及信托金	9.5	10.6	12.2	14.3	16.9	19.1	21.7	23.2
合　计	40.1	47.9	64.3	80.0	97.3	117.7	133.6	136.3
占流通总额百分比（%）								
商业银行	33.5	33.9	36.8	37.5	35.5	34.0	33.7	33.1
联邦储备银行	3.6	3.4	5.5	5.2	6.8	7.4	8.2	8.7
全银行系统	37.1	37.3	42.3	42.7	42.3	41.4	41.9	41.8

资料来源：*Treasury Bulletin*, various issues。

（七）与第一次世界大战比较

此次大战中，银行对战债之政策与上次大战迥然不同。上次大战中四年间（1919 年 6 月止）银行信用扩张 142 亿（包括放款与投资），合 82%，其中 62% 为放款，仅有 30% 为公债。此次大战四年间（1944 年 6 月止）银行信用扩张 546 亿，合 133%，而其中 95% 均为公债。盖此次大战之特征：一为银行避免"放款买公债"之办法，二为战争工业多由政府投资不由银行投资也。

"放款买公债"办法之避免，有数种原因。1. 政府当局之限制；2. 薪给扣除公债办法之实施；3. 战前工商业积有大量游资，战后更积有利润；4. 战前储蓄银行及保险公司积有大量存款；5. 政府之信托金（Trust Funds）积有大量资金。

另一重要事实，即此次大战中，公债销入人民之手者远较上次大战为小。此次为 40%，上次达 58%。因此，银行所吸收之公债，此次远较上次为大。商业银行此次为 23.4%，上次为 12.7%，联邦准备银行此次为 5.6%，上次为 0.6%。

上次大战中银行运用"放款买公债"办法，故银行本身不须多购公债，而人民得银行放款后可多购公债。但尚有其他原因。第一，此次大战开始时，银行保有空前巨额之过分准备金，均用于购买公债以生利。第二，战争期间，州政府及市政府之公债收回不少，公司债亦不少收回者，同时银行商业贴放业务甚微，此所余之资金乃用以购买公债。第三，也许为最重要者，即为人民愿保有大量现钞，不愿投资于公债，银行乃不得不起而吸收之。人民保存现钞之动机，一为逃避纳税，一为备做黑市交易，而主要原因乃利息过低之故。

四　联邦准备银行之金融政策

就金融力量言，美国在此次大战中，为历史上作战准备最充分之国家。联邦准备制度在上次大战开始时始成立，于今已有 27 年之经验，可以应付裕如。此次大战爆发前，美国拥有世界黄金总量 2/3，美国银行之存款准备金积有 140 亿之巨。故联邦储蓄局于美国加入战争之始，即发布一宣言，充分说明金融上之信心与乐观。[1]

此宣言申明两点政策，即供给银行信用以保持其准备金，及维持公债市场以便财政部借债。以后物价渐上升，而于 1942 年有通货膨胀之势。于是联邦准备银行又注重于银行信用之管理。综合联邦准备当局之战时金融政策可分三点：

第一，供给银行准备金，使彼等在任何情形下均能资助战费之需要。

第二，维持公债市场使政府能顺利发行公债。

第三，管制银行信用之授放，使资金自消费流入战时必需之生产事业，而防止通货膨胀。

（一）准备金耗用之原因

自 1934 年黄金大量流入美国后，美国各银行在联邦准备银行之存款（即准备金）即大量激增。至 1940 年底有 140 亿，达于最高峰。至 1941 年

---

[1]　*Annual Report*, Federal Reserve System Board of Governors, for 1941, p. 1.

底美国参战时，尚有 125 亿。战争期间波动极大，每被耗用时，即由联邦准备银行向银行购进债券以补充之。至 1945 年 6 月又达 145 亿。

1940 年时，有 70 亿之准备金为过分准备（Excess Reserve），乃银行无出路之资金存入联准者。此项过分准备，逐渐耗用，至 1945 年 6 月时只有 8 亿矣。

银行准备金耗用之理由，即美国人民亦大多不能了解。通常最易犯之误会，即以为银行购入大量债券，即须耗用其准备金。其实银行扩张信用，无论投资或放款，均不动用其准备金。举例言之，如银行购买公债 100 万元，自其在联邦准备银行之存款中（即准备金）支出 100 万元，记入联邦准备银行之政府存款账上。其后政府动用该款，乃以一张 100 万元之联准支票付与某飞机制造厂，此厂后又以该支票存入其在银行中之存款账。银行收得该支票后，向联准收兑，联准乃将该银行在联准之存款账（即准备金）加上 100 万元。是该银行之准备金仍恢复原状，不过其资产增加 100 万之政府债券，其负债增加 100 万之存款而已。[①] 自一家银行言，欲大量购买公债必耗用其资金，但自全体银行界言则否，因所支出之资金又流回银行系统，化为存款也。

购买公债虽不耗用准备金，但因此而存款增加，即须多缴法定准备金。自 1941 年至 1944 年底，银行存款自 617 亿增至 1109 亿。此外，有不少定期存款改为活期，活期存款须缴较高之法定准备金。但此两项所须增加之法定准备，不过 32 亿。在战争开始时银行尚有 30 余亿之过分准备，尽可应付裕如。故如单因存款增加，联邦准备银行并不需为任何之努力以补充银行准备金。而事实上，至 1944 年底止，联邦准备银行供给有 175 亿之资金予银行。联准之所以急急以补充银行准备金为第一要务者，乃因准备金曾因其他原因被消耗也。

此"其他原因"可于详细分析表 17 时得之。联准之收购债券政策（供给准备金最主要方法）至 1942 年夏季始开始，故会员银行准备金一直跌落，至 1942 年 9 月后又上升。该表亦以 1942 年 9 月分为二段。

---

① For a detailed analysis of this fact, see J. Brooke Wills, The Relation of Bank Deposits to War Finance, March 15, 1943, mimeographed, The Chase National Bank.

表 17 准备金及有关之项目

单位：百万美元

年　份	1940	1942	1944
联准所持公债	2184	3576	18864
联准贴放	3	8	80
联准其他信用	87	199	819
联准信用总数	2274	3774	19745
黄金存量	21995	22754	20619
国库通货	3087	3353	4131
国库在联准存款	368	661	440
国库现款	2213	2222	2375
通货流通量	8732	13703	25307
联准非会员银行存款	1732	1407	1698
联准其他存款	284	296	402
法定准备金	14026	11592	14373
过分准备金	6615	1690	1773

资料来源：*Federal Reserve Bulletin*，various issues。

在美国银行系统中，对准备金发生作用者有下列各项（欲得详细解释可参阅 Randolph Burgess，The Reserve Banks and Money Market，New York，1936）。

（A）增加准备金之因素

1. 联准持有公债之增加；

2. 联准贴放之增加；

3. 联准其他信用之增加；

4. 国库通货（Treasury currency outstanding）之增加；

5. 黄金存量之增加。

（B）耗用准备金之因素

1. 通货流通量之增加；

2. 国库现款（Treasury cash holding）之增加；

3. 国库在联准存款之增加；

4. 联准其他存款（Other Federal Reserve Accounts）之增加；

5. 联准非会员银行存款之增加。

相反时,(A)项之减少则耗用准备,(B)项之减少则增加准备。

详细分析表17,则见第一期中耗用准备金之主要因素,为通货流通量增加49.7亿,余由联准扩充信用15亿及黄金增加7.59亿,尚差20余亿,故该期准备金减少24.3亿。第二期中耗用准备金之主要因素为通货流通量增加116亿及黄金减少21.4亿。由联准扩充信用160亿后,尚有余额,故准备金反增加27.8亿。

两期合计,其分析见表18。通货流通量增加165.8亿,为耗用准备金之主要因素,可无疑义。而联准则收购同等数量之公债,以补充准备金。此外黄金存量减少亦耗费13.8亿之准备金。

表18 准备金消耗原因之分析
(1940年12月30日至1944年2月30日)

单位:百万美元

增加储备金之因素		消耗准备金之因素	
联准所持公债	+16662	黄金存量	+1376
联准贴放	+77	通货流通量	+16575
联准其他信用	+732	国库现款	+162
联准信用总数	+17471	国库在联储存款	+72
国库通货	+1044	联准其他存款	+18
联准非会员银行存款	+134	储备金	+347
	18649		18650

人民要求通货时,银行即须向联准支取同量之通货以应付之,其准备金即须同量减少。如人民不保存通货而保存存款,则银行只需向联准呈缴20%准备金已足(乡县银行更少)。故吾人结论为:准备金之耗用由于人民之要求通货。如人民所增加之所得均以存款公债或储蓄保险等方式保存之,则四年抗战,联邦准备银行可无须扩充一文之信用以救助之。

(二)人民之流动倾向(Liquidity Preference)与货币囤积(Money Hoarding)

第一次世界大战时,通货流通量自1915年之30亿增至1918年之50亿,1920年达于最高峰54亿。此次大战中,其增加如表19。

表 19　通货流通量变化情况（1938～1945，年底数字）

单位：百万美元

年　份	通货流通量	年　份	通货流通量
1938	6856	1942	15410
1939	7598	1943	20449
1940	8732	1944	25307
1941	11160	1945	28515

　　通货增加之原因，说者各异。战时生产及商业膨胀，自需增加流动资金。物价之上升与就业之增加，自然增加现金交易量。生产及工人中心之迁移，军队之调动，旅行之增加，俱增加通货要求。但除此外，必仍有其他原因。由表 20 可知，通货之增加率，远超过工商活动之增加率。此表示通货之增加，超过其合理需要。特别是 1944 年，战费支出，生产，物价等在该年均相当稳定，就业数且见减少，但通货流量仍增加甚巨。

　　下列理由，可解释此非常之通货增加。

表 20　通货流通量增加与工商活动比较（每年所增加之百分数）

单位：%

年　份	1940	1941	1942	1943	1944
通货流通量	14.9	28.8	37.5	33.1	23.4
个人所得	7.4	21.6	24.4	20.3	8.5
百货商销售额	6.8	17.0	12.6	12.3	10.9
工厂就业数	7.5	22.9	16.6	14.1	−5.2
工厂薪资支付	14.5	46.3	46.4	34.7	1.2
货物运输总量	7.9	18.3	6.1	−0.7	2.2
躉售物价	1.9	11.1	13.2	4.5	0.9
生活费指数	0.8	4.9	10.7	6.1	1.6

资料来源：*Federal Reserve Bulletin*, various issues。

（1）低利率政策，减少人民存款储蓄之兴趣。

（2）所得之增加以下层社会为主，彼等多用于消费，少储蓄可能。

（3）新工业区建立之地，银行机构不完备，不能大量吸收存款。

（4）人民保存通货以避免所得税。

（5）人民保存通货以便在黑市购买物品。

战期既延长，（4）（5）两项乃成重要原因。然黑市交易所需，据估计不过10亿元，[1] 逃税所需，更少于此，因此只在富者阶级中有之。

通货增加之最主要原因，仍次于人民之流动倾向（Liquidity Preference）中求之，即人民于战时愿持有现钞，而不愿存储或投资也。上列各项，可为此种倾向增加之一部分原因，此外，战时不稳定之心理，20世纪20年代投机失败之余念，与30年代大量囤积通货之余波，均有促成之。

囤积通货之事，更可有二证明。第一，大额券钞之增发，较小额为速。1943年及1944年，50元以上之大钞增加101%，而20元以下之小钞只增52%。募债运动时，小钞之回笼者较大钞为多，可见大钞多被留为囤积之用。

第二，1935年至1942年，通货量之增减与薪给之增减有密切关系。1942年以后，通货增加量渐较所得为速，且远较消费量之增加为速。又1942年前，通货增加与活期存款增加成比例，1942年以后则超过之。1942年后，活期存款之增加与薪给之增加成比例，而通货量则与之无关。此亦表示通货渐变为囤积之用。[2]

因此，流动倾向为通货增加之主因。推论之，联邦准备银行之急于扩充信用者，实际不过资助人民之囤积通货而已。囤积之通货，乃最危险之通货。因无人知其何时将出现于市场而要求物资，金融当局对彼等又无法控制也。通货膨胀之暗伏因素（inflationary potentiality），亦以此项最为危险。

关于维持银行准备金政策，吾人向可赘述数言。准备金维持无缺，并非能表示银行之灵活性（Liquidity and Solvency）已维持无虞。准备金在美国银行制度中虽极重要，但已成告朔之饩羊，只能在紧急时始可动用，且须付高息。[3] 罗泊生（D. H. Robertson）氏称其为"铁口粮"（Iron ration），虽有

---

[1] *Federal Reserve Bulletin*, April 1944, p. 322.

[2] Cf. G. L. Bach, "Currency in Circulation," *Federal Reserve Bulletin*, April 1944, pp. 318–323. Cf. also, *Federal Reserve Bulletin*, June 1943, p. 499.

[3] On July 7, 1942, the Board of Governors amended the regulation to facilitate use of reserve funds by member banks in case of need, but the penalty interest charges and certain other restrictions still remained.

冻饿之虞亦不能取而食之。[1] 盖存在联邦准备银行之法定准备金，只至银行破产时可稍补存款者之损失，银行家不能用以挽救危急也。然即一般美国人民，亦多误以为准备金即如此充分，银行自可高枕无忧矣。

（三）公债市场之稳定

稳定公债市场，为联邦准备局之第二政策。其重要性不下于补充准备金。如公债市价跌落 10 元，以战时公债之巨，即足以使所有大银行之资本公积及未分盈利完全消耗。[2] 债价下跌即利率上涨，利率之膨胀，不但加重政府负担，且使人民观望，不肯购债。

1939 年 9 月欧洲战争爆发后，美国公债私债均大跌价。9 月 1 日，联邦准备局立即宣布，将对银行依票面及重贴现率做无限之公债放款，同时运用公开市场政策（Open market operation），吸收公债。至 1939 年底，公债价格乃恢复原状。

至 1941 年底以前，联准并不需运用大量公开市场购买以维持债市。至 1942 年 4 月，联准固定收购国库券之折扣率为 0.375%。故最短期（三个月）之利率乃固定于此数。至 10 月间，财政部宣布公债之利率均将以此 0.375% 点为基础而稳定，其一年期之借债证券为 0.875%，十年期之公债为 2%，长期公债为 2.5%，此即所谓"财政部曲线"，前已言及之。以后即大量运用市场政策以维持此曲线。但因人民需求长期公债，长期利率有下跌之势，全部利率曲线自亦降低。此举自对财政部有利（此间所称利率，仍如前一律指 yield）。

运用市场政策，可举一例。1942 年债市初加稳定时，联准曾购进大量新发行之公债及国库债券以维持其市价。以后人民渐知利率之稳定，银行乃开始吸收长期公债。1943 年春，市场上对中期及长期公债需要极强，联准乃趁机将上年所购进之公债几乎全部抛出。此时虽另有大量新债发行，但债市亦未波动。同时联准则购进大量之国库券，以调剂银行之准备金。1943 年 8 月，短期公债之需要忽又大增，此时财政部并未降低短期利率，而趁机增发国库券以应付之，债市又归平静。

---

① Dennis H. Robertson, *Money*, New York, 1920, p. 61.

② Cf. "Danger in Declining Feleral Reserve Retio," *Commercial and Financial Chronicle*, March 16, 1944, p. 1121.

当政府初宣布稳定公债利率时，一般人均取怀疑态度。以后之结果，不但利率未被迫上升，反而下降，与第一次世界大战情形适相反。利率之下降，亦即债市之上升，以 1944 年及以后最为明显。其原因主要由于市场对长期债券需要之增加所致，而此种需要，乃因政府之低利政策及短期债券政策而起。政府既将短期利率固定使低于长期，又大量发行短期债券以求低利，人民必要求长期债券以图高利也。

此种政策亦有若干流弊，已于前章短期借债政策中论之。其实，公债市场稳定之主要条件，仍在银行能于必要时吸收过剩之债券，及联准能无限吸收银行所不能吸收之过剩之债券也。短期借债固能平衡国库之收支时间而免波动市场，但如债款有大部来自银行信用，如此次大战时所行者，则即使长期借债，亦不会波动市场也。[①]

（四）信用管理政策对稳定经济之作用有限

管理信用，为联邦准备局之第三金融政策。其目的在使资金流入战争工业必需之途，因而减少消费资金，以避免通货膨胀。其法为一方面战争工业向银行之借款，由政府保证之，即所谓"保证借款"（Guaranteed Loans，称 V Loan 及 VT Loan）另一方面由联准实行所谓"选择性的信用管理"（Selective Credit Control，称 Regulation W）。

近年来，运用货币金融政策以控制经济活动之理论，成为时髦之说。其实过去之经验，并不能支持此种理论。美国在第一次世界大战前尚无管制信用之理论，[②] 联邦准备制度之发起人，亦从未想以该制为管制信用之用。[③] 联准当局亦曾反对运用金融政策为稳定物价之用。[④] 彼时并认为稳定国内经济之举与当时流行之国际金本位政策不合。[⑤] 至斯强氏（Governor Benjamin

---

① Jacob H. Hollander, *War Borrowing*, New York, 1919, pp. 30, 125.

② Cf. B. H. Back hart, *Discount policy*, op. cit. , p.99.

③ Cf. John H. WillIams, "Monetary Stability and the Gold Standard," in a volume entitled *Gold and Monetary Stabilization*, University of Chicago, 1942, p.134.

④ See the interpretation formulated by Governor R. A. Young of the System Board in 1928, *Journal of the American Bankers'Association*, October 1928, p. 281. Cf. also, the interpretation made by prof. Harold R. Reed, Federal Reserve Policy, 1921 – 1930, p. 60.

⑤ Cf. R. G. Hawtrey, *Currency and Credit*, London, 1934, p.115. Also, J. M. Keynes, *A Treatise on Money*, New York, 1935, Vol. I , p. 349, and J. H. Williams, op. cit. , p. 153.

Strong）长纽约联邦准备银行时，始大量运用市场政策以管制信用，时在1922～1927年。此期间之管制信用政策颇负盛名，然彼时并无真正危机须加应付也。1928～1929年之证券市场投机风潮及1930～1931年之货币市场危机，乃此种理论之试金石，不幸为失败。1928年之贴现率政策及公开市场政策均未足以制止股票投机，1929年之直接管制办法亦失效，1931年之经济恐慌，并未由银行政策防止，不过稍能杀其余势而已。

管制信用之理论，此间不能详论。总之金融当局对稳定经济及物价之力量，至为有限。此亦可由联邦准备局报告中见之。

许多人相信，通货之膨胀与紧缩可由货币政策防止之。联邦准备当局运用利息政策公开市场政策及改变准备金率可使货币在经济繁荣时变贵或变少，或在经济萧条时变贱或变多，于是遂认为联邦准备当局即可稳定经济。此为一夸大之观念。

过去二十五年之经验，指出变更货币数量及成本之政策并不能单独稳定经济，甚至不能在此方面发生有力之作用。吾国曾于货币紧缩政策时经济繁荣不已，亦曾于货币扩张政策时继续经济恐慌。

经济稳定须多种力量及政策，信用政策不过其一。欲求有效，货币政策必须与有弹性之财政政策合而为一，必要时且须有直接管制（按指生产消费物资等管制）。[①]

战时之财政政策已失去弹性，战费之支出不能为稳定经济而改变，故货币政策乃更困难。财政政策决于战事，而货币政策乃须以财政政策为转移，财政部所需之资金必须为之募集，充其量不过选择最稳当之途径而已，再则，货币当局对于已在人民手中之货币并无力管理，只能防止新信用之膨胀而已。

（五）财政政策不能防止战时通货膨胀

财政政策防止通货膨胀之法有二：一为健全公债推销方法使减少通货膨胀可能，二为运用课税方法遏止通货膨胀之发展。

---

① *Annual Report*, Board of Governors, Federal Reserve system, 1942, p. 10.

第一法主要为公债发行之政策，如何使之尽量销于个人而不入于银行之手，于第三章中已详述之。但此法成败之关键为公债之利率。美财政部即采取低利政策，则人民自不愿大量投资于公债，银行界遂不得不扩充信用以吸收之。但如财政部采取高利政策，结果亦未必更佳，因财政部必须提高税收以付债息，同时已拥有大量公债之银行工商业必蒙受重大损失。盖利率一提高，公债价格必跌落甚大也。而此种跌价必引起严重之后果。是故财政部长期维持低利政策已属不易，而欲改变为高利政策则更困难也。

第二法之税收政策，较前者更为重要。但重税不一定能抑低物价，国内经济情况及课税方法亦须计入。20 世纪 20 年代之通货膨胀，即在国库有过剩收入并大量收回公债之时发生。呆滞资金之活化，或囤积货币之放出，可代替课税所吸收之购买力。现人民已拥有巨额之游资（Liquid assets），其力量足以抵消重税政策之效果。重税亦可能促使过去储蓄之变现。对通货膨胀之惧怕心理亦可使人民囤积货物。此外，欲避免舆论指责，增税政策必倚重于累进之所得税，但加重高级所得者之税率，对购买力之吸收力量有限，因富者收入之减少并不减少其一般消费支出，而只能减少其储蓄，同时生活必需品之消费，以贫穷阶级为最主要也。

公债与课税外，财政部长对信用尚可行使若干权力。得总统之批准后，财政部长可再增加黄金之价格，即再贬低美元价值，彼又可加紧实行 1934 年之购银法（Silver Purchase Act of 1934），因而增加国库通货（Treasury currency）。而最有效者乃改变国库在联准之存款额，以影响银行之准备金（见前章）。彼又可运用外汇平准金（Exchange Stabilization Funds）及社会保险基金以使资金由银行移入联准或由联准移入银行。至 1945 年 6 月 12 日以前，财政部尚有发行钞票之权（此为 1934 年之 Thomas Amendment 所付与者，其钞票称 United State Notes，以别于普通使用之 United State Bank Notes）。凡此，皆为罗斯福新政中所遗予财政部之特权，当时目的无非在加强其膨胀政策之能力，甚少可运用为相反之政策也。

（六）利率政策从未能有效运用

美国货币当局管制信用之法可有数种：

（1）发出警告（Issue of warnings）

（2）道义制裁（Moral Suasion）

（3）视察及检查（Supervision and Examination）

（4）拒绝向会员银行放款

（5）改变储备率（Change in Reserve Requirements）

（6）利率政策（Bank Rate Policy）

（7）公开市场政策（Open Market Policy）

（8）质的管理（Qualitative control）

其中最有用者，实际只有（6）（7）两项。"质的管理"或"选择性的信用管理"，目的在控制银行信用使用之途径，近年来渐趋风行。

利率政策为历史最久之银行理论，但在此次大战中毫未发生作用。如英人哈威（Sir Ernest Harvey）所称，已为"历史上之陈迹"（A relic of past history）。[1] 吾人犹忆当年有名之马克米兰报告（Macmillan Report）之结论："依吾人之判断，无疑的利率政策为货币健全管理之绝对的需要，且为一最敏锐最美丽之工具。"[2]

其实，在联邦准备制历史中，此"最敏锐最美丽之工具"从未发生过重要作用。第一次世界大战时，虽银行曾向联准借有大量款项，但因公债利率过低，联准之利率政策无法运用。当时联准之贴现利率低于市场利率，盖财政部即行低利借债政策，联准不能不追随也。[3] 至 20 世纪 20 年代时，联准之贴现率亦不发生管制信用作用，因会员银行之向联准借款并不以利率为归依。利率低时，会员银行之再贴现率亦低，利率高时，再贴现反而增加。[4] 利率政策之效用，更因二事而减消：一为银行不愿借款之传统政策，二为联准之传统的原则为银行不应为放款而向联准借款。通常银行向联准借款，乃为维持其准备金，在此情形时，虽利率高亦不能阻止之。至 30 年代时，银行因黄金流入而拥有大量之准备金，更不需借款。利率政策更无由施其技。其时联准之政策在左右为难之状况下，即利率如太低将招致通货膨

① Cf. R. G. Hawtrey, "The Art of Central Banking," London, 1933, p. 152.

② F. C. Conolly, op. cit., pp. 14 – 16.

③ Beckhart, *Discount Policy*, op. cit., pp. 278 – 279.

④ A Chart prepared by Hardily shows the movements C. f. Charles O. Hardy. *Credit Policies of the Federal Reserve System*, Washington, C. 1933, p. 229.

胀，如太高则恐黄金之流入更多。① 此外，利率政策不能收效之另一原因，即在国际上各国不能同时改变利率，而一国之政策则常因引起国际资金流动而被抵消。②

两者相较，公开市场政策较利率政策有效得多。联准在公开市场上收购或出卖公债，立即引起准备金同量之增加或减少。就量之信用管制言，公开市场政策已可足用，但此法对银行资金使用之途径，毫无控制作用。如顾及质的管制，则利率政策远较公开市场为佳矣。

因此吾人可引起一有趣之问题，即此次大战中，联准何不采用放款政策？亦即何不减少公开市场之收购，而迫使银行向联准借款，从而加以利率政策之控制？伦敦《经济学家》曾解释此问题。

> 吾人可合理的发问，何以不任银行借款？上次大战时，联邦准备制度刚刚开始。彼时同样之环境曾使会员银行在 1920 年向联准重贴现 28 亿（在当时为一巨大数字）。直到 1933 年，银行对联准负债，皆视为完全正常之事。此次大战时银行之不愿负债，并非为惧怕利率上升，因联准之贴现率已降至半分（公债）及一分（公司债）。细考其故，盖因过去 20 年中，银行曾历经危机及信用之超越的膨胀，而遗留于会员银行心中一种强烈的不愿对联准负债心理。
>
> 在和平时，此种心理对联准制度是否有利，颇成问题。在战时，纽约诸大银行为推销公债之主力，联准不能不顺从此种心理以便公债之销售。但如此种心理遗留至和平时代，则将在美国银行制度中，形成一新的重要因素。③

《经济学家》之评论颇为正确。第一次世界大战后之银行倒闭风潮中，使社会认为银行向联准负债为弱点之表现。同时在上次大战中负债甚多之银行，皆因战后利率上升而受损失。（贴现率自 1919 年 10 月之 4 分升至 1920

---

① For explanation of the dilemma, see Randolph Burgess, *The Reserve Banks and Money Market*, New York, 1936, pp. 64 – 65.

② Cf. R. G . Hawtrey, *Currency and Credit*, London, 1934, pp. 140 – 146.

③ "American Monetary plethora," *The Economist*, London, July 17, 1943, p. 82.

年 6 月之 7 分）。但财政当局之政策，亦实促成此心理。短期借债政策之目的既在增加银行之流动性，联准之公开市场购买则能使银行自由选择长短期债券以调整其准备金。稳定利率政策更能帮助此办法，以使银行不受损失。固定国库券之购买折扣，更加强此法。在此情形下，银行自然愿保存短期债券以准备调整准备金之用，而不愿求诸重贴现矣。

（七）质的信用管制收效有限

战时量的管制即不可能，重心乃移于质的信用管制。旧日理论，此法仅指利率政策言，即中央银行承做重贴现时，应审核其所抵押之证券票据，以视资金是否用于正当途径。此理论最简单之方式，即谓如中央银行只贴现根据正当商业交易而生之票据，则信用永不会过度膨胀。[1] 此种理论在联邦准备制中曾引起数度之论战。[2] 事实上，直至 1929 年 2 月，质的管理未曾应用过。该年 2 月使用所谓"直接压力"（"Direct Pressure"）以制止股票市场投机，即对有投机放款嫌疑之银行，联准拒绝贴放。[3] 其结果并未生效。博基博士（Dr. W. R. Burgess）曾指出，银行对联准所给予之信用，仅做第一步之运用，以后该信用如何被人运用，即无法控制矣。[4] 再则，银行要求贴现之当时原因，常非银行所能管制。如银行存款突被提现而准备金减少等。[5]

第一次世界大战时，联准曾试行对股票市场及投资信用行配给制（Ration）。在 1918 年 8 月以前，此法目的在保证股票市场有充分之资金以

---

[1] Cf. Randolph Burgess, op. cit. , pp. 53 – 54. It may be noticed that this was the principal argument of the Bank school in the Bullion Committee of 1810.

[2] The dispute goes back to the arguments between Governor Benjamin Strong of the Reserve Bank of New York and Adolph C. Miller of the Federal Reserve Board, or , as they called, the New York theory and the Washington theory. The former holds that the only feasible control of the reserve authority over the money market is through the volume of Cedit outstanding and not through its allocation to particular uses. This continued to be the official standard of Federal Reserve policy down to the end of 1937. Cf. Charles O. Hardy, op. cit. , pp. 53 – 54.

[3] In 1928 the system tried futilely to control speculation by curtailing the total amount of reserve credit in use. When the qualitative control was introduced in 1929, the Reserve Bank of New York, as testified Governor Harriso, refrained from action on the recommendation of the Board. Cf. Hardy. op. cit. , pp. 131 – 133.

[4] R. W. Burgess, op. cit. , p. 64.

[5] Ibid. , p. 63.

免刺激利率提高，其后，则目的在防止股票市场吸收过量资金而妨碍公债之发行。至于投资方面之配给制保管制公司债之发行，以免资金投于非战时必需之事业。此外，又用种种方法劝告银行减少不必需之信用。① 一般而论，其成效亦不大。对于此法，贝克哈特教授（Prof. Benjamin Beckhart）曾列论如下：

（一）包括3万多独立银行之美国银行制度，使信用之有效管理极为不易。如行于七大银行之加拿大，或五大银行之英国，其效必较大。在美国，银行为恐其主顾为别家银行所竞争去，对于非战时必需之放款要求不能不应付之。

（二）此种管制非必需放款办法乃系假定所有工商业皆须依赖银行。此在战时并非实情。非必需之工商业因战时繁荣及现金交易有不少拥有大量现金者，可不依赖银行而自行发展。

（三）银行家对"非必需"（Non-essential）之涵义并不清楚。每人皆认为自己所做之信用为必需。②

此次大战中，直接管制生产及劳工之政策颇为成功，战争生产所需信用又有保证制度之实行。信用管制之重心，乃移在限制消费信用（Consumer credit）及证券抵押借款两点。消费信用为直接放与消费者之借款，在战前数年兴起。其种类甚多，如分期付款售货之贷款（Installment sale debit），分期付款之现金贷款（Installment cash loan），记账贷款（charge accounts），个人贷款（Personal Loan），家用贷款（Family loan），等等。限制之法，称为"选择性的信用管制"（Selective credit control），与上次大战中所用之法完全不同。此法之特质，联准曾有解释：

联邦准备局所能运用之各种信用管制方法中，有两种系与其他方法在原则及方法上完全不同者，此即（一）以规定最低价值超过率（Minimum Margin requirement）法以管制股票市场之信用（按：即以证

① B. H. Beckhart, op. cit., pp. 310 – 311, 305.
② Ibid., pp. 311 – 312.

128

券抵押借款时，该证券之市价须较借款额超过相当数额。战时之规定，须超过40%）。（二）以规定最低之现金付款（Minimum down payment）及最长期限（Maximum maturities）法以管制消费贷款（按：购买分期付款之货物时，须于成交时即付一笔现款，称为 Down payment，战时曾规定此款须至少为原价 1/3。其余部分分期交付，战时曾规定最长期限不得超过 12 个月）。此种办法，与其他办法相同，即主管机关可随时将其限制依环境需要加严或放宽。但有二点此法与别法不同。（一）此法并非限制授信者所能放出信用之数量或成本（利息），而为限制借款人所能要求之信用之数量。故虽银行有大量资金可运用时，借款人亦不能多借。（二）此法所限制者为专为某数种用途而借之信用，并非笼统限制信用数量。因此之故，称为"选择性的信用管制"。

此法之被中央银行采用，乃晚近之新发现。过去中央银行虽曾非正式应用过，但重要立法尚在 1934 年。该年之证券交易法（Securities Exchange Act of 1931）曾授权与联邦准备局，制定价值超过率（Margin requirement）"以防止为购买或保存证券而生之信用过分膨胀"。同样，限制消费信用之权力系 1941 年 8 月始由总统之执行命令所确定……①

为实行此项管制，联邦准备局曾两度提高证券抵押借款之最低价值超过率，并数度修正消费贷款之现金付款率及分期付款期限。此法虽实行之历史甚短，但亦可看出其结果并不甚佳。此可由消费信用之数量观察之。

管制消费信用之法令（即 Regulation W）系 1941 年 9 月公布。消费信用自该年底之 99 亿减至 1942 年底之 65 亿。至 1943 年，减少甚缓，至下半年反增加，年底达 53 亿。至 1944 年又增加，年底达 58 亿。至 1945 年底，增至 67 亿。② 即在最低之 1943 年，亦与 1937 年及 1938 年相等。消费信用未收回总额，在 1944 年底与 1935 年几相等。

消费信用减少最主要之原因，为战时个人所得之增加与耐用品（如汽车、电气冰箱、无线电、洗衣机、清洁机等）生产之减少。所谓消费信用，

---

① *Annual Report*, Board of Governors, Federal Reserve System, 1943, p. 22.

② *Federal Reserve Bulletin*, December 1944, p. 1177 and June 1946, tables.

大皆由购买耐用消费品而起，战时此类生产根本停顿。同时个人之收入因政府支出扩大而增加，人民乃可以现金购买，不必求助于银行信用。一最可注意之事实，即在全部战争时期。美国人民之消费支出并未减少，且自1940年之617亿增至1944年之1005亿。此数字自然受物价上涨之影响，但同时亦须考虑耐用品生产之减少。1941年耐用品之销售为65亿，假设以后此项交易全部停止，则1940年至1944年其他消费之净增为498亿，或80%，而生活费之上涨据劳工部统计不过25%。故实际上美国人民在战时之消费，较战前确为增加。

日用消费品，在战争初三年中并未感缺乏。1944年始有若干物品，如煤、牛油、肉类、衣服等感觉供应不及。但其中一大原因乃因限价甚严而商品流入黑市所致。同年下半季，消费购买异常活跃，消费支出增加有60亿。

由此可见消费信用之减少，并非由于信用管制之有效，而系由于人民收入之增加及耐用品生产之减少所致，故即使无此"选择性的信用管制"，消费信用亦将同样减少也。

（八）结论

美国于此次大战中，虽战费支出空前庞大，竟能免于严重之通货膨胀恶果，与上次大战比较有显著之进步。但此类结果，并不能归功于其财政及金融政策。其最主要之因素，乃为生产力之惊人的增长，抵消通货膨胀之潜力。1939年美国生产力之物品与劳役，只有900亿美元，至1944年，乃达2000亿美元。该年工矿生产，为1935～1939年平均数之235%。即使计入物价上升影响，此种生产力之增加亦为历史上前所未有。因此虽战争物资消耗日巨，而民用消费并未减少。成功之第二重要原因，乃由于各种直接统制之有效实施。原料、生产、劳工以及物价之统制，均较有效，而能对通货膨胀之潜力加以克服。对战争工业之保证借款办法，对资金之诱导亦甚得力。

货币政策对于稳定国民经济，仅有较小之作用。中央银行传统上所运用之政策，如利率政策公开市场政策等，在战时并无克服通货膨胀之效力。普通所用之质的信用管理，其作用亦极有限。至于新兴之"选择性之信用管制"，在其所施之范围内，容或有效，然其实力，尚待日后证明。财政政策于制止通货膨胀上较货币政策为得力，但其应用可能须视战争之程度及一国经济结构而定。在资本主义国家从事战争时,通货膨胀性之借债实为不可避免之事。

战时金融当局有双重之责任,一方面须便利政府借债,一方面须稳定国内经济,而二者本质上不能相合。欲求兼顾,金融当局本身所能为力者实在有限。然技术上之进步亦不容忽视。美国 1812 年及 1837 年之战时,赋予国库债券若干通货性质以便发行。内战时期,则以增发纸币为挹注。对西班牙作战时,则给公债以流通特权。凡此,均招致严重之恶果。第一次世界大战时,销售公债之主要方法为信用膨胀及保持低利率,结果物价亦上涨 50%。此次大战中,财政当局之短期公债政策及低利政策,实际给金融当局以更大之困难,但因生产增加及直接统制之成功,金融当局得推行与此相辅之政策,实为前所未有之事。余如取消公债免税习惯,分散公债种类,募债运动等,皆为进步之设施。

〔原载《财政评论》(上海) 第 16 卷第 1、2 期,1947〕

认股权、股票股利及股票分裂与扩充公司之投资理论

"社会上有一流行之印象，即公司以优权认股（privileged subscription）方式增资后，常能保持其过去之股利率，又公司发股票股利（stock dividends）或行股票分裂（stock split-ups）后，常能提高其股利率。此事于理论上有何根据？于事实上有何证明？"

哥伦比亚大学道得氏（David L. Dodd）以此问题命作者为文研究。作者经搜集自1915年至1940年曾使用认股权、股票股利或股票分裂之公司40余家之资料，又将其曾经使用上述方式在二次以上之大公司26家之15年以上之记录详加分析，列为26表，其项目包括逐年之股票市价、账面价值、每股净盈、投资价值、股利等。分析之结果，可证明上述之流行印象，颇合于事实。为解释此种现象，作者乃试从公司之资本扩充上寻求理论之根据，姑名之曰"扩充公司"（Expansion corporations）之投资理论。

原文中26家大公司之统计及分析，对我国读者无甚兴趣，兹反将其第三章理论部分节译如后，以求指正。

一 认股权、股票分裂及股票股利

认股权（subscription right）乃公司于增发新股时发与旧股东之权利状，持之可以优待价格认购新股，亦可以该状在市上出卖而兑现。发认股权之目

的，乃在保持旧股东之比例投票权及公积中之比例本值，盖新股发行常低于市价出售也。但在本文中，则可视认股权为一种扩充资本之技术。其意义可引金融手册中之解释："认股权实际上乃强迫股东在二途中必择其一——或则依照认股权上规定之认购价格增加其在该公司之投资，或则放弃认股权所代表部分之投资。"[1] 如股东不依权认股，而将认股权卖去，则该股东可收回其投资中之一部本值，但并不减该公司之营运资金。

理论上讲，认股权与公司发与其他人之任何种权利（如 warrants）[2] 并无区别。故广义地讲，认股权可定义为：当公司资本组织变动时，其本值（以股票代表之公司财产，包括现金）价值相互交换间之差数。[3] 所根据之原理为：凡不等值之价值相互交换时，即发生权利。如公务员之有"权"购平价米然，旧股东可以规定之价格认购新股。此差数可为现在存在的，亦可能为预期的，待公司盈利上升时或股票市价上升时始出现。此定义对下文之解释颇有帮助。

股票股利（stock dividends），即以本公司股票代替现金发放红利。在本文中可视为一种强迫认购新股，或一种扩充资本之更硬性的技术。此方法使公司将一部分之公积变成资本，而今后公司之盈利须分配于较大之资本额。或如公司理财学权威杜文氏（Arthur S. Dewing）所说："证券股利乃一方法使公司之经理人可保存其蛋糕同时又可吃用其蛋糕者也——将公司之盈利保存于公司内同时又将其分与股东。"[4]

100 股价值 200 元之股票分配得 25% 股票股利后，理论上该股票之市价即应降为 160 元，而投资总额不变。如持票人将该 25 股股利在市场出售，[5] 可得 4000 元，即等于 40% 之现金股利。

$$25\% \text{ @ } \$160 = 4000$$
$$100 \text{ 股 @ } 40\% = 4000$$

---

[1] *Financial Handbook*, R. H. Montgomery, New York, 1937, p. 542.

[2] Warrants 在此可认为一选择权（Option），持有人可在证券满期前以某种价格购买股票，其价格比预期之市价为低。

[3] 参看 Gabriel A. D. Preinreich, *The Nature of Dividends*, New York, 1935. p. 117。

[4] Arthur S. Dewing, *The Financial Policy of Corporations*, Vol. II, 4th ed., New York, 1942, p. 810.

[5] 不计售卖时对市场之压价影响。

如不发股票股利，而于发 40% 现金股利后发认股权，而规定权数为持有股数 25% 认购价为 160 元,[①] 则其结果与发 25% 之股票股利亦复相同。该股东须将所得之股利 4000 元交还公司认购 25 股新股。

$$125 \text{ 股 @ } \$160 = \$2000$$
$$100 \text{ 股 @ } \$160 + 25 \text{ 股 } \$160 = \$20000$$

故股票股利等于现金股利后再发认股权。但股东有认股权可能不往认股，而股票股利则为强迫之认股。

股票分裂（stock split-ups）比较简单，不过将原有之一股分裂为多股而已，与投资额无关。分裂似与扩充资本无关，因公司资本及公积之总数均无变更。[②] 但将公积化为资本不过为账务上之程序。如使用无面额股票时，则将一股分裂为两股适等于发与 100% 的股票股利。故本文中，股票分裂可视为急剧之股票股利,[③] 当有足够之公积存于账面时，即用股票股利。因此，在 20 世纪 20 年代之股市高潮时，股票分裂亦最多。[④]

二　资本扩充与营业情形

认股权、股票股利及股票分裂既皆为扩充资本之技术，故皆用于商业繁盛而扩张之时。[⑤] 但资本扩充与营业扩张之间，并无理论上之相互关系。[⑥]

[①] 注意此间"权利"一词有误用之处，因此间并非不等价值之交换也。该股票市价在发 40% 现金股利后应降为 160 元。此亦可说明，25% 之股票股利与 40% 现金股利对股东之投资价值或每股之账面价值并无不同之影响。

[②] 较详之定义见 James C. Dolley, "Characteristics & Procedure of Common Stock Split-ups," *Harvard Business Review*, April 1933, p. 316。

[③] 注意例外。Chicopee Manufacture Co. 于 1921 年发 300% 股利，其法系将 25 元面值之股票改为 100 元，其资本总额并自 150000 元增至 600000 元。其作用甚似反分裂（reverse split），但总股数未变。

[④] 巨额股票股利可用于无面额股票。如 The Central State Electric Co. 于 1926 年发 900% 股票股利，其作用等于将一股分裂为十股。

[⑤] "每届工商繁盛股市向荣之时期，有大量之股票股利、认股权及股票分裂出现。"详见 Dolley, op. cit., p. 316。

[⑥] 同样，通货膨胀与信用扩张之间亦无相互关系。本文并不讨论赤字财政（Deficit Financing）及投资倍数（multiplier）之学说，但可以同样之态度观察，即公司之业务一如国家经济，并不一定能用膨胀政策刺激其活跃。

此种技术之被使用，乃为商业活跃之结果，并非其原因。

使用优权认股者大都皆以扩充业务为其报告之原因。[①] 商业萧条时，甚少使用者。使用最多者，为工商业开始自萧条中恢复之初期。[②] 1922 年至1923 年及 1928 年至 1929 年之繁荣年中约有相同次数之使用。[③] 欲使优权认股运用成功，必须使股东信服未来之盈利不但足够支付新股股利，且可增进旧股之安全，新股之股利须与过去旧股所得相等或较高，新增资本之生利能力须与已有资本相等或较高。[④]

事实上，优权认股大都皆为成功之"扩充公司"（其意义见后文）所用。如公司之财务状况不能达上述之条件时，则多用公司债或优先股方式扩充资金。杜文氏之观察云："直至 1930 年，事实上公司给其股东权利以认购股或公司债者，皆为成功之公司。过去之情形，可证明彼等确系扩充业务。"[⑤]

公司发股票股利之目的，亦多系于扩充资金时谋将公司财产保留于公司内。[⑥] 发股票股利之公司，多半在过去积有大量之盈余，股票股利不过将此盈余资本化而已。然必须该项盈余能购回更高之利润时，始可将之资本化，因股票股利之发出将使可做现金股利之公积减少，同时使须分与股利之资本

---

① 使用此法者约有半数公司曾明显说明目的在扩张业务者。有许多公司之扩张系先借入短期资金，故其报告中之增资目的为偿还债务。见 Dewing, op. cit., p. 1198。C. M. Werley 曾作一研究，统计 1918 年至 1928 年间 212 次优权认股中，有 119 次述明目的在扩充业务。工业中 146 次中有 74 次述明，铁路及公用事业中 66 次中有 45 次述明。见 C. M. Werley, Privileged Subscription, Harvard Graduate School of Business Administration, 1929。

② 次数量多者为 1936 年 46 次，1937 年 42 次，但此两年受有新税制影响，即未分红利须课所得税也。以发行之金额言，则优权发行在 1929 年占全体股票及公司债发行额 37%，1928 年占 24%，1933 年中 21%。详见 Securities Exchange Commission, Statistical Series Release, No. 41。

③ 但 1922～1923 年中有半数为优先股或 Convertible Bonds，1928～1929 年者则大皆普通股。Dewing, cp. cit., p. 1200.

④ 参看 Dewing, op. cit., pp. 1198 – 1199。但亦有例外，如 The United States Rubber Co. 于 1928 年发认股权，但该公司自 1921 年 4 月后即不发股利，其优权认股亦甚成功。又如 1928 年时 Kelly-Springfield Tire Co. 之股票市价较优权之认股价尤低，但该项认股权仍可上市出售。亦有发股权仅为调整资本之用者，如 Huppe Motor Car Corporation 曾在最不景气之年发认股权。

⑤ Dewing, op. cit., p. 1203.

⑥ 自亦有为其他目的者，*The Financial Handbook* 曾举出 6 种，Dewing 氏曾讨论 4 种。见 *Financial Handbook*, R. H. Montgomery, 1937, p. 606, & Dewing, op, cit., pp. 818 – 819。

额增大也。故股票股利乃景气感觉之表示,其基本之假定为该公司已有财产之价值已远超过资本额,同时经理人员自信此项财产将有余力保证增加投资额之利润。故使用股票股利之次数常与盈利数字同起伏,[1] 杜文氏称其为"力之表现"。[2]

股票分裂之主要目的,乃在减低股票市价以便小户购买而使股票得广泛分散。另一目的则在减少每股之分红以避免社会之瞩目。[3] 无论何者,皆系在乐观环境中实行,或因市价上升过高,或因盈利过巨。工商向荣时,股票分裂始能实行,而最多者系在繁荣之顶点时行之。[4] 就扩充资本之观点言,经理人对行股票分裂须与发行股票股利有同一之考虑。

因此之故,社会上有一流行之印象,即公司以优权认股方式增资后,常能保持其过去之股利率,又公司发股票股利或行股票分裂后,常能提高其股利率。关于"扩张公司"之理论,下文当再详述,此间则先将公司之股利政策略加讨论。

三 股利走势

投资者一向喜有固定之股利收入。大公司亦皆努力使其股利率维持长期不变,尤以股票分散于众多小户者为然。[5] 应用此政策,可使其股票更为保

---

[1] 避免所得税亦为发股票股利之一重要原因,如 1922 年因 Eisner 与 Macomber 之判决例而纷纷发股票股利,又 1936~1937 年因开始课未分配盈利税亦大量发股票股利。Macomber 判决例后,使用股票股利者大增,然亦须考虑未来盈余,否则尚可用其他方法以分散未分配盈利也。见 Federal Trade Commission, Stock Dividends, 1927, Senate, p. 8。

[2] Dewing, op. cit., p. 815.

[3] 自尚有其他原因,且有与减低市值无关者。如 1940 年 Standard Gas& Electric Co. 将 San Diego Consolidated Gas & Electric 股票分裂以便于交换该公司之债券,因大额股票不易折成整数也。

[4] 1921~1931 年间,837 种普通股中有 150 种曾分裂一次或两次。Dolley 所分析之 174 次分裂中,1928~1929 年有 60 次,1926 年有 23 次。Dolley, op. cit., p. 316 市价跌落时亦有分裂者,但其目的亦同。如 1940 年 5 月 The Boston Edison Co. 将股票一分为四,公司宣布其目的在使股权之分配得更广泛。

[5] 如 American Telephone &Telegraph Co. 在 25 年中只变动一次。余如 General Motors, General Electric, Pennsylvania Railroad 等亦然。美国电话公司为小股东最多之公司。

守之投资大众所欢迎，因而使其股票市价稳定[①]。此可举一例明之。

1913 年起，United States Steel Co. 于 10 年间所付之股利如表 1。

表 1　United States Steel Co. 所付股利（1913～1922）

单位：%

年　份	股　利	年　份	股　利
1913	5.00	1918	14.00
1914	3.00	1919	5.00
1915	1.25	1920	5.00
1916	8.75	1921	5.00
1917	18.00	1922	5.00

10 年之平均为 7 分。同时期 National Buscuit Co. 付与 7 分之固定股利，每年相同。

10 年间 National Buscuit Co. 之股票平均市价为 115.5 元，但 U. S. Steel 者只有 85.5 元。

然在 20 世纪 20 年代及 30 年代，因商业上之重大变故，固定股利已不能维持。其最重要之变故，即 20 年代之资本空前扩充，与 30 年代之严重的经济恐慌。因之，一般人民对股票投资之观念，亦起根本之改变。如 Craham 及 Dodd 教授所指出者：在第一次世界大战前，股票投资之涵义仅限于有固定股利及稳定盈余之公司，其预测未来之购买股票者皆可视为投机家。至 20 年代时，其观点乃自重视过去记录转变为注重盈余之趋势乃股利之未来可能。两教授对此新观念曾提要如下：

一、普通股之价值决定于其未来之收益。

二、良好之普通股为过去曾有上升趋势之收益者。

三、良好之普通股可承认为健全有利之投资。[②]

---

① 除稳定市价外，固定股利尚有其他利益，如心理上之安全感，使其公司债能为银行所持有（此系根据银行持有证券之 Eligibility 定义而来），节省所得税等。见 Ralph E. Badger & Harry G. Guthman, Investment, *Principles & Practices*, New York 1941, p. 603。

② Benjamin Graham and David L. Dodd, *Security Analysis*, 1940, New York, pp. 348－349, 345。二教授将第一次世界大战前之投资观念提要如下：（一）一适当的稳定的股利，（二）一稳定而适当的盈利纪录，（三）有充足之实物资产（Tangible assets）。

是故股利及盈利之走势，已成为估计股票价值之最主要范畴。[①]

吾人并不欲评论此种新观念，但可指出，此种重视未来而不重视过去之新思想，乃为20世纪20年代资本膨胀之结果。盖繁荣年代，人皆注视未来也。此种新观念，有助于工商业资本化及盈利，鼓励经理人运用优权认股、股票股利及股票分裂等方法。此种种方法，无非扩张资本之技术，使其股票更为美观，更富于投机性也。

四 资本扩张与股票收益

长期观察，扩张之资本，其收益能否增加，须视其未来盈利情形而定，而此盈利受商业循环及利息率之影响。若在扩张以后之萧条期间观察，如悉格氏（Seymour N. Siegel）在1932年之评论，则20世纪20年代中对未来所做之种种预期实属过分。其言曰："最近各公司之停止分配股利，其原因之一恐即为当初之资本过度膨胀，资本扩张之结果，使投资人度分散。即使盈利及商业情形并不坏转，其股市亦必降低。"[②]

30年间，普通股之每年平均收益（指依市价算之股票收益率，非股利），就 Dow-Jones Series 所包括之统计，可简列如表2。

表2　美国铁路、工业普通股每年平均收益（1901～1928）

单位：%

年　份	铁　路	工　业
1901年1月1日~1910年1月1日	3.72	7.42
1910年1月1日~1921年1月1日	4.70	7.42
1921年1月1日~1928年1月1日	4.84	5.82
1901年1月1日~1928年1月1日	4.48	5.40

资料来源：Dwight C. Rose, *The Practical Application of Investment Management*, New York, 1933, pp. 139 – 147。

[①] 例如，在1929年之股市繁荣时，有低而渐增走势股利之股票（如 The Electric Power & Light）较高利但渐降趋势者（如 Chicago Yellow Cab），其价值为高。
[②] Seymour N. Siegel, "Stock Dividends," *Havard Business Review*, October 1932, p. 76.

表示在 20 世纪 30 年代时，工业投资之收益较前 20 年为小。但此时期内股票市价上升极速，故在 30 年代中，平均总收利，包括股票升值合 23.9%，但前 20 年中，只合 11.9%。[①] 股票升值将于后文中再讨论，然须知此升值乃总收利变动之主要因素，此可于表 3 中见之。

表 3　美国 20 家大公司普通股之每年收益率

单位：%

年　份	10 家有固定债务公司		10 家无固定债务公司	
	股　利	股利及升值	股　利	股利及升值
1908	4.5	108.7	2.6	72.7
1909	2.1	33.5	2.2	22.6
1910	1.4	129.3	1.5	133.0
1911	1.5	118.6	2.1	5.9
1912	1.3	3.4	2.1	33.5
1913	1.8	123.8	1.6	12.6
1914	2.5	10.9	2.5	110.6
1915	4.4	124.5	1.9	151.0
1916	5.3	42.7	1.9	18.5
1917	6.9	119.0	4.2	16.8
1918	9.2	9.1	3.2	53.8
1919	6.8	76.7	5.1	73.9
1920	3.6	144.9	4.6	131.4
1921	3.6	3.1	3.3	120.2
1922	1.7	15.7	1.7	10.6
1923	3.2	0.1	1.8	116.5
1924	5.6	45.7	1.4	48.8
1925	4.4	29.4	4.5	18.8
1926	4.2	2.6	5.2	10.1
1927	4.9	34.2	5.1	27.8
1928	3.9	40.8	5.0	20.5
1929	3.3	121.4	3.8	114.1
1930	3.1	142.5	3.6	154.0
1931	5.5	157.9	4.4	150.5

注：收益百分数皆按每年年初股票市价计算。升值指股票市价之升值。

资料来源：Badger and Guthman, Investment, 3th ed. 1941, New York, pp. 261 – 262. Based on Rodkey's data. R. G. Rodkey, *Preferred Stocks Long-Term Investments*, University of Michigan, Bureau of Business Research, 1932。

---

① 20 世纪 20 年代中，铁路股票之收益甚高，但其总收利为负数，因股票曾跌值 5.32% 也。

表3中并可看出，股利之收益变化莫测，无固定之升降期，仅大战年间为逐年上升而已。此外有固定债务（如公司债等）与无固定债务者，其收利大不相同。表4包括较多之公司及较长之时间，由此可见总收益（包括股利及升值）之变动，较股利更为剧烈。

表4　美国上市普通股每年收益率（股利与股票升值合计）

单位：%

年　份	铁　路	工　业	公用事业
1892	17.7	22.2	37.7
1893	116.0	10.4	—
1894	121.2	114.9	—
1895	5.3	1.3	—
1896	110.6	115.5	—
1897	9.6	118.3	—
1898	42.7	33.3	—
1899	60.5	134.5	29.2
1900	17.0	124.4	79.2
1901	108.9	23.3	22.5
1902	37.2	15.3	24.8
1903	19.3	16.5	145.7
1904	124.5	129.3	119.4
1905	46.5	86.6	85.4
1906	13.9	31.3	14.1
1907	118.7	110.8	112.0
1908	116.6	118.2	125.7
1909	74.2	54.4	54.2
1910	16.8	3.5	3.2
1911	12.1	0.1	1.6
1912	3.2	16.9	6.1
1913	117.6	110.6	114.3
1914	116.3	4.3	110.2
1915	2.9	11.5	7.9
1916	16.9	76.4	4.5
1917	4.7	13.3	15.8
1918	133.9	16.4	112.6
1919	28.5	50.5	17.8
1920	16.2	47.4	114.7

年　份	铁　路	工　业	公用事业
1921	1. 6	114. 2	12. 6
1922	48. 8	21. 3	35. 1
1923	19. 9	4. 1	49. 1
1924	13. 3	112. 4	11. 7
1925	69. 6	42. 1	52. 2

资料来源：James Roy Jackson, "Common and Preferred Stocks as Investments," *Journal of Business*, July and October 1928, pp. 312 – 314。

此二表并可指出，在资本扩张时期，普通股之收益率（非股利）并不增高。此即表示，此种繁荣年代中，投资之盈利虽高，但股市之上涨则更甚。当股市上涨时，收益率（或以市价计算之盈利）乃见降低。1927 ~ 1928 年之情形，可以代表之。

股票之收益虽不因资本扩充而增高，但对于老股东之利益则完全不同。实行优权认购、股票股利或股票分裂后，维持旧股利率只对老股东有利而已。若见某公司以此种方法扩充资本而径购其股票，则殊无特殊利益可言也。

五　股票股利与现金股利

从一种观点看，组织一公司之目的即在分股利与其股东，而投资于股票之目的即在能定期的取得现金收益。当股东分得股利时，其感觉为得到某些资财。如分得者为现金，彼即得到现金；如分得者为股票，彼感觉可将该股票卖去而立得现金。

将股利股票卖出所能得到之实际价值颇有疑问。然股东分得股票股利后有另一种感觉，即以为该项股票乃额外股利，而额外股利常被视为意外之财，所谓 "Melons"。股票股利又常表示该公司在行保守政策。当公司股利甚高时，公司常以股票方式将积盈分与股东而不愿提高正常之股利率。[1] 因股东之心目中以正常股利为准，故可将股票股利卖去而得现金。

---

[1]　保守政策之证明，见 Charles W. Gerstenberg, *Financial Organization & Management to Business*, New York, 1939, p. 565。

股票股利虽属"额外",亦有变为经常者。如 American Light & Traction co., American Gas & Electric Co, North American Co. 等,每年发股票股利继续 10 余年之久。如悉格氏所指出,继续之股票股利政策完全以其股利能力为基础。[1] 直至 1930 年, North American Co. 之每年股利达资本及公积之 16%,即合普通股票本值之 16% 也。该公司每年发 10% 之股票股利。同时期之大公司如 Common Wealth Edison 之净利只有 8.1%, American Telephone & Telegram 只有 6.6%。

1929 年, North American 之股票每股净赚 4.82 元,其市价为 120.8 元。如 10% 之股票股利卖去,可得现 12.08 元。如改分现金股利,以股利 60% (普通最高额)分配则每股不过得 2.89 元而已。此 9.19 元之差数,系由下列而来:(1)本值之冲淡计 2 元。未发股票股利前其股票之账面值为 21.95 元,发股票股利后,因资本额增 10%,冲淡为 19.95 元。(2)所余之 7.19 元乃市场对该股票之高估所产生者。此最后一部分甚为重要,亦吾人将讨论之问题也。

自会计上观察,股票股利不过将一公司之股利资本化而不分配与股东而已。如怀德氏(A. C. Whitaker)所描写:"不但不将盈余分配与股东,且使股东应得之分配迟延。因股票股利将盈余转化为资本,即不能再行分配矣。"[2]

但事实上,发股票股利后,其现金股利往往并不减少,且常有增加者。如与该公之盈余率相比,则见发股票股利后,公之股利政策常较放宽,不若以前之保守。[3] Graham & Dodd 二教授曾将此情形提要如下。[4]

> 发特别之股票股利常为提高正常现金股利之前驱。
> 一成功之工业公司,其发股利之过程往往如下:
> (1)一相当时期之低股利政策,积余区额之公积。
> (2)忽然发一巨额股票股利。
> (3)立即提高现金股利率。

---

[1] Seymour N. Siegel, "Stock Dividends," *Harvard Business Review*, October 1942, p. 84.

[2] A. C. Whitaker, "The Stock Dividend Question," *American Economic Review*, March 1929, p. 25.

[3] 此见于作者所搜集之 40 家公司之资料中。

[4] Graham & Dodd, op. cit., p. 392.

六　投资于"扩充公司"

留存一部分盈利于公司中为再投资之用，为公司经营之一贯政策。有些公司将大部分盈利保留只发小额股利。留存之公积，可以股票股利方式使变为资本，亦可不变成资本而使股票之本值不断增高。其极端之例，即福特汽车公司。[①] 但在20世纪20年代中常用此法者乃大联号商店。彼等之公积积累甚大，其股票市价常达面额20倍左右。[②]

此种保留盈利以再投资办法是否得计，颇有可研讨之处，其专论已甚多，[③] 唯根本辩论在于该公司之经理人将股东应得之利益行再投资是否比股东自行运用其资金更为有利。但如以此种资本在扩充中之公司为一类看待，则吾人可从另一立场立论（仍须注意有些公司保留盈利并非全为再投资之用，如用以补偿掺水股票，留做紧急准备金，拟在不景气时维持股利等。此间则专论其用以再投资者）。

自本文观点看，公司之经营可分为数个阶段。有些无力将其盈余再投资，有些只能再投资一部分，有些可将全部盈余投资，更有些不但可投资全部盈利，且须吸收外资。然须注意此种分类与该公司之健全与否或盈利多寡并无关系。

一不能再投资其盈利之公司，必须将盈利以现金方式分配与其股东。其资本缓慢扩充者可分配一部分盈利。急剧扩张者不但留存全部盈利，且须吸收新股。最后一范畴内之公司，吾人姑称之曰"扩充公司"（"Expansion Company"）。[④]

---

① 福特汽车公司（Ford Motor Co.）在1903年成立时只有资本28000元，该公司从未出售新股票亦未借入资金。后发股票股利，资本增至200万元，其公司之资产估计值7.5亿至10亿元。1919年，小股东将股票售与亨利福特作价每股12500元。

② F. W. Woolworth 在1928年售22.1倍，1929年售21.3倍。余例见 Ralph Badger & Harry Guthman, Investment, New York, p. 89。

③ 如 Fedde, "Required Reinvestment of Earnings," *Journal of Accounting*, 63, 1937, p. 375. H. G. Kimball, "Depreciation & Savings," *Accounting Review*, 10, 1935, p. 365. Hasting Lyon, "some Tendencies in security insurance," *Corporation Practice Review*, October 1928. O. J. Currey, "Utilization of Corporate Profit in Prosperity & Depression," *Michigan Business Studies*, No. 9, 1914. Dewing, op. cit., pp. 787 – 790.

④ 注意此 Expansion Company 之含义与所谓 "Groth Company" 不同，后者据1938年之 National Investor's Corporation Report 之定义为 "Companies whose earnings move forward from cycle to cycle"。

第一，第二范畴中之公司，股东以普通之观念估定其股票价值即已满足——即购买股票之款为其所投之资本，所分得之现金股利为其收入，出卖该股票时所得之升值或降值为其资本利益或损失。[①] 此外，股东如欲知其股本所代表之投资价值，更可自公司之报告中一查每股之账面值。

第三范畴之公司——扩充公司，其投资之估价则须另加考虑。

第一，股票与代表固定财产之契据（如房地契）不同，其所代表者非一种财产，而为多种财富及权利所合成之一有机体——包括有形的、无形的，生产工具及其生产。此合成体之价值在良好之经营下，常大于其分开来各种财产之总和。此所增加之价值普通称为商誉。故股票之价值，应受三种变化之影响：（1）公司之盈利，（2）升值，及（3）商誉。商誉之变化，乃该公司无形的经营效率改变之结果也。[②]

第二，商誉及升值，常联结于公司之某些财产估值，但在账面上并不充分表现，日后变动时亦不记录于账册。当一账面值200元之股票售市价300元时，其100元即为市场对该公司商誉及升值之估价。扩充公司，大皆有类此之情形。

第三，公司之业务原理，乃系不断地将其流动资产与外界相交换（如以现金换原料，以商品换现金等），但必此种交换之结果有损益发生时始记录于其账册上。因依现行会计制度，账册只记录已完成之交易。而投资之商誉及升值则有两种变动：（1）由于经营而逐渐增加或减退其价值；（2）由于公司某种行为而起之立即变动，如分红、增资等。账面值仅记录后者，而不及于前者。由于会计上之保守习惯，前项之渐增价值往往被人忽略。

第四，在"扩充公司"中，股票价值之渐进变动最为重要，其第二种变动之记录反而失去重要性。如购买某股票100股，随即发10%之股票股利，此时110股之账面价值应与以前之100股相等，但实际上其市价已约增高1/10。此现象在作者所搜集之实例中，屡见不鲜。

理论上，一股票之价值乃其未来收益之资本化价值。现金股利系记入公司之收益账中者，故在不扩张或缓慢扩张中之公司，以此已完成交易时之账

[①] 此种观念不但为一般人所用，亦为法律所承认，如有名之 Eisner 与 Macomber 案即据此判决者。

[②] 详见 Gabriel A. D. Preinreich, *The Nature of Dividends*, New York, 1935, pp. 4 – 5。

目代表之并无困难。股票之账面值按期增加（收益入账之期），股东对其所持投资之价值亦可比例增加也。

但在"扩张公司"中，股东对其投资之未来收益为渐增的估计，而以此渐增的收益率，按现行之利息率折合成资本值，即其投资之价值。当股票之收益率大于市场利息率时，每年均应有新商誉之增加，此增加之价值，实际为代表将来能再投资于此公司之权利者。[①] 购买该股票时，亦须付购买该投资权之代价。此权利亦可自股票上分出，而成为认股权或股利股票。甚至分裂后之新股，亦含有同样意义。

在此种情形下，投资者对其所持股份之估价，即不能以账面值为准，较接近之标准，乃其市价。

七　股票市值

股票之价值即为其未来收益之现在资本值（按现在利息率计算），但收益并非决定股票市价之唯一因素。市价乃受供需关系所决定，而供需又各受许多因素之影响。其因素至少可分为两类：一类受该公司之行为所决定者，如公司之盈利能力、股利政策、公司之财务状况、经营效率等；另一类为受一般商业状况影响者，如利息率、商业循环之时期、该类工业之前途以及政治变动心理倾向等等。

目前吾人只考虑第一类之因素，且以"扩充公司"为标准。

"扩充公司"股票市价，所受各项因素之影响，可如 G. A. D. Prienreich 所列举者，归纳为四个变数。[②]

（1）盈利率（earning rate）即公司之盈利与投资之比例。投资额可以其净值（net worth）代表之，但应除去开置之资产（idle assets）。

（2）扩张率（expansion rate）即公司净值之增加率。此间亦应除去开置之资产，专计有生产力之净值。

（3）利息率（money rate）即未来收益所据以资本化之率。

---

①　见 Gauthman & Dougall, *Corporation Financial Policy*, New York, 1944, p. 406。

②　G. A. D. Preinreich, op. cit., p. 10。

（4）希望率（the horizon）以年表示之，即投资者所希望之年数，超过此数年，投资者不能或不愿对未来情形再加估计。

过去 20 年间，盈利趋势被认为指示投资价值最主要之指标。① 高级股票中，其盈利率在相当时间内可视为不变，当商业繁荣或扩张时，并可视为上升趋势的。另一方面，扩张率则为短期的。在自然发展之程序中，扩张率之渐停止应在盈利率降低之前，当盈利率降至与利息率相等时，扩张率乃不存在。此时，如将盈利再投资，对股东并无利益可言。希望率实即投资者对未来风险所给予投资愿望所打之折扣。风险可视为渐增加的，如对一年内之投资可估计无风险，对第二年之估计即须慎重，每三年则更须考虑矣。此间之 Horizon 系将渐增之风险，化为可资预测之年限。如估计二年半内不会有风险，其希望率即为 2.5。

仍用 Prienreich 原例，② 设利息率、扩张率及盈利率均为常数。一账面值 100 元之股票售市价 200 元，因其盈利率为 10% 而当时之利息率为 5%。如其膨胀率为 5%，则该股票次年之账面值应为 105 元（盈利之 10 元中留存 5 元为再投资），而其次年之盈利为 10.5 元。将此未来之盈利，以现行利息率（5%）资本化，则该股票之市价应为 210 元，加上留存之 5 元所代表之资产之变现价值。同理，如扩张率为 10%，则次年该股票之账面应为 110 元，次年之盈利应为 11 元，而市价应为 220 元。如扩张率为 15%，已超过盈利率，而假定可另吸收 5 元之外资以补充之，则次年之盈利应 11.5 元，市价应为 230 元减去 5 元新资，即 225 元。此例表示扩张率在决定股票市价中之重要性。

上例中未计入希望率，即假定投资者希望该公司之扩张将继续不断。若彼估计该公司之扩张仅有二年，即在二年内彼应得之利益将一部分留存于公司中为再投资，而二年后将取得其全部收益无再投资。将此种年收益以现在利息率资本化之，则扩张率为 5% 时，股票市价应为 209.52 元，扩张率为 10% 时，为 219.5 元，扩张率为 15% 时，为 230.39 元。即表示投资者现在愿以如上之代价购该种股票。

---

① Graham & Dodd op. cit., pp. 35, 8 – 9.
② G. A. D. Preinreich, op. cit., pp. 11 – 12.

市价与账面值之差代表该股票之商誉。由上例可知，在"扩充公司"中，商誉与账面值同比例增加（假设盈利率与利息率不变）。因此，"扩充公司"之股票之投资价值，可以市价代表，较以账面值代表为正确，因前者包括资产本值（账面值）及未记入账册之商誉也。

然须注意股票市价复受许多因素之影响，如利息率、货币购买力等，均非公司之经营可左右者。资本扩充多在商业繁荣时期为之，故其股市之上扬并不能反映公司资产及商誉之增加。此种股市之上扬为升值。如前所述，股票投资之收益中，升值较股利更为重要。但此种升值非至将股票售出时，不能视为收益，升值为"未实现的资本增值"，须注意其数目并不因该股票之资产价值而改变。

八　结论

吾人复回至本题，即认股权、股票股利、股票分裂问题。其问题为此数种方法对一"扩充公司"股东之所得有若何之影响。

本文一直避免用"所得"一词，因股票股利及认股权是否可视为所得乃在争论之问题也。① 至此，吾人可指出投资者对由股票所生之所得观念，可分四个范畴：

（1）投资者所投之财富，在两个日期间，其数额之差额。

（2）投资者所持有部分之该公司之净值，在两个日期间之差额（指用一般会计制度所记录者，实即股票账面值之差额也）。

（3）所收得之一切分配（包括现金、股票、权利等）之公平市价减去因分配而引起之投资本值之变动（即冲淡）。

（4）所收得之现金。

第一种观念，包括股市升值，即"未实现之资本增值"。此项增值须待股票卖出时始能计算，故投资之总价值亦须待该投资结束时始能计算。但一般投资者于投资时，实将升值计入其心目中。② 如前所述，扩充公司之商誉

---

① 吾人之结论为：股票股利、认股权，甚至一部分股票分裂，是否可视为所得纯为一簿记上之问题，视记录投资价值之方法而定。其详则须另文论之。

② Gerstenberg, Investment, op. cit., p. 246.

既与其账面值同比例增进，投资者于公司扩充时将其所投资本之价值升水，亦属合理。股票股利、认股权、股票分裂既表示资本扩张，则据此以匡计其所得，亦属合理。

第二种观念可将所得用元、角、分计算而出。但因一般会计制度只记录完成之交易，自不包括未实现之资本增值。此方法对普通公司可用，对"扩充公司"则未见适宜。

第三种观念似较合理，且实际为投资者所常用。但须注意所分配之利益（除现金外），于售卖时常引起其市价之剧烈变动而不能表示该项利益之真实价值。

第四种观念将权利股票等皆摒除，但如将其出售为现金时，则又须计入所得。此原则曾被法庭所取用，但似不甚合理。[1]

此间不能论断何种观念最佳，须视投资者之态度及投资性质而定，就"扩充公司"而论，似不应仅计现金之收入，而可以股票之市价为估计投资价值之指标。但有一事可注意者，若原股票系以高于账面值之价格买进者（即 at premium），则以后因认股权或股票股利所得之新股，其价值至少亦必按同比例超过其账面值。如系股票分裂，则新股亦应有比例之超过账面价值。

重述前言，以市价为"扩充公司"投资价值之指标时，仍须注意影响股市之其他因素。此外，无论认股权、[2] 股票股利[3]或股票分裂，[4] 均有促使

---

[1] 美国联邦所得税法规定之原则，亦不适合吾人之概念。依 Revenue Act of 1926 及其后诸法，其原则系将原股票之成本，依除股权（Ex Right）时之市价与认股权之市价之比例分配与股票及权利。因此发认股权后股票之账面值必减小，而不计其市价若何。在扩充公司中，其股市常上升，此法自然低估权利之所得价值。

[2] "认股权对股市之作用，常被其他影响股市之因素所抵冲或加强……新股发行常被解释为健全之发展。由于报纸之宣传及财务报告之公布，使人相信该公司有以股利行再投资之能力，常引起该股在新市上之新需要，因而促涨股市。迅速加入新股可增强旧股之地位，一般市场之景气常可抵冲因发新股所生之冲淡而有余"。Gerstenberg, op. cit., p.346.

[3] 为测量股票股利对股市之影响，Shaw Livermore 曾用两种方法先将影响股市之其他外界因素剔除。彼所用之 38 个例中，有 33 个股票股利促成市价上升，有 14 个股票股利促成市价下降。Shaw Livermore, "Value of Stock Dividends," *American Economic Review*, December 1930, p.688.

[4] 如 1933 年，Atlas Tack 为吸引社会购买其股票，而允将股票一裂为三，其股票市价乃自 1.5 元升至 34.75 元，后又降至 10 元。股票分裂既以吸引小买户以加速分配其股票为目的，乃常有促长市价之作用。余例见 Graham & Dodd, op. cit., p.643。

股市上升之作用，其膨胀股市之方式虽殊，然均非反映公司之真正财务状况者也。

估定投资价值时，其公司之扩张率须与盈利率同等重视，但更重要者为其可能扩张之时限，即希望率。一般讲，此时限并不长，[①] 且因扩充大都皆在商业循环之上升阶段，故常有致过分膨胀之虞。

行认股权后，可希望其原有之现金股利率仍行保持。行股票股利或股票分裂后，更可希望其股利率较前提高。但此种希望必须在生产扩张之时期始能实现，此三种方法对于商业萧条并无丝毫抵抗能力。

最后，公司股利应如何分配，并非一会计上或法律上之问题，甚至亦非理财学原理之问题。分配政策，实际为个别公司之业务技术。故投资时，个别案之分析为最重要之步骤，不只扩充公司为然也。

〔原载《证券市场》（上海）第 2 卷第 2 期，1947 年 5 月 31 日〕

---

① 亦有数种因素为长期扩张之基础，如人口之增加趋势、生活标准之提高等。但本文所称之"扩充公司"，并非指基于此种因素而扩充者。

近代征信事业之发展

一 征信事业之发端

贴放与投资为银行之基本业务，其经营之原则不外安全与利润（Safety and Profit），而二者往往不易并顾。一银行可能于10年中从无倒账呆账等损失，但该行于此10年中必曾错过无数良好之主顾。以美国联邦准备会员银行为例，在多事之秋放款损失常达放款总额3.6%，在繁荣之1928～1929年亦有0.5%。[①] 损失之原因，十之七八殆由于对顾客之信用，事前未能详密审查，事后未能跟踪其发展。干练之银行家，在能争取最多数信用良好之顾客，而能尽量避免损失。银行征信部（Credit Department）之功用，即在于此。

"信用"（Credit，此间指授予之信用，如放款及未放款前所拟予之额度Line）一词之解释，原有两派。一派注重货币商品或服务之迟延使用价值，一派则注重授信者（Creditor）对受信者（Debtor）之信任（Confidence）。[②] 盖任何授信行为之发生，必是授信者有授信之愿意（Willingness），而假定受信者有到期偿还之愿意及能力也。一声誉昭著之公司，可在各大银行中取得信用额度（Line），例如达500万元，则此时虽无货币商品或服务之使用，

---

① Herbert V. Prochnow and Roy A. Foulke, *Practical Bank Credit*, New York, 1940, p. 18.

② Carlisle R. Davis, *Credit Administration*, American Institute of Banking, New York, 1939, pp. 7 – 8.

亦可谓已有信用行为发生矣。

征信工作之发展，乃晚近之事。巴比伦之泥板书中，曾发现一记载，称巴比伦王曾将其奴隶售与名纳布者，执有期付票据一份，而到期纳布未曾兑付，故为之记，① 此或系一信用记录册。但至 1850 年左右，银行对于顾客信用之良窳，似仍靠经手人之记忆，而无有系统之笔录。1851 年 London and Westminster Bank 之总经理 James William Gilbart 尝著一书，建议每银行应保存"情报册"（Information Book），以记录该行所曾查询过各"家"（Houses）之信用状况。Gilbart 在当时被誉为前进派之银行家，其言曰："有经验并富有记忆力之银行家，对其曾经往来各家之性质与声誉自可有正确之估计，但将其估计笔之于一情报册实有必要。盖记忆有时消失，重要之关键亦容有忽略，且如其人偶尔外出时，其记忆之事物亦必随之而去……"② 当时英国银行营业之情形，可见一斑。

然在美国，1841 年即有 Arthur Tappan 者，组织一征信公司，名 R. G. Dun & Co. 。1844 年又有 John M. Bradstreet 者组成 The Bradstreet Co.，从事工商业信用调查。二者于 1933 年合并，即为举世闻名之 Dun & Bradstreet, Inc.，其所调查分析之商业，经常有 200 余万家。作者曾遇一 60 岁之山东人在纽约设一半间门之珠宝店，将中国银耳环等寄往全美 20 余城市托售，询其何以知收货人可靠否，则曰端赖 Dun & Bradstreet 之征信录而已。

美国银行之设立征信部起于 1890 年左右。1892 年 11 月，The Fourth National Bank of New York（为大通银行前身之一）之副总经理 James G. Cannon 在费城演讲时称，在当时美国 9300 余家活跃之银行中，设有征信部者不足半打之数。③ Cannon 大约即为首创银行征信部之人。至 1900 年以后，银行开设征信部者渐多，但亦限于纽约、波士顿、费城等大城市而已。各银行尚未能实行信用情报交换，财务报告之分析（Analysis of Financial Statements）亦未通行。1892 年之金融恐慌后，社会上对征信工作渐感兴趣，银行征信部及各种独立之征信所乃有大规模之发展。

---

① William H. Kniffin, *The Practical Work of a Bank*, New York, 1928, p. 424.
② James William Gilbart, *A Practical Treatise on Banking*, New York, 1851, p. 116.
③ Chester Arthur Philips, *Bank Credit*, New York, 1932, p. 114.

二 征信事业之发展与银行授信方式之演变

征信事业之发展与银行业务方式之演变关系至巨。1870 年以前，银行除承做实物抵押放款外，通行贴现双名背书之商业票据（Two-name Trade Paper），其形式或为期付票（promissory note）或为承兑票（Trade acceptance），盖皆由商品交易而来，经付款人背书保付或承兑后，持向银行贴现。唯商人无商品交易需用资金时，亦常相互出期票交换背书（称 Accommodation Paper），银行亦予贴现，其信用遂不免滥用。此在当时学者，虽亦有不少议论,[1] 然直至 1893 年之恐慌前，银行并不介意，只知背书人愈多愈为可靠。小商人亦常借殷实商号之背书而取银行信用。此种票据，为期多达 6～8 个月之久。南北战争时，通货膨胀，绿色纸币（Greenbacks）贬值甚速，商人相率缩短其售货付现期限，以免币值跌落之损失，此类票据遂日见渐少，因此竟引起银行业务方式之一大转变。战争中商人为急求付现，对在短期内能付现之买主给予折扣之优待，相沿至今之现金折扣制（cash discount system）[2] 即滥觞于此。1870 年左右 Importers and Traders National Bank of New York City 之总经理 James Bell 首倡改革，提议应根据借款人本身之信用承做贷款，而使借款人能享受现金折扣之利益。[3] 以今日之银行理论言，此固极简单而合理之事，但当时竟不能为银行家采纳。其故即因当时银行从无审查顾客信用之经验，对顾客之财务状况亦无任何数字可资研究，只有依靠双名之背书也。

交通与工业技术之进步，亦促使商业交易之期限变短。故今日之所谓商业票据（Commercial paper），期限大多只有一个月，最长不过三个月，且皆为单名者矣。其面额初无定数，后渐变为以千元为单位之整数。专以买卖商业票据为业之经纪人（Note Broker）。可回溯至 1810 年,[4] 但入 20 世纪以来

[1] Harry E. Miller, *Banking Theories in the United States Before 1860*, Havard University Press, 1927, pp. 175－177.
[2] 如 "2 percent 10 days net 30 days"，即货款于 10 日内付现可得 2% 之折扣，最不得超过 30 天。
[3] Prochnow and Foulke, Ibid., p. 211.
[4] Albert O. Greef, *The Commercial Paper House in the United Sates*, Havard University, 1938, Ch. I.

始渐有活跃之票据市场，以供给银行资金之运用。历次金融恐慌时，商业票据从未受影响。纽约股票市场停板时，此种票据市场仍照常进出，即大恐慌之1931年，不兑现之商业票据亦不过占流通额0.26%，平时不过0.03%而已，[1] 故银行乐于购买此种票据以为第二准备（Secondary Reserve）之用，以其可随时卖出或向中央银行贴现也。收购既多，对票据之信用审查乃形重要。商业票据多自经纪人手中买来，故银行与出票人（即借款人）无直接关系。普通买进后有10日至14日之选择期（Option period），银行之征信部即于此期间内进行信用调查工作。1913年之联邦准备法（The Federal Reserve Act of 1913）中对重贴现票据有合格（Eligible paper）之规定，此对银行之征信工作为一强有力之推动，因不合格之票据联邦银行将拒绝重贴现也。

就理论言，旧日使用双名票据时，其背书人或承兑人应负审核出票人信用之责，此无异银行将征信工作托付与借款人（即出票人）之同业或友人。事实上，在当时会计制度下，银行亦无法从事信用分析（见下节），唯有赖其同业或友人之保证也。双名票据渐废止后，信用良好之购买商常可向售卖商记账赊买，即所谓开账制度（Open account）。时至今日，除珠宝皮货等数行仍用商业票据外，余多改用开账矣。开账制度中，最初详密审查付款人之信用者仍为其同业或友人，即售卖商也。依理用开账购买之商人既为信用最强者，银行对以此项期收账款（Accounts receivable）为抵之放款（称Loan on Assigned Accounts）自可无大风险。[2] 然亦有另一学说，以为申请此类贷款者大都非据有第一流信用之商人，其届期收回之账款未必能即用以偿付贷款。[3] 银行因囿于积习，最初并不承做此类放款，而有专营此种业务之钱庄（Factor及Commercial Financing Company等）兴起。以彼等办理开账放款之经验颇为满意，故自1933年，特别是1935年以后，银行界乃参加此项业务。[4] 叙做此种贷款时，对顾客信用之征查须特别谨慎。银行大皆聘有

① Prochnow and Foulke, Ibid., p. 528.
② Prochnow and Foulke, Ibid., pp. 432 – 433.
③ Carlisle R. Davis, Ibid., pp. 107 – 108.
④ For details, see Ray J. Saulnier and Neil H. Jacoby, *Accounts Receivable Financing*, National Bureau of Economic Research, 1940, Ch. 3.

独立之会计师经常审查借款人之账目，而银行征信部乃根据其报告为详密之分析。

罗斯福主政后，其购金政策使银行之准备金大量激增，而其低利政策及赤字财政政策又使银根宽松，一般商业放款之需要乃大行减缩。至 1940 年时，商业放款已较 10 年前减半。同时古典派之银行理论亦因联邦准备制之建立及第一次欧战之经验而渐为人忘记。银行之业务方式，至此又起一大转变。银行除大量投资于政府公债外（1930 年到 1940 年已增加 4 倍）仍不得不转向于长期放款及消费放款，以维持其收入。

较长期放款之兴起，原因甚多。[①] 然主要由于 1931~1933 年之大恐慌中，工商业消蚀其资本设备，而复兴后之证券市场，又因 1933 年之证券条例等限制，不足以供应大量资金。同时银行方面则因利率太低有投向长期放款之趋势。此种贷款通称 Term Loan，期长在 5 年左右，分期偿还。此种贷款之特点，在借款人与放款人之间有直接之关系，与用证券或分期付款售货（Installment sales）取得中长期资金者不同。[②] 其信用之审查，因无自偿性（Self-liquidating），亦远较商业放款为复杂。信用标准着重于借款人之经济环境，抵押品反不为重视，此盖审查长期信用之通则。借款合约中多规定借款人须保持一定之财务标准，如流动比（Current Ratio）应至少为二倍，或流动资金应至少为若干等，又常有债息股息分红等之限制，以及其他债务之限制。征信部须能确定该借款人自现金收入中之偿债能力。款放出后又须经常检查该借款人之财务状况，是否与规定之标准相符，并须有推测未来之种种估计。[③] 1940 年时，此种贷款数额达工商放款总额 1/3，银行征信部中此项工作亦极繁重。

消费信用，以分期付款售货（Installment sales）为主，余如 Installment cash loans，Charge accounts，Personal loans，等等，种类繁多。分期付款售卖以汽车最多，电冰箱等次之。其售卖合约多经经纪人之手售与银行，经纪

---

① For details, see Neil H. Jacoby and Raymond J. Saulnier, *Term Lending to Business*, National Bureau. of Economic Research, New York, Ch. 3.
② 银行购买分期付款售卖合约（Installment contract）为投资方式之一。唯此种合约多自售货人手中购得，实际需要借款者为买货人，故其关系为间接的。
③ Jacoby and Saulnier, Ibid., Ch. 5. Carlisle R, Davis, Ibid., pp. 172–178.

人加以保证（背书）或不加保证。此种放款实际为放与购买者（即消费者），但其征信工作须兼及各方面。除调查消费者之个人信用（如年龄、职业、家属、收入、财产、负债、性格、嗜好、声誉等）及经纪人与售货人外，更须研究社会经济之趋势，如一般物价，就业状况、所得、消费倾向等。对汽车市场之研究，又须聘专家参加。消费贷款初多由专从事此业之钱庄为之，[①] 1935 年后，银行始逐渐参加。此种业务之过去经验，为其征信工作最宝贵之资料。如低级收入者之信用常不较高级收入者为差，女人之信用常较男人为高，双名或三名之背书往往反不如单名，等等。[②] 此外个人贷款（Personal loan），亦渐为银行注意。其形式有双名、单名、抵押、信用等类。1936 年时银行之设立个人放款部（Personal loan Department）者，已有 600余家。而专门调查个人信用之征信机构，亦逐渐成立。

总之，由于银行业务方式之演变，征信工作亦随之变化。综而言之，近40 年来之发展，为由对票据之审查，渐至对直接借款人之审查，由对个别客户之征询，渐至对一般工商业之征询，由注重短期信用而渐注重长期信用。更于工商业外，开始调查个人信用，于个别对象之外，研究社会经济之趋势。今日之征信工作，已为一经济学者、银行家、工业专家、会计师等之一合作事业矣。

三　财务报告与财务分析之发展

征信事业之发展，有赖于二项先决条件：一为工商财务报告之公开，一为银行界交换信用情报之通行。二者皆几经倡导，始逐渐破除习惯之束缚，而有今日之发展。财务报告为信用分析之最主要根据，信用交换则为征信事业之道德基础。

19 世纪中期，工商业尚不知财务报告为何物。银行对于借款人之信用，

---

① 其种类甚多，如 Sales finance companies，small loan companies，industrial banks，credit unions 等，其信用管理详见 William C. Plummer and Ralph A. Young, *Sales Finance Companies and Their Credit Practices*, National Bureau of Economic Research, New York, 1940, Ch. 2。

② John M. Chapman, Commercial Banks and Consumer Installment Credit, *National Bureau of Economic Research*, New York, 1940, p. 17.

除实物抵押外，仅能看背书人是否熟知。当时之会计制度，亦不容有完善之会计报告。1883 年，英人 Edwin Guthrie 自伦敦来美接收一笔财产，竟不能在美觅一会计师帮助其工作，只得与一英商保险公司之职员先组织一会计事务所，该所至今尚存在。[①] 1886 年，James T. Anyon 自英来美，加入该所，此后新大陆之独立会计制度始逐渐建立。当时称会计师为"专家"（Expert）。一般人对之并不了解。如 Anyon 所称，当时人或认为会计师不过有经验之记账员，或认为彼等职责在侦查假账及欺伪者，亦有以为彼等为精于计数者，可同时加减数行账目，并立即求得复利。[②] 当时人对此类"专家"并不重视，遇有会计问题宁可请教律师，盖彼时律师尝为人解决一切特殊问题也。

1896 年，纽约州通过公共会计师考试法，各州相继仿行。各大会计事务所亦于 19 世纪末递次成立。打字机计算机之应用，亦有助于彼等之事业。1933 年之证券法（Security Act of 1933）规定发行上市证券之公司；必须有独立会计师审定之报告，对独立会计制度为一强有力之推动。证券交易委员会（Security and Exchange Commission）对交易所上市股票之公司，规定有极详密之报告格式，且执行审查极严格。1934 年证券交易法（Securities Exchange Act of 1934）虽规定填表人可要求证券交易委员会保守秘密，但委员会常拒绝此种要求，而尽量公开各公司之财务状况，此举使商人保守账务秘密之习惯逐渐破除，而对征信工作之发达裨益极大焉。

财务分析（Financial Analysis or Analysis of Financial statements）之理论与方法，近年来有惊人之发展，其内容当另文详述，此间仅能略言其发展趋势。大约在第一次欧战前后，财务分析大皆以资产负债表为限，只另外稍注意其损益数字而已。其重点在计算一公司资金运用于各方面之比例，及其营业周转率（Turnover）。对于流动状况，亦仅注意其 Margin 之大小，即流动资产（Current Assets）减除流动负债（Current Liabilities）后所剩余数目，所谓 Excess Quick 者是也。至今简单之财务分析，亦尚只看其 Excess Quick 之大小，而不进一步求其流动比（Current Ratio），即流动资产与流动负债

[①] Prochnow and Foulke, Ibid. , p. 212.

[②] James T. Anyon, *Recollections of the Early Days of American Accounting*, privately printed, 1925, p. 41, cf. Prochnow and Foulke, Ibid. , p. 213.

之比数。迨 20 世纪 30 年代时，财务分析日渐注重于损益计算书，盖此为一时期内该公司资金运用之结果，而资产负债表不过为一瞬间之状况："如以快镜拍火车照相然，看不出该车为前进、静止抑后退。"[1] 同时对于公积之分析，亦渐加注意，所谓公积还原（reconciliation of surplus），盖此间为记账人运用技巧掩饰负债之所在也。复杂之财务分析，除分析资产负债表，损益计算书，公积还原外，更兼及于预算书（Business Budget）及试算表（Trail Balance）。理论上一完整之财务分析应包括此五部分，唯事实上预算书及试算表极少应用者，公积还原则近年来颇行重要，良以 1931 年经济恐慌以来，各业常借公积项目以掩饰其营业亏损。至于分析方法，则渐由注意实际数字而趋向于比数（Ratio）之研究，由纵的比较（即历年数字之比较）而发展至横的比较（即一公司与当时该业标准数字之比较），更由个别项目之分析，进而为关系数字（Relatives）之研究。此其主要趋势也。

自 1494 年 Paciolo 发明复式簿记原理后，所有资产负债自然皆为平衡。但分析资负表之意义，不在其数字之平衡，而在其资负之分配，"比"（Ratio）之原理，即在于此。研究此学说者，虽不自华尔氏（Alexander Wall）始，然华尔氏实集其大成。华尔氏于 1919 年开始发表其理论，于 1928 年、1936 年、1942 年各有一大作出版，[2] 又为 Robert Morris Association 作数种教育小册，"比"之研究，自是盛行。

前此财务分析者大皆只知流动比（Current Ratio），即流动资产与流动负债之比，其值愈大该公司之流动状况（Liquidity）愈佳。唯商品销售变为应收款项后，其值即增大（商品按成本计，应收按售价计），即流动资产之值增大而负债不变。故华尔氏又引商品与应收比（Merchandise to Receivable Ratio）以测验流动资产之性质。此外以净值与债务比（Net Worth to Debt Ratio）以测验资本构成性质，以净值与固定资产比（Net Worth to Fixed Assets 以测验投资）之健全性，此四者称静态比（Static Ratios）。又以销货

---

[1]　*Fundamentals of Credit*, R. G. Dun and Co., New York, 1931, p. 30.

[2]　Alexander Wall 最早理论发表于 *Federal Reserve Bulletin*，March 1, 1919。同年出版一书曰 *The Banker's Credit Manual*. Also, *Ratio Analysis of Financial Statements*, New York, 1928. *How to Evaluate Financial Statements*, New York 1936. *Basic Financial Statements Analysis*, New York, 1942。

总值与商品比（Sales to Merchandise Ratio）测验周转速度，以销售与应收比（Sales to Receivables Ratio）测验应收账之兑现性，以销售与净值比（Sales to Net Worth Ratio）测验投资之活跃性，以销售与固定资产比（Sales to Fixed Assets Ratio）测验设备之生产能力。此四者称动态比（Dynamic Ratio）。

过去损益之分析注重盈利数字，其实盈利为过去之记录。如盈利虽大而用于分红，则对债权人并无利益。如用于添增设备，反减少其信用之融通性。华尔氏以盈利（或损失）与净值比（Profit to Net Worth Ratio）测验投资者之利益，以盈利（或损失）与销售比（Profit to Sales Ratio）测验销售利益。

华尔氏又将静态动态八种比，依其重要性加权（Weight），而制成一信用指数（Credit Index）。加权标准各业不同，大抵流动比与净值对债务比各占25%，余分配于其他六种比。此各种比又与该公司同业之标准数字相比较，以决定其合乎正常标准之程度，称为关系数（Relatives）。各比之关系数加权称为比值（Value），各比值相加得一总数称分析值（Analytical Value）。若该公司正合标准，则此分析值为100。不足标准者则小于100。

华尔氏又创较正法（Adjustment），即利用同业标准数字，将欲行分析之公司数字修正。用比例法求出其不良存货不良应收账款等，予以剔除，重制成一资产负债表，以表示该公司之真实财务状况。

对损益计算书则行成本分析，即分析各项开支与销售量之比，而与同业标准数字相比较之。

同业标准数字之研究，有数个机构。Robert Morris Association 所编者，为华尔氏方法，始自 1930 年，称 Common size Figures and Ratios，所列项目不甚多。证券交易委员会（Security Exchange Commission）所编者，包括发行上市股票之公司，极为详尽。包括范围最广者，为 Dun and Bradstreet 所出版者。该项数字为 Roy A. Foulke 所编，自 1934 年起，包括 35 种工业、18 种批发业、7 种零售业。1937 年后扩充至 70 余业。Foulke 氏自 1937 年起每年出书一本，名称各异，但皆为研究工商业之财务状况者。[1] Foulke 氏所

---

[1] Roy A. Foulke, *Behind the Scenes of Business*, 1937. *Signs of the Times*, 1938. *They Said it With Inventories*, 1937. *Signs of the Times*, 1938. *They Said it With Inventories*, 1939. all published by Dun and Bradstreet, Inc., New York.

用之比，有 14 组之多，计资本比、盘存比、销售比、损益比，各有三组，辅助比二组。此次大战前，华尔氏及 Foulke 氏之同业标准数字均停止出版。

各业成本之研究，有各同业公会及大学商学研究部所编之数字。哈佛大学之研究最为精详。Dun and Bradstreet 曾编一自 1933 年至 1936 年之数字，包括 106 种行业。

公积账（Surplus Accounts）为美国国会计特有之习惯。美国公司会计大皆无"未分红利"科目，而设 Capital surplus 或 Paid-in surplus，及 Earned surplus 二科目。资本公积大皆由资产重估之升值，即所谓 Write-up，及增发股票时超过票面之售价而来。此外如赠回股票，即 Treasury stock，冲回不必需之准备金等，亦应列入资本公积中。分析该项科目时，应视 其是否确有资本行为。例如公司将公积转入资本科目，而发股票红利（Stock Dividends）等，均须注意。Earned surplus 科目，则应用公积还原法，即将上期公积加本期盈利，减本期公积支出（如发股利等），应与本期公积数字相符。如不相符时，须请公司解释，大约不外二理由：（1）该公司上年度账目中，曾将不应列入当年度内之项目列入上期公债中，此应于还原时预为减除之。（2）该公司本年度账目中，曾将不应自公积中支付之项目列入公积账中。此等支付，应转入损益账，因而减少本期盈利数字。

20 世纪初，一般会计理论，大体只以本年度纯业务上之损益（Profit and loss from current operation）为列入损益账项目，余如出卖固定资产之损益，停工工厂维持费，发行证券之费用，甚至特别税捐、税款退回等，皆可以非本年度（Non-current）或非常的（Extraordinary）等理由，列入公积账。然究列入何账，常视经理人之意志为转移。盖一公司在繁荣之年常欲使其盈利数字不过大，而在萧条之年又欲其不过小。1932 年以后，一般趋势为少改动公积，而由损益账记录此等支出。此盖由于社会对厚利事业之批评，及美政府对未分利益课税之影响。最近趋势，则公积之变动，益行见小。会计理论亦渐改变，非有变动公积之真实行为时，不应划入公积账。

财务分析虽行于信用贷出之时，但所欲知者乃为贷款收回时之债务人财务状况。因此有时须用推论及估计以预测未来。如吾人所做之财务分析完全正确，则放款之损失可缩至极小，同时失掉良好主顾之可能亦可缩至极小。① 虽然，银行之放款，仍须依赖经理人之经验与借款人之声誉。作者曾在美国数家大银行征信部考察，并实际参加财务分析工作，其中尚无应用上述各种方法者，大抵只列一逐年比较表，检视流动比债务比而已。

四　征信机构与征信道德之发展

征信机构，大略由三部分组成：一为银行与信托公司之征信部（Credit Department），一为独立之征信公司，一为各种征信人之联合会社团等。银行征信部原为供给本行放款部分情报之用，其后亦渐对外服务，供给同业及顾客各种信用情报。独立之征信公司历史最久，于调查工作尤为重要。银行往往不欲使被调查者知悉何人在搜集情报，故不自派调查员而委托征信公司代办。各种征信联合会社团等则为信用交换及研究之中心，征信道德之建立亦以此为基础。

银行征信部之创立于第一节中已略述及。大约于 1900 年时纽约、波士顿、费城等东部大城市已有若干银行成立征信部，中部芝加哥之银行亦有建立者。东部者则 First National Bank of Denver 在 1903 年，National Bank of commerce of St. Louis 在 1905 年，First National Bank of San Francisco 在 1907 年，均有设立。此后十数年间，征信部之发展如雨后春笋。② 至今则每家大银行均设有征信部，即乡村之小银行亦多有专人管理信用册。大银行如大通、花旗等，并有国外征信部之设立，组织庞大，唯应用方法，则多囿于积习。如 Irving Trust Co. 等，其征信员不多，但管理方法则极新颖。

银行征信部之工作，大略可分为信用调查、信用分析、管理信用册及答复征询四种。信用分析除前节所述之财务分析外，尚有人事分析，以检定客户管理人之能力声誉等及经济分析，以预测该业之发展前途。经济分析多与银行之研究部合作办理。信用册（Credit File）为客户信用之记录，大抵每户一册，内容极为繁杂。经数十年之发展，已渐有一统一形式，分为摘要、主

---

① Arthur H. Quay, *Statement Analysis*, Robert Morris Association, Philadelphia, 1943.

② Chester Authur Philips, *Bank Credit*, New York, 1923, p. 147.

管人记录、调查录、征信公司报告、财务报告、通信、契约等部。信用册有专人管理，分类排列。大银行编有目录卡及定期检查、定期修正等制度。

信用调查与答复他人之调查，为征信部中最繁忙之工作。对顾客信用情报之来源不外三途：一为本行与该户往来之记录，可于信用册中得之。二为该户提供之情报，如财务报告等。三为得自第三方面者，即调查所得。普通调查工作，多为向该户有往来之银行征询，称 Bank Checking，多数调查有此已足。不足时再派员直接调查，或委托征信公司调查，最后为向该户有往来之商号调查，称 Trade checking，有时亦向其同业调查。

银行征询，最初各行多不愿以顾客之信用状况告知外人，其后信用交换制度渐风行，此举遂成为银行相互间之义务，同时各行亦渐建立一共同遵守之道德，以防滥用征询。大约如本行欲向某户揽做生意时，绝不可向与该户已有生意之银行征询，此点最能为各行恪守。又绝不能为广集资料充实信用册而向同业发出征询，同时向二家以上银行征询同一户时，须说明同时征询之银行。又答复询问时，绝不能泄露情报之来源。答复征询之内容，亦逐渐发有一致之态度，大约对一客户之历史，一般信用之良窳，与本行往来之额度，皆可告知。①

独立征信公司可分为两种：一为一般性的，一为特殊性的。

一般性的征信公司，实即世界闻名之 Dun and Bradstreet Inc. 1841 年 Arthur Tappan 创立 R. G. Dun & Co.。1848 年 John M. Bradstreet 创立 The Bradstreet Co.，皆从事于信用之调查分析报告等工作。1933 年 3 月，二者合并而成今日之公司，而此种工作已成为该公司一部门之工作矣。

该公司现设八大部门：（1）征信部，办理普通行号之征信工作。（2）保险公司征信部，专供给保险公司所需之情报。（3）特别服务部，可迅速答复电话询问之个人信用，多为供给零售商以顾客之情报者。（4）征信录出版部，每年出版征信录六次。（5）地方政府服务部，为供地方发行公债之州县或乡政府之信用，以便投资者之用。（6）国外部，供给国外行号之信用报告。（7）商业信用部，专搜集过期未付账（past due accounts）之情报。

---

① 关于银行征信部之发展参看 H. T. Riedeman, *Historical Background of the Bank Credit Department*, Robert Morris Association, Philadelphia, 1943。

（8）月刊部，出版 *Dun's Review* 月刊。

该公司在美有 158 家分公司，在加拿大有 17 家分公司。此外有 6 万地方通信员。在欧洲及南美等 27 国复设有分公司 135 处。该公司经常报告之行号，有 200 余万户，在美国每天平均有 1300 个新行号开张，故该公司之信用册亦须随时补充修正。各银行信托公司等皆与该公司订有合同，由公司经常供给若干之报告。

Dun and Bradstreet 所出版之征信录（*Reference Book*）为商人案头必备之书。尤其小商人，常借以查知主顾之信用。该书约有 3500 页，包括 200 余万行名。自 1866 年以后，每年出版两次，1874 年以后，每年出版四次，1932 年改为每年出版六次。该书对各行号均有信用分级（Rating），以各种符号表示之，读者一阅而知其信用能力。此种分级符号（Rating key）在 1859 年首先为 B. Douglass & Co. 所应用，当时只分八级，称"key to Marking"，其后逐渐演化。1900 年后采用双字制，即一方面以 ABC 等代表其投资或财务能力（Pecuniary strength），一方面以数字代表其一般信用，又辅以正负号。[1] 现各征信机关所出之征信录中大皆有分级符号，其方式各异，但皆不外以两组符号分别代表负债能力及一般信用。前一符号往往暗示可能予以该号之最大信用为若干。[2]

特殊之征信公司，即专业某一项征信业务者为数甚多，仅能略述其规模较大者。

The National Credit Office 成立于 1900 年，其征信范围以商业票据（Commercial Paper）及纺织业为主，1920 年加以扩充，兼及钢铁、家具、皮革、橡皮、染料等业。1931 年该公司变为 Dun and Bradstreet，Inc. 之一附属橡皮公司，专注重纺织与钢铁二业。商业票据之信用分析，仍以该公司历史最久，声誉昭著，但近年来已不甚重要矣。该公司设于纽约，有分公司设于芝加哥、波士顿、费城、底特律（Detroit）及克利夫兰（Cleveland），为 Dun and Bradstreet 外最大之征信公司。

Credit Clearing House，Inc. 为次于前者之大征信公司，成立于 1888 年，

---

[1] B. N. Vose, *Seventy-Five Years of the Mercantile Agency*, New York, 1916, p. 82.
[2] 关于 Dun and Bradstreet 业务之发展参看 Prochnow and Foulke, Ibid., Ch. IV。

初位于 St. Paul，又移至底特律、芝加哥，最后移至纽约。其任务最初为调查报告商人之商品、借款、付账情形等，称曰 Ledger Interchange Report。至 1915 年，其业务完全改变，而成为报告服用品零售商信用之机构，唯其报告不列理由。1931 年加入信用分析于其报告中，1933 年又创立"摘要报告"（Digest Reports）同时采用分级符号。除服用品外，亦涉及其他行业。

Lyon Furniture Mercantile Agency 创立于 1876 年，专报告家具、地毯、镜、装饰等业之信用，亦有分级制之征信录。余如 Shoe and Leather Mercantile Agency，1879. The Jewelers Board of Trade，1873. Wood's Dry Goods Mercantile Agency，1878. Lumberman's Credit Association，Inc.，1876. The Produce Reporter Company，1901. 等皆为专业之征信机构，各如其名称所示，亦皆有其分级制征信录。

另一类之特殊征信组织为专门调查个人信用者。最大者为 The Hooper. Holmes Bureau，Inc. 成立于 1899 年，初为供给保险公司资料者，1912 年开始报告个人信用，仍以保险公司为主要服务对象。其报告有 18 种之多。消费放款流行后，银行亦订阅该公司之报告。该公司现设纽约，有分公司于 55 城市。并分设公司于加拿大。专报告个人之消费信用者有 Retail Credit Company 创立于 1898，原专供给零售商以顾客之信用者，1902 以兼为保险公司服务。

另一类特殊征信组织，乃专报告指定之问题者，其任务有如一侦查机构。著名者有三家。Proudfoot's Commercial Agency，Inc. 创立于 1900 年，主持者为律师 Droudfoot 初专调查破产，判决等行为。现几成为金融业之法律调查所，对行号及个人之诉讼行为，有丰富之资料。Bishop's Service，Inc. 创立于 1879 年，原专为调查个人及银行顾客之道德与财产情形者，后渐扩及个人之其他行为。又 Hill's Reports，Inc. 创立于 1906 年，专报告 Chicago Board of Trade 会员商人之信用，范围限于芝加哥。

此外尚有五家规模甚大之公司，为专门分析发行证券各行号之信用者，为与征信机构相辅之事业。每家均出版有极厚之投资年鉴以及月报、周刊等。其内容多为工业、铁路、公用事业、政府公债、金融事业等卷，对征信工作极有助益。五家之名称为 Moody's Investors Service，Inc.，Poot's Publishing Company，Fitch Publishing Company，Standard Statistics Co.，Inc.，

Alfred M. Best Co., Inc.[1]

征信事业渐次发达，从业人之组织亦次第成立。1896 年全国征信人协会（National Association of Credit Men）成立，包括金融工商各界有关征信工作之从业人员。该会有经常聚会及年会，出版 *Credit and Financial Management* 月刊及汇编各项法令之年鉴。由于会员之需要，该会渐创立一种报告制度，专报告买卖成交等事实，称为"Ledger Interchange"，其后又组成一 Reference Bureau 记载每一顾客之债权人姓名，以供参考。彼时各地多有信用交换所（Credit Interchange Bureau）之组织，交换地方信用情报。1912 年成立总交换所于圣路易，而开始全国性之交换。1919 年，全国征信人协会接收交换所，该所成为协会之附属机关，现共有交换所 55 处。[2]

1915 年，全国征信人协会年会中又产生一俱乐部，名 Robert Morris Club 以发展征信人间之友谊及相互信任，并从事教育训练工作，华尔氏即为主持此项工作之人，并出版丛书数种。1916 年俱乐部同人决议建立一"征信道规"（Code of Credit Ethics）会员均矢志遵守，以为征信工作之道德基础。该道规于 1921 年又加修正（前一年该俱乐部改为协会 Robert Morris Association）共计 11 条，并为各有关方面所采用。兹节录其主要内容如后：

（一）信用调查之首要基本态度，为答复征询之庄重。

（二）供给情报时必须切守机密，否则贻害本身。

（三）非需要时，勿翻动信用册。

（四）征询书必须具体明确地述明所征询之事项。

（五）同一事项送出二份以上之征询书时，必须述明分行之处所。

（六）用印就之格式征询时，应由有权人签字。

（七）受人委托征询时，不可泄露委托人姓名。

（八）欲得详细之情报，须先供给别人以详细之情报。答复询问时须先详读征询书。

---

① 关于特殊征信公司之业务见 Prochnow and Foulke, Ibid., Ch. V, VI。

② 关于 National Association of Credit Men 之发展见 H. T. Riedeman, Ibid.。

（九）答复征询时，应尽量提供具体之事实。

（十）非得允许，不可泄露情报之来源。

（十一）与同业有竞争行为时，绝不可向该同业征询有关该争竞户名之情报。不得已时，须预先说明。①

〔原载《中央银行月报》（上海）新 2 卷第 9 期，1947〕

---

① Albert Wagenfuehr, *Credit Ethics*, Robert Morris Association, Philadelphia, 1943.

经济政策对于政治的
辅助力量

关于此问题，在座同仁似大家同意于二点：（1）经济与政治，交互影响，关系密切；（2）当前政治问题不解决，经济问题无法解决。

本人亦同意此二点。但反过来讲，如经济问题不解决，政治问题能否解决呢？在座未有论及者。也许因在座皆为"经济学人"，无"政治学人"之故。本人意见，以为政治虽以经济为基础，但目前的重要政治问题，如内战问题，民主问题等，皆可以政治方法解决之，是经济问题之解决以政治问题之解决为前提，而政治问题之解决并不以经济问题为前提。

本人同意吴大业先生之意见，即在目前政治与经济的交互影响中，政治之影响经济的成分大，经济之影响政治的成分小，因此欲解决问题，应从政治入手。

在以政治方法解决政治问题时，经济政策可以发生很大的辅助力量，例如经济上的平等和民主，都影响政治的平等和民主。两党政策的基本差异，也还是个经济政策问题。但如不以政治方法而以军事方法解决政治问题时，则经济政策，根本要改变目的了。因为在平时，经济政策的目的在增进国民生活水准，而在战时，经济政策的目的在减低国民生活水准，以使政府掌握更多的物资用于战争的消耗。两者根本是相反的。如果在战时亦采取增进国民生活水准的经济政策，则必妨碍军事的进展。如军事不愿受妨碍而用增发通货的方法来获取物资，则一切经济政策的措施又被抵消。不幸目前的情形，正是如此。结果政治问题与经济问题，都得不到解决，两方的努力，互相冲销。而痛苦的，只是人民。

至于"经济学人"的责任，是随时随地都在准备为国家和人民服务的。当国家的政治方针和经济政策一致时，经济学人自可尽他们最大的努力。当两者不一致时，则经济学人的努力必是尽力而不讨好的，只有退出服务的岗位，专从事于教育和研究的工作。如此看法，未免太悲观了。不过在目前的矛盾情况中，个人的看法，实在也找不出什么乐观的因素。

〔原载《经济评论》（周刊，上海）第 2 卷第 1 期，1947 年 10 月〕

财务报告分析之理论与方法

附录：证交上市股票发行公司之财务报告分析

一　信用分析与财务报告分析

信用分析乃晚近发展之事。1851 年 London & Westminster 之总经理 James William Gilbart 尝著一书，建议每银行应保存一"情报册"，以记录该行所曾查询过各顾客之信用状况，盖当时各银行对客户之信用情形，全凭主管人之记忆也。然近百年来，征信事业在英国并无若何之发展。反之，在美国于 1841 年即有 Arthur Tappan 者组织一征信公司，名 R. G. Dun & Co.，1844 年又有 John M. Bradstreet 组成 The Bradstreet Co.，二者于 1933 年合并，即举世闻名之 Dun & Bradstreet, Inc.。目前其所调查分析之工商业，经常有 200 余万家，在国内外有分公司 300 余处。银行之征信部则成立于 1890 年左右，至 20 世纪初，乃有长足之进展。至今每一大银行皆有征信部，小银行亦有专人管理信用册。专门化之征信公司，亦有 20 余家。专从事股票、公司债等征信公司，则有五大家，皆出有巨大之投资年鉴，对每家发行有价证券之公司及其证券市场，有极详细之纪录。此五家之名称为 Moody's Investors Service, Inc., Poor's Publishing Co., Fitch Publishing Co., Standard Statistics Co., Inc., Alfred M. Best Co., Inc.。其所出版年鉴、月报、周报、日报等，对投资者有极大之帮助。购买证券者借以避免无谓之损失，而发行证券之行号，亦须特别谨慎，免遭信用分析专家之恶评。①

　　信用分析，大约包括人的分析（如经理人之才能、经验、道德等），财的分析（如该号之资产负债流动状况等）及事的分析（如经营政策、管理方法、营业方针等）。又有所谓四 C 之说，即 Character，Capacity，Capital，Condition，前二项指人及其管理，第三项指其财务状况，第四项指其环境，如一般商业及购买力情况等。历来论述信用分析之著作者，如 William Post，Carlisle Davis，Herbert Prochnow，Roy Foulke 等，皆对"人"之因素极端注重。但于实际分析工作，则除凭经验外，并无何科学方法。故彼等之著作中，对"人"之论述亦不过数页，大部分仍为"财"的方面。"财"之分析，则以财务报告为根据。

　　财务报告制度之建立，有赖于独立会计之发展。19 世纪中期，工商业尚不知财务报告为何物。1883 年，美国始有一会计师事务所成立。1896 年，纽约州通过公共会计师考试法，各州相继仿行，独立会计师制度，始渐次发展。至今每进行分析一财务报告，须先查阅会计师报告。1933 年美国之证券法（Security Act of 1933）规定发行上市证券之公司必须独立会计师审查之证明。美国之财务报告格式，亦以上市证券之报告最为详尽，故于下节中略为介绍之。

　　本文写作之初，原拟以上海证券交易所上市股票之财务报告为分析之根据，从而推论各种方法与理论。但于分析该项材料时遭遇极大之困难。因特殊情况及缺漏之项目过多，准确性又无从把握，只得将原计划放弃，而以华尔氏（Alexander Wall）所做之一个案分析为根据，并简附该分析为例。上海上市股票，则检出 19 家材料作为附录。

二　美国上市证券之财务报告

　　索取财务报告在美国乃极普通之事，然以证券交易委员会（Securities & Exchange Commission）对上市股票所要求之报告最为详尽。其报告分登记报告及定期报告 2 种。例如依 1933 年证券法（Security Act of 1933）登记之公

---

① 　关于此节，可参阅拙作《近代征信事业之发展》，载《中央银行月报》新 2 卷第 9 期。

司须填写格式 8 种，依 1934 年证券交易法（Security Exchange Act of 1934）申请登记者须填写格式 11 种，定期报告格式亦有 10 种。所谓一种格式并非一张表，例如其 Form A－2 一种，系股份公司之登记报告，有 47 项，订成 40 长页，另附页 10 页，等于有 200 页之 16 开书一本。填报表格，须详读其各种说明书，往往须费时数周。因格式过繁，证券交易委员会特公布一条例，即 Regulation S-X，专为规定财务报告之表式及内容者，有 12 章 81 条，即成 75 页。凡此皆可表示美国人做事之繁琐。然自信用分析之观点看，报告自不厌其详也。

报告内容因公司性质而不同。证券交易委员会之规定分为 7 类，即工商业公司、投资管理公司、单位投资信托公司、保险公司（除人寿保险及名义保险）、出立存款证之会社、银行及投资银行之公司及自然人。所谓"自然人"，即以个人之名义填具报告，凡属其独资之事业，或合伙、信托、会社等该人有统制权益，或股份公司该人有半数以上之股份者，皆应列入报告中。

各类报告之内容不能详举。兹仅将其一般规定，择其重要者简列如后。以资参考。

1. 独立会计师　独立会计师必须事实上独立者（如会计师握有某公司股份对该公司之报告即非独立）。

2. 独立会计师之查账证明　此项证明必须亲手签字并注日期，必须述明审核之范围、标准及步骤，又必须表示对原报告之意见及其所用会计原则之意见。

3. 略除项目　财务报告得略除若干项目，但须说明所略除者及理由。其附属组织之名称得略除之。

4. 改变会计科目　改变科目或改变会计原则时须说明之。

5. 准备金项目　除或有负债准备外，准备金应在所属之资产项下列为减除项目。但公用事业非流动资产之折旧、消耗、摊销、退休等为例外。

6. 账面值　规定应申述计数基础之时，不能以仅以"账面值"解释之，须述明其计算方法。

7. 流动资产　流动资产须为能在一年内兑现者，但商业上习用之期付应收及生产过程较长之存货得说明理由为例外。

8. 流动负债　一年内到期之应付项目均为流动负债，但商业上习用之顾客存款及延付之收入，得说明理由为例外。

9. 取回股份　公司取回之股份数目较大时应在股本额或公积中列为减除项目。

10. 股票折扣　股票之折扣较大时，应在股本或公积中列为减除项目，并述明前此记账之方法。

11. 经抵押之资产　经抵押之资产须说明其抵押项目，但工商业及公用事业长期债款之质押品为例外。

12. 坏账　坏账应于资负表中注明之。

13. 优先股　如为可召回者，应注明召回日期及召价。积欠之红利应注明之。超过面值之清理优先权应有详细之计算法说明。

14. 或有负债，或有负债如不列入资负表，应另列表说明之。如为保证证券之发行，应表列所发行之证券。

15. 分期付款销货　分期付款销货或赊账销货之数额较大时应注明其盈利计算入账之方法。

16. 公司与公司间之损益　公司与公司间之损益由于销货等关系而来者应注明之。如不可能计算，应估计之。

17. 折旧、消耗、陈旧、摊销，应注明各该项计算之方法。

18. 维持、修理、换新、改进应注明各该项费用入账之方法。

一般工商业公司之报告，资产负债表中，资产科目分 21 项，负债科目分 13 项，各项中并有分目，除规定之科目外，凡超过流动资产或流动负债总数 5% 之细目均须报告。损益计算书共列 16 项，亦有分目。附表列有 17 种，各种财产均须列目录，上市证券、附属公司投资、其他证券及投资等，皆须列详细清单，各种准备金、无形财产、或有负债、保证责任、股票股权等均各列清单。对与附属公司之权益，尤为重视。

证券交易委员会经常将各种财务报告汇编整理而公布之，亦有时公布其分析之结果。此举对于投资者为极有用之参考资料。1934 年证券交易法曾规定填表人可要求证券交易委员会对其所填交报告中某些部分保守秘密，但委员会常拒绝此种要求而尽量公布其内容。此举使商人保守业务秘密之陋习逐渐革除，而对征信工作之发展大有裨益。

三　财务报告之分析

（一）财务报告之种类

财务报告以资产负债表及损益计算书为主，并附以各种财产目录等。其完整之内容，即如上节美国证券交易委员会所规定之项目所示。资产负债表为某一瞬间之时间上一公司资产与负债之情形，"如以快镜拍火车照相，看不出该车为前进、静止抑后退"。且资产负债表多在一特定之时间编制，如会计年度终了，或年底月底等。故单分计一资产负债表，对信用状况不能下任何肯定结论。至少须有数年（普通为 5 年）之数字做比较研究，始能有所推断。

损益计算书为一段时期中（如一年、半年、一季）该公司业务经营之结果，于此可见短期内该公司资金运用之情形。如有两张资产负债表及此两表期内之损益计算书，则对该公司在此一段时间内之各项财务情况，大致可以了解。表中未能详列之项目则自其所附之财产目录中查得之。

除资负表、损益书及财产目录外，完备之财务报告尚应附有一公积还原表及业务预算书。公积还原表乃说明此一期内盈利或损失分配之情形。我国会计现通用盈余分配表，性质大同小异，因公司之收支可自公积中收付，故如不检查公积之变化不能充分了解盈余之真实状况。业务预算乃该公司对未来年度所做之估计，尤其关于销售、费用、收益等估计，对于财务分析极有帮助。因信用分析者之目的，并非在对其过去情况加以评论，而在推测未来以决定是否应予以贷款或投资也。

除上列五种外，财务分析者又可索阅该公司之试算表以为参考。试算表乃显示自资负表日期以后，直至最近之收入、支出，资产及负债情形。对于银行欲贷款或投资时之财务分析，至为有用。

总计财务报告可有六种：（a）资产负债表；（b）损益计算书；（c）财产目录；（d）公积还原表，或盈余分配表；（e）业务预算书；（f）试算表。而前二项必须有五年以上之数字，始能做精确之分析。

（二）流动资产

分析资产负债表之第一步，为将其所有项目归纳分类，大约资产方面可归四类，负债方面归成三类：

  资产：（1）流动资产，（2）固定资产，（3）无形资产，（4）其他资产。
  负债：（1）流动负债，（2）非流动负债，（3）资本增值。

何者应属何类，为分析者所需较量之处，尤以流动资产关系重要。一般讲，凡能在一年内变现之项目皆可视为流动资产。其应包括项目为：（a）现金，（b）银行存款，（c）应收票据，（d）应收账款，（e）存货，（f）进货定银，（g）上市之有价证券，（h）本年内到期之分期付款销货。

此中（b）项银行存款须为无支付限制者。

（c）（d）两项应收款目须为由销货或其他本业正常交易而生者。即此种票据或账目须代表商品之交易，因而有其自偿性。如系由贷出款项，或同人借支等而生之期票或欠账等，则不能视为流动资产。又如一工厂将一部分地产或机器等出售，亦可记入应收科目。此项交易即非该厂之正常业务，在性质上亦非流动的。又如联络公司、上级公司、附属公司之票据或应收账款，通常亦不得视为流动资产，因其与本公司有股份权益或统制关系，本公司清理时必牵连各家也。独立会计师查账时，应负责将此种科目剔出，否则分析者应详加检查。通常分析应收款项之法为检查其收兑日期，所谓 Aging。如发现有大量之逾期账，即应特别注意其内容，同时应检视资负表上所列坏账准备是否足以应付。再以资负表上应收总数与销货总额相比，即可约略求得其平均收兑日。收兑日过长者即表示应收款常有不健全之项目在内。

（e）项存货可包括完成品、半成品、原料、物料（以自用者为限），在运中商品，送出寄售之商品等。此为流动资产中极重要之科目，当于下节再详述之。（f）项进货定银，应以订购本业商品者为限。其为订购生财机器等，则不能列入流动资产。工厂之订购原料物料者，应视该业生产情形而定，大多不应列入流动。其他各种预付款与本业商品无关者，均不列入流动资产内。

（g）项上市有价证券，系指在美国情形言。此种证券既可随时在市场上兑现，自可视为流动。唯须注意其估价基准。证券市场之变动甚大，紧急时往往须贬价兑现。又在美国，政府公债可一律视为流动资产以其价格较稳定，又随时可以售出也。（h）项本年内到期之销货，指分期付款销货言，唯其价值须视商品性质及经济环境而定。在萧条及失业增大时消费者不免有不能偿付者，此时若再取回所售出之商品，该商品之价值亦随市况而变低也。

（三）存货平衡法

存货或商品为财务分析中最困难之科目。因财务报告中只能列其价值，不能说明其生产及销售之方法。故银行于考查存货时，常先参观该厂商。

分析存货首先注意其估价方法，如系从进价，或市价，或最低价，以及系用"后进先出"或别种原则等，均应于报告中注明。一种估价法适用于某种商业，未必适用于别种商业。对该公司所用之成本会计法亦须探明。例如甲商以改良生产之成本在费用中支付，而乙商则计入制造费用，因而化入资产科目。对有季节性之商品，估价关系尤大，又须检视编资负表时该商品之季节。有数类商品其市场经常为波动大者，估价自需保守。有期货市场之商品，价格变动可较小。但商人如以期售保护其风险时，须注意在经济不景气时期售常有退约现象。存货量甚大时，估价有一角钱之差，即可影响流动资产数字甚大。

所谓存货平衡法或存货管制，乃检查各项存货之配合情形是否健全。对制造工业尤应注意，往往某厂各项存料皆甚丰富，但缺乏一种不易购得之配件，则全部存货之流动价值需打一折扣。

兹举一例以明之。假定某项生产需用 ABCD 四种配件，而每造一成品需 A1 件，BC 各 2 件，D10 件，而该厂各种配件之存量及估定价值如表 1。

表 1　存货平衡法（以假定某厂生产成品与配件关系为例）

配　件	A	B	C	D	合　计
存量（件）	10	10	200	600	820
单价（$）	100	200	5	1	
存货价值（$）	1000	2000	1000	600	4600
每件成品所需配件（件）	1	2	2	10	
5 件成品所需配件（件）	5	10	10	50	

配 件	A	B	C	D	合 计
5 件成品之配件存货价值($)	500	2000	50	50	2600
过多存货(件)	5	0	190	550	
过多存货价值($)	500	0	950	550	2000

表 1 显示价值最高之 B 配件存货过少，故其存货不能平衡。以 B 配件之限制，该厂只能制造 5 件产品，其所需配件之存货价值不过 2600 元，资负表上 4600 元之存货价值中有 2000 元为过多存货。欲于编制资负表之日平衡存货，则此 2000 元之过多配件必须卖去。如此类货品可以八折脱售，所得不过 1600 元。即该厂之存货价值应重估为 4200 元，较原报告减少 400 元。

设若该厂为应用其过多存货而须购进 5 件 B 配件，则此时该厂之过多存货减为 1150 元（CD 两项），但 5 件 B 配件至少须支出现金 1000 元。如资负表中现金项下数目极大，则此举可不影响其流动资产总数。否则即须借款购置之，而借款必增加其流动负债，结果使该厂之流动比降低。通常一工厂之现金不会超过存货 30%，故如前例情形，存货数必须加以修正，始能列入流动资产项下。

（四）其他资产

"固定资产"应包括不拟出卖之物品及不易变现之物品。如（a）地产，（b）建筑物，（c）机器及机件，（d）工具，（e）家具生财，（f）装修等。其中最可注意者，即为其估价及折旧之方法。机器厂房等价值，因其所在地及环境而异。如同一面粉厂，在有数厂竞争之市镇与在无竞争之市镇，价值自不相同。折旧应在各该科目下列为减除项目，再将增值计入固定资产。机器除折旧外，又须注意其陈旧（obsolescence）之可能。分析固定资产，须有详细之财产目录。

"无形资产"，在信用分析上并无何价值。其中包括（a）商誉，（b）专利，（c）商标，（d）特许权，（e）库存股份，（f）公司债折扣，（g）包销费用，创业费用等。信誉昭著之公司，多将其著名之商标商誉等在资负表上估成名义价值（如 1 元、5 元等），而较差之公司，常高估其商誉以平衡负债。无形资产，如前举之（e）（f）（g）等项，根本无偿付债务之价值。其余如商誉、专利等，有时虽价值甚高，但其变现必须在该公司清理或出售后始能实现。如旧生活杂志（*Life*）于 1936 年为时代公司（Time Inc.）收买时，商标作价 91801.86 元。故无形财产，在估计该公司资产能力时，应予除去。

"其他资产"，凡不属于上列三类者均可归入。因各业之情形不同，其内容亦不固定。

（五）负债项目

"流动负债"为须在一年期内以现金商品或劳役偿付之债务。包括（a）应付票据，（b）应付账款，（c）借入款，（d）客户存款，（e）预收款项，（f）应付未付费用（利息、捐税、红利、佣金、薪金、工资等），（g）意外准备之预期须付出者，（h）本年内到期之公司债或其他债务。

检查流动负债比较简单，所须注意者仅为是否所有流动项目均已包括。折旧准备、坏账准备等，如列在负债科目中者，应移至资产科目下列为减除项目。与计算流动资产不同，凡属对联络公司、上级公司、附属公司以及对股东、公司职工等之一切应付款项，均应计入流动负债。因如不履行此种支付，必影响与本公司有股权利益或统制关系或服务关系者之财务状况，亦即削弱本公司之偿付能力也。

"非流动负债"可包括流动负债及资本净值以外之一切负债项目。主要之项目为（a）公司债（一年以后到期者），（b）中长期借款（一年后到期者），（c）非营业上获得之收益（此为未划入公积账中之科目），（d）少数股权（此为在合并资产负债表中少数股东之权利）。后二者仅为账面上之负债，并非需要偿付者。

长期债务多半以固定资产等为抵押。其以流动资产为抵押者，即须特别注意，盖此举无异使流动资产变为非流动。以偿债基金偿还者，须注意该基金之摊提，以及利息之高低，对流动收入之影响何如。公司债之发行条例，须详读其说明，常有数种公债于某种情形下可立即变为到期，是即影响一般债权者之权益。每种公司债对资产之权益及其次序，均须注意。

"资本净值"类中，包括（a）股本，（b）公积，（c）未分盈利。

股本可分为普通股与优先股二种。普通股须略知其股权分配状况，是否有少数大股东可以操纵管理权。优先股则须注意其规定之条款，对资产之优先权以及其他利益，因此种权益皆可影响公司对债权人之偿付能力也。

公积在我国会计中多分为法定公积与特别公积，在美国会计制度中则分为资本公积及营业公积，后者实即我国之未分盈利。美国会计中除银行信托公司等外，鲜有列未分盈利或盈余滚存科目者。公积及未分盈利项目，应用"公积还原"以检查之。

（六）公积还原法

公积还原（在我国会计中，应称"盈利还原"）乃用以检查财务报告中之盈利数字是否真实合理者，其计算多由查账之独立会计师为之。一公司之盈利或损失，非入于公积账，即入于未分盈利账（如用美国会计，则为资本公积账及营业公积账）。公积，除摊提之法定公积外，大皆由于资产估价之升值，即所谓"write-up"，及增发股票时超过票面之售价而来。此外如赠回股票，即所谓"treasury stock"，冲回已无必要之准备金等，均增加公积。反之，资产估价减值，增发股票之费用，收回债务之贴水，因特别情形而增列之准备金等，皆应自公积中支付之。其余费用则应自损益账支出。如公司主管者将若干费用公积中支付，则可膨胀其盈利数字，所谓"window-dressing"之法，1931年经济大恐慌时，多有用此以掩饰亏损者。故公积还原甚为重要。

20世纪初，一般会计理论，大体只以本年度纯营业上之损益为列入损益账之项目，余如出卖固定资产之损益，停工工厂维持费，发行证券之费用，甚至特别捐税之摊付，退回税款之收入等，皆可以非本年度，或非常的等理由，列入公积账。然究列入何账，常视经理人之意志为转移。一公司在繁荣之年常欲使其账面盈利数字不过大，而在萧条之年又欲其不过小。1932年以后，一般趋势为少改动公积，而将支出费用尽量划入损益科目。

公积还原之法甚为简单。只需将前期资产负债表上公积及未分盈利数字分两行列示，再自公积行中加减应行划入公积账之项目，自未分盈利行中加减应行划入损益账之项目及本期净利，然后所得之公积与未分盈利应与本期资负表上所列之数字相符。普通办法只计算盈利账，即将前期盈利加本利净利，再加减应划入损益账之项目，应与本期资负表上未分盈利数字相符。

（七） 周转金还原法

周转金即流动资产减流动负债所得之数目，为该公司用以周转之资金。此数在财务分析上最为重要。比例分析法未通行前，财务分析者专以周转金之大小以断定该公司之流动状况。

理论上讲，在公司之正常业务中（即由现金变成存货，存货变成应收，应收再变成现金之过程中），应不影响周转金之数目。周转金之改变乃由于外界之因素，如盈利或损失，股本增减，分红，固定资产增减等。

各期资负表分析之结果，可显示该公司之周转金为渐增渐减或波动不定。欲寻求此种变动之原因，乃用"周转金还原"法，影响周转金之项目，可分列如下：

增加周转金之因素：

（a）现金盈利（未除非现金之改变，如折旧陈旧等以前之数目）；

（b）股本售出（本期内现金销出之股份）；

（c）公司债售出（减除募债费用）；

（d）投资之售出（如以有价证券在市场抛售）；

（e）固定资产之售出。

减少周转金之因素：

（a）现金损失（未除非现金之改变，如折旧陈等以前之数目）；

（b）付出股利或宣布股利；

（c）本期内添置固定资产之成本；

（d）购回库存股票或兑回股票之成本；

（e）公司债之购回成本或公司债由非流动负债转为流动负债（如因已届年内到期等）；

（f）现金支付之投资（如购买有价证券等）。

根据资负表编制之原理，可知凡非流动资产之增加皆有减少周转金之作用，反之亦然。凡非流动负债及资本净值之增加，皆有增加周转金之作用，反之亦然。故行周转金还原时，可利用下列格式，自资负表上逐项填入而求得总数（见表2）。

表2　周转金还原法（周转金来源与消耗）

A. 周转金来源	B. 周转金消耗
1. 本期净利 　加折旧准备	1. 已分或已宣布之股利
2. 非流动资产之减少	2. 非流动资产之增加
3. 非流动负债之增加	3. 非流动负债之减少
4. 净值之增加	4. 净值之减少
5. 公积之增加	5. 公积之减少

表2中AB两项总数之差，即周转金之净变动，应与本期资负表与前期资负表中周转金之差额相符。表2第5项公积之增减，往往在原资负表中不注明其原因，即须用公积还原法以求出之。

兹再举一例。由某公司之财务报告中，查知有与前列格式相关之各项目，均经分列如下，又从公积还原中，知该公司曾有5000元之"战争损失准备"，本年内因战争结束而冲回公积中（见表3）。

表3　公积还原与"战争损失准备"

单位：美元

A. 周转金之来源			B. 周转金之消耗	
1. 本期净利	2500		1. 发二三期股利	320
加折旧准备	55	2555		
2. 出售防空设备		610	2. 厂房设备支出	2122
3. 冲回战争损失准备		5000	3. 偿清第三期公司债	1825
			4. 长期借款清偿到期部分	515
合　计		8165	合　计	4782

周转金净增加：3383

（八）除现测验

除现测验或称酸性测验，为财务分析之老方法。因现金为偿付债务之最现成资产，故将流动负债减去现金，而成除现金，除现金时之债务状况，为分析者所应注意考虑之问题。

如以第五节各案分析之例，该公司在 1932 年之情形用除现金法分析如表 4。

表 4　某公司除现金法分析（1932）

	实际数字（＄）	占总资产百分数（%）
流动负债	7454000	11.4
现　　金	2739000	4.2
除现金	4715000	7.2
应收项目	19808000	30.3
应收保证	15093000	23.1

因流动性次于现金之资产，即为应收项目，故将除现金后之流动负债，再以应收款项偿还之，如例所示，偿还后应收项目尚有余甚大，此称为应收保证（margin）。即如吾人分析该公司财务后，如决定可对该公司贷款，吾人之贷款可以此数目为保证也。

为便于观察，又常将上列各项依其合资产（或负债）总数之百分比计算，即如上例右行所示。该公司之流动负债额达资产总数 11.4%，以现金偿付仍合 7.2%，如再以应收款偿付之后，应收款尚有余合资产 23.1%。

（九）资产负债比较表

检查各资产与负债项目后，即将其分类登入一资产负债比较表。此表之格式，随个人之使用习惯而异。大致为（a）现金、应收、存货各目及流动资产总数；（b）房地产、机器设备等目及固定资产总数。（c）其他资产；（d）全部资产总数；（e）银行欠款，应付等目及流动负债总数；（f）非流动负债；（g）股本、公积等目及净值总数；（h）全部负债总数；（i）周转金；（j）本期净盈利；（k）本期销货净值；（l）或有负债；（m）流动比例及其他比例等。

普通之比较表，多列有 5 年纪录之地位，盖欲比较其趋势，至少须有 5 年数字，始能得相当正确之推断也。有些分析者，如 Irving Trust Co. 等，所用之表式项目甚繁，有些则甚简单。如大通银行只列资产负债二大栏，分析时自行填入项目。又如 Dun & Bradstreet, Inc.，则附列之比例项目特多。三家方法，笔者均曾往实习，各有其优劣。

（十）损益计算书

损益计算书之分析较为简单。依照一般会计制度所编制之损益书，大致无须另加分类，即可登入一损益比较计算表中。此表之项目与一般损益计算书无异，只略去细目，平列 5 年之数字而已。

然分析损益计算书时，首先须检查该公司经理人对损益数字之控制情形。公司所报告之盈利，系账面上加减之结果，故运用会计方法可计算出不同之盈利。因而有隐藏盈利或隐藏亏损，在财务报告中为常有之事。隐藏之法千头万绪，往往不能查知，但重要不外两种：（1）将若干支出或收入划进公积账中科目，而不影响损益，此节前已言及之；（2）高估或低估折旧、摊还及其他准备金项目。因此不但可改变损益数字，且可使流动资产膨胀或缩小。折旧等之估计为专门技术问题，普通分析者只能审查是否与该公司过去之估定方法有变更或差异，如变更方法，须说明理由。美国证券交易委员会及纽约证券交易所均坚持此点。

其次，为各项费用之审查。每一业之各项费用，常有一相当之比例，某一项过大或过小，均可查考其原因。在美国曾有许多机关及商业团体，编制此种费用之平均数字。Dun & Bradstreet, Inc. 于 1936 年发表 106 种零售业之费用平均比例，分为 9 大类。兹择其中重要者 20 种附表 5 如后，以见其一斑。

表 5 美国零售商营业费用占销货净额百分比（1936）

单位：%

行 业	销货成本	薪金工资	租 金	其他费用	间接费总数	利 润
皮货业	51.0	26.3	4.8	12.2	43.3	5.7
男人衣着	68.1	14.7	3.5	8.2	26.4	5.5
女人衣着	70.0	15.7	4.4	7.2	27.3	2.7
鞋业	67.6	17.5	4.5	6.7	28.7	3.7
汽车及配件	66.9	20.0	2.8	7.6	30.4	2.7

行　业	销货成本	薪金工资	租　金	其他费用	间接费总数	利　润
五金杂货	70.6	15.5	2.9	7.4	25.8	3.6
木材建筑材料	72.4	13.6	0.7	9.6	23.9	3.7
糖果	67.3	16.9	4.6	7.1	28.6	4.1
水果蔬菜	78.6	12.5	2.2	5.5	20.2	1.2
肉及南货	81.5	10.5	1.4	4.5	16.4	2.1
餐馆	58.9	22.5	3.6	11.8	37.9	3.2
电器	64.3	18.7	2.0	10.3	31.0	4.7
家具	60.9	16.1	3.6	12.8	32.5	6.6
书籍	68.3	17.5	5.0	7.3	29.8	1.9
煤业	74.1	14.7	1.0	8.4	24.1	1.8
西药	68.5	17.0	3.3	8.2	28.5	3.0
珠宝	53.6	22.9	5.2	13.5	41.6	4.8
文具	65.5	14.4	4.7	12.4	31.5	3.0
印刷	28.7	45.2	3.6	18.6	67.4	3.9
旅馆	49.1	21.7	10.3	15.8	47.8	3.1

四　比率分析法

（一）静态比率

比率分析法近年来日益发展，各种比率亦日渐复杂。此法虽非自华尔氏（Alexander Wall）始，然华尔氏实集其人成者。华尔氏于 1919 年开始发表其理论，于 1928 年、1936 年、1942 年各有一大著作出版。[①] 现华尔氏为 Robert Morris Association（为一征信事业同人之团体）之领导人，该协会所编之各种报告与小册等，皆应用华尔氏方法。Dun & Bradstreet 所发表之分析，则为用 Roy Foulke 方法。华尔氏之理论，乃自比率更求比值，加权而成指数，是别人所未注意者。华尔氏方法在实用上有多少价值，是一问题。据笔者所知，尚未有一家银行或征信公司应用过，但在理论上不失为一科学方

---

① 　参看拙作《近代征信事业之发展》，《中央银行月报》新 2 卷第 9 期。

法。今将其学说略为介绍。

流动比率之应用，已相沿甚久，此即流动资产对流动负债之比率也。如两者之比为300%，即表示其流动资产有偿付3倍其流动负债之能力。银行界皆认为此比率不应小于200%，否则该公司之流动状况已为不良。

工商业之一般营业过程，为存货变为应收，应收变为现金，现金再度为存货。但在存货变为应收或现金时（即商品出卖时），即增加流动资产值，因存货为按成本计，应收则已加利润也（如100元之货卖得120元之应收账款）。此种变化可增大流动比率，而不变动流动负债。故流动资产中，应收与存货之相互比重，颇有研究价值。此即"存货与应收比率"，用以检定流动资产之性质者。如存货大，则流动资产为"成本性质"（即大部按成本计者），如应收大，则为"加成本性质"。此比例专为辅助流动比率而用，不另计值。

"资本净值与固定资产比率"，亦为常用者。固定资产如厂房、机器等，理论上均应由股东投资购置之，即由净值负担。如此比率小于100%时，即固定资产大于净值，即表示该公司曾用借入之资金以扩充固定设备。反之此比率愈大，该公司之流动状况愈佳。如某公司之净值与固产比率为180%，即其自有资金中除用于固定资产外，尚有80%可用为周转之用。

"资本净值与全体借债比率"，或称为债务比率，为与流动比率同等重要者。全体借债为流动负债及非流动负债之总数，此比率无异为一股东自有资金与借债资金之比率，可用以指示资本构成之性质，说明营运资金之来源，系出于自有抑来举债。此比率数值愈大，资本构成情况愈稳健。

以上三种比率，华尔氏称之为静态比率，全自资负表中求出者，兹再示如下：

静态比率

（a）流动比率——指示一般流动性。

　　附：存货与应收比率——检查流动资产之性质。

（b）净值与固产比率——指示自有资金支持固定投资之程度。

（c）净值与债务比率——指示资本构成之健全性。

（二）动态比率

动态比率四种，皆系以销货净额为分子者。"销货与存货比率"，其意至为明显，在表示存货之销售可能性，并指示存货之运动速率。但此比率值与周转率不同，因销货以市价计，存货则成本计也。但此比率所说明者，与周转率无异，其值愈大周转灵活。

"销货与应收比率"，在指示售货之兑现性。商品销后变为应收款项，如应收数过大，则此比率值变小，即表示销出后之货款未能如期收回。如甲商卖货 600 元，乙商卖货 400 元，各有 100 元之应收账。销货与应收比率，甲为 600%，乙为 400%。即言同量之未收款，在甲可支持 6 倍之销货，乙只能支持 4 倍，甲之财务状况自较乙为佳。有时此比率可以指出应收款之收兑日。如前例，甲之应收占全年销货 1/6，以 1 年 300 天营业日计，即合 50 天。乙占 1/4，即合 75 天。甲之财务状况自较乙为良好。

"销货与固定资产比率"，乃用以测量机器设备等之生产效率及管理推销之效率者，在工业中颇为重要。其理甚明。

"销货与资本净值比率"，可以测量资本之活动力。同样之资本，销货量过小时表示营业衰退，但过大时可能表示经理人之过分推销，如运用低价倾销政策，对该公司亦不一定有利。

此四种比率，华尔氏称为动态比率，兹再列举如下：

动态比率

（a）销货与应收比率——测量应收款之兑现性或其收兑时间。
（b）销货与存货比率——测量存货之可售性或其周转时间。
（c）销货与固资比率——测量设备之生产力及管理之效率。
（d）销货与净值比率——测量资本之活动力及推销政策。

除静态动态七种比率外，华尔氏又以盈利为基准，制成二种盈利（或损失）比率：

盈利比率

（e）盈利与净值比率——测量投资者之利润率。

（f）盈利与销货比率——测量销货之利润率。

（三）分析指数

华尔氏比率分析法之特点，在其以各种比率之数值，使之合成一个数字，此数字即对该公司财务状况之总评，一视而知其良窳。此数字为一百分数，称为分析指数或分析价值。如为100%，即属完全良好。如为50%，其信用即须折半。

欲将七种比率（盈利比率除外）合成一数值，必须加权，因各各之重要性不同也。加权法视各业情形而异。普通以流动比率及债务比率最重要，其权数各占25%。净值与固产比率对工业颇重要，可占15%，但在纯商业中可以减至极小。所余35%可斟酌分配与其他四种比率，假定其分配如表6所示。

表6中"某公司"各项比率之数值，系根据第五节个案中之资负表而算出者。

欲求得其合乎标准之程度，须先有一标准。此标准因业别而不同，系于每业中选择较成功之公司若干家，分别求其各种比率，再取其平均数。此种工作，在美国有数个机关为之。表6所用者，为 Robert Morris Association 所编者，称为"基数"。另有 Dun & Bradstreet 所编者，于后文附为参考。

表6 Dun & Bradstreet 所编某公司之"基数"

单位：%

比　　率	权　数	某公司	基　数	相对比	相对比值
流 动 比 率	25	546	530	103	25.75
净值比固资	15	184	200	92	13.80
净值比债务	25	159	700	23	5.75
销货比应收	10	562	895	63	6.30
销货比存货	10	488	500	98	9.80
销货比固资	10	493	280	143	14.30
销货比净值	5	268	140	148	7.40
盈利比净值	—	+4.8	+13.6	38	—
盈利比销货	—	+1.8	+9.7	18	—

分析指数：83.10

该公司之比率与基数比率之关系，称相对比，即该公司比率合基数比例之百分数。其计算式为：

$$相对比 = 某公司比率 ÷ 基数比率 × 100$$

如第一项流动比率，以基数 530 除公司之 546，得 103%，即该公司之流动比率，较同业平均标准尚高 3% 也。

以相对比加权，即为相对比值

$$相对比值 = 相对比 × 权数 ÷ 100$$

例：$103 × 25 ÷ 100 = 25.75$

各项相对比值相加即为分析指数。

如表 6 之例（注意表内所有数字均为百分数），初看其流动状况，在一般标准之上似属甚佳。但分析之结果，其合乎标准程度只有 83%。何以故？因有若干项目与标准相差太远也。最明显者为其借债太多。同业标准，净值应有债务之 7 倍（基数 700），而该公司仅有 1.5 倍，故其及格程度只有 23%。而此项为极重要之事，原应有 25 分权数，因此之故只能有 5 分。再如销货与应收比，该公司每 562 元之销货中有 100 元未收现，而同业标准每 895 元之销始有 100 元未收现，故该公司之应收账中只有 63% 为好账。该项比例在总值中原应占 10 分权数，因含有 37% 坏账，故只能占 6.3 分。各项通扯计算，该公司之财务状况只有 83% 及格。

表 6 销货与固产比一项，照公式算应为 175，而表中只列 143，因此间系"管制法"。理论上讲，如该公司某项比率极微小，则该项相对比可变为零，如公司某项比率极大，该项相对比可变为无限大。为实用计加以管制，使相对比不致超过 200%。此法为 Dr. Melvin T. Copeland 所创，其法即如公司之比率数，超过同业基数时，则改用下列之管理公式（如超过不大时，用管理公式与不用管理公式结果相同）：

$$相对比 = 200 - 基数比率 ÷ 某公司比率$$

（四）不良应收与不良存货

前例所示，该公司之应收款项中只有 63% 为好账，其余 37% 即为不良

应收。查是年该公司之应收数为 23963000 元（见第五节），不良应收即为
8866000 元。又自销货与存货比率中，知该公司之存货有 98% 为良好（见表
6），2% 为不良存货。查是年该公司之存货为 27646000 元，不良存货之数字
为 553000 元。其计算式如表 7。

表 7   某公司不良应收与不良存货（与同业比较）

应收（$）	存货（$）	流动（%）	非流动（%）	良好应收（$）	良好存货（$）	不良价值（$）
23963000		63.0	37.0	15097000		8866000
—	27646000	98.0	2.0	—	27093000	553000
合 计						9419000

此 9419000 元之不良价值应自流动资产中减除，方表示该公司之真实情
形。逐年比较此数字，并可观察其情况有无改进。

（五）销货较正

剔除不良应收与存货之另一法，为自销货净值之比较中求得之。销
货之大小，应与应收及存货数保持一相当之关系。如销货不大而应收甚
大，表示其销售之货未能及时变现。如销货甚大而存货不多，表示该公
司行倾销政策未必稳健，反之，表示该公司推销力不强。销货之大小，
可以销货占全部资产（或负债）之百分数，与当时同业平均销货占平均
资产之百分数比较。如前例，该公司 1930 年之销货占全部资产
185.7%，而同业标准（即基数）只有 120.4%。销货大并不坏，但往
往因贪多销而致有不良应收或不良存货，有此情形时即应用销货较正法
较正之。

较正之法系用同业基数之销货与应收比率，除该公司销货，得预
期应收。如下式，即该公司如完全合乎同业标准，应有 15069000 元之
应收，而该公司实有 23963000 元应收，其过多之数，即不良价值。同
样用基数之销货与存货比较，求得预其存货，而检查不良存货（见
表 8）。

表 8　某公司销货较正法（与同业比较）

某公司同销货 净额（$）	同业验收 比率（%）	基数存货 比率（%）	预期验收或 存货（$）	有验收或 存货（$）	不良价值 （$）
134865000	895.0		15069000	23963000	8895000
		500.0	26973000	27646000	673000
合　计			42042000	51609000	9568000

用前段之法，或用本段之法，或两者平均，将不良应收与不良存货自该公司之资负表中应收与存货项下减除，其流动资产与全部资产数亦必减低。此项不良价值应由未分盈利负担，盈利不足时应由公积负担，再不足时由股本负担。故自未分盈利中减除同等之数值，而使资负两方平衡。此时所得即为修正资负表。其各种比率，亦与前不同。如前例经修正后其流动比率减为452，变为低于基数。但销货与应收比率及销货与存货比率则变为与基数大致相等，因已将不良部分除去也。此时所求出之分析指数亦与前不同，如仍用第三段之方式计算，只为 79.2%（修正资负表见第五节表）。

（六）美国工商业之财务比例

上述之比率分析法为华尔氏之方法，实际所用者并不如此复杂。大抵流动比率与债务比率为常用之比率，此外则多以周转率表示销货与存货之关系。其余则甚少应用。但亦有更复杂者例如 Irving Trust Co. 分析汽车业之财务状况用 25 种比率。

兹再将 Dun & Bradstreet, Inc. 所应用之 14 种比率略为介绍。此套比率为 Roy A. Foulke 氏所应用者。福氏自 1937 年起，每年出书一本，发表同业标准比率。自 1934 年起，包括 35 种工业，18 种批发业，7 种零售业。1937后扩充至 70 余业。兹将其 1936～1940 之五年平均数，摘录重要者八项列表如后，以供参考。此中数项已将其改编为华尔氏法，以便与前对照。唯其平均兑现日及净值周转率二项，则未改编，因原表以日数及倍数表示，较百分比易为了解也。又原表包括 60 种行业，今仅择其 23 业。

细观此表，甚有趣味。如平均收兑日，制造男人衣着者较女人衣着者约长一倍，盖前者价值较高，市场不若妇女衣着之活泼。其净值周转率亦远较后者为低。周转率最大者为牛油鸡蛋起士之售卖商，此皆易坏物品，且日常必需者也。该项商业存货最少（销货与存货比率最大），其次为食品及肉之制造业，再次为女人衣着。最后一项乃因时髦关系不能多有存货。净值与固产比率以女人衣着最大，此固由于其所需之固定资产不大，然主要由于投资额较大。再看盈利与销货比率，男人衣着较女人衣着大约一倍，此因后者之周转率特大也。在 1934～1938 年，后者之盈利与销货比率只有 6%，同时期男人衣着有 59%。就投资者之利益言，以汽车业为最大，可达 11%。自 1934～1940 年，该业之盈利未曾少于 10%。最低为 1934 年至 1938 年之女人衣着只有 0.53%。此业为变动最大者（见表 9）。

表 9　美国工商业之财务比率（1936～1940 年平均数字）

业　别	流动比率(%)	净值比债务(%)	净值比固产(%)	销货比存货(%)	平均兑现日(日)	净值周转率(倍)	盈利比销货(%)	盈利比净值(%)
制造业								
汽车及配件	312	125	214	670	38	2.36	436	1111
建筑	244	177	396	—	—	4.17	156	696
化学品	345	184	211	510	38	1.99	529	988
男人衣着	241	—	1389	700	63	4.26	63	314
女人衣着	282	—	1563	1640	30	7.04	32	229
西药	386	—	305	580	46	1.82	413	746
电器	325	—	255	440	46	2.19	361	915
翻砂	341	162	165	1010	40	1.93	324	797
家具	268	166	253	540	55	2.26	169	397
五金器皿	329	163	190	520	40	1.96	535	979
织袜	252	145	168	790	31	2.36	160	390
机器	341	139	236	530	50	1.71	422	835
食品及肉	274	140	151	1860	16	5.24	87	434
油漆	343	139	268	700	55	2.33	243	612
造纸	279	169	137	510	38	1.55	369	564
印刷	297	166	192	—	46	2.19	114	268
糖果	307	182	209	108	33	2.49	204	558
商业								
食品什货（逛售）	277	111	695	790	29	5.74	69	387
五金什货（逛售）	320	118	735	350	50	2.56	159	435

业　别	流动比率(%)	净值比债务(%)	净值比固产(%)	销货比存货(%)	平均兑现日(日)	净值周转率(倍)	盈利比销货(%)	盈利比净值(%)
牛油蛋起士(迳售)	237	—	690	2450	21	10.40	40	346
鞋(迳售)	365	—	1053	530	61	3.36	89	310
鞋(零售)	301	—	513	350	—	3.00	136	451
百货商店	326	139	280	590	—	2.47	207	563

（七）福氏比率分析法

福氏所用之 14 种比率，分为五组，其内容如下：

（a）资本比率三种

1. 固定资产比资本净值（百分数）——此即华尔氏之净值与固产比，但位置倒列，代表净值用于固定资产之成分。

2. 流动负债比资本净值（百分数）——此乃分析资本构成之性质者，与债务比率不同，不包括非流动负债。

3. 周转金与长期债务（百分数）——此乃指示长期债务用于周转之程度。仅于有长期债务之公司用之。

（b）存货比率三种

1. 销货净额比存货（倍数）——此与华尔氏之销货与存货比率相同，以倍数可表示存货之周转率。

2. 周转金比存货（百分数）——此为周转金占存货之百分数，用以显示存货流动性。

3. 存货与流动负债比（百分数）——此为表示存货由流动负债所支持之成分，以显示存货之不稳性者。

（c）销货比率三种

1. 平均收兑日（天数）——此乃计算货物销售后平均有几日可变成现款，即以销货及应收数字求知，前于华尔氏之销货与应收比率中曾解释之。

2. 资本净值周转率（倍数）——此系由销货与净值之数字计算而

出，亦与华尔氏之销货与净值比率相同。

3. 周转金周转率（倍数）——此系由销货与周转金数字计算而出者。

（d）盈利比率三种

1. 净利比销货净值（百分数）——此与华氏之盈利与销货比率相同。

2. 净利比资本净值（百分数）——此亦与华氏之盈利与净值比率相同。

3. 净利比周转金（百分数）——此为指示周转金之利润者。

（e）辅助比率二种

1. 流动资产比流动负债（倍数）——即流动比率，而以倍数表示之。

2. 全体债务比资本净值（百分数）——即债务比率，而倒置之。

福氏之 14 种比率，分别以倍数、百分数等表示，一看即可明了其所代表之意义，华尔氏则将其一律化为百分数，此盖便于制造指数。又华尔氏将若干自然顺序，如债务比净值、固产比净值、应收比销货等，颠倒其分子与分母。盖此数种比率，其愈小者表示信用力愈强，华尔氏将之颠倒，使其数愈大愈佳，以与其他各种比统一相加，而求出指数之总数也。

（八）财务报告分析之步骤

前节及本节所述之财务报告分析法，可将其摘要如下，以为实际分析工作之步骤：

（a）填入比较分析表

1. 重新分类原资产负债表之项目。

2. 计算流动资产、流动负债、周转金、净值及各种比率。

3. 填入逐年比较之资产负债分析表及损益分析表。

（b）公积还原盈余还原及周转金还原

此乃检查原报告之盈利及流动资产数字是否确实。

（c）资本构成之分析

1. 债务与净值比——比较其逐年数字并决定自有资金与借入资金之分配使用状况。

2. 长期债务——此应分析各项债务之条款、抵押、优先权等，本文未及叙述。

（d）流动状况之分析

1. 周转金——比较其历年消长及是否足用。

2. 除现测验——并加除应收测验以检查周转金是否充足。

3. 流动比率——比较其历年消长并与同业标准比较研究。

4. 周转率——比较其历年消长并与同业标准比较研究。

5. 流动资产组成——用存货与应收比率检查流动资产为成本或加成本性质。

（e）销货状况之分析

1. 销货数字——比较其历年销货情形包括市场之分布等。

2. 销货政策——利用销货与净值比率检查是否有低价倾销或销货呆滞等情形。

（f）存货状况之分析

1. 平衡存货——检查存货之配合状况，修正存货价值。

2. 不良存货——用同业比较剔除不良存货，此可用销货与存货比率法或销货较正法。

（g）应收状况之分析

1. 应收日计——即所谓 Aging 乃将应收按收兑日期分类，如五日，十日，十五日，一月等分别列入之，求其在各日间之百分比。

2. 平均收兑日——平均收兑日亦可用销货与应收比率法求之。

3. 不良应收——用销货与应收比率或用销货较正法剔除不良应收。

（h）盈利状况之分析

1. 盈利数字——比较历年之消长及同业标准，包括股利等之比较。

2. 投资利润率——用盈利与净值比率推算之。

3. 营业利润率——用盈利与销货比率推算之。

（i）修正资产负债表

剔除不良价值后重制之资产负债表。

以上所述，不过分类举示，实际工作中未必一一皆为之分析，抑或有一二项目须特别详细分析者。总之，取舍轻重，须视分析之对象及分析之目的而定。

五　个案分析（华尔氏比率分析法实例）

华尔氏之比率分析法，于其大著 *Basic Financial Analysis*，1942，曾引用某家公司为实例。后华尔氏为 Robert Morris Association 编教育小丛书时又将原例缩编，写成 Analytical Case Study（个案分析），长不过 10 页，而将所有步骤与方法包括无遗。兹将华尔氏原文再加缩编，归并所有一项内之子目，并略去修正资负表以后之百分比及比例表，又略去所有千位以下数字，而译述如下，以节篇幅。

本分析包括 1930 年底至 1937 年底之某公司财务报告，为简捷计仅隔二年数字列出之，最后二年则连列，以显示隔一年间之变化。数字系缩编自 Moody's 投资年鉴者。如表 10。

表 10　某公司资产负债及销货盈利表

单位：千美元

资　产	1930 年	1932 年	1934 年	1936 年	1937 年
现金	2921	2739	3081	3584	3359
应收	23963	19808	18464	23938	26052
存货	27646	23852	28784	40285	44255
上市股票	190	—	—	—	—
流动资产	54720	46399	50328	67807	73665
固定资产	11409	5574	5993	6385	6781
预付及迟延资产	2937		429	533	554
什项	12982	13449	12501	7947	6182
非流动资产	27328	19023	18923	14865	13517
资产总数	82048	65422	69251	82672	87183
负债					
银行欠款	2711	2229	2477	9721	2934
商业欠款	5297	4468	5814	8360	7488
应付税款	411	23	356	691	976
什项	1597	735	1070	1531	3273
流动负债	10015	7454	9717	20334	23691

资　产	1930 年	1932 年	1934 年	1936 年	1937 年
长期债务	21686	20124	17997	17355	16192
全体负债	31701	27578	27714	37689	39883
资本净值	50347	37844	41537	44983	47300
负债总数	82048	65422	69251	82673	87183
销货	134865	104227	124453	153119	174572
未分红前净利	－ 2530	1604	1637	3217	3667
股利	3078	—	—	1197	1609

　　分析之第一步为将所有数字化为百分数〔即每数合全部资产（或负债）百分之几〕，并与同业基数之相当百分数相比。1930 年之同业基数包括 23 家公司，1932 年包括 12 家，1934 年包括 14 家，1936 年包括 19 家，1937 年包括 17 家。因系选其相同之同业，经验所示，有此家数已足。前四年中基数系用各家算术平均数、中位数及密集数之平均，最后一年无密集数而平均数与中位数几相等，故用平均数。此比较如表 11。

表 11　某公司与同业基数百分数比较表

资　产	1930 年		1932 年		1934 年		1936 年		1937 年	
	某公司	同业	某公司	同业	某公司	同业	某公司	同业	某公司	同业
现金	3.56	14.56	4.19	7.39	4.45	17.98	4.34	13.09	3.85	13.61
应收	29.21	13.44	30.28	24.54	26.66	15.45	28.96	19.23	29.88	13.59
存货	33.69	24.06	36.45	29.60	41.56	25.10	48.72	33.53	50.76	29.36
上市股票	0.23	4.89		7.20		8.89		6.91		10.74
什项		0.06		0.01		4.54		0.59		0.19
流动资产	66.69	57.01	70.92	68.74	72.67	71.96	82.02	73.35	84.49	67.49
固定资产	13.91		8.51		8.65		7.72		7.75	
预付及迟延资产	3.58				0.62		0.65		0.64	
什项	15.82		20.57		18.06	0.61			7.09	
非流动资产	33.31	42.99	29.08	31.26	27.33	28.04	17.98	26.65	15.51	32.51
总数	100.00	100.00	100.00	100.00	100.00	100.00	100.00	100.00	100.00	100.00
负债										
银行欠款	3.31	} 6.77	3.41	} 7.21	3.85	} 3.81	11.79	} 10.21	13.71	} 7.15
商业欠款	6.46		6.83		8.40		10.10		8.59	
应付税款	0.50	2.00	0.04	0.32	0.52	4.28	0.84	8.84	1.12	3.54
什项	1.94	1.95	1.12	4.13	1.55	5.70	1.86	4.76	3.76	3.78
流动负债	12.21	10.72	11.40	11.66	14.05	13.79	24.50	17.81	27.18	14.47
长期债务	26.43	1.61	30.76	16.87	25.99	0.30	20.99	20.42	18.57	24.38
全体负债	38.64	12.33	42.16	28.54	40.04	14.09	45.58	38.23	45.75	38.85

资　产	1930 年		1932 年		1934 年		1936 年		1937 年	
	某公司	同业	某公司	同业	某公司	同业	某公司	同业	某公司	同业
准备金		1.32		0.20		3.25		4.24		5.08
资本净值	61.36	86.35	57.84	71.27	59.96	82.66	54.42	57.53	54.25	56.07
总数	100.00	100.00	100.00	100.00	100.00	100.00	100.00	100.00	100.00	100.00
销货	164.30	120.44	159.33	150.15	179.73	133.89	185.22	158.43	200.24	147.63
未分红前净利	3.00	11.78	− 1.45	0.87	2.36	10.17	3.98	9.86	4.21	15.93
股利	3.71							1.45		1.85

由表 10 制成各种比率，亦与同业基数各种比率比较之，如表 12。

表 12　各项比率

单位：%

比　率	1930 年		1932 年		1934 年		1936 年		1937 年	
	某公司	同业	某公司	同业	某公司	同业	某公司	同业	某公司	同业
流动比率	546.0	530.0	623.0	590.0	518.0	520.0	333.0	425.0	311.0	466.0
净值比固产	184.0	200.0	206.0	225.0	219.0	295.0	303.0	220.0	350.0	172.0
净值比债务	159.0	700.0	137.0	250.0	150.0	585.0	119.0	200.0	119.0	144.0
销货比应收	562.0	895.0	526.0	610.0	674.0	865.0	640.0	800.0	670.0	1086.0
销货比存货	488.0	500.0	437.0	505.0	432.0	535.0	380.0	460.0	394.0	503.0
销货比固产	493.0	280.0	567.0	480.0	657.0	475.0	1030.0	575.0	1291.0	454.0
销货比净值	268.0	140.0	275.0	210.0	300.0	160.0	340.0	175.0	369.0	263.0
盈利比净值	4.8	13.6	− 4.2	1.2	3.9	12.2	7.3	17.1	7.7	28.4
盈利比销货	1.8	9.7	− 1.5	0.5	1.3	7.5	2.1	5.5	2.1	10.8

由表 12 求得相对比，相对比值，及分析指数，如表 13。由表 11 之比较，立即可见该公司之现金存量甚少（见表 14），每年不足标准。吾人记此于心。

表 13　相对比、相对比值及分析指数

单位：%

	权数	1930 年		1932 年		1934 年		1936 年		1937 年	
		相对比	相对值	相对比	相对值	相对比	相对值	相对比	相对值	相对比	相对值
流动比率	25	103	25.75	105	26.25	100	25.00	78	19.50	67	16.75
净值比固产	15	92	13.80	92	13.80	74	11.10	118	17.70	151	22.65
净值比债务	25	23	5.75	54	13.50	26	6.50	60	15.00	83	23.25
销货比应收	10	63	6.30	86	8.60	78	7.80	80	8.00	62	6.20
销货比存货	10	98	9.80	87	8.70	81	8.10	83	8.30	78	7.80

续表

	权数	1930 年		1932 年		1934 年		1936 年		1937 年	
		相对比	相对值	相对比	相对值	相对比	相对值	相对比	相对值	相对比	相对值
销货比固产	10	143	14.30	115	11.50	128	12.80	144	14.40	165	16.50
销货比净值	5	148	7.40	124	6.20	147	7.35	149	7.45	129	6.45
盈利比净值	—	35	—	—		32	—	43	—	27	—
盈利比销货	—	18	—	—		17	—	38	—	19	—
分析指数	100	—	83.10	—	88.55	—	78.65	—	90.35	—	99.60

表 14　某公司与同业现金存量比较

单位：千美元

年　份		1930	1932	1934	1936	1937
现金	同　业	14.56	7.39	17.98	13.09	13.61
	某公司	3.56	4.19	4.45	4.34	3.85
	短　少	11.00	3.20	13.53	8.75	9.26

　　再一推求其原因，则知该公司之应收及存货皆过大。流动资产系由现金、应收、存货三者组成，前二者过大，因之现金不足，应收与销货量应保持适当（如同业基数）之关系，过多即表示含有未能及期兑现之应收，或不良应收。其不良之成分，可由销货与应收比率求得之（见表15）。

表 15　某公司应收现金及销货与应收比率（与同业比较）

年　份	1930	1932	1934	1936	1937
应收现金（千美元）					
某公司	29.21	30.28	26.66	28.96	29.88
同　业	13.44	24.54	15.45	19.23	13.59
过　多	15.77	5.74	11.21	9.73	16.29
销货与应收比率					
销货:某公司（千美元）	562	526	674	640	670
同　业（千美元）	895	610	865	800	1086
公司合同业百分数（%）	63	86	78	80	62
不良成分百分数（%）	37	14	22	20	38

　　存货与销货量亦应保持相当之关系，过多之存货，表示有不良成分在内，此可由销货与存货比率中求得之（见表16）。

　　尤可注意者，上列显示不良存货之成分逐年加大，表示该公司之销货趋于迟缓，而与同业标准相差日远。销货后所变成之应收款项中，复有相当大之部分未能及时兑现。如欲将此不良应收及不良存货之价值自流动资产中剔除，可以上项之不良百分数分别乘表 10 各年之应收款数或存货数。其计算式如表 17。

表 16　某公司存货与销货（与同业比较）

年　份	1930	1932	1934	1936	1937
存货（千美元）					
某公司	33.69	36.45	41.56	48.72	50.76
同业	24.06	29.60	25.10	33.53	29.36
过　多	9.63	6.85	16.46	15.19	21.40
销货与存货比率（%）					
销货：某公司（千美元）	488	437	432	380	394
同　业（千美元）	500	505	535	460	503
公司合同业百分数（%）	98	87	81	83	87
不良成分百分数（%）	2	13	19	17	22

表 17　不良应收与不良存货

年　份	应　收（千美元）	存　货（千美元）	流动（%）	非流动（%）	良好应收（千美元）	良好存货（千美元）	不良价值（千美元）
1930	23963		63.0	37.0	15097		8866
		27646	98.0	2.0		27093	553
							9419
1932	19808		86.0	14.0	17035		2773
		23852	87.0	13.0		20751	3101
							5874
1934	18464		78.0	22.0	14402		4062
		28784	81.0	19.0		23315	5469
							9531
1936	23938		80.0	20.0	19151		4788
		40285	83.0	17.0		33436	6848
							11636
1937	26052		62.0	38.0	16153		9900
		44255	78.0	22.0		34518	9736
							19636

用表 16 之数字，将不良应收与不良存货自表 10 之资产负债表中减除，流动资产总数亦自然降低，而流动负债总数不变。流动比率因之降低，如 1930 年变为 452，其余各年为：544、420、276、228，皆在标准之下。其不

足标准之趋势，且每年增加，至 1937 年合格程度只有 49%。同时资产总数亦必减少，为使资负两方平衡起见，自净值中减去同样数字，即成为修正之该公司资产负债表，如表 18。

表 18　修正某公司资产负值及销货盈利表

单位：千美元

资　　产	1930 年	1932 年	1934 年	1936 年	1937 年
现金	2921	2739	3081	3584	3359
应收	15097	17035	14402	19151	16152
存货	27093	20751	23315	33435	34519
上市股票	190	—	—	—	—
流动资产	45301	40525	40797	56170	54030
固定资产	11409	5574	5993	6385	6781
预付及迟延资产	2937	—	429	533	554
什项	12982	13449	12501	7947	6182
非流动资产	27328	19023	18923	14865	13517
资产总数	72629	59548	59720	71035	67547
负债					
银行欠款	2711	2229	2477	9751	11954
商业欠款	5297	4468	5814	8360	7488
应付税款	411	23	356	691	976
什项	1597	735	1070	1531	3273
流动负债	10015	7454	9717	20334	23691
长期债务	21686	20124	17997	17355	16192
全体负债	31701	27578	27714	37689	39882
资本净值	40927	31970	32006	33346	27664
负债总数	72629	59548	59720	71035	67547
销货	134865	104227	124453	153119	174572
未分红前净利	2530	−1640	1637	3287	3667
股利	3078			1197	1609

修正之资负表，乃假定该公司在最坏之情况之下之资负情形，亦即财务分析采取最保守态度时之结论。根据修正之资负表，可重制各项比例，并与同业标准比较，求其相对比、相对比值及分析指数，一如表 12 及表 13 之方法（此项计算结果从略）。由此计算中可知该公司之流动状况，在此 7 年中

每况愈下。但因该公司之销货情形甚佳，销货与固资及与净值之比率皆远在同业标准之上，且于最后两年颇有进步，故其分析指数亦有改进倾向。其修正资负表后之指数与修正前之比较如表19。

表19　某公司资负表修正前后比较

分析指数	1930 年	1932 年	1934 年	1936 年	1937 年
未修正前	83.10	88.55	78.65	90.35	99.60
修正以后	79.20	83.75	73.55	85.05	86.05

附录：

证交上市股发行公司之财务报告分析

作者拟以上海证券交易所上市股之各发行公司财务报告为基础，以论分析之方法。但经搜集若干材料后，始知殆不可能。作者所能得之财务报告，无一家可有连续三年之数者。只得放弃此计划，而只以1936年底之数字略加分析，列为附录。该年之财务报告，共得24家，其中有可用之损益计算及财产目录者只有14家。尤奇怪者，同一家之资负表因来源不同，内容亦异。最后乃决以各家对证券交易所之报告，即经发表于《证券市场》半月刊中者19家为标准，唯有一家纺织厂，因该刊所载过简单，另取别处所得者代替之。分析时，除已经月刊发表之实数外，均不指出公司名称。所经分析之19家分为三类，即纺织业11家，制造业5家，百货业3家。

根据各家原送之资负表，将其流动资产、固定资产、流动负债、固定负债等加以分列，如表1及表2。表1乃采自勇龙桂、张明炯所作《证交上市股发行公司概况调查》一文。[①] 原文中列13家，荣丰一家则作者补入。因该文所包括之厂家较作者所分析者为多，故采用该文所列。表2则系根据各家报告所作，原报告中大皆分有流通固定等项目，皆如数录之。其未分列者，则依一般习惯分列之。

---

①　载《证券市场》第3卷第1期。

表1　证交上市股发行公司财务状况（纺织业，1936 年 12 月 31 日）

单位：百万元

厂　名	流动资产	固定资产	流动负债	固定负债	流动比例（%）	流动资产比固家资产（%）	流动负债比固定负债（%）	销货数额	本期盈利
中纺纱厂	10874	2092	9916	883	1.13	5.20	10.90	21450	2456
永安纱厂	26170	1340	9063	1210	2.33	16.28	7.49	—	12200
信和纱厂	6996	311	3599	1733	1.89	22.13	2.08	—	1975
统益纱厂	17617	1477	15504	639	1.13	11.93	2.42	31882	3790
恒丰纱厂	3066	528	2195	970	1.39	5.81	2.25	13920	429
荣丰纱厂	7343	2674	4718	3583	1.56	2.75	1.32	25953	1823
中国内衣	1869	303	1832	108	1.02	5.17	17.11	—	233
新光内衣	5062	3386	4346	4066	1.16	1.49	1.06	8524	36
景福衫袜	1085	442	1294	208	0.84	2.45	6.22	4033	25
景纶衫袜	232	18	171	55	1.36	13.23	3.10	911	24
勤兴衫袜	403	19	249	147	1.63	21.00	1.69	1508	28
五和织造	2164	57	2145	26	1.00	37.96	82.50	—	49
美亚织绸	2506	547	2991	45	0.83	4.58	66.46	—	17
中国丝业	1950	227	2003	123	0.97	8.59	16.41	2974	52
合　计	82337	13385	60026	13706	1.37	6.15	4.36	—	23139

表2　证交上市股发行公司财务状况（制造业及百货业，1936 年 12 月 31 日）

单位：百万元

公　司	流动资产	固定资产	其他资产	资产或负债总值	流动负债	净值及其他负债	流动比例（%）
大中华火柴	5456.9	392.5	210.7	6060.1	4427.7	1632.4	1.23
中法药房	1031.1	10.8	—	1041.9	441.9	600.0	2.33
华丰搪瓷	1012.6	325.6	107.8	1446.0	1056.7	389.3	0.96
新亚药厂	2692.4	119.9	41.7	2854.0	2740.6	113.4	0.98
中国水泥	6154.3	653.0	3.2	6810.5	5271.0	539.5	1.06
合　计	16347.3	1501.8	363.4	18212.5	13937.9	3274.6	1.17
永安公司	3189.8	162.0	—	3351.8	2067.1	1284.7	1.54
丽安百货	212.1	5.8	20.4	238.3	202.5	35.8	1.05
中国国货	769.1	0.1	57.5	826.7	752.5	74.2	1.02
合　计	4171.0	167.9	77.9	4416.8	3022.1	1394.7	1.38

由此两表观察，纺织业之流动比例，平均为 1.37，即流动资产较流动负债多 37%，此差额为其周转金。若除去特高及特低之影响，取中数不过 1.14，取密集数不过 1.13。制造业之流动比例平均为 1.10，百货业平均为 1.38。一般而论，流动比例小于二者皆非良好之流动状况。

吾人进一步之分析，乃为将各家原报告之数字，逐一加以检查，重新分类，而成表 3 及表 4。此种工作，颇为不易。因各家所列之报告鲜有细目，而所附之财产目录亦甚简单，有时虽列细目，但无细数，只有总数。此外别无可参考之附件。虽然，就此简陋之材料，吾人亦可作许多之修正。其主要之点如后。

1. 许多厂家将折旧呆账等准备金列入负债科目，凡此皆代为自所属资产科目中减除之。其单列准备金总数者，则自财产目录中检查，分别自应收存货固定资产中减除之。因之修正后之资产总数亦与原列者不同。然亦有某家之"折旧准备"大过固定资产 10 倍以上，在资产未重估升值前，无法减除，只得仍旧。

2. "预付款项"为数颇多，其能证明为进货定银或预付本业商货款者，均列入流动资产中"其他"项下，否则列入非流动资产。然亦有某家因该数甚大，财产目录中又不能查出若干为订货之用，乃以半数列入流动，半数列入非流动。

3. "暂付款项"为数亦颇多，皆改入非流动资产。"暂记欠款"、"存出保证金"、"暂存款"、"存出押柜"等，原列入流动资产者，均已列入非流动资产。大约各报告对流动资产之项目皆不甚谨慎，如投资、预付薪津等，有混入"暂付款"科目中作为流动资产者。

4. "证券投资"项，大皆列入流动资产，今皆改列入非流动。因此种证券无法证明其是否上市股，即使上市股在我国股票市场波动过大之情形下，亦不宜列为流动资产。即在美国，上市证券列入流动资产，亦须先调查其估价方法。

5. "存货"科目，凡制成品、半成品、原料、运送中商品等，均列入流动资产。盖各业生产之周期皆甚短也。唯"存料"中，常有与本业关系不甚大者，故检查其情形，酌列入非流动资产。例如某纱厂之"造纸原料"及某数厂之"什料""废料"等，皆剔出改列入非流动资产，目下材料投机之风甚盛，虽如此恐"存货"一科目仍未尽合保守原则也。至于平衡存货等法，则无法应用以检查之。

6. "借入款项"一项，为数甚大，此殆可代表高利贷款，就目前情形，其性质极为流动。有更列"客户存款""存入款""暂记存款"等科目者，其有财产目录可查者，亦多为某记某堂等外户，故一律视为借入款。列入流动负债。

7. "预收货款"列入流动负债"其他"项下，其余类似之科目，如"暂收款"等亦同。"存入保证金""存入押柜"等用途多不能查明，为保守计，亦皆改列入流动负债中。

8. "分公司往来""分所往来""同业往来"等，性质均无法查明。在综合财务报告中无分公司之报告，本无法做详细分析。今将资产科目皆列入非流动，负债科目皆列入流动。

9. "公积"项下，"法定公积""特别公积""股本溢价公积"等因皆为数甚微，一律并入公积。

10. "未分盈利"，包括盈余滚存及本期盈利，盈利中盖皆未有分配红利也。有为损失者，则自表内各家总数中减除之。

11. "周转金"乃流动资产减流动负债之差，前者小时，列为负数。

表3　证交上市股发行公司财务状况分析（纺织业，1936年12月31日）

项　目	（A）11家合计		（B）10家合计		（C）6家合计	
	百万元	百分比	百万元	百分比	百万元	百分比
现金	2520.0	5.4	781.3	3.3	219.9	1.2
应收款项	917.5	2.0	917.5	3.8	691.8	3.7
存货	29845.0	64.1	12088.1	50.3	8088.0	43.9
其他	1882.9	4.1	1882.9	7.8	1856.8	10.1
流动资产	55165.4	75.6	15669.8	65.2	10856.5	58.9
固定资产	4607.5	9.9	3927.7	16.3	3366.3	18.3
其他资产	6742.7	14.5	4444.5	18.5	4204.8	22.8
资产总数	46515.6	100.0	24042.0	100.0	18427.6	100.0
银行欠款	2313.5	5.0	2313.5	9.6	1637.8	8.9
应付款项	6506.6	14.0	6146.8	25.6	4486.7	24.3
借入款项	5250.3	11.2	5250.3	21.8	3694.3	20.1

项 目	(A)11 家合计		(B)10 家合计		(C)6 家合计	
	百万元	百分比	百万元	百分比	百万元	百分比
其他	4827.4	10.4	4827.4	20.1	3831.3	20.8
流动负债	18897.8	40.6	18538.0	77.1	13650.1	74.1
长期债务	—	—	—	—	—	—
其他负债	9805.6	21.1	1102.0	4.6	1086.7	5.9
股本	2754.0	5.9	1554.0	6.5	1190.0	6.5
公积	64.7	0.2	56.0	0.2	41.5	0.2
未分盈利	14993.5	32.2	2792.0	11.6	2459.3	13.3
资本净值	17812.2	38.3	4402.0	18.3	3690.8	20.0
负债总数	46515.6	100.0	24042.0	100.0	18427.6	100.0
周转金	16267.6	35.0	-2868.2	-11.9	-2793.5	-15.2
销货净值	—	—	—	—	42636.3	231.4
本期盈利	14980.7	30.1	2780.3	11.6	2448.6	13.3

表4　证交上市股发行公司财务状况分析（制造业及百货业，1936 年 12 月 31 日）

项 目	(A)制造业 5 家合计		(B)制造业 3 家合计		(C)百货业 2 家合计	
	百万元	百分比	百万元	百分比	百万元	百分比
现金	647.4	3.8	43.0	0.8	963.5	21.8
应收款项	3398.0	19.9	468.2	8.8	728.4	16.5
存货	6851.6	40.3	2982.5	55.9	1950.0	44.1
其他	1429.7	8.4	281.3	5.2	246.8	5.6
流动资产	12326.7	72.4	3775.0	70.7	3888.7	88.0
固定资产	1041.5	6.1	454.4	8.5	22.4	0.5
其他资产	3665.8	21.5	1110.5	20.8	505.7	11.5
资产总数	17034.0	100.0	4416.8	100.0	5339.9	100.0
银行欠款	4336.9	25.5	763.5	14.3	338.2	7.7
应付款项	2377.7	13.9	1825.9	34.2	2682.2	60.7
借入款项	1510.2	8.9	869.7	16.3	—	—
其他	5723.9	33.6	779.9	14.6	1.5	—
流动负债	13948.7	81.9	4239.0	79.4	3021.9	68.4
长期债务	—	—	—	—	—	—
其他负债	0.4	—	0.4	—	17.0	0.4
股本	2010.0	11.8	1010.0	18.9	1078.0	24.4
公积	102.6	0.6	33.0	0.6	21.5	0.5

续表

项　目	(A)制造业5家合计		(B)制造业3家合计		(C)百货业2家合计	
	百万元	百分比	百万元	百分比	百万元	百分比
未分盈利	972.3	5.7	57.5	1.1	278.4	6.3
资本净值	3084.9	18.1	1100.5	20.6	1377.9	31.2
负债总数	17034.0	100.0	5339.9	100.0	4416.8	100.0
周转金	-1621.8	-9.5	-473.8	-8.9	866.8	19.6
销货净值	—	—	8831.2	63.5	—	—
本期盈利	1025.2	6.0	56.1	1.1	274.2	6.2

　　表3为纺织业之财务分析，吾人目的在研究一般状况，故只列各家总数，并因数目有修正，不示对某一家之损益。表中A栏为11家合计，唯此中有一家情形至为特殊，其流动负债至微，而流动资产极大，盈利亦特大。故B栏中将该家除去，仅列10家，以代表一般情形。又此10家中，只有6家有销货数字可以参考，故又于C栏中列6家数字，以便计算比率。由后之比率表中，可知6家之情形亦大致可代表10家。表4为制造业及百货业财务分析。A栏为制造业5家合计，亦因销货数字缺乏，故于B栏中列3家之数。此虽家数甚少，但自后之比率表中可查知，其资负分配情形与5家无异，故可为代表。C栏为百货业3家数字。

　　表3与表4所示最堪注意之事，即除百货业外，周转金皆为负数。表3中A栏之正数全系受某一家纱厂影响故可不计。是即各业之流动资产皆极小，不足以偿付流动负债，充分代表目前生产事业资金缺乏情形，其流动状况，自然极为低劣。与表1及表2所示者迥然不同。纺织业方面，如将本年盈利抵补周转金，尚略有短少。各厂于该年皆未分红，故年终之结果，周转金差数约合资产总额0.3%，差可弥补。制造业方面，因盈利甚少，情形更坏。本年盈余只抵得周转金差数2/3弱。虽不分配红利，年终周转金差数尚合资产总数3.5%。百货业方面，因周转迅速，固定资产极小，故周转金为正数，但合资产总额不过20%，其资金亦属缺乏。

　　周转金不足之原因，一部分由于通货膨胀下，资产未能重新估价而起。表列各公司均系胜利后之调整资本，尚未有增资者。但此种影响并不大，因资本中就过去情形，大皆系用于固定设备，非用于流动资产。吾人既无法检查其原有分配情形，只得将此种影响略去。此外，各公司之流动资产以存货为主，存货之估价方法虽未详知，但在目前通货膨胀中，自较市价为低，而流动负债中之应付款项，其追随市价之变化必较存货为速，是亦影响于账面周转金之减少。但此种影响亦不会甚大。各公司之资本升值，皆附有现金新股。按经济部规定，现金新股应至少为所增估之价值 1/5。如各公司资本增加 100 倍，则现金股之增加，在纺织业方面，可使流动资产增加约 1 倍，制造业方面，可使流动资产增加 3 倍。其流动情形必将全部改观。

表 3、表 4 中，并将各项资负占总资产（或负债）之百分数列出，细查此项百分比，颇有意义。10 家纺织业之流动资产，合 65.2%，此数目并不太低，以美国标准，应有 70% 左右。而流动状况低劣之原因，乃由于流动负债之过大，10 家纺织业占 77.1%，按美国标准，应不超过 15%。制造业情形更甚，流动资产占 72.4%，流动负债竟达 81.9%。

流动负债过高之原因有二：一因我国公司皆无公司债之发行，故长期债务一项皆为零。借入资金，皆属短期性质。有注明为长期者，为数极小，列入其他项内。唯某纺织厂在迟延负债中列有借款一项甚大，以无法断定其期限，乃将半数改列入流动负债；二因各公司资本，均未能随物价调整，故资本净值所占之比例甚小，如前所述，如行增资后，则流动负债净值之比率必完全改观。但如只将资本升值而不加入现金新股，则对流动状况并无改进，因资产部分流动与非流动之比率亦将同样改变也。因此可知，前述流动资产所占之比率并不太低者，乃因固定资产未经重估之故，重估之后，必减少甚剧也。设以 10 家纺织业为例，如股本增值 100 倍，以 1/5 为现金新股而其他情形不变，则调整后之流动资产仅合 26%，而流动负债减至 11%。流动比率自 0.9 升至 2.5，仍不算高。以今年各厂之增资情形言，平均尚不到 100 倍也。

纺织业中，应收款项只占 2.8%，应付款项占 25.6%。应收款之小，由于销货多系现售之故；应付款则未免过大，盖有凭借信用而欠交之故在内。制造业中，应收占 19.9%，应付占 13.9%，两相较，应付仍嫌太大。依美国标准，应付不过应收的 1/4。凡此皆表示其资金运用之贫乏。百货业中，应付不妨稍大，但 3 家所示，高至 60.7%，实属惊人，此中必有一部分为借款性质，须负担高利息者。其应收占 16.5%，依美国标准自不为高，但我国素行现金购买百货，且在此物价狂涨之际，应收过大，必招致损失。

资产中之存货，纺织业占50.3%，制造业占40.3%，百货业占44.1%。单就此数字言，实属过高，但如虑固定资产之应调整价值，则不为大矣。各公司是否有囤货之嫌，从此数字中不能查考，唯有将存货与应收及销货比较。与应收比较，因我国售货习惯与美国不同，不能以美国标准衡量，而我国标准又无统计可据。与销货比较，则在纺织业中，仅能看6家之数字，存货约合销货20%，美国约25%，是不能算大。且销货价值系一年累计，存货估价或为年底标准，因一年内物价变动甚大，故相比之下，存货不为过多也。制造业中，3家数字，存货约合销货30%，亦不能算过巨。

负债中之借入款项，为我国公司之特有情形，此中大多高利贷款。纺织业占21.8%、制造业占8.9%，百货业无有。大约该年各纺织厂皆盈利甚厚，故吸收款项亦容易也。其数额较银行借款大1倍余，足见高利贷款之活跃。银行借款与银行存款皆为数甚小，证明纺织业与银行之关系并不密切。唯制造业之情形则反是，因数家中多有四联核定之生产货款在内。

兹再依华尔氏法，将各业之各项比率计算如表5。至于比率之相对值以及分析指数等之计算，则因无同业标准，无法进行。前表所列各家，亦不足代表同业（大规模之工业，多未加入证交），不能视为基数。然仅就其比率数观察，亦颇有兴趣。

表5　各项比率

单位：%

比　　　率	纺织业			制造业		百货业
	11家合计	10家合计	6家合计	5家合计	3家合计	3家合计
流 动 比 率	186.0	85.0	80.0	88.0	88.0	129.0
净值比固产	387.0	112.0	110.0	296.0	242.0	6151.0
净值比债务	62.0	22.0	25.0	22.0	26.0	45.0
销货比应收	—	—	6163.0	—	1886.0	—
销货比存货	—	—	527.0	—	296.0	—
销货比固产	—	—	1226.0	—	1944.0	—
销货比净值	—	—	1155.0	—	803.0	—
盈利比净值	84.1	63.2	66.3	33.2	5.1	19.9
盈利比销货	—	—	5.7	—	0.6	—

流动比率，纺织业平均为 85，制造业为 88，百货业因系商业，自应较高，为 129。前文曾言，流动比率不足 200 者，均不得视为良好，因此各业之流动情形皆属不佳。至于流动情形所受增资影响，前已言及。

净值比固定资产，乃检查其自有资金运用于固定设备之情形。我国工业资本多甚薄弱，常有借入资金用于固定设备之事。表 1 所示，则纺织业方面，净值除用于固定设备外，尚有余额。表 2 所示，制造业方面，则净值几达固定资产之 3 倍。此乃因固定资产未经重估，虽股本亦未增加倍数，但实际净值可运用于流动资金之部分必甚有限，因净值中大部分系未分盈利，盈利部分则系现时币值也。以现时币值之盈利，抵补原币值固定资产，自觉绰有余裕。故此比率不能表示真实情形。试自表 3 及表 4 检查，则知纺织业中股本仅及固定资产之半数，制造业中股本可合固定资产 2 倍。其中或因胜利后纺织业新添设备较多，亦未可知。至于百货业，固定设备甚少，故比率达6000 余。但如单就股本计，亦不过合 50 倍也。

净值比全体债务，乃检查自有资金与借入资金之比率者。纺织业制造业，皆只合 22%。此比率与流动比率为同等重要者，依美国标准应在 200以上。由此可见各公司皆靠借债过日，借债较自有资金大 4 倍余。此中最大原因，自因净值中股本一项未能按币值调整，而借债大皆依现行币值记账也。然就目前情形言，各公司即使调整资本，除非有大量现金新股加入，恐亦难免于靠借债度日之情形。

销货比率四种，即所谓动态比率者，只有 6 家纺织业及 3 家制造业之报告可资根据。销货比应收在纺织业达 7000 余，制造业亦合 1800 百余，美国标准，大皆在 1000 以下。此二项均不受货币贬值之影响，其高乃由于我国销货习惯以现售为主，故应收不大也。但在此物价上涨之时，如制造所示，其应收仍属过大，不免受通货贬值之损失。

销货比存货，所受通货膨胀影响亦不甚大，普通以在 500 左右为常，如制造业之 296，不免有销货迟滞或存货过多之弊。

销货比固定资产，为数皆甚大，盖因固定资产未能按币值调整之故，如加以调整，此比例必嫌过小矣。过小乃表示各厂之固定设备未能充分使用，或设备不良，生产力太差。销货与净值比率，亦属同样情形，设若干股本增值，此比率必嫌太小，表示营业之衰退。

盈利比率二种颇耐寻味。盈利与销货比率，表示销售之利益，纺织业为5.7%，较制造业之0.6%，高出9倍。纺织业在1946年为天之骄子，自无问题。但此种利润究属高低，尚为疑问。就美国情形，繁荣之年，销货利润可达10%以上，平时亦在5%～6%。就我国过去情形，繁荣时恐销货利润达15%～16%者，亦属常事。此5.7%，不得谓之繁荣年。然纺织厂实际盈利几何，恐非财务报告数字所能表示者也。盈利比净值，表示投资之利润。因净值中股本未依币值调整，其值自然甚高。故表中数字并无意义。如股本加以调整，则此数恐觉过低矣。又须注意者，10家纺织业中，并不包括纺建、申新、永安等大厂，以上所论之情形，未可即视为一般标准也。

〔原载《资本市场》（上海）第3、4号，1948〕

法人不应课财产税
筹措战费另想他法

征收临时财产税的主张，不外两种目的：一是增加财政收入，一是所谓"平均财富"。

就第一种目的言，现在财政真是到了存亡绝续的关头，能多有一点一滴的收入也是好的。不过这主张是以为多一种税，便多一些收入。其实目前税收太少，并不是税的种类太少，而是税务行政太坏。有些税虽收入可怜得很，但就税制上讲是合理的，不能不办的，如遗产税，虽形同虚设，也还可原谅。财产税则不然，无论就税制讲，或就财政理论言，都非良税，现代国家，也没有采用的。如其收入确有可观，在国家财政到了饥不择食的时候，也不妨一行。但我们估计其收入，恐怕比所得税还可怜。财产税数目靠申报，假如这一点行得通的话，所得税老早就成功了。财产税是个极其复杂的税，需要纳税人民的高度合作。专为收入着想，财产税还不如厘金之简单，或人头税之直截了当。目前税收是个行政问题，就行政和效率说，创办一个新税，不如改革一个旧税。办了十几年的事还办不好，办新事必更难。如实在到了不择手段之时，则办一个复杂的财产税，不如找些简单的名目。北方许多地方恢复了厘金，一方面我们为中国的税制痛心，一方面倒也觉得情有可原。

再就"平均财富"的目的看，财产税怕更难尽职。平均财富当从豪富做起，据说美国的豪富不过 1000 人，中国总不会更多。政府对于这 1000 人没有办法，却用财产税来在 4.5 亿人中找富户，真是缘木求鱼。将来财产的调查如果是认真地办，则豪富的财产必都逃往美国、香港，如果是等因奉此的办，则税源必都落在可怜的工商业上。所谓可怜的工商业，即非官僚资本的民营事业。法人之征收财产税，也是最矛盾的事情。照民生主义节制资本的说法，是节制个人资本，绝不是节制法人资本，因为现代企业如果节制其资本，必永无发展之望了。现代经济政策的理想是集中多数人民的小储蓄，办理大规模的企业。如法人征收财产税，则无异节制人民储蓄，鼓励手工业了。我们觉得中国第一流的豪富是屈指可数的，第二流、第三流的豪富也不难开出名单。政府如感觉有征收他们的财产税以救危急之必要，尽可大刀阔斧直截了当的办一下，不必费偌大的力气办靠不住的财产税。

〔原载《财政评论》（月刊，上海）第 18 卷第 6 期，1948 年 6 月〕

外汇移转证缺点多
提出三点来供商讨

今天讨论外汇问题，应就外汇移转证来讨论，一般说，进出口商人不完全是满意的，也并不完全是不满意的，个人就此从三方面来说。

（一）移汇证与汇价：新办法公布后两天，指定银行开会，一致预料，移转证开头，将与物价距离很大，原因是世面上进口许可证少，当时央行邵会华提出两个补救办法：（甲）美援物资进口提前运用 1 亿美金，以后进口许可证，可增 50％；（乙）由央行出面调剂并维持。

目前央行挂牌汇率，虽有实无，过去外汇政策不是盯住，便采机动，这些都要不得。我认为，今后外汇政策不妨采取公开市场政策，使物价与汇价发生连动。要平衡进出口，不影响两者距离的背驰，需监管会合理签发进口许可证，并应由央行出面维持。

（二）信用：实际上，现在出口商输出货物，拿到的是移转证，不是外汇，商人既取不到外汇，是很空虚的，假如真能给予外汇存款，他们定当放心得多。要补救这缺点，我认为须得：（甲）放宽两个月的移转证持有期，心理上至少给他们一个暗示，认为只要央行存在，外汇是逃不了的。（乙）出口外汇最好不结转于央行，应给商业银行去做，而且央行对这笔出口外汇，应另设特别存户，不要将发出移转证的外汇，与其他外汇放在一起，这笔出口外汇，应由其他机构随时检查，而且，监管会亦可据此，随时决定签发进口许可证的数量。

（三）出口贷款：以前政府所做出口贷款，有两种方式：（甲）借给金圆而不予结汇；（乙）借给金圆而与结汇。前者现不能办，后者能办，而商人不愿借，这种贷款，定需外汇收到后，签发移转证，既无出口之前，就无法获得贷款。

在结汇证明书时代，最初办法刚出来，价格低于平准价。后来市价渐涨，政府便以七折贷款帮助商人，这种办法都太拘泥，现在央行必须决定了一种贷款办法，这种贷款办法须与移转证有联系，不必死盯办法，同时多予商业银行一些贷款自由。

〔原载《经济通讯》（周刊，香港）第 3 卷第 47、48 期合刊，1948〕

新民主主义经济与
个性发展

在资本主义经济发展中，尤其是在初期，个性的发展曾表现过伟大的功绩的。特别是在 19 世纪初期的欧洲，经过了漫长的僧侣和封建主义统治的黑暗中古时代，资产阶级的革命，像是重见天日一样，像是个人找到了自己的灵魂。个性解脱了束缚，功利自由竞争主义，使旧经济史上写满了煊赫的人名。因此有人认为发展个性是资本主义经济发展的基本因素。在解放后的中国，不但是许多自由资产阶级，民族工业家，甚至许多经济学者，都在担心新民主主义的经济政策、国营企业、集体经济会妨碍了个性发展，担心生产技术与生产力的进步，资本的蓄积因而迟滞。

对这个问题，毛主席曾经明确地指出过："有些人怀疑中国共产党人不赞成发展个性，不赞成发展私人资本主义，不赞成保证私有财产，其实都是过虑。民族压迫与封建压迫残酷的束缚着中国人民的个性发展，束缚着私人资本主义的发展，破坏着广大人民的财产。我们主张的新民主主义制度的任务，则正是解除这些束缚或停止这种破坏，保障广大人民能够自由发展其在共同生活中的个性，能够自由发展那些不是操纵国民生计，而是有益于国民生计的私人资本主义经济，保障一切正常的私有财产。"（《论联合政府》）现在我们已有无数的事实可做这段话的例证了。不过我们要先对"个性发展"这件事有相当的认识。

首先，如前述发展个性是资本主义经济发展的基本因素。这种"因素论"本身，原是没有根据的。他把人类意识活动中的某些部分看作独立的实体，认作社会进化的原动力，完全忽略了社会发展的法则，也完全忽略了使个性的某种发展成为可能的客观条件。不用说企业家们，就是瓦特的天才，如果早生一个世纪，也是唤不起工业革命的。事实上17世纪末叶已有蒸汽机，和使用了已久的风力水力机一样，并不能唤起生产方法的革命。正如马克思在《资本论》中所说"在未有一个劳动者专门制造蒸汽机和妙尔纺纱机等等以前，已有妙尔纺纱机和蒸汽机等等了。这就好像未有缝师以前，人类已经穿着衣服……瓦特等人的发明所以可能，是因为在他们面前，已有许许多多的熟练的机器工人，那是现成的，由手工业制造时期供给他们，让他们利用的。"工业家、大商贾、银行家的个性发展也是如此。个人的能力，对社会发展的可能发生很大的影响，甚至可能在肤浅的历史上记载着，钢铁、煤油等对人类伟大的贡献都是某某人开发的功绩，正如有的小学教科书上还写着神农氏教民种五谷一样，但这种作用只有在当时的社会条件之下才能发生。"个人的性格，只有在社会关系所容许的那个时候、地方、和程度内，方能成为社会发展的因素。"（普列汉诺夫：《论个人在历史上的作用》）当唯物主义与自由观念不合，说历史必然论者根本否认个人的积极作用，这话原是很老的老套。"当唯物主义还没有拟定出辩证法的自然和历史观的时候，早已有人责备他倾向于无为主义了。"（《论个人在历史上的作用》）其实，对这一点，一切哲学上的雄辩还不如让事实来说话。奇怪的是，最无为主义的宿命论者，常表现为最积极行动的个人。坚信人的一切行为都是上帝预定了的人，宗教的领袖释迦、耶稣、穆罕默德，都是富有超人的勇敢与毅力，最能忍辱、牺牲，或提起刀来，执行上帝意旨的人。对事物发展必然性的认识，只能增加自己向此方向活动的信心，而使个人活动成为事物必然发展中的一环，更不犹豫，更坚决而勇敢，个性也得到更大的发展。如黑格尔所描写，当他的自由活动已成为必然性的自觉和自由表现时，他就会获得从来所不知道的一种崭新的完满的生命了。

其次，资本主义革命所解放的个性，只是一部分的人，少数资产阶级的，而且在这少数资产阶级中也是暂时的。个性发展促进了资本主义经济发展，但不久这种经济发展又重新束缚了个性，这正是今天资本主义的情形。生产的集中，原是资产阶级个性发展的结果，但由集中而成为垄断，财政资本控制了工业资本，金融寡头和卡特尔统治了一切，与醉心"自由竞争"的学者们的想象刚好相反，如列宁所引克斯特涅尔的话："获得最大胜利的，并不是最会根据自己技术和商业经验来判定购买者需要，找到并（发现）潜在需求的商人，而是那些能够预先估计，或是预先嗅到组织上的发展，预先嗅到某些企业与银行同有相当联系的可能性的投机天才。"（《帝国主义论》第1章）技术、经验、判断、判断需求、发现潜在需求，这些自由主义个性发展的法宝如今都没有用了，"而大半利润都归那些惯干财政勾当的天才所获得的了"。如果我们把这些"投机天才"也算为个性发展时，那么应当指出，也不是每个有此种"天才"的人都会成功的，因为金融寡头统治下能够发挥这种天才的，只有他们自己，垄断资本主义中，不但企业家，即纯科学和技术上的个人创造性，也受到束缚。垄断资本的发展，必然的造成了资本主义的寄生性和腐化。"既然已在规定着，虽然只是暂时规定着，垄断性的价格，于是那些推动技术进步，亦推动其他一切进步，推动进展的种种动因，也就相当消失下去。于是造成了一种人工方法阻止技能。例如美国有个欧文斯发明了一个能引起制药瓶革命的制瓶机，德国制瓶工厂主卡德尔收买了欧文斯发明专利权，而把这一个发明品搁置起来，不拿去应用。"（《帝国主义论》第8章）

在另一地方，列宁又指出："竞争变为垄断，结果就使生产社会过程有长足的进步。技术发明与改良过程，也社会化起来了。"（《帝国主义论》第1章）社会化的技术与发展，已不是某人或某几个人的事，而是在某种的技术设备与组织条件下，集体的组织的事，例如原子能的使用，即已不能归功于某人名下了。资本主义这时候，事实上已成了更高技术发展的阻碍，除非将生产社会化与生产机关私有的根本矛盾统一，换言之即除非推翻了资本主义制度，是没有办法的。

上面所说资本主义中的个性发展，是单就企业家和技术家发明者来说的。我们已看见是怎样残破和可怜了。还未提到生产上的主体人物——劳动者。他们在资本主义经济中，是根本没有个性发展的自由的。在资本主义经济中，劳动者是机器的奴隶。只能去适合机器这全然客观的生产组织，不论其才能、个性及兴趣。同时由于劳动榨取的增进，妇女儿童之走入机器间，劳动者的身体与智能，同被机器紧紧地束缚着，以致丧失其个性。这种束缚只有在社会主义生产中才能得到完全的解放，只有在新民主主义生产中才能得到部分的逐渐扩张的解放。如此，我们正好回到原来的题目。

新民主主义革命，是反对帝国主义、封建主义和垄断资本主义的革命。毛主席说："这个垄断资本主义与国外帝国主义，与本国地主阶级及旧式富农，密切地结合着，成为买办的、封建的、国家垄断资本主义"（《目前形势和我们的任务》）这就是束缚着中国人民个性发展的反动力量。不但工人农民，即小资产阶级、自由资产阶级，也同在其压迫下。所谓自由竞争、个性发展，在这帝国主义封建主义与垄断资本主义的统治下，根本是幻梦。"垄断资本主义"是蒋介石反动经济的本质。毛主席说："这个资本，在中国通俗名称，叫做官僚资本，这个资产阶级，叫做官僚资产阶级。"又说："新民主主义要消灭的对象，只是封建主义与垄断资本主义。"（《目前形势和我们的任务》）新民主主义革命，正是打断这种束缚，打碎这个枷锁，解放中国人民的个性，发展私人资本。

同时，新民主主义经济中，私人资本的发展不是盲目的无目标的。他绝不允许私人资本再发展到垄断资本主义上去。新民主主义要"保障广大人民能够自由发展其在共同生活中的个性，能够自由发展那些不是'操纵国民生计'，而是有益于国民生计的私人资本主义经济"（《论联合政府》）。新民主主义经济以国家经济为领导成分，以公私兼顾为方针。因此，国营事业，在新民主主义经济中，并不是妨碍私人资本的发展，而是领导他，同时又保证他，"决不能让少数资本家少数地主操纵国民生计，决不能建立欧美式资本主义社会，也决不能还是旧的半封建社会"（《新民主主义论》）。

同时，新民主主义经济，又是以"劳资两利"为目标的。对私人资本中的劳动者，提倡累进工资制度，累进奖励制度，组织民主的工会，要适当地提高劳动者的生活水准，和发展其政治文化水准。这时，在私人经济中，工人虽不是工厂的主人，但已是国家的主人了。劳动者个人才干的发展，在旧资本主义经济中最不可能的，在新民主主义经济中则变为可能的了。在解放区中，"建立新的劳动态度"这一由工人自己提出来的口号，充分表现了工人在新制度中的积极性与创造性。这一点是旧的自由主义经济学者所梦想不到。

这些，我们只要一翻开每天的报纸，便可找到无数的事例来证明。各解放区中，生产的发展和经济的繁荣，都有了飞跃式的进步。各工厂矿场的生产，在质上和量上都超过了国民党统治时期的数字，甚至超过几倍。铁路、航运、公路、建筑等业，也有同样的情形。

1949 年 5 月 13 日《解放日报》一篇题名"脑袋也好使了"的文章。作者赵海鹏是辽阳纺织厂分厂的电气工人，早就有设计装置细纱机上电门自动开闭器的心愿。但过去处于压榨下，始终没有心思研究。辽阳一解放，他生活改善了，高兴了，脑袋也好使了，七八天功夫，便完成了这一创造，使工厂节省很多电力。

5 月 27 日《大公报》一篇题名"蕴藏的智慧发掘了"的报告。天津纸业公司一厂工人宋春化、陈作珍去年 8 月即想将不适用的造毛边纸和连史纸的机器改装造新闻纸，但在国民党统治下是无此机会的。解放后他们的设计马上受到工业处的重视，立刻召开座谈会讨论，7 天功夫便改装完成了。宋春化说："如果不是解放了的话，一个工人是没有机会贡献他的技术的。"

6 月 7 日《解放日报》报告，太原西北炼钢厂工程师和技工，在解放后苦心研究，终于 5 月 5 日成功了轧制轻型钢轨的试验。太原西北毛织厂工长马依仁，修改鉎针梳毛车与针布梳毛车成功，使积存的废毛变成 3 万条军毯。

6 月 22 日《文汇报》一篇题名"工人变成工程师——王连凯造水表的故事"。天津自来水厂工人王连凯对于修造水表早有研究，但在过去是无由发挥的。解放后人民政府立刻给予援助，并拨大量资金，以前必须进口的外国水表，现在可以自造了。

类似的新闻太多了，仅再举一个：哈尔滨 884 号机车，安全行车 11.01 万公里，创造了东北安全行车最高纪录，超过了路局规定的两次甲等检修期。平均日行公里超过规定 15%，超过伪满时 110%。最高速度、最高牵引力，都超过规定标准。这是司机张忠业的细心领导，行车员的改善技术，创造了光辉的成绩（6 月 10 日《解放日报》）。

个性发展的成绩，不但表现于解放后的工人、技工、工程师，也表现于工厂的管理者与经营者。"一个解放了不久的城市，私人棉织业即由二十多家发展到一百多家，而过去在国民党统治下，却由日寇占领时代的五十多家减到二十多家。自由资产阶级在解放区找到了发展工业的真正出路。"（陈伯达：《发展工业的劳动政策与税收政策》）

在新民主主义的新中国，个性发展不但是可能的，而且是必需的。他是使中国技术进步、生产发达、资本蓄积、经济繁荣，以备迈向社会主义康庄大道的一个必要成分；而且这个成分，必需是有目标的有保障的，同时是普遍的、大众的。毛主席说："没有新民主主义的国家经济发展，没有广大的私人资本主义经济与合作社经济发展，没有民族的科学的大众的文化即新民主主义文化的发展，没有几万万人民的个性解放与个性发展……要想在殖民地半殖民地半封建的废墟上建立起社会主义来，那只是完全的空想。"（《论联合政府》）

〔原载《新语》（半月刊，上海）第 14 卷第 15 期，1949 年 8 月〕

美帝在中国的宗教文化侵略

　　1950 年 11 月 28 日，我国代表伍修权在安理会上提出了两万言对美国武装侵略台湾的控诉，揭穿了美帝侵华的重重阴谋。对这个义正词严和那些不攻自破的事实，美帝是无法答辩的。所以同日那些奥斯汀的演说也只有狡辩其对华的所谓"友谊"，而说来说去仍不过是重复前一日杜勒斯在联大上所举的 13 所美国教会大学，203 所美国经费支持的医院，320 所孤儿院，82 所慈幼院，1.5 万个教会大学学位，25 万人受到教育机会等。

　　美帝这些宗教教育医药事业，确曾迷惑过不少中国人。但他们是怎样来的？做什么来的呢？

　　奥斯汀说中美"友谊"开始是传教，这就错了。其开始是 1784 年在广州赚了 3.7 万美金的美国商船（中国女皇号）。不过，1807 年第一个来华的英国教士摩理孙却是乘美国船来的。13 年后美国公理会才派人来华，1830 年才设立第一个美国教会，而其推动者则为广州的美商阿利发洋行，这时中国已有 9 个经营鸦片的美国洋行了。美国在华的传教自始即与其商业相关联。1835 年第二个在华开教的圣公会，则是以贩卖洋书来华的。

　　事实是这样：当美帝开始侵华时，中国已被英法俄德等欧洲帝国主义所分割了，因此美帝只有一面要求"利益均沾"以渗入资本，一面则利用宗教文化等"慈祥"面孔以骗取利益。1897 年美公使邓班对国务院报告美教会时说："这些活动虽无条约根据，但实际上都很普遍。教会皆设有印刷所，书店，职业学校，工厂，商店，药店等。"更明显的是，正当英法等以军舰大炮向清朝索占租界和租借地时，美帝派了一个传教士文惠廉到上海，1848年竟凭花言巧语开设了虹口美租界，至1880年这块地皮已值1200万两了。

1844年的"望厦条约"给美国教会活动以特权保护。自此至第一次世界大战有55个美国教会在华开教，主要教派均已建立，青年会和女青年会设于1885年和1890年，成为广泛的宗教组织。大战后别国教会都减少了，美教士则自战前占总教士的35%增至1922年的51%，并收买了德国教会，从此独霸在华传教事业。但1925～1927年的大革命给美教会活动很大的打击，这3年间教士人数由2548人减至2024人，许多教堂和医院停闭。到1930年蒋介石正式入了教，美教会又空前活跃起来。1934年蒋介石的新生活运动，实际是与美教会二位一体的。宋美龄、黄仁霖都是两者共同的主持人。美教会汇华款项自1925年以后平均每年减少50万美金。至1933年只有三百九十几万美金。次年与"新生活运动"合流后即逐年增加，1936年时达440万美金。至"七七"事变，美帝已有76个教派来华（内5个合并）。据世界基督教统计年鉴，当时美帝在华有2318个教会，2634个教士，244111名信徒，全年经费6373106美金，以上都是基督教。美国天主教本不发达，其来华始于1918年的玛利诺外方会，至"七七"事变时，在华有159个神父、69个修女、73534名信徒。

如前所述，美教会的特点是政治和商业结合得特别密切。此外其活动对象是以大城市的上层阶级为主，除与英法德瑞等合办的内地会外，纯美国教会的中心都在大商埠。其在农村活动的对象也是以乡绅地主为主。美教会不很注重虔诚的宗教生活，反而介绍轻浮的美国资产阶级生活，宣传美国物质文明，青年会更是以电影西餐等麻醉青年，一方面灌输了殖民地思想，一方面也帮助推销了美国商品。一家法国报曾说："青年会与美孚油行是美国侵华的两大利器"。此外传教士还做了间谍情报的工作。美国务院的侵华计划和华尔街的剥削中国计划，都有不少是根据这些被称为"观察家"或"中国通"的传教士报告写成的。而他们的报告则一贯的把中国描写成蛮腰小脚、愚昧无知的野蛮民族，以启发帝国主义侵略的野心。并且利用宗教"事件"向中国勒索赔款更是层出不穷，单从"庚款"中即分得了57万美金的教会专款。

美基督教的经费约有半数是在中国募集的。1936 年公理会、圣公会、浸礼会三个老牌的大教，在中国募集了 1191805 美金，而自美国汇来的只有 741259 美金。美人雷麦估计 1930 年时美教会汇款只占其在华财产的 15%。我们调查到 1936 年只占 3.4%。至于天主教更一向以就地更生为原则，汇款是很少的。

教会以外的文化侵略中心：第一是石油大王的罗氏基金团，1915 年收买了北京协和医院，成了中国第一名贵族医院，连同其他推行英语、农村放款等活动，该团报告至"七七"事变时共投资 34456000 美元；第二是中华文化教育基金会，系 1924 年以美帝"退还"的庚款设立，所以纯是以中国关税供美帝使用的机关，截止到"七七"事变，其支出为 1500 万美金；第三是华洋义赈会，系 1920 年许多救灾团体合并成立，靠国内外捐款活动，据其报告至"七七"事变时约支出 5000 万美金。此外还有些中美文化协会，华美协进社等，抗战后则组织成了"美国援华联合会"，号召"多捐一文钱，多一份阻止共产主义的力量"。

美帝在华学校始于 1845 年澳门的崇信义塾。经《天津条约》和《北京条约》而取得思想侵略的特权，戊戌"维新"的洋化崇拜更予以鼓励，其发展至 1924 年达于高峰。以后在大革命时代受到了不小的打击，其校长也都换了华人。蒋介石当权后美教会学校又有空前的发展，至"七七"事变时拥有大学 19 院校，学生 6719 人，全年经费 4768260 美元（北京协和除外），各校都有中国补助的经费。中学我们查明者有 189 校，学生 43879 人，小学查明者 1556 校，学生 101805 人。主日学和补习学校等无计数。抗战后稍有减少，但仍保持 13 所大学。

美帝对华教育侵略的特点是注重高等教育，全国教会大学只有一家不属美国系统。其学生以训练官僚贵族子弟为主，学费很高。校内介绍美国资产阶级生活方式，培养崇拜美国的观念，奢侈浮华。课程方面偏重商业性和技术性的学科，故其毕业生受雇于洋行买办者极多。如杜威于 1922 年所写："美国教会大学把美国大学的课程和训育观念移植过来，造就的毕业生不是作为发展民族工业的领袖，而是由于其英文训练，做外国公司的职员。"其政治方面则以美国资产阶级的理论，造就了一批亲美、崇美，会说英语，懂得洋人脾气,为洋人服务的官僚买办,这样一年年的加入国民党反动机构中,以巩固其对蒋介石政权的控制。用中国钱替美国办教育,更是美帝独到之处。甚至美国人办的《密勒氏评论周报》在论述美帝"退还"庚款时也说:"综此以观,可知以后一切对华侵略均将以教育形式出之,各国均以教育中国男女为竞争。"

美帝在华医院始于1835年广州的眼科医院。1838年成立中华医疗传道协会,即后之中华博医会。另一系统为罗氏基金团之中华医疗事业局。到"七七"事变时美帝在华有148所医院,10685台病床,尚有关系的医院约80所。当年的统计,各医院的经费有51%靠诊费收入,此外还有中国政府和团体的补助,美教会的补助费并不大,其中还有半数为中国人捐款。美帝注重的是协和式的贵族大医院,训练为资产阶级服务的医师,介绍美国商业化的高贵医药,对大众化的医疗是不注意的。

其他文化活动,还有三家报纸、四种正式杂志、四家通讯社,抗战后更到处活跃着美国新闻处,一度还收买了《申报》和《新闻报》,作为侵略者的喉舌,更不必多述了。

美帝对华宗教文化的投资是很难估计的。从政治意义上讲,其历年活动的费用都是累积的投资,因这些活动是累积在中国人精神上的重担。我们计算自1914至"七七"事变止,美教会在华的款项约合1.3亿美金。文化方面前述三大团体在这期间的支出是9950万美金。连其他零星款项可共估计为2.5亿美金,但美帝所能运用的却要加倍。1936年北美教会在华收入(学费医疗费教会捐款等)与其美国汇款为10:8.4。早期汇款较多,姑以各半计,这期间美帝所控制的活动费共达5亿美金。

若从其在华财产看,雷麦估计1900年约值500万美金,1914年为1000万美金,1930年增至43071189美金,这估计无疑太低了。因为协和医院即报值3000多万美金,莱曼估计13所新教大学财产值1100万。1928年美国务院的估计总数是52109073美金。同年基特莱基估计是7000万美金,而沃文休1927年估计即达8000万美金。沃氏是教会中人士,所说或近似。就趋势看,到"七七"事变时总有1亿美金。不过这些财产大都是中国资金所置,前已说过美国汇款只占此数3.4%,其中如农场等2.3万余亩,更几乎是无代价取得的。

宗教文化是帝国主义向殖民地侵略的武器，但其阴谋只能暂时的蒙蔽一部分人，终究是会被揭露的。教会学校的学生历来就大量地参加了反帝和革命工作。抗战以后美帝完成了对中国的独占，这一套宗教文化的假面目便已揭穿，而变成美帝政府公开支持的"反共"反人民运动了，并且在剩余物资协定中使蒋介石政府供给 2000 万美金作美帝教育文化等费用。所以当美帝最后拿出司徒雷登来活动时，连受他"教育"多年的燕京师生也起来反对他。解放后，由于我教育医药宗教各界人士和学生的进一步觉悟与努力，美帝的这些投资已大都变了质，成为为人民服务的事业。人民的眼睛是雪亮的，奥斯汀的狂言也只能是他在无法狡辩中自欺欺人之谈了。

〔署名魏子初。原载《新华月报》（北京）第 3 卷第 3 期，1951 年 1 月〕

中国企业资本的特点和
重估财产调整的资本问题

　　私营企业重估财产调整资本办法，已于年前公布。这是私营企业的一件大事，也是工商业十几年来的希望。其能在今年实现，不能不归功于人民政府一年来在财经工作上的努力，使币值和物价基本上稳定，市场和供销逐渐正常，工商业已稳步前进，提供了重估财产调整资本的条件。

　　改造私营企业十几年来在反动政府下通货膨胀的恶果，消除"虚盈实税"不合理的负担，使投资者知道有多少资本投入，经营者有多少资产运用，重估财产调整资本的意义是重大的。但在进行这一重大工作中，不是没有困难的。问题有两类：一是技术方面的，如估价标准计算方法等，多属个别性的，本文不拟涉及；一是政策方面的，普遍存在于每个企业中，而主要的有两个。

　　第一是存货低估问题，在讨论原办法时，工商界普遍希望存货估价能照市价打个折扣。这是我国工商业历史的习惯，也是会计上习用的稳健主义。但折扣大了就使重估失掉意义，总资产和资本额业失掉正确性。所以办法条文中规定以评审委员会公议的价格为准，但是在执行时允许企业在自行估价中较评定的价格适量低估，[①] 因此低估与否或低估多少，就需要工商业自行

---

　　① 见中央私营企业局吴羹梅副局长在 1950 年 12 月 28 日《人民日报》上《为完成重估财产调整资本而努力》一文中的解释。

考虑其政策了。

第二是增值的资产如何调整入资本和公积的问题，投资人可能希望全部划入资本，经营者也许多提公积。讨论原办法时曾考虑过很久，最后未做硬性规定，而是由企业"参照过去实收资本数额和现在的业务及财务情况"，自行划定。这也是工商业要自己决定的政策。

我们想先分析中国私营企业资本的特点，再来看这些问题。因材料关系，分析限于工业。

中国工业资本的组织是不合理的。我们曾估计，在全部工业实际支配的资本中，使用在固定设备、原料和生产费用的不变资本，抗战前占到总数的98.4%，战后约占97.5%。而用于工资支付，即用以增加价值的可变资本，战前只占1.6%，战后占2.5%。同时不变资本中用于固定设备的又占去84%。但这并不表示中国工业已高度机器化。从生产成本看，机器工具等所转移到生产产品中的价值，只占产品总值的4%。相反的，对占生产成本12.6%的人工，只使用着总资本的1.6%，而构成产品总值83.4%的原料费用等，只使用着总资本的14.7%。[①] 这一估计虽因材料关系正确性很低，但在方向上是明显的。这就说明了中国工业基本上是手工对原料的加工，但在资本使用上，固定设备占去了极大部分的资金，因此在周转上，尤其是工资的支付上，发生了严重的不足。

上述分析是指在生产上实际的支配资金，包括借入资金。借入资金之大，是我国企业的另一特点。战后上海各纱厂的借入款达资本和公积的2.7倍，若连应付款合计，使用外界资金达资本和公积的5倍。[②] 其中自有一部分因通货膨胀后资本未调整所致，就战前较正常的情况说。92家大工厂实际运用的资金合其原投资本的1.99倍，即约有半数靠外界资金维持。[③] 另一估计企业的全部资产合资本额的2.76倍，即资产中有64%是对外界的负债（除极少数的公积和未分配盈利）。[④]

---

① 见拙作《中国工业资本的初步估计和分析》，《新华月报》创刊号，方法和资料见拙作同文，载《中国工业月刊》第1卷第6、7期
② 见拙作《财务报告分析的理论和方法》，《资本市场》第4号。
③ 汪馥荪：《中国工业资本估计的几个基本问题》，《中国工业月刊》新1卷第8期。
④ 韩启桐：《中国对日战事损失之估计》，中华书局，1946，第59页。

由于资本组织的不合理和借入资金过多，造成了流动资产过小和流动负债过大，即周转金不足的现象（两者相减为会计上的周转金）。战后上海各纱厂，除一家外，流动资产均小于流动负债，即周转金为负数。商业方面多少也是同样的情形。

重估财产后，必提高流动资产，主要是存货的价值，但流动负债的影响很小。故照市价估值存货，可反映出周转金实际的情况，如采存货低估政策，则周转金会表现得比实际更小。这虽只是账面上的变化，并非资金真正的增加或减少，但对经营政策不是没有影响的。

第一，在存货中隐藏资产的政策（即存货低估），固然是稳健着想，但在我们周转金不足的资本组织中，会更加重依赖借入资金的倾向。因周转金表现得过小，而销货却因成本打折扣的关系，表现得过大。利润总归超过利息，借钱总是赚钱，无形中养成了借贷谋利和物价投机的心理，同时因毛利虚拟而使分红政策反而不稳健，成本的掌握也放松。所以存货低估的稳健作用，适用于周转金充足的企业，而不适用于中国一般企业。

第二，在存货中隐藏资产的政策是配合我国过去"以货为财"的旧观念的。谁家存货多，谁家资力雄厚，多而不显，乃最殷实。换言之，这政策是鼓励存货的（存料也是一样），刚好与上述中国企业资本组织的特点相矛盾，结果必加重了周转资金不足和工资基金过少之感觉。这习惯也是和新民主主义经济相违的。我们是个商品缺乏的国家，从原料到制成品，都不允许他们长期滞留在生产或分配过程中的现象。苏联社会主义建设的经验告诉我们，加速商品的流转是积累社会生产基金的条件之一，这也是现在我们经济核算制的一个重要内容。

第三，存货低估是经营者为顾虑经济萧条时物价跌落而设的。这在有周期性经济恐慌的资本主义国家中是必需的，而在我们基本上是计划性的，物价由国营企业调整着的新民主主义经济中，却非必要。此外，企业若为留点设备，尽可多划一点公积金，而无须在存货中隐藏资产。因此，低估存货虽是历史上的习惯，但在目前企业资本组织的特性和新民主主义经济制度中，是应在思想上加以改变的。

重估财产后，固定资产的增值必远较流动资产为大，因机器设备等多是旧价，而存货的进价为期不久。固定资产大量增值后，不但在账面上加重了前述中国企业资本组织的不合理现象，在经营政策上也发生和低估存货同样的影响。工商业一般只反映在希望存货低估，其实对固定资产应采取更稳健的政策。除上述理由外，因办法中规定，房屋机器设备等都是以造价为标准，企业以此为标准估定重置价，再按使用年度折旧计算现值。在目前我国工业水准落后和器材进口受阻碍的情况下，造假和重置价一般都超过其应有的价值。我们相信中国工业会有迅速的发展，目前情况会逐渐的改进，所以这样估定的价格，不久会成为偏高的和虚拟的。同时我们现有设备多为陈旧过时的，从较长期看，可能需要全部更新。由于虚价和更新的损失，不应放在未来，而应计入过去。所以，对固定资产的估值应采取谨慎的政策，使资产负债表上所表现的资本组织，比我们前述的不合理现象有所改进，即减轻估定设备的比重。这种改进是将我们过去不良的设备算进资本损失，所以不只是账面的，而是实质的改进。

重估财产后，资本净值的增加必较固定资产的增加为大，因为负债中的流动部分不会有大的改变。膨胀净值是危险的，企业经营者都是这种顾虑。如前所述，我们觉得这种顾虑不必从存货低估上处理，而应在固定资产的估值上采取稳健政策。余下的问题，即是所增值的部分如何划入资本和公积。

首先应说明，资本和公积原本没有实质上的不同，都是净值的项目。就企业对外的关系说，也是同样的性质。私营企业暂行条例上规定，公积上"为扩充事业，及保障亏损之用"。动用公积，一般须经股东会通过，和变更资本的程序也差不多。唯一的关键，是资本有个固定的股息，而公积则否。投资者和经营者观点上主要的分异，也在于此。私营企业暂行条例规定股息最高不得超过年息8%，目的原在鼓励投资。而一般往往把这最高的限制认为是通常的标准，这是错误的。严格说，股息是我国历史性的习惯，本身并非很合理。投资者同企业共甘苦，目的在分红，不在生息，投资并非存款。同时股息多了分红便少，结果还是一样。历史习惯应当照顾，但随时也要注意制度的发展和进步。考虑划分资本与公积时单从股息上着眼，便未免太短视了。

过去我国企业，一般公积都是很小的。战后上海各纱厂，公积只占总资产的2‰，只合资本额（未增值前）的2.2%。如依此比例调整资本，则公积变成了名义上的。大规模企业一般都有十几年的历史，就通常什一之利的

1/10 作为公积的话，公积也应合资本额的百分之十几。这是说公积在理论上应与企业的历史有相当的水准。再说调整资本的目的在于正确的反映投资人所投资的价值，同时也要反映企业的财务基础。如照我们前述建议，对固定资产采谨慎的估价，即设备的不良计入资本的损失，则资本额不应调整的过高。又如果存货估价不采低估政策，则为了经营上有所准备，公积不宜调整得太低。企业创办有先后，公积有无多少不同，办法中要求企业参照过去实收资本数额和现在的业务财务情况，自行划定资本和公积，而不做硬性的规定，这是完全正确的。但划定资本公积的政策要与估价的政策相配合，要照顾到鼓励投资和巩固企业基础两种目的。投资者和经营者在这一点上也许有矛盾，但对整个企业的利益是一致的，这种矛盾自可在协商中得到满意的解决。

〔原载《经济周报》（上海） 第 13 卷第 1 期，1951 年 1 月〕

日本研究中国近代经济史概况

日本研究中国史的学者约有五六百人，在东京、京都、九州、名古屋等地形成几个中心。像东京大学的东洋文化研究所、京都大学的人文科学研究所，民间团体东洋文库、历史学研究会等都久负盛名，但并非以研究经济史为主。经济方面如东京的亚细亚经济研究所、山口东亚经济研究所等，则主要是研究现代中国经济。专业小团体，如研究土地制度史、中国水利史以至专研究中国 20 世纪 30 年代经济的研究会等则甚多，但主要还是个人研究。在日本没有像美国的经济史学会那样的统一组织，也没有统一研究规划。下面所谈，只是根据我在日本三个月（1980 年 1～3 月）所接触的情况，并限于我讲学专业（中国资本主义发展史）范围内的问题。

一 关于资本主义萌芽

20 世纪 50 年代，日本学者讨论中国资本主义萌芽问题，主要是受中国影响，没有深入下去。现在的研究，主要集中在明清商品经济和商业资本上，如寺田隆信研究山西商人，藤井宏研究安徽商人，山根幸夫研究华北集市和牙行，资料仍以地方志为主。另一方面，日本学者对亚细亚生产方式的讨论非常热烈：在战前，曾得出鸦片战争前中国社会停滞的结论；战后，批判了"停滞论"，认为是替帝国主义侵略政策张目，同时，重新探讨中国封

建社会的性质。60 年代，在讨论中国古代史分期中看法十分分歧，但多数
人认为中国封建社会是农奴制，农奴解放也就是封建经济的解体。如仁井田
陞、重田德等都认为明末清初发生初步的解放，因而，这以后的社会变动是
剧烈的。很多人是从商业、市场方面来探讨这种变动，对于资本主义萌芽则
近年来较少申论。

二 "半无产者"论

他们研究更多的是鸦片战争后，尤其是 19 世纪末 20 世纪初中国社会的
变化，其中"半无产者"论是颇具特征的一种看法，这以已故的著名学者
里井彦七郎的影响最大。他的代表作《近代中国的民众运动与思想》在
1972 年出版，提出在帝国主义侵略下，在从洋务派到北洋军阀的官僚资产
阶级统治和原始积累的剥夺下，中国广大贫农已趋向半无产者（半プロ）
化。其"半"的含义是农民失去小生产者的条件，走入长工、短工、极贫
农、苦力等道路。另有古忠厩夫写了《中国劳动者阶级的形成过程》，也是
1972 年发表，其"半"的含义又与里井氏不同。他是指农民单靠农业已不
能维持生活，而必须从事丝、棉布等副业为市场生产，成为事实上的半无产
者。因此，可以说有"失业化过程"和"农业兼农业外劳动"两种"半无
产者"的理解。这种理论流行较广，因而有辛亥革命的基本动力是农民等
论断。

三 农村经济的"再编"

半无产者的理论主要还不是经济史的问题。在经济史上，主要是从洋
纱、洋布等的入侵来分析农村经济关系的变化，即我们所说的自然经济的解
体，在日本称为"再编过程"。这方面的研究，有三种主要论点。

第一种是以狭间直树为代表的"为资本服务的隶农"的理论。他认为
在 19 世纪 90 年代，中国输出生丝、棉花而进口棉纱、棉布等，江苏一带的
农民是卖出丝、棉而买进棉制品，两者都依存于国际市场，成为为资本服务
的隶农。中国其他地方也将如此演变，不过是时间先后而已。这种理论流行

相当广。村松祐次曾收集地主文书，研究江南租栈，并有其他学者从事租栈、追租局的研究，认为太平天国以后江南的地主剥削已有了新的质，和市场经济分不开。这种研究，也支持了"资本隶农"的论点。

第二种论点是以小山正明为代表。他认为棉制品的大量进口，造成农村手工业和农业的分离，又研究了和棉花出口同时有缲棉机的进口，加以抵货运动等，从而得出结论：农民家内手工业破产的结果主要是导致工场手工业的发展，工场手工业成为中国民族主义兴起的经济基础。另外有些学者研究高阳、宝坻、定县、山东等土布产区经济，也有的强调工场手工业的作用。不过这种论点，似未占优势。

第三种论点是以田中正俊为代表，他从研究密契尔报告入手，认为农民家内手工业破产的结果，是机器工业和工场手工业同时产生，但占优势的仍然是包买主制，日本叫问屋制。并指出，在高阳、宝坻等土布产区，乃至在大生纱厂所在地南通，都广泛存在着问屋制。问屋制是不革命的，农民成为实际的工资劳动者，但生产方式无大变化。古忠厩夫、副岛圆照也都研究过中国纺织业的再编过程，指出商业资本的广泛作用，补充了田中正俊的论点。又田近氏研究大生纱厂，指出大生生产粗纱，是供农民织布之用，形成棉花—粗纱—土布的纺织构造。现代化纱厂不过是代替原来的手纺环节，补充洋纱之不足。

四 关于 20 世纪 30 年代经济

关于中国工业的研究，20 世纪 60 年代初曾有关于洋务派工业的讨论，现已过去。对于民族资本工业的研究，分歧不多，近年来的讨论集中到 20 世纪 30 年代的发展和国民党官僚资本上。岛一郎的《中国民族工业的发展》是一本系统研究著作，1978 年出版。

关于 30 年代的讨论，大体上有三个主要问题。

第一是这期间（一般指 1931～1937 年）中国工业的阶段性变化。多数看法是，到这时期末，中国工业经过危机，已脱出萧条阶段，有了发展，乃至复活了对外资工业的抵抗力。反对的看法则认为，这期间国民生产的增长率极低，谈不上什么发展。进一步研究则为分阶段的评价。一般都认为

1935 年底的币制改革是个转折点，1936～1937 年有了回升和发展。奥村哲在这方面做了深入的探讨，他把棉纺业分为四个阶段，缫丝业分为三个阶段，面粉业分为两个阶段，然后作总的观察，在今年（1980）初提出报告。研究者大都注意到这时期各行业发展的不平衡状况，并注意到工业内移和中小城市的发展。但对这时期一些新工业的兴起，尚未见研究成果。

第二是这期间民族工业有无质的变化问题。岛一郎在《中国民族工业的再生产构造》一文中，认为 30 年代中国棉纺工业有技术的改进，因而影响生产效果。奥村哲在《恐慌下江浙蚕丝业之再编》中，指出这期间蚕种、养蚕法、缫丝机的改进，从而得出 1932～1935 年发生质的变化的结论。反之，杨天溢《中国资本主义经济发展过程》则认为并无改进。关于生产力的研究，还有清川雪彦的《中国棉纺工业技术的发展过程中日本在华纺的意义》（1974 年发表），用经济数学方法，比较华商纱厂和日商纱厂的生产模式和经济效果。这方面的研究很值得注意。

第三是国民党政策的作用问题。对于国民党政府的改订关税、建立中央银行体制、公路铁路政策、电力建设以至所谓农村复兴运动等都有研究，对于 1935 年的法币政策讨论尤多。川井悟多年来研究国民党政府的全国经济委员会，认为它是最高经济机关，起了很大的作用。在这方面的看法，多与他们对国民党官僚资本的观点有关。

五　国民党官僚资本的性质

对国民党官僚资本的性质，战后重新进行研究。大体有三种看法。

第一种认为它是买办的封建的国家垄断资本主义。持这种看法的很多，但主要是采取中国的论点，又多半是在研究中国社会主义经济中提出的。这种看法遇到一个困难，即在日本，也和在西方国家一样，许多人对国家垄断资本主义这个词的理解，一般是指现代资本主义。第二次世界大战后，所有主要资本主义国家都已是国家垄断资本主义了。宇野派理论在日本相当流行。他们认为，在帝国主义（垄断资本主义）的基础上，资产阶级政府实行赤字财政、信用膨胀、干预经济，即构成国家垄断资本主义。在这种概念下，对于国民党政府的直接经营企业如何理解，遂有不同意见。

第二种是"国家资本主义原型"论。这原是苏联学者在苏共二十大后提出的，认为第二次世界大战后亚洲国家资本主义的发展，都不外国民党官僚资本那种类型。这种理论在日本颇为流行，有些人又把它发展，不限于亚洲，把它看成是一种后进的资本主义模式。中岛太一曾长期研究国民党官僚资本，著述甚多，其代表作《中国官僚资本主义研究概论》一书的副标题即是"帝国主义下半殖民地的后进资本制构造"。另外，还有一种看法，认为世界资本主义发展到国家垄断阶段，殖民地半殖民地的经济体制总意味着帝国主义规定的刻印。

第三种意见认为国民党官僚资本具有民族主义色彩。这与上一种看法实际是一致的。有些论述，一方面强调国民党与帝国主义妥协，压迫民众，另一方面认为国民党官僚资本实际是民族经济的一部分，由于据有大工业而起垄断作用。中岛太一也有这种看法，他认为国民党官僚资本的基础是工业资本，并且是权力的中心，成为中国经济中最具有民族主义的部分。这种看法又有其历史背景。原来在1937年，日本有一场"统一化"的论争；论争规模很大，涉及官方和各派学者。中心问题是以西安事变为契机，中国是否实现民族统一了。这时就产生一种倾向，认为国民党办工业主要是军事性的，目的在对付日本的侵略，因而其官僚资本是一种国防经济体系。同时也有大上末广、尾崎秀实等的论述，指出国民党官僚资本的发展，促进了中国进一步殖民地化，它对特定社会阶层有利，对民众不利。

六 关于日本帝国主义对华经济侵略

战后，日本学者对于日本对中国的经济侵略重作检讨。首先是资料方面。满铁的档案资料，战后被美国人运往美国（现已交还），井村哲郎曾去美国尾随该项资料二年，编著目录。满铁编辑的第三次十年史，据称日本只存一部，去年开始重印。东亚研究所的《支那占领地经济之发展》原属极密资料，也于1978年复刻出版。日本财政部为战后赔偿事曾编制《战前海外日本资产》28卷，其中第15～16卷为在华资产，一部分已可利用。上海的日本纺绩同业会档案曾迁至大阪，中经损失，残卷由山崎广明收集整理，并出有研究专论。日本银行存有原正金银行关于日本在华企业的资料，日本学者也正拟利用。

战后关于对华经济侵略的研究，亦以满铁及"日本在华纺"为中心。对横滨正金银行，也在做专门研究。华北方面，原满铁的调查较多，这方面论述也不少，集中在河北、山东两省。长沙是日本要求开埠的，开埠前后都有对湖南经济的调查，又有日资湖南汽船会社的活动，近年来发表了近卫笃麿的日记，对日本帝国主义在湖南的进出颇多论述，资料亦佳。

对于日本侵略台湾的研究，近年来著述也不少，并有旅日台湾学者参加。如涂照彦著有《日本帝国主义下的台湾》一书。小林英夫研究 20 世纪 30 年代台湾的"工业化"政策，连温卿研究日本在台湾的土地掠夺，山根幸夫研究"台湾协会"在日本殖民政策中的作用，刘进庆研究台湾的官僚资本，等等。

〔原载《经济学动态》1980 年第 7 期〕

评外国学者对旧中国经济
不发达原因的分析

近年来国外流行发展经济学，或经济成长论。同时有不发达经济学（Economics of Underdevelopment），研究不发达国家的经济发展规律，目前以研究亚洲和拉丁美洲国家者为多。本文所述，仅限于国外学者研究解放前中国经济的理论，属经济史的范畴。

一

苏联学者原有研究殖民地和附属国的传统，第二次世界大战后，开始探讨不发达国家经济，其中心课题是：一个不发达的国家怎样才能进入社会主义。他们理论的形成主要是在苏共二十大之后，这时中国已是社会主义国家，所以他们的研究是以印度为主要对象，兼及亚洲其他国家。这不属本文评介范围。不过，他们在研究印度的经济中，曾提出经过国家资本主义进入社会主义的道路；同时有人把旧中国国民党的官僚资本视为"国家资本主义原型"，认为第二次世界大战后亚洲落后国家中资本主义的发展都不外这种模式。这个论点在西方，尤其在日本引起颇大反应。日本研究中国官僚资本的学者如中岛太一、奥村哲等都倾向这种看法。这种观点否定了国民党官僚资本的买办性，而常得出相反的结论。在有关阶级分析上，也不符合我国历史的实际情况。20世纪70年代，亚洲一些国家和地区的经济发展有了新

235

的变化，"国家资本主义原型"的理论也就趋于没落。

苏联一些学者在提出不发达国家经过国家资本主义进入社会主义的道路时，有一个前提，即必须是在苏联援助之下，乃至还提出"国际分工"原则。这实际是由苏联控制这些国家的经济，利用其廉价劳动力，使他们走附属国的道路。列宁曾指出，国家资本主义的性质决定于政权的性质。目前有些研究者不是采取这个立场，而着重论述国家资本主义或国家垄断资本主义生产和所有制的"社会化"，这就自然导致出和平长入社会主义的结论。

二

第二次世界大战前，日本人在对中国经济史的研究中曾经流行着一种"停滞论"，认为中国社会处于长期停滞状态，不能自己振兴经济。这种理论，有的是出于资产阶级的偏见，但也有的是对于"亚细亚生产方式"的误解。战后，日本人批判了这种论点，认为是替军国主义张目。研究中国近代史的学者，多半采取了中国的半殖民地半封建社会的论点，并强调了帝国主义侵略对中国经济的作用。而其中有些理论，则又走得更远。如1972年，老一代学者里井彦七郎提出中国农民"半无产者"的理论。这个学派中，有的是从中国农民失去生产资料，不得不出门佣工来论证；有的是从他们单靠农业已不能维持生活，必须从事副业为市场而生产来论证，认为农民已成为事实上的工资劳动者。1964年，京都大学的狭间直树还提出过"为资本服务的隶农"的论点，认为19世纪末中国出口丝、棉花而进口纺织品，一出一入都使农民依存于国际市场，成为为资本服务的隶农。这些理论从一方面解释了近代中国经济落后的原因，但是它夸大了半殖民地的一面，而忽视了中国封建的一面。在研究近代中国田制、租佃制的学者中，如著名的村松祐次，也认为太平天国后江南的地主制剥削有了"新的质"，实际上助长了"江南无封建"论。

西方研究不发达经济的学者，也有比较重视帝国主义、殖民主义的作用的，如拜兰（P. Baran）、格里芬（K. Griffin）、佛兰克（A. G. Frank）等。后者提出"不发展的发展"（Development of Underdevelopment）论点，即由于发达国家的作用，许多国家传统的不发达状况逐步加深了。但多数学者持相反意见，特别对于中国，一般认为外国势力的到来，促进了中国旧制度的解体，有利于中国的工业化。近年来更多学者是从计量上来研究这个问题，例如洋货进口对中国传统手工业究竟发生多大竞争力量，中国的国民积累有多少转移到国外等。

20世纪70年代，美国学者更多进行国际市场对旧中国农村作用的研究。如马若孟（R. H. Myers）研究河北、山东的农村；劳斯基（E. S. Rawski）研究福建农村；王业键研究湖南农村；他们都采取选点办法。其结论也是强调了市场的作用，甚至认为中国传统的农村"根本不是自给自足的"，从而否定鸦片战争后农村经济的破坏。不过，多数学者，包括一些名家，大体还是承认30年代以来，中国农民的生活水平确实下降了。

我们认为，帝国主义侵略是近代中国经济落后的重要原因，这是十分肯定的。但过去我们的研究忽视定量的分析，因而不能把握各种作用的大小主次，忽视某些因素的两重性，失之于概念化。

强调国际市场的作用，忽视旧中国封建性的本质，就会从"左"的或"右"的方面得出错误的结论。过去我们也对封建因素重视不够，许多封建经济的残余直到今天还危害着我们，拉四个现代化的后腿。

帝国主义侵略是外来的因素，研究旧中国的不发达，更需要注意内因。因为中国曾经是经济发达的国家，十六七世纪开始落后于世界先进水平，变成相对的不发达了，这时还无外因作用。单纯外因，也不能解释何以日本在1880年后实现工业化，而中国不能。

三

国外研究不发达经济的内因，最简单的理论就是"贫穷循环论"，可以诺克斯（R. Nurkse）1964年的著作为代表。他是从资本构成的研究入手的。贫穷国家人民收入少，购买力低，因而市场小；市场小，投资就少，又造成人民收入少，成为恶性循环。

这种理论并没有找出贫穷的原因。并且，显然不能用纯市场经济的资本构成理论来说明具有浓厚封建本质的落后国家的贫穷。

有穷人就有富人，因而，又产生关于中国国民经济中积累的研究。有人举出徽商、晋商的资本积累。有人利用张仲礼博士关于大官僚、大地主、大商人收入的研究，把 19 世纪 90 年代中国的积累估为国民净产值的 23%。雷斯金（C. Riskin）把中国 20 世纪 30 年代的积累估为国民净产值的 27.2%。李庇特（V. D. Lippit）把同时代的积累估为国民收入的 30%。因而问题又转移为积累未能利用的问题。

这些积累估算都很高。当时即有人批评：它是把一切剥削都当作积累，"没有某项剥削，本来也不会有该项生产"。实际上，这些研究是把封建剥削混同资本主义剥削，把使用价值混同价值，把财富混同资本，也就不能说明积累和发展生产的关系。

另外一些论者，包括有些名家，是从社会学角度来探讨旧中国落后的内因。他们提出家族制度、多子继承、佛教、无竞争社会等，认为这些妨碍了人们的个性发展、进取心和财产的延续。

更多的是归之于中国的"官僚主义国家制度"，主要是指国家的重农抑商政策，以及科举制度、儒家教育、反对奇技淫巧的思潮等。1972 年伯拉兹（E. Balazs）提出，"学者—官僚阶级"是中国的统治阶级，他们是既得利益者，反对一切变革；同时，由于垄断了教育，他们有不断产生自己的能力。1978 年李庇特的研究，也特别重视官绅阶级，他们消耗了国民积累，阻碍发展。

我们认为：政治上层建筑和意识形态，对经济基础有重要的反作用。宗法制度作为一种封建制度，也应予以重视。但是，经济现象主要还应从生产力和生产关系上进行研究，从经济规律上做出解释。

这种社会结构方面的论述又往往是非历史的，它不能说明中国经济不发达的全过程。

四

西方关于不发达经济学的研究，最引人注目的还是"阶段论"。它是从经济成长论发展来的。目前一般的成长论认为，一国经济的发展有一个转折点，即所谓"起飞"（Take off）。在这以前是积蓄力量、创造条件的酝酿时期。而一起飞之后，现代工业就能自己扩大积累，由内部力量推动前进，这就是发展时期。

用我们的观点看，这只应该指从封建生产方式向资本主义的过渡。酝酿时期，实际是资本主义萌芽和工场手工业阶段；起飞是个突变，相当于产业革命；而以后的成长，也就是资本主义扩大再生产的过程。

把阶段论应用于旧中国，艾克斯坦（A. Eckstein）、费正清、杨联陞于1975年发表《近代中国经济变化》。他们把近代中国视为"前工业化阶段"。他们认为，19世纪初期，中国是处于"传统的平衡"（Traditional equilibrium）状态；由于西方的冲击以及人口压力和清廷的腐败，中国进入一个达世纪之久的解体、改革和孕育力量的时期，直到全国解放后才进入发展阶段。这个理论颇得一些名家如费维凯、珀金斯等人的赞赏。而罗斯托在1959年的《经济发展阶段》中，就已把中国列入"传统社会"。

这个理论的关键是所谓传统平衡。用"平衡"来解释停滞、不变状态，近年来甚为流行，他们大体是指物质生产和消费的平衡。这里所谓传统平衡，是指传统生产技术下的平衡状态，并未确定量的关系。这个理论虽然比较生动，而实际上是"停滞论"的翻版，意在说旧中国社会是停滞不变的，有待于西方势力来打破平衡，然后引起变化。在艾克斯坦等人的论述中，又比较注意心理因素，强调西方的刺激，中国向西方学习等。

目前更为流行的是"高度平衡机括"（High-level equilibrium trap）的理论，始于艾勒温（M. Elvin）1972年的论文和1973年的《旧中国的模式》。其理论可用下图概括。

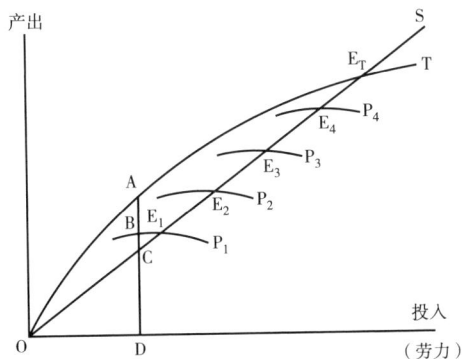

图　艾勒温的"高度平衡机括"

用投入产出法分解中国传统农业,其可能产量为 OT,而消费为 OS。当生产水平为 P_1 时,投入(主要是劳力)OD,可获产量 BD,而消费为 CD;这就有了积累 BC,并有潜在的生产力 AB。因有积累,可以通过投资(如改良土壤)把生产水平提高到 P_2。在 P_2 情况下仍有现实积累和潜在的生产力,因而可以把生产水平再提高到 P_3。但是,当达到 E_T 点时,没有积累,也没有潜力了,就进入一种"卡脖子"(trap)的状态。这时候只有改用西方的现代化农业的生产技术,才能解除困境。

这个理论提出一个模式,但并未给出数据,因而不能确定 E_T 点在什么条件下发生。照艾勒温的意思,在 18 世纪末(这时中国人口接近 4 亿)即已达到"卡脖子"的境地;敦伯格(R. Dernberger)则认为应在 19 世纪末;而珀金斯认为到 20 世纪中也还不见得到了真正的困境。

首先,这个理论的根据是土地报酬递减律。在其他条件不变的情况下,投入劳动量是有一定限度的,而不能是"人有多大胆,地有多大产"。但是,即使在以手工劳动为基础的传统农业下,生产力的因素也是十分复杂的。珀金斯的《中国农业发展史》(1969)称:明清两代中国粮食的产量增加了 5 倍多,除耕地面积扩大的因素外,有 42% ~ 47% 的增产应归之于亩产量的提高。这期间,中国传统农业技术尤其是工具方面没有什么变化,但亩产量仍有增长。除投入较多劳力外,先进地区耕作方法向内地和边区传播,玉米、番薯等作物的引进,水稻种植的北移,双季稻、复种、间作的实施以及市场的扩大等,都会提高生产力。这就是说,可能产量 OT 并不是一条固定的曲线。

艾勒温也承认这点,认为在清代这条线有上移的趋势;但他认为这是以降低每人平均消费量为牺牲,即从 OS 线下移得来的。可是,近年来国外学者包括日本学者的研究,都不能证明中国这期间人均粮食占有量下降。"人口压力"是研究中国近代经济史应该注意的一个问题,但这期间中国人口的增长实际是缓慢的。据何炳棣、珀金斯的研究,明清两代中国人口的增长率不超过 5‰,乾嘉间最快时也不超过 10‰,而现在第三世界的人口增长率常在 20‰ ~ 30‰。我国人口的迅速增长乃是晚近 30 年的事;当我国人口由 4.5 亿增至 6.5 亿时,仍然还是传统农业,不过生产关系变了。因此,在中国近代经济史上,实际得不出一个 E_T 点,得不出一个"卡脖子"的结论。

这个理论的另一个论点是：没有内部积累，也就没有内部发展的动力。这在事实上也很难成立。一个社会可能在某些年代没有积累，乃至负积累，这在发达的国家也是常见的。但长期来看，不可能是这样。前面提到，西方学者近年来十分注意对旧中国积累的研究，不管其估算方法如何，但就我们要讨论的这个时期来说，是不可能没有积累的潜力的。因为这时候中国已经有了比较显著的资本主义萌芽，而在这以后不久，中国即进入资本原始积累的阶段。中国的原始积累并不充分，但它已是资本性质的积累，数量虽不大，但已是以亿两计，投资以千万两计。随之有中国资本主义的初步发展和进一步发展。只是道路艰险、阻碍重重，并未脱离不发达状态。

五

我们认为：研究中国近代经济史，需要考察生产力的状况，也不能脱离生产关系。停滞或传统平衡的论点，完全否定了生产关系的演变。近代中国经济落后的原因，是几方面的因素造成的。而其主要原因，似可归之于中国封建经济结构的坚固性。中国封建社会较早地打破了领主割据，较早地废除农奴制，也较早地实现土地自由买卖。因而，生产力发展比较快，在 11 ~ 14 世纪，农业、基本手工业和科学技术的许多部门，都居于世界先进水平，堪称发达的封建经济的典型。但也正因为是发达的封建经济，自给性比较完整，农民的负荷力比较高，上层建筑也比较强，经过不断调整，封建经济结构比较坚固。因而，在封建社会晚期，资本主义萌芽产生较迟，发展也慢，比之世界先进地区处于日益落后状态。这也就招致了外国资本主义列强的蚕食、入侵和瓜分，进入半殖民地半封建的社会，使国民经济陷入不发达状态。

〔与侯方合著。原载《经济学动态》1981 年第 9 期〕

研究与创新

百濮考[*]

一　古史中所见之濮

秦汉前史籍中称西南之濮者甚多，殆《史》《汉》则称蛮而无濮。今之云南志书及治滇史者概引据濮事证古滇史，其实古籍所述之濮大皆与西南无关。兹先列古籍中濮与中国有往还诸事于后，其单述濮者则见于后文不列。

（一）《逸周书·王会解》："伊尹受命，于是为四方令曰：'……正南瓯邓、桂国、损子、产里、百濮、九菌，以珠玑、玳瑁、象齿、文犀、翠羽、菌鹤、矩狗为献。'"又《吕氏春秋》作"以象齿、短狗为献。"

（二）《逸周书·序》："周室既宁，八方会同，各以职来献。"《王会解》"黑齿白鹿、白马……卜人以丹沙。"王应麟补注《南夷志》："卜人，盖今之濮人也。"

（三）《书·牧誓》："嗟我友邦冢君……及庸、蜀、羌、髳、微、卢、彭、濮人。"

（四）《左传》文公十六年："麇人率百濮聚于选，将伐楚……蒍贾曰：'……夫麇与百濮谓我不能师，故伐我也。我若出师，必惧而归。百濮离居，将各走其邑，谁敢谋人？'"

---

* 本文原为《古代云南与中土关系之研究》第 2 章第 2 节 "百濮考"，经补充改写后发
　 表。——编者

（五）《左传》昭公元年："吴濮有衅，楚之执事，岂能顾盟？"

（六）《左传》昭公九年："然丹迁城父人于陈，以夷濮西田益之。"注："夷田在濮水西者。"又曰："巴濮楚邓，吾南土也。"

（七）《左传》昭公十九年："楚子为舟师以伐濮。"

（八）《国语·郑语》："叔熊逃难于濮而蛮。"《史记·楚世家》："熊霜六年卒。三弟争立，仲雪死，叔堪亡避于濮。"

（九）《国语·郑语》："楚蚡冒于是始启濮。"《史记·楚世家》："乃自立为武王，与随人盟而去。于是始开濮地而有之。"

（十）《尔雅·释地》："南至于濮鈆。"

（十一）《史记·骠骑将军传》："骠骑将军率戎士逾乌盭，讨遬濮"，"（赵破奴）再从骠骑将军斩遬濮王"。

二 濮之位置

章太炎先生谓："濮之得名，盖因于濮水。"① 然先生以元江为濮水，实则称濮水者不只滇中。今欲考濮族之分布，除《骠骑传》所述在匈奴，《索隐》："崔浩云：匈奴部落名。"（按：下有遬濮王，则是国名也）与本文无关外，则以濮人、濮水见称者，至少有下列四区。

（一）在冀鲁豫之间

按《史记·五帝本纪》及《集解》《索隐》，颛顼帝崩葬于"东郡濮阳"。《汉书·地理志》濮阳注曰："应劭曰：濮水南入巨野。"此地之称濮者，见于《左传》昭公十七年、僖公三十一年，《竹书纪年》《括地志》《通志》《通典》等皆引之。《方舆纪要》："濮阳废县今大名府开州治也。"是今冀鲁豫相接之地，其称濮由来甚古。

濮水亦见于《水经注》："河水东北流而径濮阳县北，为濮阳津……又东径鄄城县北。"武帝元光中"河决濮阳，泛郡十六"，即此地也。《水经

---

① 《太炎文录·续篇》卷六下《西南属夷小记》："仆水即河底江……合东南流至于元江，又东南至河口，出交趾称富良江。"

注》有濮水注于巨野说，是在卫地，即春秋所谓"桑间濮上"者。

按《唐书·地理志》："濮州濮阳郡……县四：鄄城、濮阳、范、雷泽、临濮。"其濮阳，临濮，当在濮水上，考其位置，可知《水经》之濮水当流于今滑县濮阳之间，再流于今菏泽、濮阳之间，再注于巨野。今之濮阳无此水，盖系黄河改道时所埋。又唐之濮州，明时移置今之山东濮县，故城当在今濮县东。称帝虚之濮阳，即汉以来之濮阳，五代时始移治今河北濮阳县，故城当在今濮阳之西南。《方舆纪要》所述，即移治后之濮阳也。

由上所述，知古之称濮者，在此区又可分为二部，即今濮县、菏泽一带，与今濮阳、滑县一带，今此四县虽分属冀鲁豫三省，实则接壤。故凡此二部皆为古濮地。濮水流经其间，今埋。

（二）在江汉之间

《左传》文公十六年"麇人率百濮聚于选"，疏："《释例》曰：建宁郡南有濮夷，濮夷无君长总统，各以邑落自聚，故称百濮。"按晋建宁故城在今湖北石首县，位洞庭之北，大江之南，在江汉之间。

又《春秋地理考实》："今按《书·牧誓》：彭濮人，孔传，濮在江汉之间，是也。"段玉裁注《说文》，亦谓在江汉之南。

《史记·楚世家》："叔堪亡避难于濮"，《正义》："刘伯庄云：濮在楚西南。孔安国云：庸濮在汉之南。按成公元年，楚地千里，孔说是也。"是守节亦主濮在江汉之间。

杜预所谓建宁郡者，亦可指云南之建宁。然《春秋》所述濮事，皆邻楚，应指江汉之濮，容下文详之。

（三）在四川

《文选》左思《蜀都赋》："于东则左绵巴中，百濮所充。"刘良注："今巴中七姓有濮。"是四川之濮也，其地莫考。

《华阳国志·巴志》："其属有濮、賨、苴、共、奴、獽、夷、蜑之蛮。"又《蜀志》临邛县："有布濮水，从布濮来，合火井江。"又广汉郡郪县："濮出好枣。"又德阳县："太守夏侯慕时，古濮为功曹。"

《华阳国志》越巂郡"会无县路通宁州，渡泸得住狼（按：当作'堂蟆')县,故濮人邑也。今有濮人家,家不闭户。其中多珠,人不可取,取之不祥。"按《华志》又述有李恢移濮人于云南之事,此则谓堂蟆一带为故濮人邑,其地在滇北川南之界。濮人是否即发源于此地,殊难定论,但自此北向则巴蜀之濮,南向则兴古云南永昌之濮,沿江而东则江汉之濮,就地理言,此地可为濮之中心。

(四) 在云南

《永昌郡传》:"云南郡多夷濮",[①] 王菘谓:"百濮即今顺宁府,[②] 《云南通志》取其说。考云南古代之濮,分布至广,非限永昌一带。大抵自滇池以东至洱海以西,沿路均有濮族分布,而大抵皆在云南北部。滇濮之记载,以《华阳国志》为详,按晋之宁州,区划与今之云南省相合,其兴古、建宁、云南、永昌四郡,自东而西,兹亦从其次序述之。

《华阳国志》兴古郡:"多鸠獠濮,特有瘴气。"又句町县:"故句町王国名也,其置自濮王,汉时受封迄今。"按句町今通海县北蒙自一带,是云南东部之濮而地位最南者,余皆在其北。

《华阳国志》卷四:"南中在昔盖夷越之地,滇、濮、句町、夜郎、叶榆、桐师、嶲唐,侯王国以十数。"其滇濮并称,亦指东部之濮。

《汉书·地理志》越嶲郡青蛉:"临池濟在北。仆水出徼外,东南至来惟入劳,过郡二,行千八百八十里。有禺同山,有金马、碧鸡。"《华阳国志》:"有盐官。濮水同出山(按:当作'出禺同山'),有碧鸡、金马。"按金马、碧鸡,或谓神道或谓山名,或谓在蜀或谓在滇,各有异同,然总以在今滇池一带较为可靠,[③] 以青蛉之地位按之亦合。是言滇中北部之有仆水濮水也。或谓仆水即今澜沧江。陈澧《汉书地理志水道图》:"仆水今云南维西厅澜沧江,源出西藏……至越南,曰洮江,曰富良江,至越南东境入海。"《云南通志》亦采此说。按澜沧江非发源西藏,下流亦非富良江,且澜沧过洱海不及滇池,与金马碧鸡之说不合,又澜沧乃一大水,如有异名必

---

① 见王菘《云南备征志》卷一,王应麟引注。
② 见王菘《云南备征志》卷一。按王恭修道光《云南通志钞》即取其说,现该志作者仅见其残存二卷——《边裔志》及《土司志》,其所据则不考。
③ 见袁嘉谷《滇绎》卷一。

见于史。章太炎《西南属夷小记》："依今水道，濮水即河底江，东源出云南梁王山，西源出赵州南山，合东南流至于元江，又东南至河口，出交趾，称富良江，入南海。"盖本王先谦《汉书补注》。按元江说较近似，但亦无确据。《水经注》："俺水出越巂遂久悬徼外也，东南至青蛉县，县有禺同山，其山神有金马、碧鸡。"是仆水又有异名。

《永昌郡传》："云南郡在建宁南二十五里，治云南县，亦多夷濮分布山野。"是云南中北部之濮。又"（云南）郡西南千百里徼外有尾濮，尾若龟尾长四五寸，欲坐辄先穿地以安其尾。若邂逅误折其尾，便死其地，并西南蒲罗，盖尾濮之地名也。"是述西部之濮，而地位亦较南者。

《华阳国志·南中志》述哀牢"有穿胸儋耳种，闽，越，濮，鸠，獠，其渠帅皆曰王"。又"明帝乃置郡……有闽濮、鸠獠、僄越、躶濮、身毒之民……有大竹曰濮竹，节相去一丈，受一斛许"。是指西北部之濮。

《南中志》述："李恢迁濮民数千落于云南建宁界以实二郡"（按：二郡指永昌、云南），是谓云南之濮，系由四川移来者。此点颇可注意。

三 古籍中濮之地位

兹再将前述秦汉前史籍中濮之故事考其位置，则大皆不关川滇之濮。

（一）指今冀鲁豫间之濮者

《左传》昭公九年："然丹迁城父人于陈，以夷濮西田益之"，是楚灵王八年（前533）前之事。是年灵王使公子弃疾将兵灭陈，灭陈后实行大移民政策："迁许于夷，实城父，取州来淮北之田以益之。伍举授田许男，然丹迁城父人于陈，以夷濮西田益之，迁方城外人于许。"是迁许人于城父，迁方城外人于许，即以楚人移殖占领地，移占领地之人以化夷之政策也。

考城父在樵郡，方城在今河南南阳北，许陈皆在河南北部。注："夷濮西田，夷田在濮水西者。"此濮水当即前述注于巨野之濮水，其西地恰邻陈。楚决不能以云南或湖北之田加之河南北部也。又其时华夷杂居，此一带之地为"戎"所居。楚以其蛮夷之乡因而夺之，固甚合理。

前述刘良谓巴中有濮姓。按《姓苑》："齐大夫食采于濮……因氏。"此亦指冀鲁豫之濮，齐之封地不能远达四川。又按《路史》："濮氏即百濮之族，又有舜之子散于濮者。"舜子封濮，设有其事，亦当在黄河一带。

《文选》潘岳《笙赋》："故丝竹之器未改，而桑濮之流已作。"阮籍诗："北里多奇舞，濮上有微音。"按《礼·乐记》注："濮水之上，地有桑间者……桑间在濮阳南。"此即前述之濮阳。《汉书·地理志》："卫地有桑间濮上之阻。"然此所谓"桑间濮上"者，仅指地名，未言种族。

（二）指江汉间之濮

江汉之间，北联楚地，东接吴越。楚人与濮发生关系者，除前述以地益陈事外，俱指此地之濮。

《左传》昭公元年"吴濮有衅"之语原为假设之词，然濮可假设与吴构衅，此其地必在江汉之间始合理。又昭公九年"巴濮、楚邓，吾南土也"，以其次序言，由西而东，濮亦当江汉之间，此濮虽亦可指四川，然既言巴当不再言濮。又《尔雅》"南至于濮铅"者，曰南，自中土言，亦指江汉之间之濮。

此濮与楚之关系，见于春秋者凡五次，兹分述之。

第一次：周宣王六年（前822），楚熊霜死，三弟争立，二弟死，三弟熊堪逃难于濮，而从其俗。见《国语·郑语》及《史记·楚世家》。

第二次：平王时，楚蚡冒始启濮，见《国语·郑语》，韦昭注："濮，南蛮之国，叔熊避难之地也。"

第三次：桓王十六年（前704），楚武王伐随，随允代请于桓王以封楚为王，武王乃与随盟而去，移其兵开濮地以有之，见《史记·楚世家》。按随在鄂中，去随而伐濮，必江汉间之濮也，楚既有其地，其地必邻楚。

第四次：匡王二年（前611），庸人率郡蛮，麇人率百濮，聚于选，将伐楚。楚拟迁都以避之，蒍贾曰不可，以百濮离居，不能团结，不足为惧，乃出师伐庸，百濮果惧而还，楚遂灭庸，见《左传》。按庸在鄂西，濮既与之合作攻楚，此濮必在楚之南或楚之北，当指江汉间之濮也。

第五次：景王二十二年（前523），楚平王以舟师伐濮，事见《左传》。

既曰以舟师，是指江汉间之濮也。

由此亦知此濮之性质，离居，骁勇，屡为楚所伐，然楚亦未能服之。

（三）指今云南之濮

以上所述诸濮故事，俱与西南无关。其可指云南之濮者，唯《逸周书》"正南……产里、百濮"及"黑齿白鹿、白马"、"卜人以丹沙"二句。所谓产里即今云南车里，"卜人"则据王应麟注即"濮人"。

按车里故事，见于《韩诗外传》卷五、崔豹《古今注》卷上，越裳氏重九译来献，使者速其归路，周公作指南车导之归然。二书虽言指南车，并未言导归于车里。且越裳氏不在滇，《古今注》述其归路，"缘扶南、林邑海际，期年而至其国"，是亦未入滇。今之车里在滇最南端，即江洪，旧名锦窆，盖译自僰语"ꪲꪒ"（Jung Hong），车里一名始自元之"彻里"元世祖置彻里路总管，译自蒙语，与指南车之车无关，亦非必即是产里。再《王会解》"正南瓯邓、桂国、损子、产里、百濮、九菌"，凡六国，产里其一，百濮其一。产里、百濮俱"正南"之国，非必在滇。前述濮之在滇者，皆在北部，未有在滇南者，而车里则在滇最南端。百濮献"矩狗"，明清职贡，顺宁供矮犬，"矩狗"非必"短狗"之误，倪蜕有考证。总之，指南车之说，颇多传奇，《逸周书》亦非皆信史，其时交往，未必能若是之远边也。

黑齿、卜人句，孔晁注："黑齿西远之夷也……卜人西南之蛮也"，王应麟补注《西南夷志》："黑齿蛮在永昌关南，以漆漆其齿，见人以此为饰，食则去之。太平御览之卜人，盖今之濮人也。"按孔晁以黑齿卜人俱西南蛮夷，固属无误，王应麟以黑齿为永昌关南之蛮，容或有之。但黑齿不必限于永昌，今之摆夷南安人均有黑齿。《管子·小匡》："南至吴、越、巴、牂牁、𢂺、不庾、雕题、黑齿、荆夷之国"，所述似不远及永昌。《三国志》："倭国东南有黑齿国"，更与永昌无关矣。黑齿非必在滇，卜人亦非必在滇，"卜""濮"虽音近，亦未必即同也。

总之，《汲冢书》所述，漠远简略，其事可疑甚多。滇中固有濮人，而春秋以前殊少道及。唯若以僰为濮，以哀牢为濮，则另有说矣。容下述之。

四 濮之国与濮之族

濮族之名，或得自濮水，或译自夷音，或缘于"臣仆"之仆。然称
"百濮"者则指国名。古人"国"之义与今不同，盖有王者皆曰"国"，而
原始部落均有王或酋长，故均为国。按此则"协和万邦"之语并非夸张。
百濮之国，在江汉者有之，在云南者有之。在豫鲁及四川者虽未称以"百
濮"，然亦有其部落，是亦有其国。袁嘉谷谓："濮见周书，百濮见《左
传》，盖湘桂黔间最大之国，特不一种，故曰百濮。"① 按其国虽多，却未必
大，如有大国，则不称百而另有国名。倪蜕谓："百濮犹夫百粤也。"② 百粤
之大者亦不称百粤，而称瓯粤、闽粤、东粤、南粤。

倪蜕《滇云历年传》："今百粤既合闽、浙、两广而西并称之，则濮亦
合楚蜀滇黔而以百名，想复同耳。董难作《百濮考》，以会孟津者确是顺宁
之蒲蛮，亦非也。窃谓百粤百蛮，百濮其为地也无不广袤数千里，岂一隅之
迹所能概？孟津之会通指八国，③ 皆西南夷耳。"濮国者倪蜕所释甚是，其
"合楚蜀滇黔而以百名"一语尤有见地。但当时言楚之百濮者恐非合滇濮，
后之言滇之百濮者亦不及楚之。百濮既为通称，濮亦成通称。如《水经注》
述夜郎"得一男儿，遂雄夷濮"，夷濮犹言蛮夷也。

张道宗《记古滇说》："滇水周三百里……西穷极，有大秦国……徼濮
国。"此徼濮国则系指一国名言，非百濮国。百濮国应说"百濮之国"或
"许多濮的部落"。

濮之民族何属？殊难考证。董难作《百濮考》："睹濮地与哀牢相接。
余按哀牢即今永昌，濮人即今顺宁所居名蒲蛮者是也。"又曰："余又以僰
音按之，濮字在濮音亦合一屋韵，蒲字在僰音亦合七虞韵。僰语称其人为濮
而不称蒲，是一证也。"又"濮"从"仆"从"人"，"僰"亦从"人"，即
《易》之"童仆"，《诗》之"臣仆"，用以卑蛮夷之谓也。准此，则濮人即
古哀牢，即后之僰，今之摆夷，属泰族。

---

① 见袁嘉谷《滇绎》卷一。
② 见倪蜕《滇云历年传》。
③ 即指《书·牧誓》所谓"庸、蜀、羌、髳、微、卢、彭、濮人。"

　　按董难之说，仅据"地与哀牢相接"一语，但据前所考，则与哀牢相接者不过濮之一部，且非濮最多之一部，濮之中心地带，亦远不及哀牢，而哀牢传中亦从无连及濮人之事。今之蒲人或濮蛮，固与濮音相同，但历来之以此音见称者，为数至多，如"扑蛮""仆蛮""蒲蛮"[①]"蒲剌"[②]"三濮""扑子蛮"[③]"尾濮""木棉濮""文面濮""折腰濮""赤口濮""黑僰濮"[④]"蒲曼""濮曼""濮騩"[⑤] 等，其种族均未能考定。即以今之濮曼人，谓属泰族者，不过就其信佛教而言，或以之列入懵克墨族，[⑥] 然其人体格肤色，近于卡瓦崩奄人，作者曾就其性格文化等论列为属藏缅族人，而与较此族先由北南移之缅甸人与较此族后由北南移之粟栗人古宗仁等，成一系列。盖以为藏缅族为由北南移之高原民族，泰族则由南北迁之热带民族。据上文所述，则濮人之在云南者，仅在其北部，南部绝少见闻，而四川江汉之间，则屡有濮人事迹，与泰人迁移之迹不同也。

　　暹罗人述其历史，认为泰族原系中原民族，受汉人压迫而逐渐南移，见于著名之 Prince Tamrong Rojanubhab 之《暹罗古代史》，西洋学者，如 Terrien de Lacouperie、Clipton Dodd、W. A. R. Wood、Mrs. Milse 等，实为此说之倡导者。此种说法，年来我国论者曾屡有辨正，斥其无稽，作者前亦曾论此说，而谓其唯一可能之根据，只可于濮族迁移之迹中求之。盖古濮族之记载，曾见于中原黄河流域，又见于长江流域，又见于西南边疆也。但据上文所考，则濮族事迹，亦不足为暹罗学者所说之证。

　　冀鲁豫之濮，由濮水而得名者，与江汉及蜀滇之称百濮者，似无何关系。史记中既无其迁徙之记载，叙述时亦不并称，且前者称水尤重于称人，故应与后者分列，而为普通人之居于濮水者，或系东夷之在濮水者，或即戎之一部。史记此濮，亦并无蛮夷之谓。

　　蜀濮之迁滇，有李恢移民之记载，江汉之濮，则不见移殖之说。但以地理及历史言，江汉之濮因不断受楚之攻击而西移，沿江而入川，又由川而入

① 见《南诏野史》。
② 见《南诏野史》。
③ 见毛奇龄《云南蛮司志》。
④ 见郭义恭《广志》；《通典·边防典》。
⑤ 见《云南通志》。
⑥ 见彭桂萼《顺镇沿边的濮曼人》，《西南边疆》第 7 期。

滇，亦甚合理，此是一种假设。又《华阳国志》有堂螂为濮人故邑之言，若以此濮人乃发源于川滇边界，北向川，南向滇，东向楚而发展，亦甚合理是又一种假设。无论何者，均可认为江汉之濮与川滇之濮为一种，但不见其由南部移来或由中原徙入之证。

吾人不若称古濮人之族曰"百濮之族"，正如吾人称三苗为"三苗之族"（作者另文考三苗之族）。《皇清职贡图》谓："蒲人即蒲蛮，相传为百濮之苗裔"，此"相传"殆亦与相传苗人为三苗之裔者同，不足为证也。

〔署名吴之光。原载《益世报》（重庆版）1941年4月3日、4月10日、5月8日〕

哀牢考[*]

——历史上中国境内之泰族

今哀牢山在云南新平县西，景东镇沅二县东，界于沅江，为泰族人活动之区域。但哀牢传所述古哀牢尚在此山之西北，在今保山即古永昌一带。保山东有安乐山，相传夷语讹"安乐"为"哀牢"，即是此山。实则恐非夷人所讹，而为汉语化哀牢为安乐也。

哀牢来源有二说：一谓沙壹之后，一谓天竺阿育王之裔。《后汉书·西南夷传》：

> 哀牢夷者，其先有妇人名沙壹，居于牢山，尝捕鱼水中，触沉木若有感，因怀妊。十月产子男十人。后沉木化为龙，出水上。沙壹忽闻龙语曰："若为我生子，今悉何在？"九子见龙惊走，独小子不能去，背龙而坐，龙因舐之。其母鸟语，谓背为九，谓坐为隆，因名子曰九隆。其后长大，诸兄以九隆能为龙所舐而黠，遂共推以为王。后牢山下有一夫一妇复生十女子，九隆兄弟皆娶以为妻，后渐相滋长。

常璩《华阳国志》所载与此同，唯称"九隆"曰"元隆"，"元隆犹汉

---

* 本文原为《古代云南与中土关系之研究》第 1 章第 3 节"哀牢民族考"，经修改补充后发表。——编者

言陪坐也"。《南诏野史》所载，则添述其姓氏：

> 《哀牢夷传》：哀牢蛮蒙伽独捕鱼易罗池，溺死。其妻沙壹往哭之，水边触一浮木，有感而妊……故名曰九隆氏。哀牢山有大妇，名奴波息，生十女，九隆兄弟娶之，立为十姓：董，洪，段，施，何，王，张，杨，李，赵。皆刻画其身像龙文，于衣后着尾。子孙繁衍，居九隆山溪谷间，分九十九部而南诏出焉。

杨慎《滇载记》又稍异其说曰：

> 滇域未通中国之先，有低牟苴者，居永昌哀牢之山麓，有妇曰沙壹……

《南诏野史》载沙壹为蒙伽独之妻，《滇载记》述为低牟苴之妇，此二名字甚重要，盖使其传说得附会于天竺来源之说也。其说亦见于《南诏野史》：

> 《白古记》西天天竺摩竭国阿育王骠苴低，娶欠蒙亏为妻，生低蒙苴，苴生九子。长子蒙苴附罗，十六国之祖（按：指胡人也）……五子蒙苴笃，生十二子，七圣五贤，蒙氏之祖（按：即南诏之祖也）。

此传说虽包括数大族，然仍以西南诸族为主，尤以蒙氏为主。《南诏野史》所述沙壹之夫蒙伽独，当即第五子蒙苴笃，为蒙氏祖者也。苴音"斜"，与"伽"一音之转，"独""笃"则同译。滇载记所述之低牟苴者即低蒙苴，蒙苴笃之父也，所云其妇"沙壹"者，其儿媳也。若此则三说可以相合。

或谓杨慎书托自《南诏野史》。按《南诏野史》取自《白古通》，大约为明阮元声所作，记有万历十三年（1585）事，慎概不及见，其题"倪辂集，杨慎标目"者盖伪。杨慎之《滇载记》，据云译自爨文《玄峰年通志》，盖甚可靠。又张道宗《记古滇说》，亦载其事。是此种神话，在夷汉人中，俱流行甚广也。

将天竺神话与沙壹之说相合者，必起于后世之附会，而其附会必在印度宗教传入之后。泰族今为佛教民族，其居中国者信佛教者约百万，不信佛教之水摆夷、花腰摆夷、龙家、水家等亦不下百万。二者生活种族无大差异，必同源出者。今日泰人所信之小乘，为间接由缅甸、柬埔输入，但古代泰族则早信大乘佛教。据陈序经称其教至迟在五六世纪时已经输入（见《今日评论》第 1 卷第 6 期），若按南诏国之历史言，或可更早。阿育王之神话，必起于此时。故《汉书》《华阳国志》均不载其姓名。沙壹之传说，则早在阿育王神话输入之前。南诏建国时已为佛教国家，彼等对天竺来源之神话必竭力提倡，盖此神话足将其本族地位提高，且可附会哀牢夷而使之成一系也。据此，则南诏以前之历史，可赓续如下：

天竺摩竭国阿育王骠苴低，传子低蒙苴。低蒙苴第八子蒙苴颂，建白崖国。传若干世至九隆氏，即哀牢夷。又传四世至仁果，元鼎六年受汉武帝封为白子国王。仁果传十五世为龙佑那，受诸葛亮封为建宁国王，赐姓张。又传十七世至张乐进求，于唐贞观二十三年受太宗封为首领大将军，后逊国与蒙细奴逻，而蒙细奴逻者，乃阿育王第五子蒙苴笃之卅六世孙也。蒙细奴逻乃建南诏国。

此系统系杂合自《南诏野史》《滇载记》《纪古滇说》，以及诸葛元声《滇史》、谢在杭《滇略》、冯甦《滇考》、邵远平《续宏简录》等文，其中牵述甚远，各不一致，笔者另有文考之。今所欲见者，乃在说明此有系统之传说，非出于偶然，亦必经过有力之提倡，此提倡者即南诏国也。南诏自称为哀牢之后，而今之泰国自称为南诏之裔，若是则哀牢为泰族人。因论哀牢之民族问题。

哀牢为泰族之说相沿甚久，而法人伯希和氏（Paul Pelliot）首怀疑之。前年暹罗改名泰国，盛倡大泰族主义而排华，引起中国学者群起攻击。其论据之一，即谓哀牢非南诏之祖，南诏亦非泰族之国。如周锺岳（见《新动向》第 3 卷第 3 期，昆明出版）、方国瑜（见《新动向》第 3 卷第 6 期，又《益世报》1939 年 10 月 2、9 日）、张凤岐（《新动向》第 3 卷第 4 期）等氏俱为文申论。其理由可归纳如下：

（一）南诏之后称白子，僰夷，民家，而不称摆夷。"摆"非"僰"，亦非音转。如周致中《异域志》、《明一统志》、田汝成《行边纪闻》，均将僰夷与白夷分述。陆次云《洞溪纤志》将僰人与摆夷分述。明李元阳《云南通志》始改称僰人为白人，摆夷为僰夷，而开混乱之源。又元明史料中记述僰人者大都与今之摆夷不合而合于白子。

（二）《南诏野史》所记低蒙苴之神话中，第五子为南诏之祖，第九子为白夷之祖，第十子为哀牢之祖，故摆夷南诏哀牢为三族。

（三）习俗不合。今摆夷金齿、耐瘴，《南诏传》中无记述者，且记其因瘴而死。今摆夷文身，喜浴，《南诏传》中无记述。今摆夷黑齿，南诏人不黑齿。

（四）哀牢谓背坐为九隆，陪坐为元隆，今之摆语则否。

（五）哀牢或南诏史中，均无属于泰族之积极的证据。

上列各点亦非无据，但仍不能即谓哀牢非泰族。兹亦分数点述明之。

（一）僰，《风俗记》"僰于夷中最有人道，故从人"。说虽无征。但僰字并无其他含义。《说文》"西南僰人焦侥，从人"，《礼·王制》"屏之远方，西方曰僰"，是除"从人"外均无他含义，是此字最重其音。今之摆夷自称 Tai 或 Thai，中国译音之摆、白、百、掸、僰，当同系音译，不应有别。田汝成《炎徼纪闻》："僰人在汉，俗呼摆夷，为犍为郡"，是田汝成并未将"摆""僰"分论也。谓误"摆"为"僰"始于李元阳之说，亦未可征信。

（二）《南诏野史》中固述南诏、摆夷、哀牢为三族，但三族同出一父，此并不足证以证明二者非一族，反可见其同为一族。低蒙苴之神话虽将东胡、吐蕃、汉人等均述入，特以吐蕃与汉人均与南诏有交往，胡则早著称于史，盖其说仍以泰族为主，而使其与汉人地位平等者也。

（三）哀牢、南诏习俗，见于史籍者甚简，有与今摆夷相同者，有与今摆夷相异者。且习俗有古今之变，未可据一二事以为论断。即以前述相异者言，如《南诏传》记中记有其军死于瘴之事，然不能因此谓南诏人均不耐瘴。因其地固瘴区，南诏人如均不耐瘴，则根本不能生存也。又谓南诏人不黑齿，南诏《德化碑》有"建都镇塞，银生于黑嘴之乡"。按樊绰《蛮书》："银生城去龙尾关十日（程）"，其地在今景东，亦南诏所辖之区，是至少南诏中有一部为黑齿者。《哀牢传》中有"刻画其身像龙文"，"哀牢人皆穿鼻儋耳"，《华阳国志》述其"臂胫刻文"。今摆人之文身者，亦多作龙蛇之形，又有两耳穿孔系以铜环者，与哀牢之俗正合。又哀牢人"于衣后着尾"，与今摆夷之前短后长之衣饰亦相似也。

（四）近人多根据一二语言以论民族，其实颇多疑问。盖史记民族语言，多为文化语，而文化语多为外来。"九隆""元隆"音与今摆夷语"背坐""陪坐"不同。但摆语坐为 Nan，川滇汉言常混 N 入，如倮倮自称为 No，汉译为 Lo，是 Nan 之音谐为 Lan，而与"隆"酷似。坐为动词口语，较为可靠。"背""陪"在汉语已非口语，必非相当于"九""元"之音者。且"九""元"，一为满数，一为吉庆语，恐非原因，而于译时别掺意义。又南诏呼"王"为"诏"，今之暹人亦然，是南诏为泰人也（按南诏并非全为泰族人之国，继南诏而起至大理国疑非泰族，容另为文考之）。

（五）《后汉书》述掸国事于《哀牢传》中，哀牢王类牢为汉所杀，掸国遂入贡。《哀牢传》有"有梧桐木，华绩以为布，幅广五尺，洁白不受垢。"李贤注引《广志》："剽国有桐木，其华有白氄，取其氄淹绩缉织以为布也。"剽国即掸国，六朝时改称者也。掸国、剽国人为泰族，则无疑义。哀牢与之相类，似亦泰属。又泰习俗，多与水龙等相关。《哀牢传》说固生于水中浮木，木又化为龙，九隆氏亦可作九龙氏，又"推子至池上"，殆浴也。凡此均与泰族相合。

（六）反对哀牢为泰族者，以哀牢乃昆明蛮。《南诏野史》载南诏之前世有白崖国、昆弥国、滇国等。昆弥即昆明。但《南诏野史》之说绝不可靠，如其所谓滇国即庄蹻之国，庄蹻之昆明为今之昆明，非古桦榆之昆明，绝不涉及白崖昆弥也（见拙作《庄蹻王滇考》，载《益世报》史学副刊第 21 期）。按后之昆明蛮或昆弥蛮即《史记》所谓"嶲、昆明皆编发随畜徙迁，毋长处"者，余以其人为藏缅族，盖其时正藏缅族人大批南徙之时，而泰族人于时尚未向北活动。《文献通考》称昆明蛮"辫首左衽，与突厥同"，按中国史向称寒带蛮族"披发左衽"，热带蛮族"断发文身"，昆明蛮类突厥，是山地寒带之藏缅族也。又颜师古注《汉书》，谓昆明"即今之南宁州，诸爨所居，"是其地唐时仍藏缅族人。《哀牢传》述"建初元年（公元 76 年），哀牢王类牢与守令忿争，遂杀守令而反叛，攻越嶲唐城，太守王寻奔楪榆，哀牢三千余人攻博南，燔烧民舍。肃宗募发越嶲益州永昌夷汉九千人讨之。明年春，邪龙县昆明夷卤承等应募，率种人与诸郡兵击类牢于博南，大破，斩之，传首洛阳"。此为史记哀牢之第一次叛乱，而最后平乱斩哀牢王者则为昆明蛮，足见昆明蛮与哀牢非同种，而为相对民族。昆明蛮既为藏缅族，哀牢似即泰族，因此时正藏缅族与泰族在西南竞相发展之时也。

（七）《后汉书》又记："建武二十三年（公元47年），其王贤栗遣兵乘箄船南下江汉，击附塞夷鹿茤。鹿茤人弱为所擒获。于是震雷疾雨，南风飘起，水为逆流，翻涌二百余里，箄船沉没，哀牢之众溺死数千人。贤栗复遣其六王将万人以攻鹿茤，鹿茤王与战，杀六王。"按此为哀牢之第二次向外发展，结果为鹿茤所败。鹿茤疑即僾僾，亦藏缅族也，若是则又为泰族与藏缅族竞争之一例。盖藏缅族之徙入西南，较泰族为早，泰族之向北南东发展，屡为藏缅苗族及汉人所阻，只得栖于云南西南边界，为哀牢、掸国、车里。至六七世纪始兴盛而为南诏。当时受汉化最早者为藏缅族之僾僾，故哀牢王贤栗于战败后称："今攻鹿茤辄被天诛，中国岂有圣帝乎？天佑助之，何其明也？"称鹿茤为中国，遂率种内属。

南诏为哀牢之裔，见于《唐书》、《南诏野史》及杨慎《滇载记》亦述及，二者多取自爨文。其余史籍，如《册府之龟》、樊绰《蛮书》及近人之著作亦皆然之。反对此说者只根据后汉书九隆世系之推算。九隆至贤栗至少有十三四世。贤栗降郑鸿在建武年间，以三十年一代计，九隆至迟亦在周显王时，其时永昌郡是否为泰族发展所及，颇可怀疑也。

按《哀牢传》开始即曰："九隆代代相传，名号不可得而考。"沙壹沉木之说，原属神话，神话所传之时代必在"不可考"时始有作用，但神话发生之时代必在可考之时代，即必在其所传时代之后也。沙壹沈木之说，发生于哀牢人卜居永昌以后，佛教输入以前。周显王时有无哀牢其人，吾人不知，亦不必知，因设无其人，亦无此神话，毫无不合之处也。吾以为泰族为沿澜沧江、怒江向北迁移之民族，永昌近在咫尺，周显王时，有此族活动，亦非绝无可能，特必未能建立大国，否则曾亲历滇境之太史公必有所记也。W. Clifton Dodd 于所著 *The Tai Race* 中谓纪元前五世纪前泰族已分布怒江西部。又张道宗《记古滇说》谓周宣王时，天竺阿育王"遣舅氏神明统兵迎之，为哀牢彝所阻"。但 Dodd 系推测之言，张道宗所据之神话为纪元后四五世纪之产物，皆不足为证。总之，须知神话所传之时代，必远在神话发生之时代以前，明乎此，即不必再辩矣。

〔署名吴之光。原载《益世报》（重庆）1941 年 5 月 22 日〕

五四告今日青年

谁曾见过这个：四千年悠久的光荣历史，四千万里的田野山林，四万万中华的男女，断送了历史，断送了土地，断送了自由？

他们在忍辱呻吟：

你们这些盗袭者们呀，你们这奴性的一群……

Horace 被二千年前的诗人讽笑？

但，现在他们举起自由的旗帜，发出钢铁的歌声。他们在创造人类历史上的一页伟绩。

而站在最前面的便是那充满了热情的中国青年男女。

青年的身上，集中着一切勇敢泼辣的狂热，质朴坦白的情操，他们还有一个崇高伟大的理想，和一个坚挺倔强的信念——为了这个信念他们准备着牺牲全部的生活，甚至全部的生命，贡献给民族的祭坛。

他们像五月正午的太阳，那样清明，那样鲜红，那样光亮，也那样热！

青年们降临到这个世界，这个国度，只知道快乐，不知道痛苦。他们看不惯那些人忍受痛苦，沉于黑暗，他们天真的要反抗，追求光明。

呼吸人世第一口空气时，他们便步入了战场。

一口不自由的空气的哽咽——这个国度里，父母们遗给孩子们的灾难——忍辱服从和禁欲，乐天俟命和中庸。处处在挫折青年倔强的性格，压抑青年奔放的思想，斫伤青年丰富狂热的感情。要"少年老成"，孩子们挂上老人多虑的面纹，像是看穿了人生，随波逐流于社会。潜移默化于封建废墟，其貌惺惺而其心惶惶；蜷伏于权威信奉和神秘的戒律，沉睡在封建文化的眠歌中。

孩子们的心看不惯这个，同时听见了自由歌声：还在欧亚大陆彼端，还在太平洋彼岸和东方临近的樱花岛上。

于是，五四运动来了。

五四运动疯狂了一些青年，有不少人想作柯满纽丝（共产主义者——编者注），或窝伦泰（志愿者——编者注）。但这个国度的事情，总是使青年可怜！戊戌政变即谕命"庙产兴学""九旗改习洋枪"，到慈禧时必"恢复典庙""武试马步箭刀弓石"。"德谟克拉西"和"赛因斯"确曾叫嚣了中国，而中国今日仍不是一个现代化国家。"科学方法"只剩了"整理国故"，新青年亦永只是中国的章太炎和欢迎来的泰戈尔。到了今天仍要我们来呼吁统一、民主、科学——现代化中国。

曾见过一条疾驰的光明，但遗下了深长漫漫的黑暗。

光明再起时，眼花缭乱了：五四未完的任务，仍在今日青年肩上，而新的耻辱和新的容忍，更刺激了他们。环境更苦恶，路途更崎岖，责任更重大。封建文化重被提起，新学说也源源输入。读经复古，左派右派，混乱无比，亦派别分明，你不我让。更可怜青年们亦傍入门墙，党派自居，冥念幽邃远古之再来，或静待民族复兴的奇迹，或幻想大同世界之光临。忘掉了今日中国，更忘掉了今日中国青年。

制造名词，搬弄公式，歌颂偶像，或缅怀古人，此外文化便只剩了些可怜的标语口号，标语口号支配着积郁愤怒着的青年的心，作唐·吉诃德的解嘲了："监狱算什么，我在梦中还是自由的，甚至于还飞呢！"

例如，"一二·九"后许多青年进监狱了，他们难仍可作自由的梦，但救亡运动到处树立了仇怨，青年人和前一代人中筑了一条嫌忌的鸿沟，彼此不了解，更至彼此仇恨。青年还没有面见敌人，然而已是接连不断的悲剧。

不断的呼喊变作了平常，不断的刺激也迟钝了青年的感觉。今日青年有比五四时代更丰富的知识和经验，也有比任何时代都有悱恻的苦闷。

失掉了青年泼辣倔强的精神，摇动了热忱的理想和坚定的信念。青年过着成年或者老人的生活，沉思多虑，冷酷惛默生活简单到只保持着生命。他们读书、研究，但很少表示。深怕自己所想的"不正确"而不敢一点放纵自己的思想；深怕越过了公式和原则而不敢袒露自己的意见；只想获得正确的理论而不知建立正确的理论；一点天真的感情和质朴的直觉，亦囿于原则和公式的理论枷锁。

前一代人所遗给青年者良多，而有益于青年者良少。遗给了忍辱俟命、中庸缅古、抱残守缺的大义，不然就是默待治者，歌颂偶像的教条，或制造名词，搬弄公式的理论。前一代人给青年过多理性的责难，很少情感的启发；过多的压制和法律，很少诱导的精神。消沉枯瘦了青年的性格，文化的眠歌更甚于政治的魔手。

青年们要求一个新的文化——青年文化。

——真实的内容，莫再是皮毛的公式；丰富的思想，莫再是思想的骨架；要求政治的知识和精神，不是政客的技术和捷径；要求今日的自由，莫再使我们空忆幽邃的远古或许我们于杳渺的未来；宁可使我们单纯些，莫再将不相干的名词诱惑我们微弱肿胀着的脑海。

青年们要求一个新的精神，青年精神。

——唤回青年人特有的性格，勇敢、挺实、天真、热诚。青年看不惯黑暗，怯懦忍辱和荒淫庸俗——人类社会的耻辱。青年怵惕的憧憬着历史上一切伟大的狂涛，一切动人的运动，一切狂涛中的人物；宗教革命和社会革命，虚无主义和布朗吉主义，革命者的就义和传道者的殉难——一切历史上青年愤怒所扮演的历史，歌泣愤怒人群的怒吼，也赞美愤怒的英雄。琼·得·阿克也许是更近于神话的姑娘，苏菲亚必是时代的女性；柯满纽丝和窝伦泰也许遥远生疏，凯末尔、孙中山、印度的沙克特拉瓦拉、巴西的普烈士底，必是他们最具体的榜样，那些民族英雄澎湃奔放慷慨雄壮的事迹，最警惕这一代青年，使他们有一种内心的需要，决心再现我们被吞噬了的土地与自由。

献身予救亡，"不仅为着要实现一个显明的具体的目标，而是为了满足他们的内在感觉"，满足内心的需要。如司特普尼亚克所说："这样的热情，这样的信仰，这样的快乐，人们一生只能经验一次！"

"一生只能经验一次",亲爱的中国青年男女!莫再逡巡,莫再迟疑,中国人民的百年祸福,中华民族的永远荣誉,决于此时,决于今日的青年男女。风雨如晦,也是鸡鸣不已的时候。四千年的历史,四千年的国土,四万万人民,莫再使三千年前的诗人讽笑。

(原载《北大周刊》第 1 卷第 1 期,1937 年 5 月 4 日 "纪念五四特辑:五四告今日青年")

"爱国犯"的呼声[*]

茫茫中国何处是？为谁受苦为谁忙？

我们被开除以后，一向是沉默着，等待着真理与正义的复伸；但一个月来，我们仍然是摒弃在校门之外。眼看着同学们又都回来的时候，而我们是受到失学流离的痛苦了！

关于此事的是非原委，我们不愿多说。承社会人士给与同情，舆论界赐与指示，我们非常感谢。在《益世报》的社论曾有建议如下：

一、向师长道歉，其中同学保证人或家长向学校当局确实声明此类同学此后绝对专心学业不再参加任何公开活动。

二、学校师长宽大为怀，收回处分成命，许青年学生以改过自新之路。

以上两项，我们很诚意的全部接受，谨敢请求仁慈的师长们重加考虑，热烈的同学们赐给援助。

陈元、刘毓珩、黄诚、吴承明　同启

（原载《清华暑期周刊》第 11 卷第 1 期，1936 年 7 月 25 日）

---

* 由于组织并参加抗日救援爱国学生运动，上述四位原清华大学学生于 1936 年 6 月被校方开除。——编者

内地的工作经验

我们——第×军随军服务团——在陕西省凤翔县有一个短时期的勾留，因此我们做了一点短时期的工作。现在我朴质的写一点零碎的经验，供给战时青年的读者。

凤翔是陕西的一等县，但内地乡村的情形很多是我们在都市中想象不到的，这一点非常重要。例如这里也有抗敌后援会，但很难看见一个负责人。例如这里的党部召开反侵略运动大会，动员民众的方式是由每保、每甲限定必出一人，如不出人就罚钱，因此人民对于开会是反对的，因为开会等于拉夫。军政党当局都在这里办过民众学校，招生的方法是由警察到街上拉夫，拉来还要派人看守。我们在这里办了一个民众识字班，未办以前县长和党部都劝我们去叫警察局替我们拉学生，但我们没有采取这一方法，我们仅派了20人出去宣传。结果到了100多人。由此可见，中国内地民众运动的方法是怎样的落后。

自然，工具也和方法同样的重要，这一点应请预备到内地工作者注意。我们团中有两位画家，准备了十几幅大布画，这对于号召和聚集民力有莫大的效力。每一个内地工作团体应该准备的。我们用大幅地画，如领袖肖像、中国地图等，做演剧的背景，这是很成功的。又如，我们在这里印刷宣传品、识字课本之类，全靠自己带的印刷机，虽然忙着赶印，还感觉预先准备的不够。每个到内地工作者应注意，内地的印刷是十分困难。同时像颜色、纸张、参考用书等类的东西都很难买到。我们带了一架很好的无线电收音机，但从没有应用过，因为它一直是在不断的修理着。我们因每天可得到军部的情报，所以报纸虽然要晚四五天看也还不要紧，但大家应注意，像收音机一类的东西，在运动中是有许多困难的。现在每个县政府都有一架收音机，但据我们所见也常是在停工。我们能帮他修理好，他是非常高兴的。

我们因有一部分医生和护士，办了一个诊疗所，这对我们有莫大的帮助。它使我们在民众中建立信仰和感情，每天几十个诊病者是我们工作中最有成绩的对象了。因为中国的内地，像凤翔，没有再比我们更好诊病的地方了。预备到内地工作的青年，如果能邀得一位医师和护士同行，定于工作有莫大的帮助。

宣传最好的方式，莫过于戏剧，我们得到这样一个结论。不幸我们之中只有一位是研究戏剧的，但我们的经验，演员并不缺乏。我们的剧多是自己编的，而群众剧最受欢迎，也最容易作。我们曾创作几个歌剧，用七八支民歌小调，或编一些新词，配合在剧里，他的效力远大于话剧。有人常注意到方言问题，据我们的经验，却不是个重要的问题。

内地差不多每县中都有二三个戏台（多半在庙前），这是最可利用的，我们曾演过十几次戏，有的招待民众，有的调各部军队来看。不久我们便发现在他们的口中，常谈笑着许多戏中的对话，足见他们是了解的，我想原因是：我们演的次数多，而戏目不多。在内地工作，演戏是不怕重复的。

歌咏同样重要，但教民众唱歌还是很难。我们曾教唱大鼓玩把戏的人唱歌，直接教民众却不可能。其原因，还在民众之无组织。我们曾教军队唱歌，每人教一连，但结果不很好。因此我们改变方法，集合连排长教唱歌，这样效力更大些。

乡村民众的情形，和我们在学校所想完全不同。我们曾帮同县长下乡去办理征兵和壮丁训练等事。据我们看见的壮丁有十分之三四是小孩子，他们是代替他父亲或者伯父来受训的。召集保甲长也总有一半是请别人代替或缺席。也许是陕西的特有，联保主任办公处几乎是一个小政府，甚至有私人卫兵。壮丁训练和社会军训同样的缺乏政治教育，这问题非常严重，可惜我们因时间关系对这方面作得很少。预备到内地工作的青年，应当为工作一件重要工作，因为这已是一部有组织的群众，试想组织而无教育是多么危险的事！不但壮丁、社训、军队新兵训练亦同样缺乏政治教育。我们曾做了一点军队政育工作，结果使我们感觉到这么多的国防军而缺乏政治教育，确是太危险的事。

取得士兵的信仰和感情，比民众要容易。也许因为我们也是军队工作人员的缘故，但军队比民众有组织，这一点却重要，我们用两个方法取得他们的信仰和感情，一是演戏给他们看，一是给他们每人种痘打预防针和看病。我们种过牛痘的士兵和民众约有二万人，这是一种最简易、省钱、便当的工作，我们几乎每个人都会。我希望每个预备到内地工作的青年都练习一下种痘，这对你的工作都有莫大的帮助。

最后，还有句话供献给预备到内地工作的青年：

迷信、鸦片、缠足，县政的缺陋、保甲的黑暗，以及一些社会中的钩心斗角，绝非我们在学校中理想可见，因此一入内地，立刻见到许多恶现象和阻碍，假如因此而灰心，而退缩，那只证明你不了解中国。须知道，你为祖国工作，就要为工作而斗争。一方面要有忍耐刻苦的精神，一方面要注意你的联络和交际。我们这个团体，因有个第×军的特殊地位，所以遇到的阻碍很少，例如我们可以参加抗敌后援会动员委员会中做实际的领导，也可以请县政府和党部帮助我们。但如果是普通的民众团体，那就要费一番联络和交际的工夫。这是我们青年人最不高兴干的事，但也是你必须干的事。这时我们只有一个方法可以成功，就是要忍耐、要委曲求全。

（署名吴之光。原载《战时青年》1938 年第 6 期）

一星期的士兵工作

——谈经验

我们工作的地点还有点问题没有解决，所以我们有一个星期的工夫到×师×××团去工作。

这一星期中给我们很多宝贵的经验，给我们很大精神上的兴奋。

我们工作的有十六个单位，十二个连，一个看护班，一个模范队，和两个团直属部队。我们每个单位中派了两个或一个连指导员，另外组织一个团部。因为各队驻在地不同，所以还有三个同志担任三营的总事务。

连指导员要同士兵共同生活，经常的作个别谈话，个别的解决问题，领导小组会，领导游戏等。但，一方面是我们努力不够，一方面是各部队官长对我们太客气了，所以我们很少的人做到了共同生活，其余的都被当作贵宾，饱受了极好的招待。

我们每天担任三小时的学科，内容是政治八小时（总理遗教、抗战认识和民族英雄）、卫生两小时、唱歌两小时、自然两小时、急救常识两小时、识字运动两小时。这些课程由我们四十几个人分组担任。看护班的课程便不同些，他们的内容更多也更专门一点。

这一星期的生活，是异常紧张的。每天五点半号声响了，马上爬起床来，早晨有一段精神讲话，我们所讲的是时事，随后开始跑步。这时感到体力的不足，因为我们常常跑不及弟兄们！

学科和卫生科之外，每天有两小时的游戏唱歌时间，这是我们和士兵们生活最快乐的时候，在这时我们也发现很多有特殊技能的人，在差不多两千人的青年队伍中，有不少的天才歌咏家，运动家，或对京戏，小调，相声等有特长者。这时各处都是欢喜和歌唱，士兵们那样的天真活泼，又天生的那样的喜好竞争，无论哪一方面，谁也不甘落后，我们在用种种竞赛的方法，一般的提高了每个人的精神和技能。有一营曾开了一次运动会，有一营开了一次长途竞走会，有一营开了一次军民联欢大会。在联欢大会里特别使我们兴奋，每连都有戏剧歌咏和很多项的表演，他们能自己编剧自己排演，他们同老百姓一起搭台子，筹备一切，老百姓自己也写标语做宣传。无论在感情上，在意志上，都是军民一致。

晚上是小组讨论会的时间，我们每天规定题目，讨论或以班，或以排为单位，由士兵自己作主席和记录，我们从旁指导。如果你看到他们的记录，一定觉得惊奇，他们差不多每个人都能很勇敢地起来发表意见，而且颇为条理分明。我们发现很多很多的讲演家，声调、语气，慷慨激昂的神情，丰富的战士的感情，的确比我们好得多。有的能作国际政治分析，有的常能引用中国和外国的战争史料，对于抗战的认识，对于军民关系的理解，一切都使我们惊异，因为我们以前的确不知道中国的士兵有这样高的政治水准；我们曾举行演讲会、壁报等，一个士兵的演词中说："生活就是战争，战争就是生活。"一个士兵的文章中写："时日曷丧，予及汝偕亡。"

但是士兵中的识字者却不过20%，但也有初中和高中的学生。我们作识字运动的工作，每连中组织识字互助会，将士兵分组，以识字者教不识字者。识字者太少，这一点影响工作很大，因此我们不能利用书或讲义，来补助我们的工作。现在我们正在编印一部士兵识字课本和一套士兵读物。这工作大概要半月完成。因为在这一次工作中，我们深感教材的缺乏，如课本、图表、照片、画片等。这是文化工作者应当注意的。

我们之中因为有医生和护士，我们集中士兵中的病人加以诊治，同时我们发现士兵中砂眼的可怕，患砂眼者竟达90%。其他如疥疮，也极普遍。这是一件值得注意的事。还有些士兵有心脏病，这种人根本不能入伍从军，这是在征兵或募兵时应当注意的。

我们很注意士兵心理，这也极使我们惊异，他们都富有那样热烈的爱国情绪和深刻的民族观念。例如有两位士兵请我们替他写家信退婚，因为

"长期抗战正在进行，我要到抗战胜利后再结婚"。一位士兵的父亲来的家信说："你们吃的国家政府的饭，用的亦是国家政府的钱，总要给国家做事，遇事要努力维持，我国现时之危迫，民生之凋敝，倭寇欺侮，非你们青年军人，不能救之矣！吾年已老，万不能负债（责）维持，因气力衰弱之故也。"他们之中大半是新兵，大半是征来的，但一般的心理大概都很好。他们很坦白的告诉我们生活太穷困，但也都了解国家的财力和自身的义务。

一些官长那样客气的招待我们，但也那样诚恳的同我们在一起生活、一起工作。到了临别的时候，我们都发生了不忍离开的友情，他们实在使人尊敬和爱戴。

最后一天，我们开全团的军民联欢大会，每个连表演一个节目。这天的兴奋和热闹，自更不必说了，我们和他们之中，完全融洽在一个感情里。

（署名吴之光。原载《战时青年》1938 年第 7 期）

毛泽东同志对中国资产阶级的深刻分析丰富和发展了马克思列宁主义

毛泽东同志是伟大的马克思主义者，是伟大的无产阶级革命家、战略家和理论家。以毛泽东同志为主要代表的中国共产党人，根据马克思列宁主义的基本原理，把中国长期革命实践中极其丰富的经验作了理论概括，形成了适合中国情况的科学的指导思想，这就是马克思列宁主义普遍原理和中国革命具体实践相结合的产物——毛泽东思想。毛泽东思想以其一系列独创性的理论丰富和发展了马克思列宁主义。下面，我仅就毛泽东同志对中国资产阶级的深刻分析，看他对马列主义宝库的贡献。

像我们这样一个原来是半殖民地半封建社会的农业大国，在进行民主革命和社会主义革命的时候，如何对待资产阶级，是一个极其重要的问题。1926年，毛泽东同志在《中国社会各阶级的分析》中指出"谁是我们的敌人？谁是我们的朋友？这个问题是革命的首要问题"的时候，就详细分析了中国资产阶级，指出他们分化的趋势，作为敌人和作为朋友的两种可能性。

首先，关于资产阶级的地位和作用问题。

中国原来是个小农经济占绝对优势的经济落后的国家，资本主义十分微弱，中国资产阶级有多大重要性呢？有人正是根据这一点，否定中国的社会主义革命，或者认为只能是"农业社会主义"。也有人怀疑在全国解放后，工人阶级和资产阶级的矛盾是否曾成为社会的主要矛盾。

273

中国资本主义经济确实微弱，但它毕竟有了一定的发展。据估算，解放前夕，现代工业产值约占工农业总产值的17%，加上资本主义性质的工场手工业共约占工农业总产值的23%。现代交通运输业的收入占全部交通运输业收入的50%以上。资本主义经济掌握了钢铁、机械制造等基础工业和煤、电力等主要能源，掌握了铁路、公路、轮船等运输主干，也掌握了全国金融体系、进出口贸易和大城市市场。因此，资本主义经济虽然发展很有限，但它控制着国家经济命脉。正是在这种经济基础上，大资产阶级和帝国主义、大地主阶级勾结起来，在一段时间里窃据了国家政权，成为中国人民革命的三大敌人之一。毛泽东同志也正是根据这种历史情况，提出新民主主义革命的总路线和三大经济纲领。

毛泽东同志也充分估计了资产阶级、特别是民族资产阶级的积极作用。指出他们较早地领导了中国的民主革命运动，高度评价革命先行者孙中山先生的丰功伟绩。指出他们是当时最有文化的阶级，在社会上有广泛的联系，在政治上有颇大的影响。根据他们的两面性，提出又联合又斗争的统一战线政策。只有争取民族资产阶级参加革命或对革命中立，才能在最大限度上孤立敌人。正是基于资产阶级的这种地位和作用，统一战线政策成为无产阶级领导中国民主革命的三大法宝之一。

1949年解放后，全国工业固定资产只值128亿元，又绝大多数是官僚资本而由人民政府没收了。当时私人工业资本不过20亿元。这样，当我国向社会主义过渡的时候，资产阶级和工人阶级的矛盾能不能成为社会的主要矛盾呢？

这主要应看当时的历史条件。当时私人资本虽然有限，但它还占据着63.2%的工业生产（按总产值计）和85%的城乡市场（按零售额计），它拥有164万工业职工和662万商业从业人员，产业工人占一半左右。为了改变我国经济落后面貌，国营经济要迅速发展，有利于国计民生的资本主义经济也需要一定的发展。1949～1952年，私营工业以每年增加1万家的速度发展着，它的产值共增加54.2%。在这种情况下，它们和国营经济之间的矛盾、它们和本企业职工之间的矛盾，就必然越来越尖锐。资产阶级投机倒把和通过非法手段向国营经济和工人阶级进攻也日益猖獗，于1952年"五反"前达到高峰。这都是有目共睹的事实。

在新民主主义革命取得全国胜利并解决土地问题以后，国内的主要矛盾转化为工人阶级和资产阶级之间的矛盾，这是毛泽东同志在 1949 年党的七届二中全会上提出的，在 1952 年又作了明确阐述。① 这个论点以及在此基础上制定的党在过渡时期总路线，是马克思特别是列宁的关于过渡时期理论的一个发展。列宁的过渡时期理论是从"俄国是极端落后的小资产阶级的国家"这一现实出发的。但他指出，俄国也和其他国家一样，在向共产主义过渡的初期，具有三种基本经济形式，即"资本主义、小商品生产和共产主义"，相应地有三种基本力量，即"资产阶级、小资产阶级（特别是农民）和无产阶级"；这个过渡时期也就"不能不是衰亡着的资本主义与生长着的共产主义彼此斗争着的时期"。② 列宁所说的"共产主义"实即我们所说的社会主义社会。至于处理这一斗争的方式和方法，各个国家就有所不同了。我们党的社会主义工业化和社会主义改造同时并举的过渡时期总路线，就是根据我国历史条件制定的。众所周知，它取得了辉煌的成果。

其次，关于资产阶级区分为两个部分的问题。

毛泽东同志的新民主主义革命理论的一个基本点，就是把中国的资产阶级区分为两个部分：一部分是依附于帝国主义的大资产阶级，即官僚买办资产阶级；另一部分是既有革命要求又有动摇性的民族资产阶级。

在我国新民主主义革命中区别敌友，就是根据这种阶级分析进行的。无产阶级领导的革命统一战线，也是根据这种区别实施的。它要求民族资产阶级参加革命，至少对革命保持同情或中立，最大限度地孤立敌人。在特殊条件下，尤其是在民族矛盾成为主要矛盾的时候，也把一部分大资产阶级吸引到统一战线中来，1936 年对西安事变的处理和抗日民族统一战线的建立，就是明显的例子。

新民主主义革命胜利后，在对生产资料私有制的社会主义改造中，也是根据对资产阶级两部分的区分进行的。对官僚资本全部没收。对民族资产阶级的资产则实行和平赎买。在宪法上，在政治活动上，在对资产阶级分子的安排、教育、改造上，也都贯穿这种精神。

① 见《毛泽东选集》第 5 卷，人民出版社，1977，第 65 页。
② 见《列宁选集》第 4 卷，人民出版社，1972，第 85、84 页。

应当说明的是，把资产阶级区分为两个部分，绝不是出于什么人的主观意志，人为地决定的；这种区分是客观存在，是历史地形成的。

任何经济现象都有一个过程，有它的继承性和发展阶段性。我国资本主义的发展也是这样。早期的洋务派企业，是继承封建经济的官工业来的，它自始就带有买办性。到20世纪初，它发展为以金融为中心的北洋官僚资本；在蒋介石统治时期，又逐步进入它的最高阶段，即买办的封建的国家垄断资本主义。早期的民间近代企业，则是继承封建社会中的资本主义萌芽来的；它经过初步发展时期和进一步发展时期，于1936年达于最高峰，这以后就走下坡路了。大资产阶级和民族资产阶级的区分，是由于经济基础不同形成的。这两部分不断分化，互相渗透和转化，但总的说还是保持不同性格，有互相矛盾的一面。

把资产阶级区分为两部分，也不是单纯从策略出发，利用矛盾，争取多数，打击少数。它是共产党人根据对立统一规律，深入分析社会阶级矛盾的结果。在这里，毛泽东同志关于两类矛盾的学说有重要的创见。根据这个学说，我国以处理敌我矛盾的原则来解决大资产阶级的问题，以处理人民内部矛盾的原则来解决民族资产阶级的问题，收到巨大效果。毛泽东同志指出：在我国条件下，工人阶级同民族资产阶级的矛盾属于人民内部矛盾，工人阶级和民族资产阶级的阶级斗争一般地属于人民内部的阶级斗争。这就在政治上、经济上和人的思想教育上，创造了一系列的新的阶级斗争的方法，对马克思主义的阶级斗争学说做出了贡献。《关于正确处理人民内部矛盾的问题》是1957年发表的，但如毛泽东同志所说，其中像团结—批评—团结的方法，早在20世纪40年代，在解放区就已推广到党外了。

这也可以看出，"文化大革命"中提出的对资产阶级实行全面专政的理论，以及那一套暴风雨式的阶级斗争方法，不仅是完全错误的，也是违反毛泽东思想的基本原则的。

再次，关于阶级消灭问题。

列宁说：社会主义就是消灭阶级。但是，马克思和列宁都没有具体论证阶级消灭的过程，因为他们还没遇到这个过程。毛泽东同志是看到了这个过程的，虽然他没有做出详细论证，但在毛泽东思想中，这个问题是清楚的。

生产资料私有制是剥削阶级的经济基础。毛泽东同志领导了土地改革、没收官僚资本和资本主义工商业的社会主义改造工作。同时他反复强调在这种变革中要给反动阶级以出路，要对民族资产阶级分子安排工作，要使一切剥削阶级的成员改变成为自食其力的劳动者。这些政策方针无疑都是正确的。

毛泽东同志历来把改造被消灭的阶级的成员作为彻底完成革命事业的重要一环。根据马克思主义关于存在和意识的辩证原理，毛泽东同志历来主张，为了发展革命事业，人人需要改造，而人是可以改造的。1937年，他在《实践论》中就提出"改造客观世界，也改造自己的主观世界"的论点。1949年，当民主革命即将全面胜利的时候，他在《论人民民主专政》中就提出了改造被打倒的旧统治阶级的任务，并说："这件工作做好了，中国的主要的剥削阶级——地主阶级和官僚资产阶级即垄断阶级，就最后地消灭了。"

在资本主义工商业的社会主义改造中，一开始就包括对民族资产阶级成员的教育和改造。我国通过国家资本主义改造资本主义企业的整个过程，不是把资本家排除在外，而是把他们置于这场变革之中，事实上许多具体改造工作就是他们自己做的。因而，改造企业的过程也就改造了人。在实现公私合营以后，又特别重视对他们的工作安排，使他们在企业党组织的领导下，和工人一起工作和学习。这样，在完成公私合营，消灭剥削即停止定息的时候，资产阶级中有劳动能力的绝大多数人已经改造成为社会主义社会的劳动者，其他的人也绝大多数是拥护社会主义的爱国者了。

这样，在我国大陆上，作为阶级的地主阶级、富农阶级已经消灭，作为阶级的资本家阶级也已经消灭了。

剥削阶级作为阶级消灭以后，阶级斗争仍然会在一定范围内继续下去。消灭阶级差别，根除产生阶级差别的社会根源，还是更长期的革命任务。但是，这同原来意义的阶级矛盾和阶级斗争是不能混同的。私有制改造取得基本胜利后，1956年的党的八大正确地指出：虽然我们还必须为彻底完成社会主义改造、为最后消灭剥削制度而斗争，但是，国内的主要矛盾已经不再是工人阶级和资产阶级的矛盾，而是人民对于经济文化迅速发展的需要同当前经济文化不能满足人民需要的状况之间的矛盾了。

1957 年，毛泽东同志也提出把正确处理人民内部矛盾作为今后国家政治生活的主题，并指出，革命时期的大规模的急风暴雨式的群众阶级斗争基本结束，今后阶级斗争的方式和方法已不同了。这些，都是对马克思主义阶级斗争学说的重要贡献。

（原载《经济研究》1981 年第 8 期）

我国对资产阶级的赎买形式

赎买就它的一般意义说，并不是什么历史上的新鲜事物。在资产阶级民主革命中，欧洲某些城市的资产阶级曾经用过把自己的剥削所得向封建君主缴款的办法解放了自己。资产阶级为了自封建阶级手中取得生产资料的使用权，经常地把他们所得的一部分剩余价值以绝对地租的形式偿付给地主。但是工人阶级对资产阶级所实行的赎买却是另外一回事。这种赎买不是剥削的转嫁，不是剩余价值的再分配，而是要求永远地消灭任何剥削。

赎买实际上是无产阶级在革命运动中力图以最小的代价换取最大胜利的一个伟大的理想。马克思、恩格斯、列宁都不止一次地提过这个政策。马克思早就认为，对于夺得了政权的工人阶级来说，向资产阶级实行赎买是"最便宜不过的事情"。1847 年恩格斯在《共产主义原理》一书中开始设想"一部分用国营工业竞赛的办法，一部分用纸币赎买的办法，逐步夺取土地私有者、工厂主和铁路及海船所有者的财产"。列宁首先把赎买和国家资本主义结合起来，1921 年列宁在《论粮食税》中提出"惩治那些不肯接受任何国家资本主义"的资本家，而"与那些肯接受国家资本主义……能对无产阶级有益的资本家谋妥协，或向他们实行赎买"。我国对民族资产阶级所实行的赎买方式，就是在列宁这一思想上发展起来的。

我国对于资本主义工商业不是采取没收的办法，而是采取利用、限制和改造的政策，通过国家资本主义各级形式，逐步改变所有制。资本主义

279

生产的目的，在任何地方、任何时候都是为了利润。中国工人阶级既然在一定时期内承认资本主义和资产阶级存在，也就不能在事实上否定这种目的。这就是说，工人阶级在为国家和人民的需要而生产的时候，也必然要为资产阶级生产一部分利润，这也就是向资产阶级实行赎买。规定一定的利润和一定的利润分配形式，是组织资本主义商品生产和流通的中心环节，而这种利润分配形式也就是赎买的主要形式。这种赎买，不是普通的一笔钱一笔货的交易；赎买的代价，不决定于资产阶级的生产资料的价值，而决定于剩余价值生产的限度和时间，决定于改造资本主义工商业的进度和速度。

在改造资本主义工商业的过程中，随着生产的增长，剩余价值的生产和资本剥削相对地并且绝对地下降。这可以用下面的例子说明：全国资本主义工业的生产总值，按照1952年不变价格计算（这就避免了由于扩大加工订货把他们一部分生产价值转移为国营商业利润和政策性的价格变动所引起的产值变动因素），如果以1950年为100，则1951年为139，1952年为145，1953年为180，1954年为142，1955年为100（1954年以后的减少，主要由于私营工业大量转为公私合营）。而资本家所得到的股息红利，按当年币值计算，同样以1950年为100，则1951年为137，1952年为65，1953年为88，1954年为37，1955年为28。

我国所实行的赎买方式的特点就在于它不是一个固定的形式，而是随着资本主义工商业的逐步改造，随着剩余价值生产的变化而变化。它反映了过渡时期剩余价值规律的作用逐步受到限制、剩余价值的生产逐步受到限制的客观规律性，同时，它又作为一种制度，反转过来影响剩余价值的生产和分配。

在国民经济恢复时期，当资本主义经济还主要是剩余价值的生产的时候，资本家可以从企业的盈余中先取得一定量的（不超过资本额8%的）股息，再从余数中按比例分取一部分红利。这就是《私营企业暂行条例》所规定的盈余分配办法。这也是一种赎买的形式。但这种形式还不能有力地发挥限制剩余价值生产的作用，它主要的作用是鼓励资本家积极经营，恢复生产。这在当时是十分必要的。

在资本主义工商业逐步纳入了国家资本主义的初级形式以后，企业已经主要是为国家的计划任务而生产经营了。通过加工订货、经销代销，使资本主义剩余价值的实现受国营商业的控制，剩余价值规律的作用受到了限制，并且国家可以在一定程度上运用剩余价值规律，规范商品的使用价值和价值的生产。国家通过价格政策（加工订货的工缴、货价，经销代销的差价、手续费）和税收政策，把资本主义工商业利润的一部分乃至很大部分，转移为国营商业利润和国家税收，成为社会主义积累，不再出现为剩余价值。这个时候，对资产阶级的赎买形式采取了按比例分配盈余的制度，资本家所得的股息红利不超过企业盈余总额的1/4，即所谓"四马分肥"。这种制度对资本剥削起了很大的限制作用。全国平均计算，1953～1955年私营工业资本家所得到的股息红利息率大约下降了1/4，比之经济恢复时期（1950～1952年）大约下降了2/5。并且由于资本家只能按比例分取盈余，就在一定程度上有助于国家"奖励先进、推动落后"的利润政策和税收政策发挥其作用。但是，这种赎买形式主要是作用于价值的分配方面，对于剩余价值的生产还不能发挥很大的限制作用。它最大的缺点，就是资本剥削仍然有可能随着生产的增长而扩大。这在公私合营企业中最为明显，因为私营企业实行公私合营以后生产一般增长很快，利润也增加很快。从1950年到1953年，全国公私合营工业私股所分取的股息红利，在全部企业盈余中所占的比例虽然是逐年下降的，而占私股投资额的比率即息率，是呈现上升的趋势；1954年以后，由于大量的新公私合营企业加入，平均息率下降，但较之私营企业的平均息率，仍高出一倍。

在资本主义工商业实行全行业公私合营以后，企业基本上已经不是剩余价值的生产了，剩余价值规律基本上已不发生作用。这时赎买的形式采取了定息的制度，即在一定时期内按照私股投资额给以5%的年息（个别条件特殊的企业也可以超过5%）。定息是赎买的最高形式。由于实行定息，使资本不再支配生产资料，企业的生产关系起了根本的变化。定息把剥削限制为一个固定的量，使剥削脱离了具体的物质生产和流通过程，成为赎买的一般形式。定息不但规定了剥削量，也事实上规定了剥削残存的时间。在一定时期以后取消定息，不会再有什么争论的了；而取消定息的时候，也就是资本主义制度最后消灭的时候。

定息是改变资本主义所有制的一个具有决定性意义的步骤，它不同于资本主义制度下资本所有权与资本使用权的分离。在资本主义制度下，资本所有权与资本使用权的分离产生各种形式的生息资本（借贷资本、公债、公司债、优先股等等）。但是这种分离，只是作为财产的资本和作为职能的资本的分离；生产资本实质上是产业资本在运动中分离出来的职能形态，它从属和服务于产业资本。这种分离既不影响资本的所有权，也不改变资本的性质。我国公私合营企业在实行定息以后，私股的所有权的性质已经根本上改变了，资本家不能对他的投资有任何作为，也不能收回，只能获取固定量的收入；并且，它基本上已经不再作为资本使用来赚取剩余价值，而是作为社会主义资金来生产使用价值和价值。它不从属和服务于任何资本，而是社会主义生产资料的一部分。因此，这种私股不同于一般的生息资本，而定息也不同于资本利息，它是赎买的纯粹形式。

对剥削阶级的赎买，在任何情况下都是剩余价值的分配形式（资产阶级对封建阶级的赎买也是如此）。定息是赎买，是资产阶级的不劳所得，所以从性质上说，它仍然是剩余价值，但是它是剩余价值的一种特殊形态。第一，实行定息以后，公私合营企业是在国家直接管理下按照社会主义的原则进行生产经营，不受剩余价值规律的调节和支配。定息的总额虽然还是一个相当大的数量，但在价值分配中所占的比重很小（大约不过全部生产价值的千分之几），并将随着全行业合营后生产之不可避免的高涨而更趋缩小。因此，企业的再生产已经是社会主义的再生产，扩大再生产只有扩大社会主义的生产关系，扩大社会主义积累。定息只能提供资产阶级一部分生活资料，不可能再转化为资本。第二，在定息的条件下，剩余价值的生产和实现并不是基于资本和雇佣劳动这种资本主义的生产关系而来的，而是基于工人阶级取得原为资产阶级所占有的生产资料这一赎买关系而来的。工人已居于支配生产的地位，资本家已失掉雇主的身份，而是以公职人员的身份参加企业工作。全行业合营后，国家已有可能在全社会范围内有计划地组织劳动，劳动具有直接的社会性。劳动力已经不是商品，劳动时间不再影响剩余价值，劳动生产率的提高也不再生产相对剩余价值。在这种情况下，划分工人的必要劳动和剩余劳动当然是可能的，但已没有必要。因此也可以说，定息实际上不是当作剩余价值而生产的，只是由于私股的存在，在价值分配中转化为剩余价值的形态。正如同当资本主义商业还存在的时候，国营工厂生产的价值，也由于私营商业经销这些产品而一部分被转化为剩余价值一样。

从"四马分肥"到定息，无疑地是一个根本的变化。但正如同我们不能要求国家资本主义一开始就以最高形式出现一样，也不能要求赎买一开始就以最高形式出现。过早地实行定息，不但资产阶级不容易接受（接受了也将大大地降低他们生产经营的积极性），而且会加重工人阶级的负担。

定息是在全行业公私合营的条件下，在过去几年来逐步限制资本主义剥削的基础上，在资产阶级分子思想认识逐步提高的基础上实现的。从1950年到1955年，资本家平均每人每年所得的股息红利收入和以其他方式从企业盈余中所获取的收入，减少了1/2～2/3，同时他们在企业中所支取的薪金增加了10%～20%。到1954～1955年，股息红利收入在资本家自企业中所取得的全部收入中已占不很重要的地位。这不仅改变了资本家的生活方式，也不能不对他们的思想认识发生重大的影响。我国所采取的逐步前进的赎买形式，对改造资产阶级分子也起了重要的作用。全行业公私合营以后，必然会使企业的一般利润水平提高，并使国家有可能对他们的利润通盘调度、统筹使用，不受个别企业盈亏的限制。全行业公私合营以后，对资本家和资本家代理人工作的安排和生活的照顾（包括对没工作能力的人的安置或救济）成为一件重要的工作，也成为赎买的另一个重要内容。资产阶级分子感觉到他们的工作、生活和前途都有了保证。在这种条件下，定息就成为很自然的事。所以，当赎买进入最高形式和最后阶段时，资产阶级不是反抗，而是表现了欢迎的态度。

如前所述，在我国赎买的方式下，赎买的代价不决定于赎买对象的价值，而决定于剩余价值生产的限度和时间，即决定于改造的进度和速度。因此，一方面必须反对那种斤斤较量赎金数量的算账思想，和在改造形势发生变化以后不积极改变赎买形式的保守思想；另一方面也必须看到，只要能最有利于改造，赎金的多小并不是最重要的因素。事实上，实行定息以后，整个资产阶级每年所得的收入，较之他们在1954年和1955年私营时期每年所分得的股息红利并不减少，可能还多一点。但定息对于改造所发挥的作用，就远非"四马分肥"所可比拟了。列宁在《论粮食税》中说过："如果……环境会迫使资本家和平屈服，并在赎买条件下，文明地、有组织地转为社会主义，那就好好地来偿付资本家，向他们赎买，这种思想是充分可以允许的。"可见，赎买不是普通的交易，它所换取的是和平地消灭资本主义，这是通过和平方式完成社会主义改造所付的代价。

（原载《大公报》1956 年 12 月 13 日）

许涤新传略

　　许涤新是著名的马克思主义经济学家，也是我国老一辈的无产阶级革命战士。他的一生融革命家与理论家于一身，和谐地实现了理论与实践的统一。

一

　　许涤新原名许声闻，1906 年 10 月 25 日出生于广东揭西县棉湖镇一个贫寒的小学教员家庭。他少年时就立志救国，发奋读书。青年时代他接触了马克思主义，1925 年加入中国共产主义青年团，次年考入中山大学预科，在校组织社会科学研究会，从事革命活动。1927 年大革命失败，在 4 月 15 日广州大屠杀中他幸免于难，但被学校开除，只好回乡读书，开始学的文学，后来（在厦门大学）他从马克思的《〈政治经济学批判〉序言》和陈豹隐翻译的河上肇的《新经济学大纲》中得到启迪，决心放弃自己酷爱的文学事业，改攻政治经济学。

　　1928 年，许涤新就读于厦门大学。为寻找组织关系，他于 1929 年到上海，考入国立劳动大学。在这里，他以极大的努力通读了英文版《资本论》三卷（时尚无中文版），奠定了他今后治学的基础。他在上海参加社会科学家联盟（社联），任研究部副部长、宣传部部长。1932 年"一·二八"抗战期间，他与几位华侨同学创办《社会现象》周刊，任主编；同年，任左翼文化总同盟（文总）秘书，并参加文总刊物《正路》的编辑工作。1933年，他加入中国共产党，被任命为社联党团书记；次年，调任党的文化工作委员会委员、文总组织部部长。同时，他在当时影响较大的《东方杂志》《新中华》等刊物上发表了一系列有关中国经济问题和国际问题的文章，表达自己的政治观点。

由于叛徒告密，1935年2月许涤新被国民党当局逮捕，关进苏州陆军监狱。在狱中，他大义凛然，英勇不屈，并自学日文，第二次学习了河上肇的《新经济学大纲》等著作。1937年"七七"抗战后，国民党被迫无条件释放政治犯，许涤新则于"八一三"上海战争后才获得自由。

1937年冬，党派许涤新到武汉参与创办《群众》周刊和党报《新华日报》，任《群众》副主编。旋《新华日报》迁重庆，许涤新任编委和党总支书记，不久，并任中共中央南方局宣传部秘书、经济组组长，在周恩来同志领导下开展抗日统一战线工作。在武汉和重庆期间他针对当时的形势，在《新华日报》和《群众》周刊发表了论文约190篇（不包括社论），抗战后期，在新华日报的《经济瞭望》专栏上每半月撰写一篇经济述评。1944～1946年他先后写成《中国经济的道路》《现代中国经济教程》，并陆续出版。这两本书成为当时研究中国经济的重要著作。

1946年夏，他随中共代表团到上海，任中共上海工作委员会财经委员会负责人，筹办"上海现代经济通讯社"，这个通讯社是党在蒋管区经济中心上海的一个隐蔽哨所。是年10月，国共谈判破裂，许涤新被党派往香港，从事宣传、统战工作，任中共香港工作委员会委员、财经委员会书记、《群众》周刊编委，并联络进步记者，创办《经济导报》。他团结爱国工商界人士，组织"香港工商俱乐部"。在香港，他继续发表了大量时事论文，同时，撰写了《官僚资本论》和《新民主主义经济政策》两书。这两本书在革命转变的重要关头，起了揭露国民党反动派、宣传党的政策的作用。他终生研究的著作《广义政治经济学》也在香港基本完成第一、二两卷。

1949年春，许涤新奉命到北平，旋即随第三野战军进军上海，参加接管工作。在陈毅等同志直接领导下，他致力于恢复工商业、平稳市场物价、打击投机倒把、恢复经济、实现财经统一等工作，先后担任过上海军管会接管委员会第一副主任、华东财经委员会副主任、中共上海市委委员、统战部部长、上海市财经委员会副主任、工商局局长、市人民政府秘书长、上海复旦大学经济研究所所长等职务。

1952 年底，许涤新奉调到北京，先后任中央统战部秘书长、副部长、中财委第六办公室主任、国务院第八办公室副主任、中央工商行政管理局局长、全国工商联副主席等职务。在周恩来、陈云、李维汉等同志直接领导下，他参与了党对资本主义工商业实行社会主义改造的全过程工作和对工商界的统战工作。1962 年，他的《中国过渡时期国民经济的分析（1949~1957 年）》一书出版，这本书是对中国过渡时期经济的理论概括。

"十年动乱"中，许涤新受到长时间的监禁和折磨，但他对马克思主义的信仰丝毫没有动摇。他在失掉自由的情况下，重新研读《资本论》和马、恩的其他著作，把马克思的思想和对未来的启示用于研究社会主义经济理论，写下了 40 多万字的笔记，后来修订成为《论社会主义的生产、流通与分配》这部巨著。

1977 年 7 月，许涤新以古稀之年，出任中国社会科学院经济研究所所长，次年并任副院长。他为发展经济科学研究工作和培育新生研究力量竭尽全力，他的学术生涯也在这时老树繁花。他集中全国经济学家，主编出我国第一部《政治经济学词典》（三卷本，1979 年出版）和《中国大百科全书·经济学卷》（三卷本，1989 年年内可望出版）。他重新撰写了三卷本《广义政治经济学》（1988 年出齐），主编三卷本《中国资本主义发展史》（第 1 卷 1985 年出版）。他特别重视我国社会主义现代化建设中重大理论问题的研究，撰写了大量论文（有 61 篇辑入了 1986 年出版的《许涤新选集》），并于 1982 年出版了《中国国民经济的变革》和《中国社会主义经济发展中的问题》两部著作。同时，他勇于开拓，把他的研究推广到新的领域。他尤其注意人口学和生态学的研究，于 1985 年出版《生态经济学探索》一书。他一贯坚持理论联系实际。在第六届全国人大常委会审议有关经济改革以及环保、人口等法案时，他作了重要发言，并力主及早通过国营企业破产法。

1982 年退居第二线以后，他仍担任过中国社会科学院顾问、汕头大学校长、汕头特区顾问等职务，并兼任中国经济学团体联合会顾问、《资本论》研究会会长、中国人口学会会长、中国生态学会理事长、中国城市经济社会年鉴理事会理事长等职务。他曾多次率领学术团体出国访问、讲学。他并擅长书法，喜爱诗词，著有革命史诗话《百年心声》《永怀集》等。

许涤新是党的八大代表，第一、三届全国人大代表，第五、六届全国人大常委会委员，中国民主建国会中央副主席。在他的晚年，热诚关注我国的改革开放事业。他在第六届人大常委会上，特别对国营企业破产法和环境保护、特区经济等法案的审议作缜密的发言。

1988 年 2 月 8 日，许涤新同志因病医治无效，在北京逝世，终年82 岁。

二

许涤新学识渊博，一生治学勤敏，著作等身。其影响最大的当推以下三项研究成果。

（一）广义政治经济学的先驱

自 1877 年恩格斯提出广义政治经济学以来，这门学科并未很快得到发展。苏联是在 20 世纪 30 年代初探讨社会主义生产方式时，拿它与资本主义经济规律对比，才开始研究广义政治经济学。但长时间内，多数学者仍是以苏维埃国家计划和政策代替经济规律的研究，直到由斯大林倡导的《政治经济学教科书》于 1954 年出版，才有第一部广义政治经济学问世。

在中国，许涤新也是在 20 世纪 30 年代开始广义政治经济学的研究的，但其背景和在苏联不同。他是基于当时通行的以《资本论》为基本内容的政治经济学，不能适应中国革命的需要特别是不能适应青年对半殖民地半封建中国社会经济理解的需要开始这一问题的研究的。1938 年，毛泽东在《中国共产党在民族战争中的地位》报告中提出"使马克思主义在中国具体化"的要求。许涤新就是在这一号召下，下定决心要写出一部能解释中国的过去、现在和未来道路的广义政治经济学来。该书第一、二卷于 1949 年出版，第三卷于 1954 年问世。出版后立即广泛流行，被许多学校采为课本。其后 30 多年，世界和中国经济都发生很大变化，经济学和经济史的研究也今非昔比。于是，从 1982 年起，作者决心将它全面改写，于 1988 年出齐，这就是今天所见的三卷本《广义政治经济学》。

本书第 1 卷论述原始社会、奴隶制和封建制生产方式。过去对于原始社会的论述大多限于社会发展史的范围，本书初版也是这样。近 30 年来，世界考古工作有重大发展，对中国新石器时代和原始农业的研究有突出成就，新版也就改以生产力和生产关系的演变为主要内容，并着重探讨了从原始社会向奴隶制过渡的长期性和复杂性。作者认为，在中国经历一个近千年的过渡期，奴隶制才基本确立。对于奴隶制生产方式，作者也不是单纯暴露其残暴的剥削关系，而是根据马克思的剩余价值学说，分析从以直接生产生活资料为目的的奴隶制到以生产剩余价值为目的的奴隶制的转化过程。在奴隶制向封建制的过渡中，作者除论述欧洲的长时期的封建化过程外，认为中国也是经历了四个世纪的政权、地权、田制、税制的演变，才由"半奴隶"逐步转化为封建制下的农民。这就避免了政治经济学抽象研究方法带来的简单化和非历史的倾向。

在对封建生产方式的研究中，作者把封建地租作为剩余价值的原始形式，考察其逐步演变过程，反映生产力和生产关系的发展。同时，作者着重分析了中国小农经济的典型性质，讨论了中国封建社会长期延续的问题。作者认为，这种长期延续是多种因素互为因果作用的产物。如小农业和家庭手工业的密切结合阻碍着商品经济的发展，这种结合又成为实物地租的前提，而实物地租对于静止的社会状态又是一个物质基础。又如土地早期的自由买卖造成农民失去土地，又造成官僚、商人资本的土地化。详细分析官僚、地主、商人手中货币财富的去向，也就说明了中国封建社会内部孕育的资本主义萌芽得不到发展的主要原因。

在第 1 卷的最后部分，作者以相当大的篇幅论述了商品、货币关系和价值规律的作用。商品、货币关系是社会生产力在前资本主义社会里发展的伟大成果，又是资本主义生产方式的前提。价值规律，按照恩格斯的说法，在有文字记载的历史以前就开始发生作用了，而在资本主义社会又逐渐发展出生产价格规律。这就是马克思在论"政治经济学方法"中所说的，商品、货币等"比较简单的范畴"在历史上早已存在，但它充分深入而广泛的发展则只能属于一个复杂的社会形式。作者的这种安排，正是体现于广义政治经济学的原理，也是在研究方法论上创造。

本书第 2 卷包括资本主义、帝国主义和殖民地半殖民地经济三个部分。在前两个部分，除解剖资本主义、帝国主义的本质外，作者根据资本主义发展不平衡的规律和列宁指出的垄断与竞争的原理，对于第二次世界大战以后国家垄断资本的发展、资本输出的多元化、跨国公司的兴起、经济一体化趋势等都做了详细的分析，研究了在生产和资本国际化条件下，新殖民主义的性质。他又结合新的科学技术革命，对战后资本主义经济危机做了系列的分析，并讨论"垂死的资本主义"的问题。他指出：列宁关于垂死的资本主义的提法是个社会科学的概念，不是生物学概念，不是活多久的意思。这也正是毛泽东提出的帝国主义和一切反动派都有两面性，是真老虎又是纸老虎的论点。至于每一个国家的资本主义被社会主义替代，不仅决定于经济条件，还要看政治的和国际的条件，并且会有不同的形式。

在殖民地半殖民地经济部分，作者理所当然地着重论述了中国的半殖民地半封建经济，这也是作者长期研究旧中国经济的总结。而在本卷的最后部分，作者又以专门篇幅论述了第二次世界大战后帝国主义殖民体系的瓦解和第三世界国家的兴起；对第三世界经济的依附性和贸易、债务危机作了分析，对它们改善经济环境和发展民族经济的斗争做出评价。恩格斯在《反杜林论》中说，不仅要研究资本主义生产、交换和分配的形式，对于"在比较不发达的国家内和这些形式同时并存的那些形式，同样必须研究和比较"。这种不发达国家的经济，虽然不是一种独立的社会经济形态，但正是在这种经济形式中生活着最大多数人民，以至这种不发达本身就形成一个"世界"。作者的这种安排，在广义政治经济学体系中是又一创见。

本书第 3 卷是研究社会主义生产方式，这是作者在晚年专心探讨的问题，下面再介绍。

如前所述，许涤新是在筚路蓝缕的情况下研究广义政治经济学的，他自己说这是一个"大胆而冒昧的尝试"，在最近的修订版中他仍然这样讲。不过我们可以说，任何理论建设都是尝试。至少他在政治经济学的研究中开拓出了一个新的领域，建立了一个比较完整的广义政治经济学体系，给这门学科开辟一条方法论的道路，尤其在使"马克思主义在中国具体化"上做出卓越的贡献。作为广义政治经济学的先驱，许涤新同志当之无愧。

（二）对过渡时期理论和中国国民经济的社会主义改造做出系统的研究和总结

马克思、列宁都有关于从资本主义到社会主义这一过渡时期一般理论的论述，但没有来得及总结实践的经验。中国的过渡是以半封建半殖民地的落后经济为背景，在建立了人民民主专政的条件下，经过和平的社会主义改造的道路实现的。这在国际共产主义运动中是一个创举，经验之丰富前所未有。

许涤新既对旧中国的经济有深入的研究，解放后又参与了恢复国民经济、执行党的过渡时期总路线、对资本主义经济实行社会主义改造的全过程。这就使得他1982年出版的《中国国民经济的变革》成为一部系统地研究和总结中国过渡时期理论的著作，成为用实践检验理论的范例。事实上，这部书并不是一气呵成的，它是作者长期努力和认识不断深化的成果，它是集中了作者1945年撰写、1948年修订的《中国经济的道路》，1957年撰写、1962年修订的《中国国民经济的分析》和1980年撰写的《我国国民经济的变革与经验》三部著作的有关内容，再加修订而成的。

本书中，作者以他丰富的知识和经历，分析我国经济的变革如数家珍，疏而不漏。同时，他把每项变革都提到马克思主义的理论高度，从不同性质的经济规律的作用消长中观察变革成果。他指出：在我国社会主义改造取得决定性胜利以前，几种不同性质的经济成分不是彼此隔离，而是互相联系的，社会主义的和非社会主义的经济规律也是互相作用和影响的。农民个体经济原是受价值规律的支配，不存在社会主义经济规律发生作用的条件。但是，当人民民主专政的国家进行水利、化肥等大量投资以及实行主要农产品计划收购时，就使得社会主义基本经济规律和国民经济有计划发展规律对个体农业发生影响。其后，国家对农业实行社会主义改造的道路，反映着社会主义基本经济规律的要求，也使国民经济有计划发展规律逐步伸入农业领域。事实上，在半社会主义的初级农业生产合作社中，社会主义基本经济规律已经起着直接作用了。

资本主义生产关系和社会主义生产关系是互相对抗的。人民民主国家通过行政管理、工人监督和国营经济的领导，以及诸如"四马分肥"等措施，限制了剩余价值规律在资本主义企业的作用，同时就扩展了社会主义基本经济规律作用的范围。作为国家对资本主义经济改造的过渡形式的国家资本主义，它由初级形式向高级形式的逐步发展，使社会主义基本经济规律由企业外部进而作用于企业内部；同时，也使国家对私营企业的生产由加工订货等间接计划过渡到直接计划，使国民经济有计划发展规律在公私合营企业内部发生主导作用。

作者十分重视价值规律调节生产的作用。1953年起，国家对一些重要产品实行计划收购，限制了价值规律对这些产品的自发性调节作用，但是，国家在规定收购价格时，还是不能违背价值规律的。农业合作化进一步限制了价值规律自发性作用的范围，但是，农业合作社的产品除自用外，是当作商品去交换工业品的，价值规律调节生产的作用仍然存在。在对资本主义经济的改造中，在加工订货形式下私营企业的生产，基本上还是受价值规律支配的，如果工缴、货价少于在市场上自销的利润，资本家就会回避加工订货。企业实行公私合营以后，私股分红随着企业利润的增长而增长，价值规律仍然发生一定的调节生产作用。即使在公私合营企业实行定息以后，生产可以完全按照国家计划进行，然而，价值规律的客观要求，它的等价交换和平衡社会必要劳动消耗的要求等，仍然不能置之不理，而必须自觉地加以利用。因而，在社会主义改造过程中，限制价值规律自发性的调节作用，也就是自觉地利用它的积极作用，这是一件事的两个方面。

实践是检验真理的唯一标准。作者在研究我国国民经济的变革中，不仅总结了正面的经验，也总结了反面的经验。他指出了在对农业、手工业和资本主义工商业实行社会主义改造中的缺点，特别是时间短促、主观要求过急、改造面过大的缺点；也总结了在"左倾"路线干扰下，工农业生产遭到破坏，和在经济体制上、计划上、经营管理上所犯的错误。他指出：建立起社会主义的生产关系，并不等于发展生产力的问题同时宣告解决，决不能用解决生产关系的方式去处理发展生产力的问题。他说：发展生产力必须有物质的条件和人的条件相结合，这就需要有不断更新的设备和掌握了科学技术的人，而只有实实在在地实行按劳分配的原则，把企业的经营和劳动者的物质利益结合起来，才能有效地提高劳动生产率。作者以极大的热情，满怀着在20世纪内实现我国四个社会主义现代化的信心结束了本书。

（三）具有特色的社会主义经济理论

目前，国内外已有多种社会主义经济理论的著作问世；许涤新的这项研究，在方法论和内容上都有他自己的特色。

许涤新一向是把"使马克思主义在中国具体化"作为他理论研究的方针的。早在 1964 年，他就根据我国建设社会主义的经验，出版了一本《论我国社会主义经济》。"十年动乱"期间，他重读《资本论》，写下数十万字的笔记，五易其稿，于 1979 年出版了《论社会主义的生产、流通与分配（读〈资本论〉笔记）》。他是根据马克思的"最彻底的发展论"（列宁评语）的精神，以马克思指出的在资本主义生产方式废除以后的有关经济范畴和经济规律为线索（这些范畴和规律贯串着整个生产、流通和分配过程）来考察中国社会主义建设的实践，构筑他的理论体系的。这也就是恩格斯在《反杜林论》中论"现代社会主义"时所说："它必须首先从已有的思想材料出发，虽然它的根源深藏在经济事实中。"这就使他的理论体系具有历史唯物主义的、发展论的特征。随着实践的前进，他对社会主义的认识不断深化。1983 年，他又将这部近 50 万字的著作修订再版；1985 年，又将他的论点再作整理，写入《广义政治经济学》第 3 卷。按照他的愿望，该著作应当是个不断的再实践、再总结的过程。

作者认为，社会主义生产是有计划的商品生产，因而它是劳动过程和价值创造过程的统一。同时，它是一种剩余劳动的生产，劳动者在必要劳动时间以上，为社会提供剩余劳动；但这种生产不是以价值增值为最终目的的，不是价值增值的过程。但它仍是一种剩余劳动的生产，劳动者要在必要劳动时间以上，为国家、为社会提供剩余劳动；而剩余劳动产品数量的增长，主要决定于劳动生产率，即以人的主观能动性的发挥，和科学技术广泛地应用于生产，作为重要条件。这也就是社会主义生产优越性之所在。在这里，作者着重研究了价值规律和国民经济有计划发展规律的作用。价值规律决定于它所支配的全部劳动时间中能够用多少去生产每一种商品，因而，它同国民经济有计划发展规律之间有一致性。但两者又有差异。国民经济有计划发展规律表现为国家计划的安排，是从正面表达客观存在的比例要求。但如果安排不当，就会受到价值规律作用的价格背离价值的反抗，即从反面来表达这个客观存在的比例要求。因此，在社会主义生产中，不能把价值规律看作异己的东西，而要承认它是社会主义商品生产的内在规律。这种承认又不是意在服从价值规律的自发性调节，而是要求自觉地利用它。

作者以相当篇幅考察了社会主义的再生产过程，把重点放在综合平衡、提高经济效益和掌握正确的积累与消费的比例上。在社会主义制度下，劳动、土地和科学技术的伸张力是归社会所有，由此节省下来的劳动力不再构成过剩人口，改变了资本主义生产方式特有的人口规律；但是，仍然需要有计划的人口再生产，以保持生产、消费和积累的平衡。作者进一步指出，在社会主义现代化建设中，应当把经济平衡、经济效益同生态平衡、生态效益结合起来。生态效益是从生态平衡角度把握的经济效益，而人与自然之间的物质变换是人类生存的永恒的条件，如果以破坏生态平衡来追求眼前的经济效益，势必造成再生产的失衡和中断。

社会主义流通过程是社会主义再生产的前提，也是社会生产、交换和分配统一性的依据。在这里，作者从流通过程论述社会主义生产的资金循环和资金周转，并进而以专篇论述非物质生产的第三产业的重要性，从社会整个交换过程来探讨国民经济的发展。在市场问题上，作者着重讨论了国家计划调节和市场调节的相互关系，把他的研究，归结为社会主义制度下宏观控制的各种机制的作用，价值规律和国民经济有计划发展规律的有效利用。

在研究分配的部分，作者从国民收入的初次分配和再分配中，论证了社会主义国家财政在社会再生产中的重要作用。国民收入的分配与所有制密切相关，因而，对于全民所有制、集体所有制和个体经济的利、税制度的改革起着调节生产的作用；而保持预算、信贷和物资之间的平衡关系，是社会主义全民经济的一个关键性问题，它也反映国家、集体和个人在货币资金和物资分配上的相互关系。

作者在他论社会主义经济的著作中，还讨论了消灭阶级、消灭三大差别和社会主义经济为进入共产主义社会作准备的问题。他以长期从事对中国资产阶级工作的实际经验，对于通过教育和改造消灭资产阶级有独到的论述。发展社会生产力是消灭三大差别的前提。作者在这里除探讨产业结构、城乡关系、人口政策等问题外，突出了发展科学技术、智力投资的作用。同时，强调社会主义建设必须物质文明与精神文明两重建设并举,才能健康地发展,培养共产主义新人,才能为过渡到共产主义奠立基础。

三

许涤新同志对马克思主义有坚定的信念,对共产主义事业充满了信心,终生不渝。这就使他无论是处在顺境或逆境,都保持着乐观主义和旺盛的革命精神。1927 年大革命失败后,他被迫还乡,仍然胸怀豁达,写下了《一滴水》:"何处是归宿?滴水归大海。波浪兼天涌,千秋永不改。"1935 年他被国民党反动派囚禁在苏州陆军监狱,曾作《菩萨蛮》明志:"铁流滚滚东征去,姑苏城外幽黑处。窗外月如钩,心涛万里流。春雷震狱底,狱底无秋意。壮志岂能囚?抗争不罢休。""十年动乱"中,他被关进"牛棚",墙角有玫瑰一丛,三年无花,忽盛开,他咏怀云:"三年花开第一春,积垢去后更消魂。玫瑰有知应谢我,经霜吐艳我羡君。"

这种饱满的革命精神,也使得他在治学上勤奋不辍,数十年如一日。无论是在艰苦的斗争岁月里,是在白色恐怖的狂飙中,或是在浩繁公务的空隙间,他都不忘读书、思考,孜孜写作。1942 年,他肺病爆发,党叫他在重庆歌乐山休养,他却在那里写出《战时中国经济的轮廓》一书。1944 年,他再次大吐血,休养中,他又趁护理人员不在时偷偷地完成了《中国经济的道路》书稿。他的《广义政治经济学》第 2 卷的最后一章,是 1949 年他从香港奉调北京的轮船上写出的。在旅途饭店中,甚至在飞机上,他都利用一些空暇时间写作。他最后一次修订《论社会主义经济》一书的计划,是 1984 年 8 月在墨西哥城参加国际人口会议时,利用会议闲暇时间完成的。

前已言及,许涤新的一生是融革命家与理论家一身,而理论与实践的统一,也是他治学的首位的要求。他坚信,马克思主义政治经济学揭示的生产、交换、分配的规律,是从人类各种经济形态的实践中抽象出来的真理。任何时候都不能抛弃或背离马克思主义的基本原理。同时,作为一个中国经济学者,任何时候又必须从中国的历史和现实出发,探讨中国革命和建设的本身规律。他在著书立说中常引用恩格斯的话:"马克思的整个世界观不是教义,而是方法。它提供的不是现成的教条,而是进一步研究的出发点和供这种研究使用的方法。"而进一步研究的根据就是社会实践，就是中国的实际。许涤新的每项研究都遵循这个原则，每次见解都是立足于马克思主义基本原理和中国实际的统一。这是很不容易的。这需要有详密的考察和反复的论证，决不能脱离实际而"立异鸣高"，更不能用理论或"思想材料"来剪裁或扭曲事实。这就是他治学的审慎严谨之处。

治学严谨，而对于自认为正确的东西则绝不动摇，不随风倒，这是他治学态度的另一表现。在 20 世纪 60 年代初"大跃进"的风暴中，他多次指出当时生产中有"多快"无"好省"，重量不重质的现象。基于他对社会主义商品经济和价值规律的认识，自 1962 年起，他到处做报告，主张开放大中城市的自由市场，允许个体经济长期存在，支持农村"三自一包"的做法。"文革"晚期，针对张春桥、姚文元提出的"资产阶级法权是产生资产阶级分子的基础"的论点，他写了《论资产阶级法权》一文，阐明马克思、列宁在这个问题上的观点，肯定了以资产阶级权利作为原则的按劳分配制度。当时该文不能发表，只好用报告形式传播。有个工厂将他的报告稿印成学习材料，被张铁生查出，准备由"中央文革"布置批判，旋因发生"天安门事件"未果。

坚持真理，但绝不固执己见。他认为，人总不能不受历史条件和认识的限制，理论观点总难免有局限性，又常说：人到老年最怕思想僵化。他的重要著作差不多都经过修订，以至修订两次。有些观点，在修订中自己指出错误；有的著作，在后来的新著完成后，声明不再独立出版。他的治学又是勇于开拓、不断探索、不断攀登的。他十分重视马克思主义哲学和其他社会科学新的研究成果，把它们用于政治经济学的研究，同时，批判地吸收和借鉴西方有价值的经济思想和研究方法，尤其注意计量经济学和投入产出法的应用。他又以耄耋之年，研究生态学，把生态平衡的规律引进经济学研究，开拓了生态经济学这门边缘科学。

许涤新同志具有共产党人的高尚品德。他为人正派、质朴、以诚待人、襟怀坦荡、直言不讳。他居"官"，但没有一点官气，毋宁说有点书呆子气，信任同志和朋友，受到人们的敬重。这也表现在他的学术生涯中，那就是他民主的学术作风和虚怀若谷的学术修养。他是中外公认的著名经济学家，但他从来不以权威自居，不论哪一方面的学术见解，哪怕是与自己相反的观点，从不采取排斥的态度，而是主张自由抒发己见，平心讨论。他热情培养新生研究力量，晚年仍带研究生，诲人不倦，鼓励后学，赢得了大家的景仰，以至有不少人称他为"不曾授课的老师"。1984 年，他以 78 岁高龄到汕头大学与同学讲学，有感怀诗云："面对青丝发，忘却顶上霜；愿把余热献，挥笔作春山。"

1989 年 6 月

（原载刘启林主编《当代中国社会科学名家》，社会科学文献出版社，1989，第 342~355 页）

许涤新治学录

　　许涤新原名许声闻，出生于广东揭阳县（今揭西县）。1933 年因偶见一"涤新洗衣店"，遂取为笔名，竟成定名。1924 年毕业于揭阳第一中学，1925 年秋加入共产主义青年团，1926 年入中山大学预科，1928 年进厦门大学作旁听生，舍弃文学改学政治经济学。1929 年就读上海大陆大学，后又入国立劳动大学，再转入上海商学院，1933 年毕业。1931 年在上海参加"社联"。1933 年经杜国庠介绍加入中国共产党，曾任"文委"委员，"文总"常委和组织部部长。1935 年被捕，1937 年获释，到武汉参加《新华日报》筹办工作，先后任报社总支委员、书记。1939 年 9 月与在八路军驻渝办事处工作的方卓芬同志结婚。1944 年组织"中国经济事业协进会"。抗战胜利后，奉命到上海参加中共代表团工作。1946 年去香港，任中共香港工委财委书记。1949 年随三野进军上海，先后任华东财委副主任、上海工商局局长、统战部部长、上海市政府秘书长等职。1952 年奉调北京，先后任中央工商行政管理局局长、中央统战部秘书长、国务院"八办"副主任等职。1955 年当选为中国科学院哲学社会科学部委员。1979 年任中国社会科学院经济研究所所长、副院长。1981 年任汕头大学校长。

　　许涤新曾当选为第一、三届全国人大代表，第五、六届全国人大常务会委员。此外还担任过《资本论》研究会会长、中国人口学会会长、中国生态经济学会理事长等学术团体领导职务。

一

许涤新于 1929 年初去上海，就读于大陆大学。旋大陆大学被封闭，他考入国立劳动大学。劳大第一外语为法文，而许以极大的努力自习英文，通读了英文版《资本论》（时尚无中文版），奠定了他今后治学的基础。

在上海，许涤新于 1931 年冬参加中国社会科学家联盟（"社联"），除负责"社联""教联"等四团体的领导工作外，他本人则偏重于经济和国际问题的研究。他曾于 1932 年创办《社会现象》周刊，唯出版 7 期即遭查禁。时国民党反动派的文化统制极严，"社联"主办的刊物前后不下 10 种，都只出版一两期顶多十余期即被查禁。因而，组织一些学术性论文在当时著名的杂志上发表，会收到较好的效果。1933～1935 年初，许涤新在商务印书馆的《东方杂志》上发表论文 19 篇，在中华书局的《新中华》上发表论文十余篇。

由于叛徒告密，1935 年许涤新被捕押送苏州陆军监狱。在狱中近三年，他以仅有的钱购买《大代数》等书学习。又偶得人偷送入狱的日文版河上肇的《新经济学大纲》，乃向难友苦学日文，通读之。又得研读偷入之《反杜林论》。他认为狱中这段学习的主要体会是，研究政治经济学必须与马克思主义哲学相结合，才能用于思考现实问题。

抗日战争期间，许涤新的著述以分析战时经济和国际形势为主。他在《新华日报》发表论述 90 篇，在《群众》发表论述 89 篇（不包括不署名的社论和短评）。他还为邹韬奋主编的《全民抗战》写国际述评，为沈志远主编的《理论与现实》写经济论文。1938 年他写了一本《三民主义读本》，出版后即遭查禁。1944 年他出版《战时中国经济的轮廓》，后改写为《中国经济的道路》。此书 1946 年出版，读者踊跃，连印 7 版，唯次年即遭禁，改在解放区修订再版。又有《抗战胜利前后的市场》，1947 年发行。

抗战胜利，许涤新奉命于 1946 年 4 月到上海，参加中共代表团的上海工作委员会，负责工商界统战工作和经济调查工作。他将"经协"总部迁上海，又组设现代经济通讯社作为调查和宣传机构，并领导进步人士的《经济周报》。在上海 7 个月，他除了为沪版《群众》撰写时论外，完成了他在重庆已开始动笔的《现代中国经济教程》（1947 年出版）。

国共和谈破裂，许涤新奉命于 1946 年 10 月去香港，负责统战工作和香港工委的财务工作，兼香港版《群众》编委和《华商报》编委。他又组织进步人士创办《经济导报》，于 1947 年元旦发刊，刊行至今。1948 年冬，他又以"方潮声"笔名主编《大公报》的《经济生活》副刊。在香港二年半，许涤新在繁重的党的工作之余，为《群众》撰稿约 50 篇，于 1948 年出版轰动一时的《官僚资本论》，并以惊人的毅力写出后来成为他终身之作的《广义政治经济学》第 1、2 卷（1949 年出版）。此外，还写了《新民主主义经济论》《工商业家的出路》等小册子。

1949 年 5 月许涤新随第三野战军进军上海。他在上海工作期间，正是我国国民经济恢复时期，也是全国建立新民主主义经济的时期。为培养干部，许涤新到上海后就在复旦大学设立经济研究所，任所长，招研究生两班。这时期他的讲话和论述，不少是阐述新民主主义经济政策和理论的，同时，撰写他的《广义政治经济学》第 3 卷（1954 年出版）。

1952 年 9 月，奉调北京工作后，这时期，我国由新民主主义经济进入社会主义经济，许涤新全力执行对资本主义工商业和资本主义分子的社会主义改造工作。作为经济学家，他总是把这些工作提高到理论上来，并进行历史研究。1960 年他接受周恩来同志的指示，主编一部《中国资本主义发展史》。他组织了一个中国资本主义经济社会主义改造研究室，首先是收集、整理资本主义工商业的历史资料，先后出版行业、企业史料 8 种。继而编写了《中国资本主义工商业的社会主义改造》（1962 年出版）。他自己除发表一些论文外，写了《中国过渡时期国民经济的分析（1949～1957 年)》（1962 年出版）、《论我国的社会主义经济》（1964 年出版）。此外还有《我国过渡时期对资本主义工商业的改造和阶级斗争》《对资本主义工商业进行社会主义改造的新阶段》《论我国社会主义生产关系》《经济思想小史》等小册子和论文集。

"文革"动乱，许涤新被关押在统战部的"牛棚"，1972 年经周恩来同志干预改为"监护"，1973 年 7 月始获自由。在残酷的环境下，许涤新第三次重读《资本论》，写下了 45 万字的笔记，四易其稿，于 1979 年出版《论社会主义的生产、流通与分配——读〈资本论〉笔记》，后又经全面修订，于 1984 年再版。

新时期，许涤新的学术生涯老树繁花，进入全盛时期。1975 年冬他重组因"文革"中断的《中国资本主义发展史》编写组，于 1985 年出版第 1 卷（第 2、3 卷于 1990 年、1993 年出版）。1977 年他组织大专学校专家撰写并主编我国第一部《政治经济学辞典》（三卷本，1980～1981 年出版，又简明本 1983 年出版）。1983 年他参加《中国大百科全书》这一伟大创举，组织经济学者百余人撰写并主编《全书》的《经济学卷》（三卷本，1988 年出版）。他十分重视我国社会主义建设事业，撰写了大量论文（有 61 篇收入 1986 年出版的《许涤新选集》）。他又写了《中国社会主义经济发展中的问题》和具有历史总结意义的《中国国民经济的变革》（均于 1982 年出版）。1982 年，他开始修订他的《广义政治经济学》，历时五载才完成（三卷本，1984～1988 年出版）。他勇于开拓新的研究领域，以 3 年时间撰写了《生态经济学探索》（1985 年出版），主编《当代中国的人口》（1988 年出版）。他仍然喜爱文学，除发表一些记事性的小品外，并著有《百年心声——中国民主革命诗话》（1979 年出版）、《风狂霜峭录》（1989 年出版）等。

二

许涤新学识渊博，一生治学勤奋，著作等身。其影响最大者当推以下四项。

（一）广义政治经济学的先驱

自 1877 年恩格斯提出建立广义政治经济学以来，这门学科并未获得很快发展。苏联科学院 1925 年开会讨论建立这门学科，以 12∶2 的人反对而作罢。1936 年苏共中央指示在高等院校开设广义政治经济学课程。而为此编纂的《政治经济学教科书》到 1954 年才问世。

许涤新研究广义政治经济学的背景，与苏联学者完全不同。斯大林主持的 1954 年的《教科书》，是建立一套"人类社会"各历史阶段经济发展的普遍规律。这实际是不可能的。恩格斯在《反杜林论》中提出建立这门学科时就指出："人们在生产和交换时所处的条件，各个国家各不相同"，"政治经济学不可能对一切国家和一切历史时代都是一样的"。① 许涤新是鉴于青年们因不能用当时流行的以《资本论》为基本内容的政治经济学解释半殖民地半封建中国所发生的经济问题而陷于困惑，并响应毛泽东在《中国共产党在民族战争中的地位》报告中提出的"使马克思主义在中国具体化"的号召，开始构思"中国化的政治经济学"；1942 年又经过周恩来的启发和鼓励，才"下定决心"写出一部既能说明世界形势，又能解释中国过去、现在和未来道路的广义政治经济学来。

这样的政治经济学肯定要随时代变革而不断更新的。许涤新的《广义政治经济学》于 1949 年出版后，立即广泛流行，被许多学校采为课本。其后 30 多年，世界发生很大变化，中国已进入社会主义，作为理论根据的考古学、史料学、经济史学也有了很大发展。于是，他从 1982 年起将本书全面修订，1988 年出齐。下面就以新版三卷本来看作者一些创造性贡献。

本书第 1 卷是研究原始社会、奴隶制社会和封建社会的生产方式。过去对原始社会的论述大多限于社会发展史的范围，本书则是以生产力和生产关系的演变为主要内容，并对中国原始农业的多元性和向奴隶制过渡的非单一性作了探讨。对奴隶制生产方式不是单纯暴露其剥削残酷，而是根据马克思剩余价值学说，分析它从生活资料的生产向剩余价值生产的转化；同时，从中国政权、地权、税制的演变中，考察劳动者由奴隶、半奴隶到封建制农民的转化。这就改变了过去政治经济学抽象研究中简单化和非历史主义的倾向。

封建生产方式，史料较多，前人的研究也较多。本书是把封建地租作为剩余价值的最早形式，考察其演变过程，反映生产力和生产关系的发展。又着重考察了商品、货币关系和价值规律的作用，认为它们是生产力和生产关系在前资本主义社会发展的伟大成果。这就是马克思在《〈政治经济学批判〉导言》中所说，经济学的"简单范畴"（基本范畴，剩余价值、商品、货币等）在历史上早已存在，但它们深入而广泛地发展则是属于一个复杂的社会形式。作者的这种安排，正是体现广义政治经济学的原理，也是在方

---

① 《马克思恩格斯选集》第 3 卷，人民出版社，1972，第 186 页。

法论上的创造。

本书第 2 卷包括资本主义、帝国主义、殖民地半殖民地经济三个部分。前两部分，作者废除了资本主义"总危机"的概念，对第二次世界大战后资本主义世界的新变化做了理论分析，并结合新的科技革命对资本主义周期性危机做了新的解释。在第三部分，理所当然地着重论述了半殖民地半封建的中国经济及其出路，这也是作者多年研究和最熟悉的事情。然而，他又以专门篇幅对第三世界其他国家的经济问题做了详细的分析，对近年来他们改善经济环境和发展民族经济的斗争做出评价。恩格斯在论广义政治经济学时就指出，不仅要研究资本主义生产、交换和分配形式，对于"在比较不发达的国家内和这些形式同时并存的那些形式，同样必须加以研究和比较"。[①] 这种不发达国家的经济形式，虽然不被承认是"独立的"社会经济形态，但都有他们自己的历史，正是在这种经济形式中生活着世界最大多数人民，以至这种不发达本身就形成一个"世界"。作者这种突破传统的"社会经济形态"的安排，在广义政治经济学体系中是又一创见。

本书第 3 卷原是研究新民主主义经济，新版改为研究社会主义经济，下面再谈。

许涤新是在筚路蓝缕的情况下研究广义政治经济学的。他在经济学研究中开拓了一个新的领域，建立了一个比较完整的广义政治经济学体系，给这门学科开辟了一条方法论的道路，尤其在"使马克思主义在中国具体化"上做出卓越的贡献。作为广义政治经济学的先驱，他是当之无愧的。

（二）新民主主义经济理论和过渡时期经济理论的研究

新民主主义经济是我国新民主主义革命的产物，是人类史无前例的创造。它发轫于 20 世纪 40 年代毛泽东建立新民主主义社会的思想，经过在解放区的实践，于 1949～1952 年推行于全国。这种在国营经济领导下多种经济成分并存的体制，辅以"公私兼顾，劳资两利"的政策，能够最大限度地调动各方面的积极性。在短短的三年中，不仅国民生产各部门恢复或超过了战前最高水平，而且平衡了长达半个世纪以上的财政赤字和国际贸易亏

---

① 《马克思恩格斯选集》第 3 卷，第 190 页。

损，改变了百余年来半殖民地半封建状态，建立起独立自主、欣欣向荣的新经济体系，举世誉为奇迹。

许涤新在建国前的论述和对工商界的统战工作，都是以宣传党的新民主主义经济政策为主要内容。他的两部专著即 1946 年出版的《中国经济的道路》和《现代中国经济教程》，则是从历史上，从经济结构即各种经济形式和生产关系上，论证中国经济的现代化必须走新民主主义的道路。建国后，他在 1954 年出版的《广义政治经济学》第 3 卷中，根据马克思列宁主义和毛泽东思想的经济原理，从生产、交换、流通和分配上，从各种经济成分的关系和阶级关系上，分析和论证新民主主义经济的运行及其发展的规律。把新民主主义经济作为一个体系进行全面研究，许涤新当属第一人。

1956 年国民经济的社会主义改造基本完成，我国进入社会主义计划经济，许涤新也转入过渡时期理论的研究。但是，他并未否定新民主主义经济。他是把整个过渡时期（原预计要 15 年，后提前到 1956 年止）都作为新民主主义经济的。他到 20 世纪 80 年代还发表一篇文章说："新民主主义经济是过渡到社会主义的过渡经济"，这种经济包含有"无产阶级领导"和"统一战线"两方面的内涵；它"不仅证明计划经济能够同市场经济同时并存，而且证明计划经济并不因为市场经济之存在而损害其发展"；因而，新民主主义经济的一些根本原则，"对于我国当前实现社会主义现代化的建设，仍具有重大的现实意义"。[①]

马克思、列宁都有关于从资本主义到社会主义这一过渡时期一般理论的论述，但没来得及总结实践的经验。中国的过渡是在经济十分落后的基础上，通过新民主主义经济和对资本主义经济与资产阶级的和平改造实现的，这在国际共产主义运动中是一个空前的创举。许涤新参与了这个过渡的全过程，并主持了对资本主义经济和资产阶级改造的具体工作，因而，他 1982 年出版的《中国国民经济的变革》成为一部总结中国过渡时期理论和经验的权威性著作。这部书并非应时而出，而是在他一系列有关过渡时期著述的基础上，经过"文革"动乱，反复思考、屡经修订完成的。他不仅总结了这场巨大变革中正面的经验，也总结了它的反面经验，并找出造成缺点和失

---

① 许涤新：《学习周恩来同志的〈新民主主义的经济建设〉》，《红旗》1981 年第 5 期。

误的思想根源。

本书中，作者以他丰富的知识和经历，分析我国过渡时期的经济变革如数家珍，疏而不漏。同时，他把每项变革都提到马克思主义的理论高度，从资本主义的、个体经济的和社会主义的各种经济规律的作用相互消长中，观察变革的成果。例如，农民个体经济原是受价值规律作用的支配，但当国家进行农业投资和信贷、国家实行主要农产品计划收购，以至对农业进行合作化改造并由低级合作社向高级合作社过渡时，社会主义经济规律的作用就逐步进入农业领域，最后居于支配地位。又如作为改造资本主义经济的国家资本主义，它由初级形式向高级形式发展，使社会主义经济规律的作用由企业外部进入企业内部；同时，国家对私营企业的生产由加工订货的间接计划过渡到公私合营的直接计划，使国民经济有计划发展的规律起着支配的作用。

在这种研究中，作者十分重视价值规律调节生产的作用。例如，国家对主要农产品实行计划收购，在规定收购价格时不能忽视价值规律，否则会犯错误。实行农业合作化后，合作社的产品去交换工业品时，仍不能违背价值规律。在国家资本主义的初级形式中，生产基本上还是由价值规律（通过工缴、货价）来调节的。在高级形式的公私合营企业中，即使实行定息以后，在规定成本货价、劳动工资和经济核算上，仍然要考虑价值规律的要求。因而，在社会主义改造中，限制价值规律自发性的调节作用，也就是自觉地利用它，或者说它的受到限制，是在被利用中表现出来。

在本书的最后一章，作者指出，建立社会主义生产关系并不等于发展生产力的问题同时宣告解决，决不能用解决生产关系的方式去处理发展生产力的问题。发展生产力必须有物的条件和人的条件，需要不断更新设备和培育掌握科学技术的人。同时，必须实实在在地实行按劳分配的原则，把企业的经营和劳动者的物质利益结合起来。要进行社会主义现代化建设，必须防止唯意志论和"左倾"路线的干扰，这种主观主义和"左倾"路线，正是过去30年我们在国民经济变革和社会主义建设中产生挫折和失误的主要原因。

（三）具有特色的社会主义经济理论

许涤新一直关切着我国的社会主义建设，随时就发生的问题提到理论上进行评论。在破坏性很大的"大跃进"运动中，他勇敢地发表了《论社会主义制度下商品关系的必要性》（《人民日报》1959 年 10 月 28 日）、《认识价值规律的客观性质》（《红旗》1959 年第 15 期）。在痛定思痛的三年调整中，他写了《论社会主义的再生产》（《人民日报》1961 年 12 月 27 日）、《论社会主义基本经济规律》（《新建设》1963 年 4 月号）。总结这些经验，他写了一本《论我国社会主义经济》（1964 年出版）。更深入的研究，是他在"文革"中被囚时所写数十万字读《资本论》笔记的基础上所写的巨型著作《论社会主义的生产、流通与分配》（1979 年出版，1983 年修订再版）。最后，他将他的论点连同改革开放五年来的实践经验，写入他的《广义政治经济学》第 3 卷（1988 年出版）。

许涤新的社会主义经济理论，在方法论和内容上都有他自己的特色。他一向是把"使马克思主义在中国具体化"作为他理论工作的指针的。列宁在《国家与革命》中指出，马克思是用"最彻底"的发展论去考察现代资本主义，也用它来研究"未来共产主义的未来发展问题"。[1] 许涤新是根据这种精神，以马克思指出的资本主义生产方式废除后的经济范畴和经济规律为线索（这些范畴和规律贯串于整个生产、流通和分配过程）来考察中国的社会主义实践，构筑他的理论体系的。这也就是恩格斯在《反杜林论》中论研究社会主义时所说："必须首先从已有的思想材料出发，虽然它的根源深藏在经济的事实中。"[2] 这里的经济事实即我国的实践，社会主义实践不断前进，理论的认识也不断深化。因而，许涤新的理论体系具有历史唯物主义的、发展论的特征。

作者认为，当时我国实行的社会主义计划生产仍然是商品生产，是劳动过程和价值创造过程的统一。同时，它也是一种剩余劳动的生产，劳动者要为社会提供剩余劳动。在这种生产中，价值规律决定在它所支配的全部劳动时间中能够用多少去生产每一种商品，如果国家的计划安排恰当，则表现了价值规律与国民经济有计划发展规律的一致性，但如果国家计划安排不当，就会受到价值规律作用的反抗。因此，要承认价值规律是社会主义生产的内

---

[1] 《列宁选集》第 3 卷，人民出版社，1972，第 243 页。
[2] 《马克思恩格斯选集》第 3 卷，第 56 页。

在规律，但这种承认不是意在服从价值规律的自发性调节，而是要求自觉地利用它。

作者详细地考察了社会主义再生产过程。把重点放在综合平衡、提高经济效益和掌握正确的积累与消费的比例上，同时提出需要有计划的人口再生产，才能保持生产和积累与消费的平衡；并需要把经济平衡同生态平衡结合起来，如果以破坏生态平衡来追求经济效益，势必造成再生产的失衡。

作者十分重视社会主义的流通过程，它是社会主义生产、交换和分配统一性的根据，是不可避免的。国家计划调拨的产品（这种调拨正在缩小）虽然不经过市场，但并未取消它商品的意义。许涤新是从整个流通过程即马克思所说"从整体上看的交换"来研究它对发展国民经济的作用的。他还用马克思所说"服务就是商品"①的原理，论证了发展第三产业就是发展商品经济的重要意义。当时我国尚未提出建立社会主义市场经济体制问题，但作者已预见性地探讨了市场调节与计划调节的关系，肯定了市场调节的必要性。

在社会主义分配的研究中，作者是用我国全民所有制经济、集体所有制农业和乡镇企业的国民收入分配的具体情况，以及国民收入再分配的情况，论证了社会主义国家财政在分配中的重要作用。又专篇研究财政、金融问题，指出财政预算资金、信贷资金与物资供应之间的平衡关系，是发展国民经济的关键性问题。当时我国国民收入统计尚未完全采取增加值体制，范围较小，国有企业的改造还处于"利改税"阶段，但这并不妨碍作者研究结果的战略意义。

（四）我国马克思主义人口学和生态经济学的开拓者

我国人口学的研究中断了20多年，一片荒寂，许涤新是在古稀之年，奋臂直呼，要求在马克思主义经济学和社会学原理指导下，重建这一学科的。在他的倡导下，于1978年、1979年、1981年召开了三次全国人口科学讨论会，他做了报告，成立了中国人口学会，他被选为会长。他于1980年在他领导的经济研究所设立人口理论研究室，迅速发展为中国社会科学院人

---

① 《马克思恩格斯全集》第26卷，人民出版社，1972，第149页。

口研究中心。他支持和领导了一些大型项目，如《人口学辞典》《中国人口年鉴》等的编纂都已完成。他主编的《当代中国的人口》1988年出版。他还以全国人大常委会委员的身份参加1981年、1984年的国际议员人口会议。他主张"不仅要对人口问题本身进行深入的调查研究，而且要善于同经济学、社会学、生态学、医学、优生学和教育学等科学密切协作"，"在社会主义现代化建设中，发挥人口科学的应有作用"。[①] 在他的倡导下，人口学已成为一个热门科学，大学和省市纷纷设立研究机构，各种研究会、学术讨论会蜂起，著述如林。

许涤新是中国生态经济学的开拓者，也是我国这一学科基本理论体系的奠基人。他在1980年的一个畜牧业学术会议上首先提出"按生态规律办事"的口号，同年他邀请生态学家和经济学家座谈建立这门学科问题。于是，在1981年、1984年、1986年召开了三次全国生态经济学讨论会，成立了中国生态经济学会，选他任理事长。这个学会是自然科学家和社会科学家合组的，体现了学术研究的一个新方向。并在省市推广这种组织，出版生态经济学的论文集、译文集、定期和不定期刊物。许涤新还被聘为国务院环境保护委员会顾问，任《中国自然保护纲要》的编委会主任委员。他还利用到各地视察、讲学和会议的机会，宣传环保和生态经济学，使这门学科日益活跃起来。

许涤新1985年出版的《生态经济学探索》，用马克思"劳动首先是人和自然之间的过程"、[②] 恩格斯"劳动和自然界一起才是一切财富的源泉"[③] 以及使用价值转化为价值的原理，确立经济学与生态学的关系。他根据30多年来我国工农业发展所造成的水土流失、环境污染等具体情况，提出经济平衡、经济效益必须与生态平衡、生态效益相结合的观点，特别对为追求短期经济效益而破坏生态平衡的行为做了严厉的批判。他指出，生态经济学不是回到自然主义，而是要贯彻局部服从整体、短期利益服从长期利益的社会主义原则，用于改善生态环境的资金应属于基本建设资金。

[①] 《有关人口的几个理论问题》，见《许涤新选集》，山西人民出版社，1986，第670页。
[②] 马克思：《资本论》第1卷，人民出版社，1975，第201页。
[③] 《马克思恩格斯选集》第3卷，第508页。

三

许涤新对马克思主义有坚定的信念，对中国的革命和社会主义建设充满了信心，这就使他无论是处在顺境或者逆境，都保持着乐观主义和旺盛的革命精神。1927年大革命失败后，他被迫还乡，仍然胸怀豁达，写下了《一滴水》："何处是归宿？滴水归大海。波浪兼天涌，千秋永不改。"1935年他被国民党反动派囚在苏州陆军监狱，曾作《菩萨蛮》明志："铁流滚滚东征去，姑苏城外幽黑处。窗外月如钩，心涛万里流。春雷震狱底，狱底无秋意。壮志岂能囚？抗争不罢休。""文革"动乱中，他被关进"牛棚"，墙角有玫瑰一丛，三年无花，忽盛开，他咏怀云："三年花开第一春，积垢去后更消魂。玫瑰有知应谢我，经霜吐艳我羡君。"

这种饱满的革命精神，也使得他在治学上勤奋不辍，数十年如一日。无论是在艰苦的斗争岁月里，还是在白色恐怖的狂飙中，或是在繁浩公务的空隙间，他都不忘读书、思考，孜孜写作。1942年他生了肺病，党叫他在重庆歌乐山休养，他却在那里写出《战时中国经济的轮廓》书稿。1944年他再次大吐血，休养中，他又趁护理人员不在时偷偷地完成了《中国经济的道路》书稿。他的《广义政治经济学》第2卷最后一章，是1949年他从香港奉调北京时在轮船上写的。他最后一次修订社会主义政治经济学的提纲，是1984年在墨西哥城参加国际会议时，利用会议闲暇时间写出的，又在同年苏州的一次会议时作了修正。

许涤新的一生是融革命家与理论家于一身，而理论与实践的统一也是他治学的首位要求。他在著书立说中常引用恩格斯的话："马克思的整个世界观不是教义，而是方法。它提供的不是现成的教条，而是进一步研究的出发点和供这种研究使用的方法。"[①] 而进一步研究的根据，就是社会实践，就是中国的历史和实际。许涤新的每项研究都遵循这个原则，不仅是关于中国革命、关于旧中国的经济、关于社会主义经济的研究，他在开拓人口学和生态经济学的研究时也是这样。理论与实践统一是很不容易的，

---

① 《马克思恩格斯全集》第39卷，人民出版社，1974，第406页。

这需要大量占有资料，需要实地调查，他为此下了很大功夫。更需要缜密的思考，反复的论证，不能用理论来剪裁实践，更不能用实践中虚伪的表象来符合理论。在许涤新的著作中常见到他这样的论证，这正是他治学严谨之处。

治学严谨，还表现在他坚持真理，不随风倒。在20世纪60年代初"三面红旗"的思潮铺天盖地的时候，他多次发表文章强调违反价值规律是错误的，并在各种场合坚持他开放自由市场的主张，支持农村"三自一包"的做法。"文革"晚期，出现一股批资产阶级法权的风，认为它是产生资本主义的基础。许涤新逆流而上，写了《论资产阶级法权》一文，阐明马克思、列宁在这个问题上的观点，肯定了以资产阶级权利作为原则的按劳分配制度。当时该文不能公开发表，他就以做报告形式传播。这种坚持真理的精神是需要无怨无艾的勇气的，正如他在家乡参观韩愈祠时作的咏史诗所说："敢于谏阻迎佛骨，何怨蓝关马不前？"

坚持真理，但绝不固执己见。他常说，人到老年，最怕思想僵化。他的重要著作，差不多都修订过，以至修订两次；有些观点，在修订中指出原版的错误，并声明原版不再发行。他的治学，又是勇于开拓、不断探索、不断创新的。他非常重视马克思主义哲学的发展以及其他社会科学研究的最新成果，考虑怎样把它们用于政治经济学研究。他也吸收和借鉴西方经济学有价值的东西，尤其注意投入产出法、国民生产总值理论及计量经济学的应用。

许涤新具有共产党人的修养，品德高尚、为人正派、襟怀坦荡、直言不讳。他居"官"，但没有一点官气，毋宁说有点书呆子气。他一生参加革命，历经艰险，但从不自诩，而是归功于领导和群众。他著有《永怀集》，缅怀几位革命老同志；在他自传体的《风狂霜峭录》中，是以很大的篇幅记述那些"不见经传"的英杰人物，包括党外人士。他是中外公认的著名经济学家，但他从不以权威自居，而总是虚怀若谷，听取各方面的意见，平心讨论。尤其是他热情地对待青年，诲人不倦，鼓励后学，赢得大家的敬重，以至有很多人称他为"不曾授课的老师"。1984年，他以78岁高龄到汕头大学给同学讲学，有感怀诗云："面对青丝发，忘却顶上霜；愿把余热献，挥笔作春山。"

许涤新主要著作目录

著作：

《中国经济的道路》，生活书店，1946。

《现代中国经济教程》，新知书店，1946。

《官僚资本论》，香港南洋书店，1948。

《广义政治经济学》，第1、2卷，三联书店，1949；第3卷，三联书店，1954。修订本由人民出版社分别于1984年、1985年、1988年出版。

《中国过渡时期国民经济的分析（1949～1957年）》，科学出版社，1962。

《论社会主义的生产、流通与分配——读〈资本论〉笔记》，人民出版社，1979年初版，1984年修订再版。

《中国国民经济的变革》，中国社会科学出版社，1982。

《中国社会主义经济发展中的问题》，中国社会科学出版社，1982。

《生态经济学探索》，上海人民出版社，1985。

《许涤新选集》，山西人民出版社，1986。

主编：

《政治经济学辞典》（3卷本），人民出版社，1980～1981。

《简明政治经济学辞典》，人民出版社，1985。

《中国资本主义发展史》第1卷《中国资本主义的萌芽》，人民出版社，1985。

《当代中国的人口》，中国社会科学出版社，1988。

《中国大百科全书·经济学卷》（3卷本），中国大百科全书出版社，1989。

（原载中国社会科学院科研局编《中国社会科学院学术大师治学录》，中国社会科学出版社，1999，第345～362页）

生命不息　奋斗不止

——纪念许涤新同志诞辰一百周年

2006 年 10 月 25 日是老一辈无产阶级革命家、著名的马克思主义经济学家许涤新同志诞辰一百周年。他的一生，为中国革命和建设建立了卓越的功绩，也为马克思主义经济学在中国的传播和发展做出了重要贡献。我们曾经长期在他领导下工作，特撰文追忆他在科学研究上勤于耕耘、勇于探索、奋斗不息的敬业精神，以激励我们和经济学界同仁与时俱进，奋发向前。

一

1960 年春，周恩来总理向许涤新同志提出，现在中国资本主义经济的改造已基本完成，应当对它作一个历史总结，并把编写一部《中国资本主义发展史》的任务交给他。这实际上是实现毛泽东主席的思想和心愿。在 1942 年党的整风运动中，毛泽东同志就提出要使"马克思主义在中国具体化"，并且指出，"中国资本主义的发展，从鸦片战争到现在已经一百年了，但是还没有产生一本合乎中国经济发展的实际的真正科学的理论书"。资本主义在中国这个古老东方大国艰难而畸形的发展，是资本主义全球化在中国历史条件下的反映，是世界资本主义发展的一种典型。许涤新同志把编写这部著作作为马克思主义在中国具体化的重要实践。于 1962 年就着手筹划，从收集整理资料入手；但由于"十年动乱"中断，于 1978 年才组织写作队伍重新工作。他拟定了指导思想，编写了提纲，撰写了总序。他提出这部著作应当在马克思主义指导下，认真实行理论与历史实际的结合，从生产力与生产关系、经济基础与上层建筑的相互作用中，用史与论相结合、用定性分析与定量分析相结合的方法，分析不同时期外国资本、官僚资本与民营资本的消长、产业结构的变化及其发展水平，反映半殖民地半封建条件下资本主义发展的崎岖道路。至 1993 年，这部二百余万字三卷本经济史巨著，在他的这个思想指导之下终于完成。非常遗憾的是他审定了第 1 卷书稿之后即不幸逝世。这是我国第一部全面考察和论述资本主义发展的优秀著作，受到了学术界的普遍好评，成为国内外引用率最高的中国经济史书。这应当可以告慰他在天之灵。

二

20 世纪 40 年代中叶，许涤新同志在中国革命的实践中认识到，不同时代、不同国家或民族所形成的政治经济学，必然具有各个时代、各个民族的特点。并在恩格斯建立广义政治经济学的启示下，他力图写出一部能够解释中国的过去、现在和未来道路的《广义政治经济学》来。在当时国民党统治区白色恐怖之下，在香港紧张工作之余，通过多年努力，终于写出了这部三卷本的著作，于 1949 年和 1954 年先后出版。经过 30 多年，世界经济和中国经济都发生了巨大变化，从 1982 年起，他又将这部著作重新改写出版。

这部著作以中外对比的方法，全面系统地考察了原始社会、奴隶社会和封建社会的生产关系及其运动规律，考察了当代资本主义和社会主义的发展，考察了帝国主义殖民体系的解体和第三世界的兴起，以及中国的半殖民地半封建经济，提出了许多精辟的见解。但是，该书最重要的贡献则是在方法论上。

首先，该书从生产力和生产关系的演变出发，着重探讨了原始社会向奴隶制过渡、从奴隶制向封建制过渡的长期性和复杂性。如在中国就经历了一个近千年的过渡期，奴隶制才基本确立。对于奴隶制生产方式，也不是单纯揭露其残酷的剥削关系，而是根据马克思主义剩余价值学说，分析了从以直接生产生活资料为目的奴隶制，到以生产剩余价值为目的奴隶制的转化过程。在奴隶制向封建制的过渡中，该书除论述了欧洲的长时期的封建化过程外，认为中国也是经历了四个世纪的政权、地权、田制、税制的演变，才由"半奴隶"逐步转化为封建制下的农民。在封建社会经济的研究中，该书把封建地租作为剩余价值的原始形式，考察了其演变过程，以反映生产力和生产关系的发展。这就避免了政治经济学抽象研究方法容易带来的简单化和非历史主义倾向。长期以来，政治经济学的研究中，奴隶制总是以希腊、罗马为典型，封建制则是以西欧为典型，该书则着重考察了中国这一典型，令人耳目一新。

其次，商品货币关系是社会生产力在前资本主义社会里发展的伟大成果，又是资本主义生产方式的前提。按照马克思和恩格斯的说法，商品、货币等"比较简单的范畴"在历史上早已存在。价值规律在有文字记载的历史以前，就已开始发生作用。因此该书在讨论前资本主义经济时，以相当多的篇幅，系统地分析了商品货币关系和价值规律的作用。该书又对不发达国家几种经济成分并存的经济，虽然难以划分为一种独立的社会经济形态，但对它的研究也会大大丰富政治经济学的内容。因此该书又着重论述了中国的半殖民地半封建经济。对其他第三世界国家发展民族经济的斗争以及这些国家经济的依附性和贸易、债务危机等，都做了充分的分析。正如恩格斯所说，不仅要研究资本主义生产、交换和分配的形式，对于"在比较不发达的国家内和这些形式并存的那些形式，同样必须研究和比较"。该书的这些安排和研究，正体现了政治经济学的原理，更好地实现了逻辑研究和历史分析的辩证统一。在研究方法上是一种创造，也是使"马克思主义在中国具体化"的贡献。

三

对中国经济从资本主义到社会主义过渡的全过程做出系统研究，是许涤新同志社会主义经济理论研究的一个重要特色。从 20 世纪 30 年代起，由于工作关系，他对帝国主义、封建主义和官僚资本主义压迫下旧中国的国民经济现状有深切的了解，对新民主主义经济理论和政策在解放区的实践有比较深刻的了解。从 40 年代后半期开始，他就着手研究旧中国的国民经济。在这期间，他先后撰写出版了《中国经济的道路》《现代中国经济教程》和《官僚资本论》等书。在这些著作中，通过对中国半殖民地半封建经济的分析，系统地论证了新民主主义经济的历史必然性及其实现的前提，论证了通过新民主主义经济走向中国经济现代化的光明道路。这些著作在中国历史发展的重要转变关头，在全国尤其是在国民党统治区起到了启蒙作用。

中国国民经济的社会主义改造，是以半殖民地半封建经济为背景，在建立了人民政权的条件下，经过和平的社会主义改造的道路实现的。这个改造尽管有正面经验和反面教训，但它在国际社会主义运动中是一个创举，提供了一种新的经验。他对旧中国的经济既有深入研究，新中国成立后，又长期担任政府经济部门的领导职务，参与了恢复国民经济、对资本主义经济实行社会主义改造的全进程。社会实践推进理论探索。从 1957 年开始，他就从马克思主义理论和中国实践的结合上，着手探索中国社会主义经济的形成和成果。于 1957 年撰写、1962 年修订出版了《中国国民经济的分析》，1980年撰写出版了《我国国民经济的变革与经验》两书。在这些著作中，他以丰富的史料，系统地探讨了中国社会主义经济形成和发展的客观进程。从工业、农业、贸易、国民收入分配和社会再生产等方面，从不同性质经济规律的消长中，考察了经济变革的成果。

该书特别是对商品生产存在相联系的价值规律，也结合工农业经济的改造过程做了分析。他指出，从 1953 年起，国家对一些重要产品实行计划收购，限制了价值规律对这些产品的自发性调节作用，但是，国家在规定收购价格时，不能违背价值规律。农业合作化进一步限制了价值规律自发作用的范围，但是，生产队的产品除自用外，还要作为商品去交换工业品，价值规律调节生产的作用仍然存在。在资本主义经济的改造中，加工订货形式下私营企业的生产，基本上还是受价值规律的支配。如果工缴、货价少于在市场上自销的利润，资本家就会逃避加工订货，而追求自产自销。企业公私合营以后，私股分红随企业利润的增加而增加，价值规律仍然有一定的调节生产的作用。公私合营业企业实行定息以后，生产虽然按照国家计划进行，但价值规律的客观要求，如等价交换和平衡社会必要劳动消耗的要求等，仍然不能不顾。正是着力于对各种经济规律作用的分析，就把中国国民经济改造过程的研究，提升到了马克思主义理论的高度。

在"十年动乱"被关在"牛棚"中，他重读了《资本论》，写下了40多万字的读书笔记。1979年撰写出版的《论社会主义的生产、流通和分配（读〈资本论〉笔记）》一书，就是根据这些读书笔记加工整理而成。在这部著作中，他以马克思在《资本论》中在资本主义生产方式废除以后有关经济范畴和经济规律的提示为线索，来考察中国社会主义建设的实践，构筑自己的理论体系。1983年，他又将这部著作修订再版。按照他的愿望，这部著作应当是一个不断的再实践、再总结的过程，但也提出了许多值得重视的论点。他指出，在社会主义制度下，劳动、土地和科学技术的伸张力是归社会所有，由此节省下来的劳动力不再构成过剩人口，改变了资本主义生产方式特有的人口规律。但是，仍然需要有计划的人口再生产，以保持生产、消费和积累的平衡。在社会主义流通过程的研究中，他论述了社会主义生产的资金循环和资金周转，并进而以专门的篇章论述了非物质生产的第三产业的重要性，从社会整个交换过程来探讨国民经济的发展。

中国社会主义经济的发展还处在初级阶段，社会主义经济理论还正在探索之中。他的著作留下了许多宝贵的思想资料，也存在着历史的局限，然而他重要的贡献还是治学的学风。他的一生，兼革命家和理论家于一身，理论和实践的统一，也是他治学的首位要求。他深信作为一个中国经济学者，任何时候都必须从中国的历史和现实出发，来探讨中国革命和建设的规律。他常常引用恩格斯的下面一段话："马克思的整个世界观不是教义，而是方法。它提供的不是现成的教条，而是进一步研究的出发点和供这种研究使用的方法。"而进一步研究的根据则是社会实践，就是中国的实际。他一生的研究工作都是遵循着这一原则，都总是立足于马克思主义基本原理和中国实际的统一。这无疑是难能可贵的。

四

许涤新同志认为，人类与自然之间的物质变换，是人类生存的永恒条件。生态平衡规律同经济领域中的许多规律是息息相关的。如果以破坏生态平衡来追求经济效益，势必造成再生产的失衡和中断。在社会主义现代化建设中，应当注意把经济平衡、经济效益同生态平衡、生态效益结合起来。早在 1980 年，在一次学术讨论会上，他就提出了研究生态经济问题的重要性。此后，他主持召开了多次学术讨论会，以组织和推动一批著名的自然科学家和经济学家、一批理论工作者和实际工作者共同协作，来开展生态经济学的研究。

在生态经济研究有一定发展的基础上，为了逐步建立生态经济学理论体系作准备，他在 1985 年出版了《生态经济学探索》一书，对这门学科的研究对象、性质、任务、基本原理和实际应用等许多重要问题都做了论述。稍后，并主持编撰了一部有较高学术水平的《生态经济学》，于 1987 年出版。在他的倡导下，一些高等院校也开设了生态经济学的课程。他又受国务院环境保护委员会的委托，担任《中国自然保护纲要》的主编，主持编写了我国保护自然资源和自然环境方面第一部系统的具有宏观指导作用的纲领性文件。他以经济学家的历史责任感和科学敏感，开拓了我国生态经济学的研究，抓住了这个关系到国民经济建设全局的重大问题给以有力的推动。他将作为新中国生态经济学的奠基人之一而载入史册。

五

1977 年，许涤新同志在担任中国社会科学院经济研究所所长期间，受中国社会科学院和教育部委托，由他担任主编，编写一部适合广大干部和大专院校师生需要的《政治经济学辞典》。1978 年，国务院决定编辑出版《中国大百科全书》。他担任了《中国大百科全书》总编辑委员会委员，并担任《中国大百科全书·经济学》主编。他组织全国高等院校、研究机构和财经部门数百名学者、专家进行编撰。这两部大型辞书于 1980 年、1988 年先后出版。它们是我国建国以来，特别是中共中央十一届三中全会以来，政治经济学理论研究成果的一次重要阶段性历史总结。

1989 年，出版了他的自传式回忆录《风狂霜峭录》，记录了他在革命斗争中的艰难历程。1979 年出版了《百年心声》的诗话。这是一部记述鸦片战争以来革命家和志士仁人反帝反封建慷慨悲愤情怀诗词的诗话，编写这部诗话也寄托了他坚强的革命意志和爱国热忱。

他的一生是革命的一生，又是勤奋治学的一生。就是进入了耄耋之年，他仍然灯火阑珊、夜以继日地工作。他的著作都是严格按照计划写出来的。在他生命的最后十年间，工作虽然非常繁忙，但他仍然写出了上百万字卷帙浩繁的著作。他的勤奋精神，老而弥笃。1988 年 1 月，在他生命的最后日子里，已经无法下床，病痛使他不时低声呻吟，但他仍以顽强的毅力，坚持做完四件事情：一是将为胡子昂先生回忆录所写序言修改定稿。由于手发抖，字写不好，只好请夫人方卓芬重抄送去。二是请中共中央组织部来探望他的同志回去转告组织，抗战后期，经中共中央南方局批准，在重庆成立的"中国经济事业协进会"是党的外围组织，在当年民主运动中做过不少工作，应当承认这些同志的革命历史。三是请曾帮助他编撰过《政治经济学辞典》和《中国大百科全书·经济学》的同志来医院，嘱咐他们将这些辞书中已落后于实践的条目尽快修改，准备再版。四是为纪念重庆《新华日报》创刊 50 周年，艰难地口述了一篇回忆录《回忆〈新华日报〉的筹建》。当时，他已完全靠输液维持生命，声音嘶哑，呼吸困难，一句话要时断时续才能讲完。"春蚕到死丝方尽，蜡炬成灰泪始干。"

许涤新同志把自己的全部生命奉献给了党和人民的革命事业，献给了马克思主义的科学事业。我们将永远怀念他。他将永远激励我们前进！

（与方行合著。原载《经济研究》2006 年第 10 期）

中国经济史

——中国自远古至1949年中华人民共和国建立前
经济发展演变的历史

中国是历史悠久的文明古国。距今约170万年前，已有原始人类在中国土地上劳动、生息。约1万年前，进入新石器时代。中华人民共和国建立以来，考古发现的新石器时代遗址6000余处。据已发掘资料，在8000~7000年前和7000~6000年前，黄河流域和长江流域的若干地区的原始农业已分别进入熟荒耕作。在云南、西藏、两广和台湾，也发现4000年前左右的发展了的原始农业遗址。蒙新高原和东北地区，曾有以农业为主的原始经济遗址，后来发展为以游牧为主的经济。在发达的原始农业中，黍、粟、豆、稻、麦和大麻、桑已是主要种植物，马、牛、羊、猪、狗、鸡已是主要家畜。中国青铜器的使用较早，距今4000年左右，黄河流域的一些地区已进入青铜时代。同时，这些地区的氏族公社逐渐趋于解体，产生阶级分化。大约自公元前21世纪的夏代开始就由原始社会进入奴隶社会。约在公元前13~前11世纪，已有了文字记载的历史。

中国史籍丰富：自甲骨、金文的有关记载，经历代《食货》等志，已形成一经济史体系。地方志尚存8000余种，为别国罕见。历代文集、笔记、碑刻、档案、文契等，浩若烟海。治经济史者大都以1840年鸦片战争以前为古代史，这以后为半殖民地半封建经济史。又以中国封建社会甚长，经济演变错综复杂，多是按断代史传统进行研究，以求专精。

先秦经济（公元前3世纪以前）　公元前16~前11世纪的商代，已是发达的奴隶社会。商直接统治地区大体属黄河冲积平原，土质较松，气温雨量适中，农业发达；考古发掘有专建粮窖，又颇有余粮酿酒。手工业中，青铜工艺已臻纯熟，并出现釉陶。商"作大邑"，殷都（今河南安阳小屯村附近）范围达 24 平方公里。

至西周，农业有了新的发展，许多地区由熟荒耕作转向休闲耕作。农具仍以木石为主，但已大量使用青铜。春秋以降，随铁器和畜力的推广，逐渐进入铁犁牛耕的传统农业。连作制有了较大发展，并根据不同的土质施用不同的肥料和修建大型水利工程。冶铁技术迅速发展，春秋晚期即制成生铁，战国时出现可锻铸铁，早于西方十数世纪。因此，手工业在战国时有较大发展，范铸工具已较普遍，并已使用铁范。陶器、皮革、丝麻、纺织、漆器等制作规范化。已有 10 万人口以上的城市，兼用黄金作货币，出现交通王侯的富商大贾。学派迭兴，科学文化极一时之盛。

战国铁钁 （河北易县出土）

西周至春秋战国是中国社会经济大变动时期，其发展与生产关系的革新密切相关。而中国史学界对于这一变革的历程有不同看法。范文澜（1893～1969）、翦伯赞 （1894～1968） 等认为西周已进入封建社会；郭沫若（1892～1978）、白寿彝（1909～） 等则认为西周仍属奴隶制，封建社会自战国开始。此外，尚有别种论点。部分经济史学者以为周初分封土地予诸侯、采邑主，对劳动者沿用村社遗存的井田制形式，输纳劳役地租，大体是一种封建领主制经济。春秋以降，各国先后改革田制和税制，至秦国商鞅变法（前 359，一说前 356），允许土地买卖，遂逐渐过渡到封建地主制经济。亦有不同意中国曾存在领主制经济者，但对长期的地主制经济的发展，一般视为中国封建经济的特征。

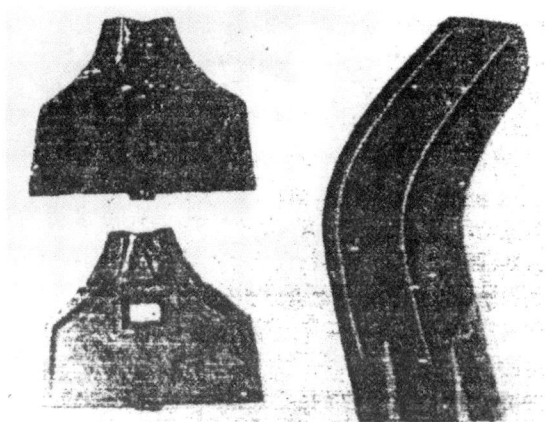

战国铁制锄范和镰范（河北兴隆古洞沟出土）

秦汉经济（公元前 3 世纪～公元 3 世纪）　　战国时诸侯即行军功赏田。秦更为致粟帛多者复其身，统一六国后，令黔首自实田，使地主土地所有制进一步确立和巩固。汉兴，军士计功分田，并行以名占田之制。这就进一步巩固了地主土地所有制，并在大土地所有制和依附农制之外，扶植和发展了大量自耕农，在一定程度上解放了生产力。从此，以个体家庭劳动经营农业，取代了原始的"千耦其耘"，成为最有效的农业劳动方式。汉初开关梁山泽之禁，轻田赋，以及抑大贾、徙豪族等措施，都有利于小农经济的发展。秦汉时期不断开发边疆，屯田垦荒，大兴水利，扩大耕地。秦统一衡量、币制，修通国大道。汉行均输平准，稳定市场，开展民族贸易和国际贸易。这样，在汉兴 200 年间，中国经济发展到一个历史的高峰，在籍户口增到 6000 万左右。

始皇诏陶量（山东邹县出土）

汉代耕犁制造不断改进，并改良驾辕，由二牛三人逐步向一牛一人过渡，兼用耧车，犁耕技术显著进步。农艺学方面，创垄、甽轮换的代田法，在一些地方可提高产量1/3。穗选种和施肥都有改进，亩产量达古代相当高的水平。作物以粟为主，但麦稻的种植有较大发展，东汉已有移栽水稻记载。不过当时发展主要在黄河流域，南方尚处于火耕水耨的粗放农业，边远及少数民族地区更处于落后状态。

东汉牛耕画像石拓片

汉代手工业的发展以冶炼、丝织最显著。铁的冶、铸、柔化技术均有提高，基本上取代了青铜工具。用百炼法（锻打淬火）和炒钢法制成硬度不同的钢，东汉并见用铸铁脱碳成钢的迹象。丝织日趋精湛，结构复杂的提花织机出现于西汉，至东汉已定型化。丝织品沿"丝绸之路"远销西亚、欧洲。广泛使用漆器，并造成精致的钿器。东汉时出现了成熟的青瓷，中国瓷器进入辉煌的历史时代。东汉并创成较完整的造纸技术。流通方面，西汉屡行抑商，专卖盐铁，而商旅渐盛。五铢钱的行使，商民称便。城市颇有发展，首都长安（今陕西西安）之外有五大都市，临淄（今山东淄博东北）人口可达50万。

秦汉经济的发展，除官手工业外，主要是建立在个体小生产的基础上的。政府政策亦在稳定小生产，因是租税所出。但汉官爵渐成世袭，皇室、功臣、外戚封侯者即形成八九百个世族。汉制，公卿太守自辟吏曹，又渐演成门生、故吏制度，形成阀阅。地方豪强兴起，依靠家族制度，揽收宾客、子弟，广置僮奴，以至建立家兵。世族、豪强以及富商大贾购买、兼并土地，自耕农遭破坏，而大地所有制日盛。西汉武帝时即有"富者田连阡陌，贫者无立锥之地"说法，新莽、东汉光武拟"分田""度田"已不能行。贫民慑于权势，困于租役，乃投充有力者为徒附。东汉战乱，投充尤多，依附农制日盛。汉末军阀混战，有势者更组织部曲，建立坞壁，实行武装割据。割据地内形成自给经济。劳动者主要是依附农和僮奴。

东汉后期地主的城堡（陶制明器，广州汉墓出土）

魏晋南北朝经济（3～6世纪）　这是中国历史上分裂最久、动乱最多的时代。先是汉末军阀混战，造成"白骨露于野，千里无鸡鸣"的情况，继有永嘉之乱（311）和十六国纷争，北魏末再度战乱。生产力遭到严重破坏，人口损失1/3以上。不过，在曹魏、西晋、北魏统一北方、政局比较稳定时期，农业曾有不同程度恢复，水利兴修，农业技术有所增进，并出现洛阳、邺（今河北临漳）等都市的繁荣。在十六国纷争中，辽西、河西、关中等地由于避乱移民聚集而得到开发，并使中原生产技术传播于鲜卑、氐、羌民族，促进了民族经济的发展。其中拓跋氏以游牧民族进入中原，离散部落，分土定居，迅即由末期原始社会和奴隶制过渡到封建社会，又是一个历史的进步。在北方各民族融合过程中，畜牧业有所发展，民族贸易和国际贸易始终不衰。不过整个看来，这时期北方农业极不稳定，产量低于汉代水平。

南方情况不同。三国时东吴对江南经营颇力。永嘉之乱北人南迁不下70万人，以及前后移民，劳动力增加，乃得修筑渠、堰、陂、塘、海堤，整治洼泽，并传播中原技术，推广牛耕、粪田，改变火耕水耨的落后状态。南方种植以稻为主，于时并推行麦、豆、桑蚕，从巴蜀引进茶。不过，这时江南尚属初步开发，主要在荆、扬两州，东南和岭南尚属边陲。

魏晋南北朝时期中国经济发展的迟滞固是长期战乱所致，也与大土地所有制和依附农制的发展相关。曹魏的屯田有抑豪强作用，但其屯田客（兵）无人身自由。西晋的占田法有利于自耕农，但对官僚荫庇田客、衣食客之数量限制未能执行。十六国纷争中，对俘虏、征服民和移民的奴役加强，形成"或百室合户，或千丁共籍"的局面，扩大了强宗大族势力。北魏行均田制，较有利于小生产者，但因婢仆、耕牛分田，并无损于大土地所有制。在南方，一向是世族地主当政，荫庇客盛行。东晋以来，封山占泽，豪强嚣张。南北朝时期兴起的寺院土地所有制，劳动者也属依附农。大土地所有制和依附农制往往形成一些封闭的单位，阻塞流通。农业生产关系的这种情况，加上赋税苛重，必然会束缚生产力的发展。

然而，生产力毕竟是最活泼的因素。如果不是从量上而是从质上考察，这期间社会生产力仍颇有进步。水磨、水碓、水排的利用大为推广，并出现为人加工的水碓专业。北齐时发明中国特有的灌钢法，可制高碳优质钢。曹魏、西晋时织机均有改进，可以节约劳动力。绢帛普及民间，绫锦则向高精发展。瓷器已及于日用器皿。北方所出造型浑厚，北齐时出现白瓷；南方青瓷细致，自成系统。科学亦有进步，数学有杰出成就。

隋唐五代经济（6～10世纪）　　隋统一南北方，宽徭役、行均田，稍抑豪强，经济恢复颇快，二三十年而仓储丰实。唐初推行均田较力，而放宽了土地买卖的限制；力役"无事则收庸"，有所减轻。贞观、开元之治，国誉日隆，文化昌盛。唯安史之乱（755～763）后，土地兼并加剧，均田制遭破坏，大土地所有制和庄田日益发展。不过唐之庄田已逐渐分租，小生产仍占优势。

隋唐都重视水利建设，并自黄河流域渐转至淮河和江南，又遍及今新疆、宁夏、甘肃、内蒙古等地区，规模空前。隋凿通济、永济、江南等渠，使南北大运河连成网络，为利百世。唐代出现曲辕犁，部件完备，并加犁槃，轻巧灵便，一牛一人的犁耕体制至此定型。水轮的利用普遍化。农艺学亦有进步，中原已有两年三熟制。粟仍是北方主粮，但渐推广小麦，关中并沿郑伯渠推广水稻。

中唐以来，经济日趋活跃，很大部分是得力于经济重心向江南转移。长江下游气候温和，无霜期达 240～300 天，全年可生长作物。唯多红壤、洼地、沼泽，赖人工整治。贞观至天宝初，淮南、江南东、江南西、山南东四道人户增加了三倍。这四道兴修水利工程近百起，排涝治泽，颇辟湖田。种稻已用移栽法，并推广两季作物。桑蚕发展较快，利用剪枝促成矮株和密植。桑、茶均趋园艺化。建中元年（780）两税法的制定实以江南农业模式为据。两税法"惟以资产为宗，不以丁身为本"的原则虽未能贯彻，但有利于减轻小农人丁负担，促进生产力的发展。

隋唐手工业的发展以丝织、瓷器、造船较为显著，而矿冶无多成就。丝织品以绚丽多彩著称，相应发展了印染业，织造技术传播于国外。白瓷已通行，邢州产尤多，与青瓷媲美，有"邢瓷类银，越瓷类玉"之称。海船大者长 60 余米，载六七百人，货万斛，海上誉称"唐舶"。中唐以后，贩运贸易发达，出现邸店、柜坊（保管）、飞钱（汇兑）行业。唐采取对外开放政策，西陆外商云集长安；海上贸易亦盛，航线由印度半岛延长至波斯湾，东往日本，广州成为最大港口。

记载贸易情况的唐代文书（新疆吐鲁番出土）

唐末方镇之乱，继成五代纷争，中原经济残破，仅后周有所恢复。但南方经济仍有发展。吴越、南唐颇重水利，稻谷、丝茶均有增产，商贾尤盛，并沟通南北。楚、南汉立国时间较长，岭南地区得到初步开发。蜀自隋唐以来一直比较稳定，经济文化一时称盛。云南南诏、西藏吐蕃，尚停留在奴隶社会，但与唐来往较多，经济均有进步。

宋辽金元经济（10～14世纪）　中唐以来经济发展的各种趋势到宋代加速了，促进中国封建经济进入成熟期。11世纪时，中国在农业、手工业和科学技术上都居于世界先进地位。

北宋未能统一全中国，但据有农业资源丰富的长江流域和正在开发中的珠江流域，这是封建经济得以高度发展的自然基础。宋加强中央政权，抑制地方势力。鼓励垦田，开国至元丰耕地约增加50%。兴修黄河、汴河并江南水利工程万余起，治洼地为圩田。改进犁镵、犁刀，推行龙骨车，以适水田，并调剂人力畜力。仁宗时推广一种早熟稻，即后通行之籼稻，能抗旱。加以农艺学进步，复种更见推广。两浙、江南东西路亩产谷三石已较普遍，太湖流域有高达六七石者。桑已采用嫁接、施肥技术，产量增加。苎麻逐渐取代大麻，亩产可增一倍。茶有较大发展，并已推行种植甘蔗、棉花和果木。这就使得农业向高度集约化发展，并因推广经济作物，已略见专业分工。由于食物问题解决得较好，人口呈持续性增长，至北宋末，连同北方各国，达一亿以上，形成历史上第二个高峰。

宋尝检括民田为官庄，以及职田、仓田、学田、族田等皆占有大量土地，官私大土地所有制仍占颇大比重。但这时，无论官庄或私庄，多已分组给佃户，由个体家庭劳动经营。分成租制是中国地主制经济中劳动者与生产资料结合的典型形式。北宋时分成租制普遍确立，佃农列为国家编户，而依附农制式微，标志着中国封建经济进入成熟阶段。北宋的佃农，与田主仍具有主客关系，居于属下地位，但除夔州（今四川奉节一带）等新辟路外，他们已有一定的迁徙、择业自由。地租形式也开始进化，大体仍是对半分成，而两浙路已有定额租制，有些官田并已折交货币。分成租制是以个体劳动生产率的一定发展为基础的，它和当时广泛存在的自耕农成为农业生产的主体，又有进一步提高劳动生产率的作用。南宋国土不及北宋的2/3，而粮食仍能维持广大人口所需，经济作物并有增长。不过，南宋官庄和大土地所有制又有发展，土地兼并加剧，侵犯自耕农，赋税亦加重，成为不利因素。

宋仍重视官手工业，但渐行雇募制，又较之前朝颇放手民营，是以手工业空前发达。用铁是工业发展的标志。唐年课铁 200 余万斤，宋年课铁达 800 余万斤，近人估算，有谓北宋元丰间年产铁达 12.5 万吨者。采煤也在宋代发展，并推行用煤冶铁，创风扇鼓风法。又发明胆水浸铜技术，增进铜产。造船业有重大进步，用多层板、升降舵，尤其是水密隔舱的创造，早于西方 10 个世纪；改进船体设计，形成闻名海上的福船体制。水力引用立轮，较前此卧轮效率增高；宋末，有大型水转连磨和水轮推动的 32 锭大纺车。传统工艺，如丝织，不仅在高级产品上精益求精，并在平织、纹织上创造坚实耐用的绸、缎，成为后来丝织工业的大宗。宋后期织机已专用化，提高效率，并有专业机户出现。瓷器，除官窑墨守定制外，民间则出现百家争艳局面，名窑辈出，形成各具特色的瓷系。至于火药、指南针、活版印刷三大发明，更世所共知，影响深远。

宋代铁犁锋和铁锄
（江苏扬州出土）

宋商业有新的发展。城市商业已突破秦汉以来的坊市制，东南一带并出现由商业兴起的大城市。农村墟集、草市和贩运贸易的发展尤速，由此产生了县以下的市镇经济。铸币大量增加，开始应用纸币。北宋商税已是国家财政的重要收入，神宗时有 866 个商税务设于市镇一级。这时流通中的商品还主要是农村剩余的产品，商业的发达给封建经济带来了活力。王安石诸新法的制定就是以商品经济的一定发展为条件的，它又有抑制豪强、发展生产的重要作用。宋代的海外贸易不仅规模超过前代，亦较明及清前期为盛。

这时期，北方在辽、金统治下生产停滞，经济遭到破坏。唯华北农业生产的停滞似属长期性周期，亦可能与中唐以来气候的变化和生态循环有关。

但在北方，在民族和文化融合上又是中国历史的一个进步，一如南北朝故事。蒙古族以草原氏族部落，在辽、金时代接受中原文化，进入阶级社会，乃至能入主中华，建立地跨欧亚的元帝国。

元建国前，连年战争，生产破坏，人口剧减。但忽必烈用汉法后，经济逐渐恢复。就生产力说，元代颇有建树。如中耕农具和水力器械的改进，南北大运河的全面改造，北洋海运线的开辟等；天文学、地理学的成就闻名于世。又国土辽阔，中原技术传播边疆，城市经济续有发展。但中叶以后，又趋停滞，以至衰退。其农业的衰退实受生产关系影响。诸王、贵族括田过多，赋税过重，先是导入奴隶制，俘民为"驱口"；继而依附农制再兴，农民被迫投充；以至随田买卖佃客又有回潮。这些都损害了生产。手工业方面情况较好，尤以棉麻纺织有较大进步，因全属民营，束缚较少。商业方面，虽有色目人、斡脱之垄断，仍增长不息，国际贸易空前扩大。这是因为中国封建经济已臻成熟，商品经济的发展就成为不可逆转的趋向了。

明和清前期经济（14～19世纪前叶）　这一时期，中国封建经济在生产结构和生产关系上有所调整，生产力有进一步的发展。

明清都很重视垦田。除着力经营长江中游和珠江流域外，并向中西部丘陵地带发展；又大量向四川移民，开发云南、贵州、台湾，开始放垦东北。明初至清中叶，全国耕地约增50%，估计达12亿亩左右。生产工具，两代都少创造。水利多由地主、农户自营，无复唐宋规模。但农艺学有长足进展，选种、深耕、早播、密植、田间管理等都有改进，尤以制肥、施肥技术和推广复种最有成效。这就在传统农业中，达到了精耕细作的高水平。南方两熟制由江浙向长江上游发展，岭南已见三熟。北方自晚唐起农事荒衰，到明后期及清有所恢复，并推广井灌，三年四熟和两年三熟也渐普遍。江南一带两季亩产量较之宋代又有提高。

明清推广小麦，而种稻区有北伸之势。宋元之际发展的高粱，至清已在北方部分取代了粟。明后期引进玉米、番薯，清大量推广。三者皆高产作物，并分别有耐寒、抗旱、适应砂地山区等特点。同时，经济作物迅增。棉的推广为明代农业大事，清续有发展，道光时年产近1000万担。甘蔗原植闽广，清代广种于四川、台湾。烟在明后期引进，清推广于各省。植棉的经济效益虽非甚高，但使用价值很大；蔗、烟则收益为各种作物之冠。花生是明后期引进，清推广于北方。东北大豆亦开始发展，并运销江南。余如蓝靛、红花、药材、果木等均有发展。这就在不同程度上调整了中国农业结构，扩大民食，增进农家收益，并有力地推动了农产品的商品化。唯畜牧业和林业少有进展。

随着农业效果的增进，人口不断增长。乾隆前期人口已达 2 亿，末期超过 3 亿，道光时达 4 亿，形成历史上第三个高峰。

明清农业的发展是和生产关系的演变分不开的。明清官田的比重都较小。两代开国时都实行听民垦荒即为己业的政策，自耕农大增，约达农户之半。其后土地兼并，大土地所有制日兴。唯明代尚多巨族地主，清之缙绅地主已无世袭官爵，后期并以庶民地主为多。明代地主尚有僮仆经营，至清则普遍分租。至此，除个别地方和少数民族地区外，依附农制基本消失。租佃关系也有变化。明初在刑律上废除佃户的低等级地位，与田主长幼相称；到清代，佃农已有基本人身自由。并且，至清中叶，已是定额租为主，这种佃农有了经营的自主权。又因明末以来押租制和南方永佃制的流行，农民的佃权比较有保障，可以投资改良土地。嘉庆时，货币地租已占有一定比重。这时农民雇工也大多有了人身自由，立有文契、定有主仆名分的已经很少。

明初曾建立庞大的官手工业系统，但后期匠籍制度废弛，丝织、瓷器等已交民营加工。清代除军工外，官手工业已甚小，并逐渐开放矿禁，招商承采。所以明清手工业在种类、数量、工艺学上都颇有发展。传统手工业如丝织、瓷器、造纸等，不仅力求精湛，而且向普及、耐用和多品种发展，并扩大原料来源，利用分工协作，降低成本。冶锻、金属加工等业，则主要是加大生产规模，缩短工艺流程，增加产量。采掘工业中，以煤矿的兴起和云南铜矿的开发较为重要。新兴手工业如制糖、制烟、榨油、木材等，都有一定规模。而最重要的是棉纺织的崛起和推广，棉布取代丝麻成为人民衣被的主要材料，至道光间，估计年产近 6 亿匹，并有半数为商品布。但全部是农民家庭手工业，罕见专业机户。

中国地主制经济突破了领主制经济的僵化模式，有较大的适应性；分租制下佃农也比庄园制下领份地的农民有较多的自由。因而，它可通过调整，容纳较高的生产力，使封建经济继续发展。另方面，它又能容纳一定的商品经济；从上述农业和手工业的演变可以看出，它们都是朝着商品生产的方向发展的。明清商业也逐渐超越了传统商业以土特产和奢侈品供应城市消费者为主的格局，而日益发展了生产者之间的交换，特别是余粮区和经济作物区的交换。市镇经济有较快发展，各级市场连成一气。明后期已经成徽商、山陕商等大商人资本，清代又有广帮、宁波帮等大商帮，其资本常达百万两以至千万两。商人会馆、公所林立；票号、钱庄等信用制度亦趋完备。

商品经济的发展终必导致资本主义，明后期起，即逐渐有了以工场手工业为主要形式的资本主义萌芽，清前期续有发展。但它并未能动摇中国封建经济的基础。这是因为，一方面，中国小农业和家庭手工业相结合的经济结构非常坚固，而这时流通中的商品仍是以这种结合的产品为主（粮和布即占70%）。另方面，中国地主和商人一向关系密切，并有官商传统，就是明清出现的大商帮，也不少据有皇家特权。土地买卖自由，商人也买地成为地主，形成地主、商人、高利贷者"三位一体"的局面。这就使得封建经济在成熟之后，能吸收一定的商品经济而不致动摇封建剥削的根基，反而延长了自己的生命。

明和清前期经济虽有发展，却始终未超过传统农业和传统工业范畴。整个这一时期，甚少发明创造，生产工具基本沿袭旧制。而17世纪以后，西方科技则大有进步。当时已有西方科技传入中国，但除天文、数学外，生产上无能为用。19世纪以来，以蒸汽动力为中心的新式器械已可在国际市场上取得，当时中国尚称富强，也有一定社会积累，但由于受到封建制度的束缚，不能引进以实现技术革新。明清两代都常行禁海，以至演成闭关自守；这固然多出于政治原因，实际上则起着保卫古老的封建经济的作用。

半殖民地半封建经济（1840~1949）　　1840年鸦片战争，英国打开了中国的门户；以后资本主义列强又发动了一系列侵华战争，强迫中国订立了50多个不平等条约和协议等。中国经济随之发生深刻的变化。

第一个方面的变化是外国资本主义的入侵。首先表现在对外贸易上，列强取得了协定中国关税和掌握海关行政的特权。外国洋行和银行垄断了全部进出口经营和外汇结算。19世纪60年代后期起，中国由出超变为长期入超；70年代起，中国完全丧失市场主动权，进出口价格均决定于国外。洋行豢养了大批买办，并借内河航行和子口税等特权，建立了从通商口岸到内地城镇的买办商业网。进口以制成品为主，出口以原料品为主；贸易对象则以各国在华势力的消长为转移。1895 年中日甲午战争前，这种殖民地型的外贸格局就已经完成了。

随商品侵略而来的是资本入侵。鸦片战争后，列强在中国设立了一些航运、船舶修造、出口品加工等企业。甲午战争后，列强正式取得在华设厂权，随之掀起了一个掠夺中国铁路权和采矿权的浪潮。同时，它们趁清政府无力偿付战争赔款的机会，竞相向中国贷放借款。1900 年八国联军入侵，又向中国勒索了一笔空前巨大的赔款，加计利息，成为中国最大的一项外债。这时西方资本主义已进入帝国主义阶段，资本输出成为重要侵略手段。到 1930 年，估计帝国主义在华投资达 34.9 亿美元。其中金融业约 3.2 亿美元，每个列强都有它在华的代理银行，并组成国际银行团，作为资本侵略的枢纽；运输业（包括铁路借款）7.6 亿美元，它控制着 80% 左右的中国铁路营运里程和 50% 左右的国内轮船吨位；工矿业 5.8 亿余美元，集中于棉纺、卷烟、煤矿、电力等，并在这些部门建立了垄断势力；政治性外债 7.1 亿余美元，它控制着中国的财政，乃至有左右政局的力量。

外国资本掌握了中国的经济命脉，表明中国经济已失掉自主，变成半殖民地性质的经济了。1931 年日本占领东北，实行"日满经济一体化"。在中国国土上，辽阔的东北和早被日本割取的台湾已不是半殖民地，而是完全的殖民地经济了。不计东北，外国资本仍在增长，1936 年投资总额约达 42.9 亿美元。

第二个方面的变化是本国资本主义的兴起。在外国资本主义侵略的刺激下，19 世纪 60 年代起，清政府的洋务派官僚创办了一批用机器生产的军用工业，以后又陆续开办轮船、工矿、铁路、电讯等事业。他们实际上早于外国资本 20～30 年创办了中国第一家大型煤矿、第一家钢铁联合企业和第一条实用铁路，也首创了机器纺织厂。但他们资力有限，连同军工业投资不到 1 亿元。这种官僚所办企业有浓厚的封建性，加以管理腐朽，常遭失败；后期并依靠外国借款，有的被外资吞并。1911 年辛亥革命后，中华民国时期的北洋政府继承这一事业，转而以银行来发展官僚资本势力，生产上无进益，反而进一步依赖外债，增强了买办性。1927 年国民党执政后，即沿着从金融控制到产业垄断的道路发展。但到 1936 年，除完成国家银行体系外，工矿业投资仍不过 2 亿余元。交通运输方面较有成绩，但多系依赖外债。

在清政府创办军用工业不久，民间资本也开始投资于缫丝、棉纺、煤矿等新式工业。这就是近代中国的民族资本，它代表中国经济中的新兴力量。甲午战败后，举国震动，在戊戌变法、抵制外货、设厂自救、收回利权等运动和辛亥革命的推动下，民族资本有了初步的发展。第一次世界大战期间，外国资本的压力有所减轻，民族资本又有了进一步的发展。到 1920 年，估计投资约达 4.3 亿元，仍以轻工业为主，但已有近 1 亿元投资于轮船和铁路。同时，民族资本的银行业勃兴，并形成南北两大银行系统。20 世纪 20 年代以后，外国侵略势力加强，民族资本不断陷入危机，尤以 1931～1934 年的危机为甚。但资本主义已向众多行业和内地发展，并有一些新工业部门出现。1936 年，民族资本工矿和运输业投资约有 13.3 亿余元。又 20 世纪以来，随着手工业的发展，原来作为资本主义萌芽形式的工场手工业大量涌现，其产值几乎与机器工业相匹。工场手工业资本较小，但也是民族资本的一支力量。

中国有了本国的资本主义，表明中国经济已不同于原来的封建经济，这是一个进步。但是，中国的资本主义十分软弱，不能与外国在华资本匹敌。并且，连同外国资本在内，在 1936 年的工农业总产值中，新式工矿业只占 10% 强，加上工场手工业也不过占 20% 左右。就是说，80% 的生产还是原来封建制度下的小生产。交通运输和金融业中资本主义的比重较大，但这两项仅占 1936 年国民收入的 5%。因此，中国经济还远不是资本主义的，而是一种半殖民地半封建的经济。

资本主义的发展给中国带来了新的生产力，这是过去所没有的。不过，直到 1936 年，包括外资企业和东北在内，中国还只有铁路 2 万余公里，年产生铁仅 60 余万吨，机器采煤 3300 余万吨，电力 620 万千瓦时。对 4 亿多人口的中国来说，这些都太少了。1936 年现代化工业的产值还不到手工业产值的一半。最发达的棉纺织业，也仅有纱锭 520 万锭，织机 5.8 万台；全国人民的用布中，近一半还是靠农家手织。

第三个方面是农村经济的变化。近代中国农村，仍然是地主经济占统治地位，唯富农经济有所发展，农业雇工有所增加。地主占有全国耕地的 50%～60%，官僚、军阀、商人地主代替了部分过去的缙绅地主，大土地所有制仍相当盛行。租佃关系逐渐契约化，货币地租有所发展，占 20% 左右。

富农盛时约占有耕地的 20%，但他们经营的规模很小，一般每个富农有地 30 亩左右，雇工 1～3 人。因而富农经济所占比重不大，后期又有明显衰退趋势。中国富农常出租部分土地和放高利贷，自己参加劳动，不是完备的资本主义经济。到 20 世纪 30 年代，雇工已占农村人口的 10% 左右，成为农村一支重要劳动力；但极为分散，短工为多，地主、富农以及一些自耕农、佃农都有所雇用，故多半还不具备资本主义雇佣劳动性质。

鸦片战争后，中国农村自然经济进入一个解体的过程，表现在耕织结合的分离和农产品加速商品化。但这个过程进展很慢，又不彻底。到 1936 年，农家织布已有 75% 以上是购用纱厂所产机纱，表明纺纱已大体从农业中分离来。但织布并未完全分离，农民家庭生产的自用布的数量约只比鸦片战争前减少 7%。农产品商品化进展较快，但主要是经济作物，粮食的商品率仍然不高。1936 年，除去返销农村部分，大约不足 30%。中国农业还远非商品生产，农村基本上还是自给、半自给经济。

鸦片战争后，清政府在对外对内战争中不断增加赋税。帝国主义赔款等勒索以及外债的负担、外贸不等价交换的损失，最后也大部落在农民身上。中华民国以后，军阀混战和国民党政府发动的十年内战，使农民负担有增无已。20 世纪 20 年代以后，地租又有明显增加的趋势；并出现农村金融枯竭、对城市负债现象。这都影响农业生产力的发展。

这期间，由于东北等地的开发，耕地面积有所增加。但农业生产技术基本上没有改进，农艺学的发展也受到传统农业生产方式的限制，江南一些地区的亩产量反不如清代前期。全国粮食产量徘徊在 2000 亿～2500 亿斤，人均粮食占有量反而由六七百斤下降到五六百斤。经济作物有较大发展，棉花高产时可达 2000 万担，大豆可达 27000 万担。但与粮争地的矛盾日益突出，经济作物播种面积限于 20% 左右，难以增加经济效益。总之，整个农业生产处于停滞和落后状态，这种状况又成为工业发展的障碍。唯一较振兴的是东北新农业区，1930 年该区粮食和大豆生产 380 余亿斤。日本帝国主义占领东北后，东北农业日趋衰退。直到抗日战争结束时，仍未能恢复到 1930 年的水平。

1937 年日本发动侵略全中国的战争，经济发达地区全部沦陷，生产力遭到严重破坏。日本帝国主义为了支援侵略战争，在中国东北实行以开发战略物资为中心的五年计划，但成绩很差，1943 年产量最高时，钢铁仅及计划的 28%，煤为计划的 73%。日本在华北、华中的经营，除煤炭外，亦多失败。国民党政府统治的后方，赖有丰富资源和摆脱了外国资本的压力，一度工业振兴，并发展了重工业。但规模有限，按战前币值计，投资不过 5 亿元，1943 年以后又形衰退。综观抗日战争时期的中国经济是破坏有余，建设不足。估计 1946 年比之 1936 年，按战前币值计，工矿和交通运输业的产值下降 31%，农业产值下降 12%。

抗日战争期间，国民党政府借助于统制经济，大力发展了官僚资本。战后又接收了日伪资产和德、意的法西斯资产，官僚资本达于高峰，大约占有全国工矿和交通运输固定资产的 80%，并垄断了金融和国际贸易。但是，它是在外国资本特别是美国的军事、经济援助下取得这种地位的，并与地主阶级分利、共存。因而，它是一种买办的封建的国家垄断资本。

中国共产党领导下的中国革命，早在 20 世纪 20 年代末就在土地革命的基础上建设革命根据地经济。当时是以发展农业生产为主，工商业方面由国营、合作社和私人三方面组成。抗日战争和第三次国内革命战争时期，在抗日根据地和解放区，实行土地革命、没收官僚资本和保护民族工商业的政策；建立了以国营经济为领导的、多种经济成分并存的新民主主义经济。经过大生产运动和互助合作运动，尤其是 1947 年以后解放区不断扩大，新民主主义经济欣欣向荣。国民党统治区则生产停滞，通货恶性膨胀，市场混乱，经济走向崩溃。1949 年中华人民共和国建立，结束了百年来半殖民地半封建经济的历史，这种由帝国主义政治、经济侵略而形成的落后、畸形经济为新民主主义经济所代替。

（原载《中国大百科全书·经济学卷》Ⅲ，中国大百科全书出版社，1988，第 1341～1347 页）

李文治先生论中国地主制经济的启示

　　李文治先生致力于中国地主制经济的研究近40年，造诣之深，在老一辈和迄今的经济史学家中无出其右者。他考察面极广博，而论证谨实，多年思考，始立一说。我以"博赡"二字概之，以为尤足为后学楷模。

　　李老早年著作中尝用"中国地主经济"一词，后在讨论农业中资本主义萌芽时用"中国地主经济制"，近年著作则用"中国地主制经济"。我不知李老命词原意，窥其前后著述，似是从着重研究地主经济本身，渐至从总体上研究封建社会经济体制的特征和演变。他在1993年的一篇《自述》中称："我所说地主制经济，指整个地主制经济体制，包括各类所有制，而以地主所有制为主。"① 他在最近一篇新作中称："本文所说地主制经济，指以地主所有制为主导，包括农民所有制、各类官公田地在内所形成的各类生产关系的总和，及由以构成的整个经济体制（包括个体手工业、商业）。"② 他认为中国封建经济体制有两个组成部分：一是地权形式，即各类所有制；一是人身依附关系，这种关系"总是由强化到削弱，最后趋于松解"。③ 从而，"封建依附关系的变化，体现为地主制经济的变化，其他社会经济乃至政治

---

① 国务院学位委员会办公室编《中国社会科学家自述》（以下称《自述》），上海教育出版社，1997，第164页。
② 《论中国封建社会历史时期地主制经济的灵活适应性及其制约功能》（以下称《新作》），《中国经济史研究》1999年增刊。
③ 见《新作》。

体制的变化，也随之亦步亦趋"。他说："由此，我形成了自己的学术研究思路。即把中国地主制经济的发展变化作为中心线索，用以研究中国封建社会经济乃至政治诸问题。使用这种方法进行研究分析，更能突出具有中国特色的封建主义社会性质。"①

上述李老研究中国地主制经济的观点、思路和方法，给后学以多方面的启示。下面是我自己的三点体会，均属个人的理解或看法，舛谬之处责自在我。

第一，"从总体上观察"应是我们当前经济史研究中最值得推荐的一条原则。它的理论根据是"总体大于部分之和"。不是说所有的研究都要包罗万象、卷帙浩繁，而是说每个专题的研究都应当有"总体观"，以大见小，否则必会失掉什么。这原则用在生产关系上，就是要看到多种所有制或多种经济成分并存。我曾说过，大约除了我们还不太清楚的原始社会以外，所有人类文明社会都是多种经济成分并存的。没有纯粹的资本主义，也没有纯粹的社会主义，有人殚力想搞纯粹的社会主义，结果失败。封建主义中，西欧的领主制经济比较单纯，但即使在十字军东征以前，除庄园制外，还有小土地所有者，在他们寻求庇护变成永佃性的贱农后，仍有半自由农和小屋农。李老的研究，就是从"中国地主制经济时代有多种所有制"这一总体观发出的。他明确地指出"农民所有制非封建所有制"，但他在研究地主所有制经济时，处处看到这种"非封建"的存在。他说，秦及汉初是"农民小土地所有制占较大比重"，宋代"农民小土地所有制一度占居很大比重"。② 明前期"农民小土地所有制广泛存在"，即使在地权集中的苏州府，"地主所有制所占耕地面积不会超过一半以上……其他地区可想而知"。"清代前期，农民所有制有所发展，所占比重远超过明代，并且有些地区自耕农占居了统治地位。"他指出："农民所有制的增长本身就意味着封建土地关系的松解。"③ 不用说，还有其他经济成分以及商品经济的发展，都在他的"中国地主制经济"的视野之内。这个概念本身就是总体观的产物。

第二，近年来，新制度学派的经济史理论在我国颇为流行。研究制度和

① 见《自述》。
② 见《新作》。
③ 见李文治《明清时代封建土地关系的松解》，中国社会科学出版社，1993，第75、81页，"前言"。

制度革新对经济发展的作用是对的。不过我以为，从历史上看，中国的制度变迁主要不是政府谋求收益最大化和经营者要求降低交易成本的结果，而主要是在生产和交换的发展中，由经济的和非经济的力量并且多半是由下而上地推动的结果。这种方式的制度变迁常会形成三个层次：首先是一般制度的变迁，其次是体制的（systematical）变迁，最后是根本的（宪政性的，constitutional）制度变革。一般制度的变迁，如赋役制之由税人丁到税田亩、由征实物到征货币，租佃制之由分成到定额以至押租和永佃，雇工制之由人身关系到自由劳动等，已成为当前经济史研究的热点，而体制研究相对薄弱，根本性制度变革则常被置于经济史范围之外。

李老在 20 世纪 60 年代就开始租佃制的研究，70 年代完成雇工制的研究，对明清时期这些制度的变迁做出总结，可谓开风气之先。但是，他是把重点放在经济体制的考察上，他的"中国地主制经济"即被定义为中国封建社会的"整个经济体制"。这是很有见地的。因为在制度史中，体制这一层次是关键。中国地主制经济不同于西欧领主制经济，正是体制之不同。体制有统筹观察之效。李老提出中国地主制经济的"灵活性""适应性"等都是体制的特征，是从一般经济制度的综合与一般经济制度的变迁中总结出来的。这种体制的特征，使"农民生产积极性较高"，"工农业尤其是农业能发展到较高水平，在这方面远超过西欧封建领主制"，"与这相适应，并出现一套完整而周密的政治体制"。但也因这种体制的特征，使中国地主制经济具有"顽强的生命力"和"较大的坚韧性"，以致"后来又变成束缚社会经济进一步发展的桎梏"。① 我还可以补充说，这种体制上的桎梏直到辛亥革命以后还残存着，直到土地改革才彻底清除。

第三，在经济史的研究中，必须注意非经济因素。这也就是我们经济史学前辈严中平先生所倡"三不"中"不能就经济论经济"一条。我国史学原有重视政治和文化的优良传统。"经济主义"始于美国。尤其是 20 世纪 50 年代以后，美国逻辑实证主义和计量史学兴起，经济史的研究趋向模式化，只注意经济数据，以时间变量代替历史思考，活生生的历史变成死板板的公式。鉴于这种风气的影响，有必要提出注意考察非经济因素。李老对中

---

① 见《新作》。

国地主制经济的研究，自始就重视非经济因素。如前所述，他认为中国封建经济体制由两部分组成，一是地权形式，一是人身依附关系。正是后者的变化，对中国地主制经济的"灵活性"和封建土地关系的"松解"起决定性作用。但与西欧不同，在中国地主制经济中，"人身依附关系不是地权的固有属性"，"对封建地权来说，它是外加的"。[①] 这就是说，它本身原非经济因素。李老曾从中国等级制度的嬗变上，从历代刑律中关于主佃、主仆和尊卑贵贱关系的规定上，从有关这些关系的判例和时人议论上，考察作为地主制经济的内容的人身依附关系的演变。另一方面，他专门研究了中国宗法制和宗族制的历史，考察血缘、宗法伦理思想的松解与封建土地关系的松解的关系，提出宗法宗族制的变迁为当时地主制经济的发展所制约的观点。他又从历代的农民起义的要求、所提口号和农民所反对的标的的变迁上加以分析，提出这也是为当时地主制经济的发展所制约的观点。从方法论上说，就是无论是考察一种经济体制发展变化的原因，或是研究它发展变化的效应，都要充分注意非经济的因素或方面。

（原载《中国经济史研究》1999 年增刊）

---

① 见《新作》。

功在开拓　遗范长存

　　管大同同志离开我们已经 10 年了。他为中国人民的革命和建设事业奋斗了一生。早在学生时代，他就积极投身于抗日救国的革命学生运动。在"一二·九"爱国学生运动中，他参加了北平学生联合会的工作，成为学生运动领导人之一。抗日战争爆发后，他又积极投入抗日游击战争，为开创和支持鲁西北革命根据地进行了艰苦卓绝的斗争。新中国成立之后，大同同志长期担任工商行政管理部门的领导工作，为中国的社会主义建设事业战斗到最后一息。他的革命经历和历史贡献表明，他是一位忠诚的共产主义战士和无产阶级革命家，新中国工商行政管理工作卓越的奠基人之一。他将永远受到我们的尊敬和怀念。

一

　　建立独立的工商行政管理工作，建立行政执法的工商行政管理部门，是中国人民建设有中国特色的社会主义事业的一个组成部分。早在 1949 年建国之初，中央人民政府就在政务院财政经济委员会（简称中财委）之下设立了私营企业局和外资企业局，分别负责管理中国私营企业和外国在华企业的工作。1950 年春，大同同志调任外资企业局秘书处主任。不久，外资企业局撤销，并入私营企业局，大同同志担任了私营企业局秘书处处长兼外资企业处处长。

解放前，帝国主义国家为了侵略中国，在华建立了一大批近代化企业，以控制和垄断中国的经济。新中国成立后，人民政府采取了有步骤地彻底摧毁帝国主义在中国的经济控制权的方针，废除了帝国主义对中国的一切特权，收回了长期被帝国主义盘踞的海关，管制了对外贸易，实行了外汇管理。这时，帝国主义及其他资本主义国家在中国的企业还剩下千余家，主要是属于英国和美国的垄断资本集团。人民政府理所当然地要对这些企业进行监督和管理。1950年底，由于美国无理宣布管制我国在美国辖区内的公私财产，当年12月，我国政务院发布命令，管制美国在华的一切财产，约200家美国资本的企业全部由我政府接管。其后，对其余800多家英国和其他国家资本的企业和房地产，也都先后通过征用、代管和转让等种种形式，进行了处理。处理外资企业的工作属于外事工作，由外交部统一领导。私营企业局主要是从行政管理上协同外事部门处理有关事务。大同同志在中财委领导下，具体主持了这项工作。他的工作上表现了十分审慎和细致的工作精神，总是把十分之八九的工作用于调查研究，十分之一二的工作才用于提出决策意见。每个案件都反复征求有关工商部门、地方外事部门和工商行政部门的意见后，才提出处理意见报外交部决定。到1952年底，各国在华企业基本处理完毕。在肃清帝国主义在中国的经济侵略势力这一具有重要历史意义的工作中，大同同志做出了重要贡献。

二

新中国建立之初，党和国家面临着建立社会主义经济和恢复长期遭受战争破坏的国民经济的艰巨任务。当时，建立社会主义国营经济，是随着人民革命的胜利，在全国范围内，由人民政府通过没收官僚资本来进行的。为了保证没收官僚资本的工作顺利和彻底地完成，私营企业局草拟了《关于没收企业中战犯、汉奸、官僚资本及反革命分子的股份及财产的指示》和《企业中公股公产清理办法》，于1951年1月由政务院公布执行，对隐匿在一般私营企业中的官僚资本股份，部署各地进行了广泛的清理工作。

建国初期，私营工商业还是国民经济中的一支重要经济力量。对于有利于国计民生的私营工商业，需要加以扶持，帮助他们克服困难，搞好生产经营，以利于恢复国民经济。调整工商业就成为当时经济工作中的一个中心任务。私营企业局的主要任务，就是在中财委领导下，掌握对私营工商业的政策，解决有关私营工商业的一些重要问题。为了贯彻调整工商业的精神，鼓励私人资本投资生产事业，保障投资人的合法利益，并使私营企业按照新民主主义的轨道发展，私营企业局起草了《私营企业暂行条例》，于1951年1月，由政务院公布施行。这个条例规定，私营企业的盈余，在提取公积金后，资本家可以按一定比例提取股息和红利，保证了他们的利润收入，对于调动他们的积极性从事恢复和发展生产起到了良好作用。

当时，私营企业局局长由中财委秘书长薛暮桥同志兼任。由于他在中财委的工作繁忙，私营企业局的日常工作，实际上是由大同同志主持。他对完成上述各项工作任务，起到了很好的助手作用。

三

1952年，私营企业局改组为中央工商行政管理局，成为政务院的直属机构，与各地的工商行政管理部门建立了业务指导关系，开始形成由中央到地方的工商行政管理工作系统。中央工商行政管理局成立之后，许涤新同志任局长，大同同志任常务副局长。在他们的领导下，总结了各地的实践经验，制定了一系列规定和办法，把各类工商企业登记管理、小商小贩的管理、商标的注册管理和城乡市场管理等项工作，都逐步开展起来，保护合法经营，取缔违法经营，打击投机倒把活动，为贯彻对私营工商业的政策，维护社会主义经济秩序，发挥了积极作用。

1953年，在过渡时期总路线的指导下，国家开始了对资本主义工商业的社会主义改造。国务院设立了第八办公室，主持对资改造工作。中央工商行政管理局在国务院第八办公室的领导下，大力开展调查研究，参与制订和处理对资改造政策，做了大量工作。如为推动公私合营企业的发展，中央工商局代国务院起草了《公私合营工业企业暂行条例》，于1954年9月公布施行。在全行业公私合营高潮中，对私营企业财产的清理估价是最为复杂的问题，中央工商局代国务院起草了《关于私营企业实行公私合营的时候对财产清理估价几项重要问题的规定》，于1956年2月公布施行。以后，又起草了《对公私合营企业清产核资遗留问题的处理意见的报告》，于1957年8月，由国务院批转下达施行。当时，许涤新同志已担任国务院第八办公室副主任。中央工商局的许多具体工作，都是大同同志组织主持的。中国对资本主义经济通过国家资本主义道路和赎买政策实行和平改造，是世界社会主义运动史上的一个创举。大同同志对此也做出了自己的贡献。

四

在社会主义改造高潮之后，整个国民经济已转变为统一的社会主义经济。面对这种新的形势，党开始对国家经济体制的改进进行探索。1956年，为了利用市场对社会经济发展的促进作用，党提出了在一定范围内开放国家领导的自由市场。既包括农村集市贸易，也包括城市中的小商品市场。1960年以后，除农村集市贸易以外，又开放了大中城市集市贸易。城乡自由市场，既有促进工农业生产，活跃社会经济生活的积极作用，又有冲击计划市场，滋长投机倒把的消极作用。国家要有正确的经济措施和行政管理办法，以利用它的积极作用，限制它的消极作用。城乡市场管理就成为工商行政管理部门的重要工作。从1956年到1965年的10年中，大同同志在城乡市场管理工作上倾注了他的主要精力。他非常重视调查研究，经常去外地调查，并召开各种会议，掌握和分析市场上反映出来的经济问题和市场斗争情况。他眼光敏锐地及时抓住城乡市场中的新情况、新问题，向党中央和国务院反映，多次获得主管财贸工作的国务院副总理李先念同志的表扬。同时，他又紧紧抓住城乡市场管理中存在的问题，及时提出对策加以解决。1957年10月，中央工商局提出了《关于当前城市市场管理工作若干问题的报告》，由国务院批转各地执行。1963年初，大同同志受国务院财办委托，主持召开了大中城市集市贸易会议，代中共中央和国务院草拟了《关于严格管理大中城市集市贸易和坚决打击投机倒把的指示》。为了更好地贯彻执行上述指示，中央工商局还代国务院起草了《关于打击投机倒把和取缔私商长途贩运的几个政策界限的暂行规定》，于1963年3月颁布施行。1964年冬，又代中共中央和国务院起草了《关于加强市场管理打击投机倒把活动的通知》，得到了周恩来总理的赞扬。

在此同时，工商企业登记管理、小商小贩管理和商标注册管理等项工作，均有进一步的开展。1962 年，中央工商局起草了《工商企业登记试行办法》，由国务院颁发实行，指导各地恢复了社会主义改造高潮后基本停顿了的企业登记工作，对当时的国营和集体的工商企业，进行了一次清理整顿和全面登记。1963 年又起草了《商标管理条例》，由国务院颁布施行，指导各地进行了商标普查，清理了未注册商标，处理了仿冒、伪造注册商标的违法行为。

五

1963 年 12 月至 1964 年 2 月，应柬埔寨王国首相西哈努克亲王的要求，受中国政府委派，大同同志率领由经济计划、财政、金融、农业、外贸等各方面专家组成的中国专家组，赴柬埔寨工作了四个月，在柬埔寨有关部门的配合下，对上述各方面工作进行了认真地调查研究，撰写了一个全面的考察报告，对发展柬埔寨的经济提出许多建设性意见，受到了柬埔寨政府的赞扬。西哈努克亲王接见了中国专家组全体成员并亲自授予勋章，这也为发展中柬两国人民的友谊做出了贡献。

六

为了对中国民族资本主义经济的发生、发展直到最后转变为社会主义经济进行历史的总结，在党中央的支持下，中国科学院经济研究所和中央工商局联合设立了资本主义经济改造研究室。在一些大中城市的工商局设立史料组，收集整理民族资本主义的行业、企业资料。从 1956 年下半年开始，在许涤新、管大同同志领导下，工作逐渐展开。该室先后编辑了一套反映解放后民族工商业发展变化和改造过程的统计资料，撰写了一部《中国资本主义工商业的社会主义改造》的学术专著，于 1962 年出版。从 1958 年起，该室每年都召开一次史料工作会议。每次会议均由大同同志主持。到 1965 年，中央工商局和各地工商局的同志，通力合作，共编写出机制面粉工业、火柴工业、橡胶工业、毛纺织工业、上海机器工业、上海棉布商业、上海永安纺织公司、北京瑞蚨祥等八部民族资本主义的行业、企业史料，由中华书局出版。这些著作和史料，都受到了国内外学术界的好评。

大同同志在繁忙工作之余，还重视理论研究，撰写了许多关于对资改造、市场管理以及社会主义经济的理论著作和论文，在宣传党的政策和总结经验，推动工作上，都起到了良好的作用。中央工商局是一个国家行政机关，但一直保持着浓厚的学术研究气氛，这是和许涤新、管大同同志的领导作风分不开的。

<h1 style="text-align:center">七</h1>

管大同同志怀着崇高的共产主义理想和坚毅的奋斗精神，数十年如一日地努力工作。他总是根据党的总路线、总政策的要求，从实际情况出发，了解新的情况，研究新的问题，总结新的经验，为新中国的工商行政管理工作做出了重要贡献。十一届三中全会之后，党确立了以经济建设为中心、坚持四项基本原则、坚持改革开放的基本路线，引导中国人民为实现四个现代化而努力奋斗。在新的历史条件下，工商行政管理工作取得了巨大的发展，工作任务和工作经验日益丰富，革命先辈们所创建的事业正在发扬光大。这完全可以告慰大同同志在天之灵。

（与方行合著。原载本书编辑组编《管大同纪念文集》，工商出版社，1994，第137～144页）

中国经济史研究的
回顾与前瞻

——在中国经济史学会首届年会上的开幕词

中国经济史学会是 1986 年 12 月成立的。四年半以后的今天，才召开首届学术年会和理事会。这是因为本会到 1989 年 4 月才经民政部正式批准，在这以前，我们也就不能开展正式的活动。今天召开首次学术年会，我们的会长严中平同志已不幸于今年一月逝世。我们的副会长傅衣凌同志，卧病多年，也已于 1988 年 5 月逝世。严老、傅老，都是老一辈的著名学者，也是中国经济史学科的奠基人。他们的辞世，是我们经济史学界不可弥补的损失。我谨代表理事会，向两位经济史学前辈致以深切的哀悼。

由于严老辞世，还有几位副会长因事未能到会，这次大会只好由我主持开幕。这次大会上，我们将改选或补选理事，推举会长。有关会务及本次大会的议程，将请秘书长魏金玉同志报告。

这几年来，本会理事会虽少活动，我们的会员、几个地区的经济史学会以及广大的经济史学工作者却做出很大的成绩。我看到一个"七五"期间图书出版的统计，1985 年是个出版高峰，以后两年走向低落，1989 年又进入高峰，尤其 1990 年，出版量空前增大。这是全部出版事业。经济史学科未见专列统计，但就我们耳闻目见，大体也是这样，即目前我们正处在一个学术著作繁花盛开的时期。

一些我们闻名已久、盼望多年的大型资料书，如明实录经济史料、清实录经济史料、徽州社会经济史料、巴县档案资料等，都在这两年开始出版了。《中国经济史大词典》是中国第一部这样的词典，也在去年问世。近代史方面，就我所见，新出版的行业、企业史料和地区经济史料、名人文集等不下20余种。经济史专著，我阅读不多，但知名和见面的也有二三十种。其中如《中国农垦史稿》上中册、《中国农业科学技术史稿》，都是宏篇巨著。关于宋代盐业、唐代农业、明代外贸、清代垦殖，都有专著问世。近代史方面有《民国经济史》、《中国近代经济史》第1卷、《中国资本主义发展史》第2卷，以及多种大专经济史教材。现代史方面有《中国土地改革史》，以及多种新中国经济史、社会主义经济史。外国史方面新出版有苏联经济史、日本战后经济、外国近现代经济史等，多卷本世界经济史也陆续付样。总之，各类专著，比起本会成立前的1985年出版高峰来是大加繁荣了。经济史论文就已发表者看，更是盛况空前。粗略估计，大约前几年每年有三四百篇，1988年开始增多，1990年有600多篇。这是我国建立经济史学科以来未曾有过的盛景。

这几年的经济史论著不仅数量剧增，质量也大大提高了。在我看来，近年来的成果，已大体清除了前一时期极"左"思潮的干扰，基本上摆脱了教条主义的束缚，打破了一些禁区；同时，坚持四项基本原则、实事求是，大多具有新意和创见。这应归功于党的十一届三中全会以来正确路线的引导，才能繁花盛开、硕果累累。从近年来发表的著述看，一个显著趋向是研究的领域扩大了。古代史已不是集中在典章制度，而扩及人口、农业生产、手工业、商业、货币以至消费经济等各方面的研究。明清史的研究中，开展了一个小农经济和商品经济的讨论，并日趋热潮，百家争鸣。这个讨论涉及后期封建经济的各个方面，以至需要对明清社会经济的发展重新评价。近代史方面，出现了一个关于中国近代化问题的研究热潮，它也涉及近代中国社会的各个方面；所有论述，也更多地注意到生产力、商品和货币流通、价格工资以至经济组织和经营管理等的研究。现代史方面，也从过去革命根据地、土改等课题，进而致力于社会主义经济史的全面研究了。外国史方面，扩展了对战后各国经济的研究，对国家垄断资本主义、社会主义经济进行重新探讨。

在扩展研究领域中，一个突出的现象是地域经济史、民族经济史、边疆经济史研究的兴起。长江流域的研究原来根基较厚，这两年又有从古代到近代的多种专著和论文集出版。闽粤地区也是开展研究较早的，近年来又不断向纵深发展。这方面，上海、江苏、广东等地的经济史学会都做了大量的工作，并进行国际学术交流和合作。东北经济史的研究成为后起之秀，出版了一系列资料、专著和论文集，这是与东北三省中国经济史学会的努力分不开的。值得注意的是，西南、西北地区和少数民族经济史的研究有如异军突起，进展甚速。他们大都从专题入手，探讨范围之广，令人目不暇接。其中内蒙古自治区、新疆维吾尔自治区经济史的研究，特别引人注意。四川、云南原已有经济史学会活动，其他地区也在筹建中。

在上述经济史的研究中，青年学者涌现。新的研究成果和近两年来发表的论文，大半都是出自新作家。一批获新中国博士、硕士学位的经济史学家，大都有专门著述问世，这是个十分可喜的现象，也是我们老一辈史学工作者特别高兴的事情。这也反映了近年来在经济史教学方面的成绩。我想我们应该向各院校的经济史教师们致敬。他们在各自工作岗位上辛勤劳动，科研与教学相结合，出成果、出人才，也给我们中国经济史学会带来光彩。

总之，我觉得，近年来我国经济史的研究和教学都是很有成绩的，成绩应当肯定。但是，今天我们在这里开会，却不是庆功会。相反，不少人是怀着一种危机感来的。那就是，近年来经济史学科受到冷落，不像20世纪六七十年代那样受人注意了。出版物虽多，读者却有限。一本专著，印数不过二三千，大部头的《中国经济史辞典》只印了1250册。经济史期刊也销路不畅，变成同仁刊物，读者就是作者。十年寒窗的成果，只要部头稍大些，就恐怕要再等十年才排得上出版。学校为减轻学生负担，削减课程，首先是经济史，或者学年课改为学期课，必修改为选修。我所在的研究所，招经济史研究生经常断档，不复有20世纪70年代那种踊跃报考的现象。经济史毕业生留不住，转到外交、外贸、深圳去了。即使志愿献身科研事业的，也转入发展经济学、比较经济学去了。在经济学领域中，经济史是个后门，比不上宏观经济学、微观经济学来得正大。在历史学领域中，经济史是个旁门，比不上政治史、文化史来得正统。结果，上面我说的那些成绩，不过是孤芳自赏，以至是自我解嘲。

上述是我个人的感觉。但在座怀有冷落感的，恐怕不止我一人。因而，大会秘书处给我们安排了一项议程，讨论今后如何推动经济史学的发展。记得20世纪50年代初，在北京组织新中国第一个经济史研究团体时，范老

（文澜）就对我们说，这事是要坐冷板凳、吃冷猪肉的。从此，这话成为本行的箴言。今年初彭老（泽益）有句话说，学术界本来有显学与非显学之分，不能样样都是热门，我们并不怕冷落。但是，我们相信经济史是有价值的学问，它会对社会、对经济学和历史学的发展做出贡献。也许不是温室效应，而是冷室效应，就是说从长远来看，从根本的理论建设来看，它是十分必要的。不过，这就必须有真知灼见才行，不是热闹一时所能奏效的。因而，问题还在于我们自己，怎样发展、提高，确有真知灼见。我想秘书处安排这个议题，就是这个意思。最近，江泽民总书记给李铁映一封信，要求加强近现代史的学习和爱国主义教育，各地正在动员讨论。这对我们经济史的研究是一个东风，有助于引起各方面的重视，同时也是一个鞭策，要求我们更加努力，在研究和教学上做出成绩。

怎样推动经济史学的发展，兹事体大。在座都是从实践中来的，又不少是从冷落中来的，体会既深，必有许多中肯的宏论。我尤其希望在座青年学者发表积极的意见，因为你们是代表未来的，今后的道路要由你去闯。我已老了，用陈老（振汉）最近给我的信中一句话说，是"入木有期，汗青无日"。不过，既然仍能有机会参加这次盛会，也借此提出几点个人看法。供大家参考。

第一，我觉得要推动我们经济史学的发展，首先还是要坚持马克思主义的指导。我国革命的胜利，建设的胜利，今天学术的繁荣，无一不是在马克思主义指导下获得的。我国的经济史学能有今天的成就，能立足于世界，也是因为自 20 世纪 30 年代学科建立以来就是由马克思主义指导或受其影响，至今世人不能不刮目相看。今天谈马克思主义指导，当然不是指死背教条，也不是指马克思提出的经济发展模式。马克思提出的发展模式受时代影响，大体是以西欧经济史为根据的，未必适合于东方，但他所提的经济发展的基本原理，例如不同生产方式的演进原理，仍然是我们研究的指导。在我看来，马克思主义基本原理，对于经济研究来说，首先是世界观的指导。这是包括世界观、历史观，以及如何做人、如何做学问的问题，也包括实事求是和如何面对冷板凳的问题。没有一个坚强的马克思主义世界观，单凭刺激和灵感，是做不好科研的。这些原理，具体说就是辩证唯物主义和历史唯物主义。这大家都很熟悉，我只想提出一点，即马克思的历史观是发展的历史观，特别是经济发展的历史观。因此列宁说，马克思是最彻底的发展论者。在这种观点指导下，我们的研究就会充满活力。其次，应该是马克思主义政治经济学基本原理的指导，因为我们是研究经济的发展和演变的。我想，最好是指广义政治经济学。马克思没有留下一部广义政治经济学，但基本原理已经提到了；恩格斯说，广义政治经济学还有待于创造。这是要在总结不同生产方式的经济史时逐步创造的。我常在想，如果我们能在研究中国封建经济史的基础上创造一部中国封建主义政治经济学，那必然是个重要的贡献。

第二，要振兴我们经济史学，应当着眼于当代经济。历史学本来是为现实服务的，这样它才有生命力。司马迁自序说"述往事，思来者"，即鉴古知今，这是史家第一要义。司马光修《资治通鉴》，即通古以资今之意。所以说，"史部千秋两司马"，他们奠立了中国史学古为今用的优良传统。有人说，两司马的鉴古知今或通古资今是指政治，指典章制度，经济史不行。其实不然。广义政治经济学上有范畴常存论，即古今经济，抽象到经济范畴研究有一致性。又照恩格斯的见解，一切经济现象都是个过程，有它的继承性和发展阶段性，而与政治事件不同。事实上，经济史之古为今用者，应远较政治史为多。政治上一次异族入侵，或宫廷政变，即可改朝换代，另立新章，经济发展却不能这样。社会主义革命是否定之否定的革命，但社会主义社会中仍有资本主义经济残余，乃至封建经济残余，有时还需要多种经济成分并存。即使纯社会主义的经济成分，也仍要服从价值规律，以至接受市场机制。我国社会主义建设，既要借鉴西方的经验和教训，怎能不借鉴本国历史上的经验和教训？问题在于我们经济史学者还没有很好地提供这种经验和教训。例如我们现代经济史的研究，就基本上不发生冷落感。外国经济史的研究，近年来已注意各国经济发展速度、产业结构、利用外资等问题，结合现实。我想，我们古代、近代经济史的研究，无论什么选题，只要着眼于当代，即心中有个当代中国经济问题，就像心中有个十亿人民一样，那么，思路就会比较开拓，提笔为文，也就会有点时代感、现实味，不致使人读之如隔世了。

第三，要继续发掘史料。史料是史学之母。一篇文章，只要史料完整、翔实，就是一篇好经济史。所谓好经济史就是以史服人，道理自明，借用王船山一句话，即"理在事中"。这里说发掘史料，指新史料，即人们没见过的，或见而未用过的，或经考据、训诂、分析、整理而有新意的史料。严老说经济史要有三新，首先就是新史料。一篇文章，只要有点新史料，便会引人入胜，不炒冷饭。我们看，近年来一些精彩之作，大多得力于考古学的成果，或是利用了档案资料，或是民间文书。这些，在我国都是得天独厚，有无尽宝藏。我曾接一位档案馆同志来信，说我们档案研究，往往与你们史学家的见解相左。怎么办？我说，这是大好事。史家千言万语，抵不过一篇真实的档案。我们经济史著作之不受读者欢迎，打入冷宫，也部分地因为多是老一套、炒冷饭之故。如有新史新论，人们也就刮目相看了。当然，发掘史料也有实际的困难。主观说，这是个费时费力的事，往往翻阅千卷，还一无所获。客观说，到处封锁，不是保密，就是卖钱，甚至为了创汇，不接待华人。然而，愈困难愈表现劳动的价值，我们的研究也就愈有意义了。

第四，要发展经济史研究，我主张要扩大理论视野，博采研究方法。近年来，我们经济史著述在理论和方法上已有一些革新，但总的说还是老一套的占多数。所谓老一套，即我国的传统史学，它并不坏，而是有很高的水平的。像廿四史，除个别急就章外，都是金石之声；而文史结合，尤具特色。外国人常把它称为 anecdotal model，有奇闻轶事之义，实指我们常用的记事本末体。记事本末体并不坏，但对于经济史来说不甚适宜。因为经济史不是纯历史，不是纯人文科学，它要与有关的社会科学相结合。例如运用经济学、社会学、统计学进行分析，以至更专门的货币金融、贸易、交通运输、地理环境、社会行为等理论进行分析。这就不单纯是记事本末了。

关于方法论，1986 年廊坊会议时我作了一个专题发言，这里不再重复。总起来，我的主张是"史无定法"，遇到什么问题，哪种方法最合适，就采用哪种方法，土的、洋的都可以。有人认为，方法论是受世界观支配的。培根是唯物主义者，所以创造归纳法；笛卡儿是二元论者，所以用逻辑演绎法；黑格尔是唯心论者，所以用唯心辩证法。我想未必如是。方法有其客观性，你可用，我也可用。至少，今天采用归纳法的不都是唯物论者，使用辩证法的也多半不是唯心论者。与其说方法论受世界观支配，不如说受任务支配。毛主席说，任务是过河，就要解决船或桥的问题。船或桥就是方法，何取何舍，因地制宜。

方法论有两种。上述归纳法、演绎法，以及我们常用的考据、训诂方法，西方常用的证实、证伪（逐一证伪后存真）方法，都可作为处理问题的通用方法；照我看来，它们与世界观无直接联系，可根据任务选择使用。还有一种是对历史、社会经济的思考方法，西语常称 approach，原义是如何接近（问题实质）之意。我在廊坊会议所讲的计量学方法、法国年鉴学派方法、系统论方法都属此类。此类方法大都有一套理论，并常形成一种学派，与世界观的联系较多，但也不是一体。前面我说，我们的研究要以辩证唯物主义和历史唯物主义为指导。我觉得，在这个大前提下，对新兴的一些思考方法或理论，仍然可以选用或选用其某些部分。例如，近年来我们经济史研究中已有人注意非经济因素，特别像民族因素、文化因素、地理因素等。这是对的，不会因此就成为哪种资产阶级学派。又如近年来我们很多人开展区域经济史的研究，区域经济必须与外区联系起来，发生物质、劳动、信息的进出问题，这就适宜用耗散结构的理论，研究它如何从无序到有序。这又有什么不好呢？过去我们研究国民经济的均衡发展，是用物资平衡法，这是学苏联的，是根据马克思的再生产理论制定的。现在我们改用投入产出法，苏联也改用投入产出法，这是学西方的。它比物资平衡法更实用，并不违背马克思的再生产理论。值得注意的是，在我们经济史研究中，特别在农业史中，从唐到明清，都已有人用投入产出法了。这不是个好现象吗？

我再提一点，即比较研究法。日前见新华社一则电讯，说比较史学在我国大放光彩，表扬了四位比较史学家。我细看，却没有一位是搞经济史的。我以为，经济史是最适宜用比较研究法的，我们应当在这方面做出成绩。英国有个汤因比，他的《历史研究》很多人爱看，因为他比较了 26 种文明史，中国文明顶好。中国文明好在哪里，我没研究。但我想，中国的封建经济可说是世界上最发达的，农业、手工业都居领先地位。它的生产效率、交换成本、分配合理性如何？这是经济史应当研究的问题，而这也是比较研究法用武之地。不过，汤因比的直观法我不大赞成。若说看文物古迹，听英雄故事，就能比较各民族的盛衰；比较经济史，就需要有更多的科学指标，起码要借助于计量学方法了。

我就谈到这里。谢谢各位。

（原载《中国经济史研究》1991 年第 3 期）

经济史的研究要上
一个新台阶

——在中国经济史学会第二届年会上的开幕词

中国经济史学会上届年会是 1991 年 6 月在郑州召开的，迄今已两年多。回忆上届年会时许多人有一种危机感：经济史研究受到冷落，学校削减有关课程，著述无处发表。为此，会议曾以如何开展经济史研究为中心议题，共谋摆脱困境。宋老（则行）在闭幕词中以"要坐得住冷板凳"相勉，会后并有多名同志联名上书教委。那么，这两年来情况如何呢？

从两年来（1991～1992）出版情况看，经济史的专著有 220 多种，比上次年会的前两年增加一倍有余。并向专业史、地区史发展，研究领域扩大至边疆、少数民族、人口、劳动、灾荒史等各方面。发表的论文也稳步增长，1990 年约 600 篇，1991 年有 750 多篇，1992 年约有 870 篇。其中除通论、专论外，先秦秦汉部分约 250 篇，魏晋南北朝隋唐五代部分 240 多篇，宋辽金元部分 150 多篇，明代约 200 篇，清代约 300 篇，近代近 450 篇。

断代史中，先秦秦汉经济的研究始终是很活跃的。这两年更多地利用了考古学成果，公社、奴隶制外，开展了文明起源和中国农业起源的讨论。不过，大部分论文还是属于典章制度方面。中古史即魏晋到宋元经济的研究，已从田制、赋役等转向生产力的考察和市场、交通、货币等方面，文化、思想的探讨也受重视。只是论著数量增长不多。明史尤其清史仍是热门。继资本主义萌芽、商品经济之后，进一步探讨地主制经济、小农经营、传统农业的演变及其效益，与当前农业现代化问题联系密切。近代史方面着重讨论了我国近代化的道路，以及帝国主义投资的后果、国民党经济政策的评价等，并由工业转向近代农业的评估；这都是很切当前实际的问题。

各时期的论著都开拓了新的研究领域。地区经济史、城市和市镇发展史、人口和移民史，成为十分茂盛的园地。少数民族和边疆经济史的研究也大有发展，继东北、西南、西北之后，内蒙古、西藏也活跃起来。经营管理史和海外交往史成为两个新兴的课题。有些文章已开始探讨自然环境和生态环境的演变。有些文章采用了社会学、人类学、计量学的方法。并有专门探讨经济史理论和方法论的文章出现。

以上所说，只限于中国古代和近代经济史研究。我会尚有现代和外国经济史两个专业，现代即新中国经济史的研究，也许是这两年来经济史学界发展最快的部门。多卷本的建国以来的经济档案资料已陆续问世，已出版的中华人民共和国经济史不下五六种。各省的经济史已写出 10 种，专业史并采取丛刊形式。专业史有分省的，也有部门的，分工很细。如除铁路史外并有铁路桥梁史、铁路信号史等。我会的现代史专业十分活跃，组织和参与了多次学术讨论。外国经济史专业也应很活跃的。上届年会以后他们就出版了论文集，又编印《外经史通讯》，交流情况；集体参加经济大辞典的外国经济史卷的撰写，多卷本《世界经济史》已于今年出齐。两年来，出版外国经济史的专著 20 余种，论文约 100 篇，都比上届年会前的两年大为增加了。

本届年会出席学者 129 人，为历届会议最多者。收到论文 78 篇，比上届年会增 30%。

以上可见，这两年来我们经济史的研究是很有成绩的；比起前一时期，成果增加了，研究领域扩大了，讨论深入了。前一时期较成熟的著述中，不少是老一辈学者多年来的积累，"文革"后才获问世。这两年来的著述，已大都是青年一代学者，尤其是"文革"后新起之秀所作。他们朝气蓬勃，并富于新思维，成为经济史研究的骨干，这是十分喜人的。这两年，正值第二次"下海"高潮。它比之 20 世纪 80 年代"下海"高潮来势更猛，并以高科技、房地产、炒股票为特点，对知识分子的冲击更大。然而，我们经济史的研究仍然取得很大成绩，说明这个冷板凳是坐住了；疾风知劲草，这是了不起的事。这次年会，秘书处布置的中心议题已不是如何摆脱困境，而是有三个，即方法论问题、传统经济与近代化问题、区域经济史和少数民族经济史问题。三者都是当前经济史研究中很现实的问题，我想其用意是，今天我们面对的已不是如何坐冷板凳了，而是如何使我们的研究跃进一步，上一个新台阶。

我这种估计是比较乐观的，同时，就应该对我们的研究提出较高的要求。我们国家正处在改革开放、大发展的时期。经济大发展、科学文化大发展，我们经济史学科虽小，也不能落后。我们是否落后了？我想大会可以讨论。我个人看法，是有点落后；至少比我们相邻的学科即经济系的研究，有点落后。落后在哪里？借用时髦话说，是改革不够，开放也不够。

改革不够，意指我们的研究，还是走老路的居多。例如构思，不少还是老框架；论证，许多还是老方法，乃至选题，走资料比较现成的路，走前人议论较多的路。这样，已用过的资料，还反复利用；前人已论述过的事情，还要从头说起。缺少新观点、新方法，文章虽多，创造有限。试看当前经济学的文章，改革开放以来面目一新；我们经济史的文章，好像依然故我。或者说，历史是讲过去的事，不能改革。这话有一定道理。不过，作为史学，不仅要描述过去，力求真实，还要解释它，力求找出规律性的东西。不仅考察一事一物，精辟入微；还要上升到宏观，研究这种经济运怎样运行的，其机制如何，在这种机制下资源是怎样配置的。我以为，考察一代经济运行之良窳，资源配置是优化了还是劣化了，才能搔到历史的痒处。我曾看到对江南和更小区域的这种研究。中国太大，从区域史入手是可取的。作为史学，又不仅是考察过去，还要如太史公所说"述往事，思来者"，结合现实，并考虑未来，使所论有时代感，所谓"历史常新"。凡此，都需要改革，即开辟新路子。老路好走，但有个尽头，用屈原的话说，"唯捷径以窘步"。我国史学，到清代朴学大师辈出，登峰造极，但也有点窘步了。梁启超提出"史学革命"，发展到20世纪30年代，已焕然一新。解放后，众所周知，在马克思主义指导下，史学又一次面貌全新，实为又一次革命。在我国社会经济文化大发展的今天，不言革命，提出史学改革，难道不可以吗？

学术改革的关键在于质量。现在外国评价学术水平，如评奖、评职称，主要是看论文，不看专著。因为新思想、新资料、新方法，大都体现在新发表的论文中。而专著部头太大，免不了有水分，重复众所周知和前人已论述过的东西。我们每年有八九百篇论文发表，为数不少，但真正如严老（中平）所倡"三新"的恐怕不多，炒冷饭的还不少。还有一些短平快的，更不适于写史。至于专著，要经得起历史考验，才属上乘。一部好书起码要管20年。严老的《中国棉纺织史稿》、巫老（宝三）的《中国国民所得》，至今还管用。这都要下苦功夫。听说有人一年写三部经济史，因未读过，不敢置评。这里我所说的，要求未免高了些。但既谈改革，不妨"取法乎上"。

再说开放，有两层意思：一是解除自我封闭的圈子，搞秦汉的不问唐宋，搞古代的不问近代，以至总在屯田、茶马市上打圈子。专业化是必要的，但必须了解全局；光了解背景还不行，因背景是某事当时的环境，还要了解环境和本事的演变。题目虽小，眼光要大。不一定每个微观研究都上升为宏观，一辈子搞考证也是史学家，但要有宏大的观点。太史公"究天人之际，通古今之变"，始终是治史箴言。太史公书是这样，我们只写其中一事，如货殖，也要有这种思想。布罗代尔的《菲利普二世时代的地中海和地中海世界》，所论只是一个时代一个区域，但从自然环境到人们思想行为的演变，都要互相关联，所谓"整体"史观。我们提倡写地区史也是此意。近见有写江南农业史一文，名曰"天地人"，构思可取。因为，一个地区，乃至一事一物的变迁，都会受长时段的、中时段的和短时段的诸因素作用。总之，走出圈子，扩大视野，这是我所说开放的第一层意思。

开放的第二层意思是说要吸收外国同行的研究成果。或者说，我是搞中国史，外国学说派不上用场。此言似过左。试看前辈史学大师，若梁启超、王国维、陈寅恪等，都是研究中国古代史的；他们对中国经典和考据学造诣极深，又都精通西学，才卓立于世界学术之林。再如研究中国哲学、文学以至儒学者，纯属国粹，但若胡适、冯友兰、钱锺书等，也无一不精西学，融会贯通，因而成为真正的大师。当然，不能要求我们都成为大师，而是说应当学习大师们的治学之道。西方史学不都是好的，但学派众多，各有长短，我们可取长避短，免除重复劳动，至少可扩大眼界，面向世界，改变研究的封闭状态。我们青年一代学者有外文根底，了解外国并不难。融会贯通，出几位大师，也是可望亦可及的。

我提出改革开放，无非是希望我们经济史学，无论在宏观或微观的研究上都能有所突破，上一个新台阶。我们是处在跨世纪的时代，要培养跨世纪的人才，迎接新世纪。我们的队伍中，一半以上是教育工作者。在"下海"

355

波涛中，他们处于最艰难境地，坐冷板凳，还要站冷讲台。然而几年来，他们出成果、出人才，成绩斐然；我们应该向他们致敬。小平同志论教育，指出三个面向：面向现代化，面向世界，面向未来。我想，这也应该是我们经济史学科发展的战略方针。我们每个经济史工作者都应该学习这三个面向，学习、教育、创作相长，把我们经济史学科推向前进。

最后，我想再谈一点：我们要发展经济史研究，无论改革或开放，都仍然要坚持马克思主义的指导，更具体点，即历史唯物主义的指导。我在1986年廊坊会议上，1991年郑州会议上，都谈过这个问题，并强调历史唯物主义是一种世界观和历史观，但我们在研究历史时是把它作为方法，思维的方法。理由很简单，因为如果不把它作为方法，它就变成教条了。这话不是我说的，是恩格斯、列宁说的。恩格斯说："马克思的整个世界观不是教义，而是方法。"列宁说："历史唯物主义从来也没有企图说明一切，而只企求提出'唯一科学的'说明历史的方法。"

作为方法论，历史唯物主义的核心是什么呢？照我看就是辩证思维，即辩证法。告诉我们看待历史要有全面观点，要有运动或发展的观点，量变到质变的观点，对立统一的观点，要懂得事物是这样同时又不是这样，不能绝对化，等等。我认为，在作历史判断时更重要的是："今天被认为是合乎真理的认识都有它隐蔽着的、以后会显露出来的错误的方面，同样，今天已经被认为是错误的认识也有它合乎真理的方面，因而它从前才能被认为是合乎真理的。"这也是恩格斯说的。

辩证思维是从观察自然界的变化得来的，所以是科学的，即辩证唯物主义。斯大林说："历史唯物主义就是把辩证唯物主义的原理应用于研究社会历史"；这其实是恩格斯的意思，由斯大林明确说出而已。但同样是斯大林，把马克思主义的哲学硬分为两门学科，一是辩证唯物主义，一是历史唯物主义。辩证思维在前一学科讲完了，历史唯物主义只好讲次生一级的东西，如国家、阶级、阶级斗争等。其实，从历史看，有的人群根本没有国家，或者没有阶级，或者没有奴隶制，或者没有封建制，这并不是历史唯物主义最核心的东西。

辩证思维则不然，它始终是管用的。科学进步不已，相对论出来，马克思时代的时空观就基本错了；大爆炸理论若被证实，恩格斯时代的宇宙观大概也错了。但辩证法作为思维方法，仍是管用；事实上，爱因斯坦就利用了辩证思维方法，同时又给它添上新的内容。历史是过去的事，不能像逻辑实证主义那样，从一定的公式推出。马克思主义的历史哲学不是公式，不是教条，而是方法论。

曾任英国史学会主席的巴拉克拉夫在为联合国教科文组织撰写的《当代史学主要趋势》中说，自汤因比的历史观基本消逝后，马克思主义是当代"唯一的历史哲学"。他说："当代著名历史学家，甚至对马克思的分析抱有不同见解的历史学家，无一例外地交口称誉马克思主义历史哲学对他们产生的巨大影响，启发了他们的创造力。""启发创造力"云云，显然指思维方法。独树一帜的法国年鉴学派奠基人费弗尔说："任何一个历史学家，即使没有读过一句马克思的著作，也要用马克思的方法来思考和理解事实和例证。"

作为方法论，马克思主义力量无穷。

谢谢！

（原载《中国经济史研究》1993 年第 4 期）

历史的回顾和祝愿

　　国家工商行政管理局的前身是中央工商行政管理局，1952 年 11 月成立，就创刊《工商行政通报》，迄今已 35 年。创刊初期，刊物的主要任务是宣传与贯彻党和国家对私营企业的方针、政策，交流工作经验，辅导各级干部的学习。1956 年私有制的改造基本完成，工商行政管理工作的基本任务，是为巩固和发展社会主义经济基础而努力了。这以后的一段时间，在"左"倾错误思想指导下，虽然工商行政管理机构动荡不安，但刊物仍继续出版，直至"文革"初期停办。1978 年底，党的十一届三中全会以后，社会主义商品经济大发展，工商行政工作也进入大发展的阶段，市场、企业登记、经济合同、商标、广告、个体经济诸项管理工作全面开展，"三资"企业的管理也成为新的课题。任务艰巨，人心振奋，队伍也空前壮大。以新姿态出版的《工商行政管理》，内容日益丰富，成为理论联系实际的、几十万工商行政管理干部爱不释手的读物。

　　创刊初期，我曾主编过本刊，虽然早已离开它，但我一直是它的忠实读者。值此 35 周年之际，回顾历史，不仅有着今胜昔的无比兴奋心情，还有珍惜历史之感。工商行政管理工作是以商品经济为依据的，可以说有商品经济活动就有工商行政管理。20 世纪六七十年代，"左"的否定社会主义商品生产的思潮压城城欲摧，而工商行政管理仍把搞好市场作为首要任务，为"管而不死、活而不乱"日夜努力。在那打倒一切、万马齐喑的岁月，工商局仍是为"三小"（小商贩、小手工业者、小业主）焦心苦虑，细读当时刊物，会发现不少为他们鸣不平之言。今天私营企业的出现，成为新事物，但回顾工商行政管理工作的历史，恰是从这里开始的。一些老的工商行政管理干部，对"允许存在，加强管理，兴利抑弊，逐步引导"的方针不难体会。"三资"企业也并非陌生。1952 年底以前，中央私营企业局就有外资企业处，几个大城市的工商局，都有和外商打交道的经验。社会主义初级阶段是个长的历史时期，不断积累历史经验，就会为我们新的工作开路。

最后，我还想提一下，重视调查研究是工商行政管理工作的老传统，我就是在这里"学徒"出身的。今天国家工商局任务繁重，有了几十万的干部队伍，我祝愿调研工作也和其他各项工商行政管理工作一样，发扬光大，前进不息。

最后，以亲切和高兴的心情，热烈祝贺《工商行政管理》半月刊创刊35 周年。

（原载《工商行政管理》1988 年第 1 期，创刊 35 周年纪念刊）

对研究明清商业史的
几点看法

　　明中叶以后，商帮兴起。这是中国经济史上一件大事，也是中国历史上的一件大事。因为随着商帮兴起，社会习俗发生变化，文学风格发生变化，经济思想以至儒学思想发生变化。最早研究这个问题的是傅衣凌先生。他在解放前就研究了徽州商人、洞庭商人、福建海商、陕西商人，但没研究资本最大、历时最久的山西商人。1955 年傅先生的《明清时代商人及商业资本》[①] 成书时，他已论述商业资本的发展是与封建制度对立的一种力量，明清商人资本"为资本主义的发展准备了若干历史前提"。以后，许多研究商帮的学者，就把它和中国的资本主义萌芽联系起来。傅衣凌一向重视社会史研究，晚年他提出"明清社会变迁论"，[②] 指出：16 世纪开始，中国在政治、经济、社会和文化上都发生一系列变化，"出现一股活泼、开朗、新鲜的时代气息"，乃至"叛逆思想"。但是，这些新的因素，包括资本主义萌芽没有能正常发展，而是经历了一个"中断、夭折、再继承"的曲折道路，但总的看并未背离世界经济发展的共同道路。

　　我很钦佩傅衣凌先生这个观点。在我看来，16 世纪即明嘉万年间大商帮的兴起是一个信号，标志着中国开始走上近代化或现代化（二者同义语）

---

① 傅衣凌：《明清时代商人及商业资本》，人民出版社，1956。
② 傅衣凌：《明清社会经济变迁论》，人民出版社，1989。

过程。我这样看有两条根据：一是马克思。马克思的现代化概念是从封建社会转变为资本主义社会，而其起始点是在16世纪重商主义时代"特殊商人阶级的形成"，他是指脱离了手工业行会的、从事长途贩运的商人，他们造成城市间的分工，发展了工场手工业。同时引起政治、经济制度的变革，到18世纪下叶，英法等国已具备了自由贸易的条件，随着世界市场的扩大，出现了工业革命，完成向现代社会的转变。这见于《德意志意识形态》；另一条是约翰·希克斯在《经济史理论》[①] 中所说。希克斯的现代化概念是从习俗经济、命令经济向市场经济转变，其起始点是16世纪"专业商人"的出现。专业商人要求保护财产权和维护合同，这是旧制度无能为力的，于是发生一系列的政治、法律、税制的改革和农业的商品化，劳动力市场的形成，到18世纪晚期出现工业革命，转变完成。

我以为，嘉万时期兴起的大商帮，就相当于马克思所说的"特殊商人阶级"，希克斯所说的"专业商人"。不过，比起西欧，他们还不像马克思所说的那样"纯商人"。例如晋商，恐怕要从弘治五年（1492）废除开中纳粟后的内商算起，边商以及一些皇商、官商还不算。内商也不纯，有封建性。但不能夸大，当时西方商人也讲家族主义，也想讨封个男爵，有似我国商人买个顶戴。问题是，明清商帮的发展，并未实现资本主义生产，也未实现市场经济，没有现代化。傅先生认为，这是由于中国社会的多元结构。我以为，主要是因为入清以后，政治和经济上的逆流太多，一直不能出现制度性的变革。顺治的禁海迁边，康熙的紧缩政策，市场萧条，都是逆流。愈是盛世愈保守，乾隆是最大的保守派。兴文字狱，明末以来的启蒙运动全被扼杀；一口通商，拒绝马戛尔尼使团，闭眼不看世界。道光的市场危机，又是一次大的经济逆流。所谓现代化，实际是制度变革，今称体制改革，逆流多，没有制度改革，就没有现代化。

我这种看法未必对，可批判。如果有点道理，那么，我再对如何研究明清商业史提点意见。

通常我们研究商业的发展，总是用再生产的理论。商品交换是再生产的必要环节，生产发展，交换也必扩大。这是马克思的生产决定论观点。马克

---

① 约翰·希克斯：《经济史理论》，厉以平译，商务印书馆，1987。

思说："交换的深度、广度和方式，都是由生产的发展和结构决定的。"
（《政治经济学批判导言》）但在他论欧洲16世纪至工业革命的历史时，这个理论不适用了。我上引《德意志意识形态》的一节，标为"交往与生产力"，即交换（广义的）引起生产力变迁。更明显是在《共产党宣言》。宣言说：原来的行会工业"已经不能满足随着新市场的出现而增加的需求了。工场手工业代替了这种经营方式"；"需求总是在增加，甚至工场手工业也不再能满足需要了。于是，蒸汽和机器引起了工业生产的革命"。

历史上经济的发展是由生产或供给推动的，还是由交换或需求牵动的，从来就有争论。大体上，古典主义、新古典主义经济学都是生产决定论，边际主义、凯恩斯主义则是需求决定论。今天还是这样，供应学派、合理预期学派强调供给，货币学派、制度学派强调需求。

我想采取恩格斯的观点。恩格斯说生产和交换各有其自身发展规律，可称为经济发展的"横座标"和"纵座标"（《反杜林论》）。就是说，经济发展是由这两个"座标"管着的，有时是生产起决定性作用，有时是需求起决定性作用。我们研究商帮兴起的背景，总是收集很多明代生产力发展的材料，这是对的。但忽略了对社会总需求的研究。这方面，可参看《方坦纳欧洲经济史》的16世纪和17世纪一卷。它就是首先讲总需求，又首先讲人口的增长和人口迁移，这是需求的基础。又讲消费结构的改变，它改变需求。又讲欧洲内部的贸易，相当我们省际贸易，贸易能增加价值，即增加购买力，扩大需求。当然，在欧洲，那时主要是海外市场的扩大。

我再谈一点社会变迁和思想变迁，这是研究明清商业史必须考虑的问题。我曾有篇文章，讲徽商对改变社会风气的作用，又说晋商在这方面的作用不大。这是我的无知，错了。看张正明教授《晋商兴衰史》，有专节讲山西社会风尚的变化，还表列23个府州县的记载。社会风尚的改变除弃农经商、弃仕经商外，主要是奢侈。奢侈之风，除小部分可归之于生产发展，如绢价下跌和一些手工业新产品的出现外，主要是反映社会总需求的增长，以及消费倾向的改变。明代思想家已提到奢侈对扩大就业有好处，还有个陆楫，从分配上论奢能富国，有凯恩斯味道，这在当时真了不起。

明清思想，近来已有不少研究。从研究商帮的角度看，我以为应该抛开批判理学提倡实学这个框框。嘉万时的泰州学派、东林党人以及李贽，都是信奉王阳明的，但不妨碍他们激烈地批评时政，倡导新思想，重视商人。明清之交的启蒙运动大师，顾炎武、黄宗羲、王夫之以至颜李学派，确实有批判心学倾向，但这与他们提倡实学，抬高工商地位并无直接关系。雍正乾隆来个大逆流，独尊朱子，万马齐喑，有心人只好搞考证，却回到了汉学。嘉道以后，龚自珍为首，开展了更大一次启蒙运动，但他们却打出公羊学招牌，回到先秦去了。所以，应该打破儒学框框，专研究新思想。新思想或归之于重商主义，或归之于市民思想，我看都有点，但不能评价过高。黄宗羲的"工商皆本"是有条件的，许多商业要严禁。倒是张居正的"厚商而利农"无意中说出商业促进生产的积极作用，但他的本意仍只是"通有无"。新思潮中，没有人领会到交换能创造价值，没有真正的重商主义。

〔1997 年 10 月在中国商业史学会明清商业史专业委员会成立大会（太原）上的讲话。原载中国商业史学会明清商业史专业委员会编《明清商业史研究》第 1 辑，中国财政经济出版社，1998，第 5～9 页〕

关于清史编纂体裁体例的
四点意见

第一，一部划时代的史学巨著在于代表时代精神（主要是历史观），因而就本书言，不发生定位问题，二十四史的那个位让给《清史稿》好了。以剑桥欧洲近代史为例，一百年来三次重修（含方坦纳），因历史观的演进，各成一划时代的巨著，各定各位，尽管题材和体裁是一样的。

第二，体裁可以"旧瓶装新酒"。但本书既与旧二十四史脱钩，无此必要。20 世纪以来，史学科学化，由叙述史变为分析史，但近年来又有恢复叙述趋向，因由线性分析（因果关系）转入结构主义。结构主义最适于整体史观。因此，不如大体以章节体为框架，吸收传统体裁。其中人物传是必不可少的。唯不宜以志代替专史，专史有专史的任务，所据理论和论证方法各异；正史可吸收专史的结论，但不宜包括专史。需要考证或计算的东西可作为附录，如人口和人口行为史，国土和建置史，民族和民族迁徙史，宏观经济（垦田、总产值、国际收支）史等。此外，配备解释图、地图、历年表、统计表、事件、文物、人物照片等。

第三，文体以简易文言较好，以求简洁，并求文采。我很钦佩吾师孟森先生和陈寅恪先生的文笔，可惜自己做不到。

第四，规模不宜过大。2000 万字已是可查阅不可通读，要做好索引。

（原载国家清史编纂委员会编《清史编纂体裁体例讨论集》，中国人民大学出版社，2004，第 853～854 页）

在"清代经济宏观趋势与总体评价"学术研讨会上的发言

这个发言我没有准备，因为是电话通知的，我忘了题目，一直以为是讨论典志的初稿。前天拿到会议手册，我才知道是讨论一个大题目，叫"清代经济宏观趋势与总体评价"。这个题目太大了，因为我没有准备，所以我想谈点典故，因为我老了，过去有些老事还能回忆。我记得我们有个论坛，叫《中国经济史论坛》。这是 1993 年李根蟠先生首创的，年年开会，年年都论，十几年了。我还记得头一次论坛的题目是"清代农业的评价"，主题发言就是方行。后来又有四次叫"传统经济的再评价"，讨论了两年。这个传统经济就是指清代，再评价的意思是，因为当时流行的看法是，清代经济是停滞或者是走下坡路的。走下坡路的根据是按照社会发展规律，封建社会的经济有个高峰，过了高峰就走下坡路。高峰在唐宋，以后就是下坡路了，到清代就下到最后一坡了。那个时候，我们的论坛就是为了扭转这个看法，经济在清代还是有所发展的。今天我们戴老、戴主任就是讲发展。方行教授和魏金玉教授也都讲发展。在 1993 年，我们头一次开会的时候，我就提出一个怪论，说我们这里一个 Pro-Qing School，讲清朝好的一个学派，以方行为首，李伯重、魏金玉、江太新都在内，那天开会的时候，好像只有吴慧反对，这时候国外还没有那个所谓"加州学派"。弗兰克的《白银资本》、彭慕兰的《大分流》还没有动笔写呢，王国斌的《转变的中国》写出来了，还没有发行。它的发行在咱们开始之后。只有一篇李中清关于清代的人口行为，他是做的口头报告。所以，这个 Pro-Qing School 实际上是中国学者首创的。在国际上还是停滞论，哈佛的中国研究中心是这个意见，那个胡佛研究所中国研究中心更不用说了，代表人物马若孟。这里我插一个故事：李中清在美国办了一个清史的杂志，*Late Imperial China*，中文叫作《清史问题》，有人投稿，翻译了一篇文章，是方行的文章。他们也采用匿名审稿制，匿名审查者就是马若孟，他回信说这个文章不宜发表。那时我刚好在美国，我给李中清说这个还是可发表的，后来就发表了。过了几年，2000 年，马若孟到中国来了，到南开，我跟他谈 Pro-Qing School 在美国很盛行，我就给他列举王国斌、弗兰克、彭慕兰等人，最后马若孟说"还有我"。这是六年的工夫，他转变了。讲清代经济还是有所发展的观点，到现在差不多有些共识了，当然，共识的内容还不一样，你像彭慕兰和弗兰克就有差别，他们两个还互相批评。最大的还是黄宗智的《悖论》，黄宗智的《悖论》是 1992 年在 *Modern China* 上发表的，同时他寄给我一个中文稿，想在中国发表。我给他找了一些地方，都不敢发表，《历史研究》不发表，我们的《中国经济史研究》也不敢发表，后来找到丁日初，他说，上海可以发表，上海比较开放。最后社科院《史学理论研究》发表了，先开了一个讨论会，把讨论会的批评意见也都写上，用匿名制，不指出姓名，用"有人说"。那个时候，我顾虑还是很大的，不像我们今天开会很透明，有什么就说什么，这个很好，这个也不容易。

我们这个会叫作宏观经济总体评价，这个非常好，要总体评价，就需宏观观察，Holistic Perspective，这是法国年鉴学派首创，可以说是布罗代尔首创。我们要讨论清代这个大题目，必须要总体评价。总体评价就是结构主义，用结构主义的方法分析。布罗代尔说他的结构论是根据马克思的理论来的，马克思首先提出上层建筑与经济基础的结构，以后又提出几种结构。总体评价不仅要看各产业部门，第一产业、第二产业、第三产业，还要看上层建筑，还要看制度是否先进，看管理是否有效，政府是否有作为，看意识形态，当时的主流思想是否正确，等等。

什么叫结构？结构就是部分与总体的关系。总体是基础与上层建筑的总和，基础有许多部分，上层建筑也有许多部分，每个部分与总体的关系都很好，都恰当、和谐，这个总体就很强大，行话叫作"总体大于部分之和"，这个大出的部分就是社会经济发展的动力。在计量学上，这个动力可以用

GDP 解释出来，所以我们会议明天要讨论麦迪森的《中国经济的长期表现》。明天我恐怕不能参加会议，所以先说几句。

麦迪森 1997 年到北京，在科学会堂讲中国经济的长期表现，那天我作评论员。他重点是讲新中国的 GDP 和未来展望，但从汉代讲起，他说人均 GDP 在宋代发展很快，到元世祖时达 550～600 美元，历明、清无变化，直到嘉庆还是 550～600 美元。所以他是明清停滞论。那时他的书还没有正式出版，这是根据 OECD 的预印本。他的二版新书我今天才看到，翻了一下，只是将 550～600 美元改为 600 美元。还是明清停滞论。那天我没有评他的估计，因为我自己没个数，不能评别人的数，我只是说对明清的评价应包括制度因素，如财政货币化、一条鞭和摊丁入地、押租制和永佃权、雇工人身自由等。现代化的 GDP，即用国民账户（SNA）制度计算的 GDP，是可以用索洛（R. M. Solow）的余值法分析出经济增长的 "全要素生产率"（代替过去常用的劳动生产率）。例如丹尼森（F. F. Denison）分析 1929～1982 年半个世纪美国的 GDP，年均增长率只有 2.92%，其中资本投入的贡献是 0.66%，规模经济的贡献是 0.26%，资源配置合理化的贡献是 0.23%。其他因素的作用是 -0.13%。六项加起来是 2.92%。促进经济增长的要素有的是负数，例如节能减排，负数越大越好。

其实所称 "全要素" 分析并不全面，尤其上层建筑方面，许多要素是不能计量的。如 "三个代表" 就不能计量，它的伟大作用在 "余值" 中表现不出来。不要迷信计量学方法。尤其在清代，计量根本靠不住，麦迪森说他的 550～600 美元是 guesstimate，即 "瞎猜" 出来的。我们要研究清代宏观趋势、总体评价，还得用历史学方法，一件一件地考察、论证。考察它发展的因素，也考察阻碍它发展的东西，我叫作 "逆流"，像禁海、迁边，拒绝马戛尔尼，都是逆流。记得有一次讨论会上，我说清代社会经济在物质文明、在生产和流通方面确实有很大发展，但在制度和思想方面显然落后。因为就清王朝所处的时代来看，在制度革新上应该有个跃进，应该有体制改革，而实际上连一部保障物权、债权的民法都没有出来，并且文字狱的逆流使 17 世纪的启蒙思潮偃旗息鼓，后继无人。今天我还是这个看法，请批判。

谢谢！

（原载《清史研究》2008 年第 3 期）

总结鸦片战争的历史教训 是我们世代相传的任务

——在"鸦片战争150周年国际学术讨论会"上的讲话

1990 年 8 月 27 日　人民大会堂

主席、各位领导、各位来宾、同志和朋友们：

鸦片战争后，中国逐步沦为半殖民地半封建社会。中国人民遭到奇耻大辱，经历了一场又一场浩劫，达 109 年之久。中国人民永远不会忘记这个悲惨的历史，总结它的教训是我们世代相传的任务。但从另一方面看，这百年来也是中国人民反帝反封建斗争的历史。用毛泽东的话说，是中国人民斗争，失败，再斗争，再失败，再斗争，直到胜利的历史。总结百年来中国人民斗争的经验，也是我们重大的任务。

百年来，支持中国人民反对帝国主义、屡败屡战斗争不息的力量，就是中华民族爱国主义，它是中国人民凝聚力的源泉。爱国主义当然不是鸦片战争以后才有的，它是中华民族的优良传统。屈原、杜甫以来，有多少伟大的爱国诗人，还有更多的爱国将领，无数的爱国战士。但是，不同历史时期，爱国主义有不同的内涵。历史上的爱国主义，今天看来未免狭隘。岳飞、文天祥所保卫的只是汉族王朝，戚继光、郑成功的事业也有局限性，因倭寇泰半华人，郑成功因抗清失利才入海建立据点。鸦片战争以后，才有了林则徐、魏源这种放眼世界大势的中华民族的爱国主义，这是一个飞跃。但是，80 年以后，即五四运动以后，才明确敌人乃是帝国主义侵略者，才有了民族主义与国际主义统一的爱国主义，这又是一个飞跃。尽管如此，在纪念鸦片战争 150 周年的时候，谁也不会抛开爱国主义这个民族传统，屈原、杜甫、岳飞、文天祥永远受人尊敬；因为没有他们的伟大存在，也就没有后来的发展和飞跃。这是不言而喻的。

百年来中国人民的奋斗还有它另一面，即反封建的一面。反对封建主义，进行民主革命，也就是中国的近代化。而近代化始于思想改革。西欧的近代化是始于14世纪开始的文艺复兴运动。由于文艺复兴，才有了宗教改革，才有了尼德兰和英国的革命，最后才有产业革命即工业化，那已是三百年后的事了。中国有没有类似的思想改革呢？我看也有的，不过迟了两个世纪，即始于16世纪的启蒙思潮。我们叫它启蒙思潮，不叫文艺复兴，也许因为这些人都是经学家，不是文学家。而西欧的文艺复兴，从但丁到莎士比亚，大都是诗人。不过，这时在中国出现的《西游记》、《金瓶梅》以及"三言"、"二拍"，也都是离经叛道之作，至今读之，仍能发聋振聩。

这个启蒙思潮没有西欧文艺复兴那样显赫声势，它不是显学，也没有引起政治变革。但这涓涓之水，却也源远流长。到17世纪的黄宗羲、顾炎武、王夫之诸公，直到梁启超称为"思想之解放"的龚自珍，都是改革派的先驱，并也都余事作诗人了。当然，他也是要到鸦片战争之后，才由经世致用产生"小变则小革，大变则大革"的觉悟；到了19世纪60年代以后才翻江倒海，出现洪秀全、孙中山等伟大的革命家。也是要等到五四运动以后，才有了另一次的飞跃，即毛泽东的新民主主义革命理论。不过，我以为，我们研究中国人民反封建或近代化的历史，也不能抛开传统，认为那完全是鸦片战争的产物，完全是从西方输入的东西。

毛泽东在讲中国人民斗争，失败，再斗争，直到胜利这段话的时候，首先指出帝国主义为我们准备了物质条件，也准备了精神条件。物质条件是重要的，因为经济毕竟是基础。革命不能输入，没有一定的经济发展，也就不会有精神上的飞跃。

支持中国人民长期斗争百年不息的物质条件，首先是中国的农业。据我考察，鸦片战争后百年来，我国粮食的生产总的说是增长的，增长幅度不大，但可与人口增长率相当；经济作物的增长则更大些。在革命最困难的时候，即八年抗日战争中，无论在解放区、大后方或沦陷区，粮食都能自给。整个百年来的斗争，农民是最伟大的贡献者。百年来我国农业技术有所改进，但微不足道。支持农业增长的主要是中国传统农业的法宝，即集约化，即精耕细作和复种制。直到今天，我们仍然不能抛开这个优良传统。

新式工业，这是鸦片战争后从外国输入的。据我近年来的研究，从1895年到1936年，在新式工业、矿业和交通运输业的投资，大约是以平均每年9%强的速率增长的，但分阶段看却是递减的：1895~1913年达15%，1913~1920年约5%强，1920~1936年仅4%多一点。这点令人悲观。不过，在各种资本的增长率中，中国资本大于外国资本，民族资本又大于官僚资本，民族资本长期保持着二位数的增长率。这点堪足告慰。民族工业的产量或产值（只能用十来种产品代表），增长幅度与资本的增长相当或稍大，但其增长率的下降趋势也比资本增长率下降为甚。并且，在技术上和生产结构上乏根本性变化，所以仅有增长（growth），而非真正的发展（development）。

然而，这百年来人民生活所需工业品，主要不是靠新式工业供应，而主要是靠手工业供应，传统手工业的产值大于新式工业二三倍，这是人所共知的。人们往往忽视的是，这百年来，我国传统手工业不仅有增长，也有发展。在结构上，它向工场手工业发展，吸收劳动组织效益和规模效益；在技术上，它采用新式工具，以至向电力化过渡。尽管发展甚微，但清晰可辨。我们研究中还发现，比较发达的民族新式工业，不少是利用了传统手工业以及传统农业的优势。例如纱厂成为最发达的民族工业，就因为它是把纱卖给农民家庭去织布，又因原料棉花供应无虞，并进行了棉种改良。

我讲这段话的目的是说明一点：我们在研究这百年来中国人民奋斗的物质条件时，也不能抛开传统经济，它是衣食父母。传统经济和传统文化一样，有其糟粕，也有其积极因素。在西方，传统与现代，原来是母与子的关系，现代生产方式是从传统生产方式中孕育出来的，这就是马克思的工业发展三阶段理论。而在中国，现代化工业是在鸦片战争后从西方引进的，于是传统与现代变成了东方与西方的矛盾。西方资产阶级要按照自己的面貌改造世界，对于中国传统的东西自然看着不顺眼。不幸的是一些中国人，不是努力去探索一条中国自己的近代化道路，而认为只能照抄西方。于是一切传统的东西都一无是处，非统统打倒不可。这种看法，我未敢苟同。

以上所谈，不免错误，请指正。谢谢！

（原载张海峰等主编《鸦片战争与中国现代化》，中国社会出
版社，1991，第 5 ~ 6 页）

谈创新

　　史学是研究过去的、我们不认识或认识不清楚的历史实践，如是已认识清楚就不要去研究了。因此，如果不是"写历史"而作历史研究，就必须有所创新，哪怕是一点点儿创新，集中起来，便形成一代的史学革新或革命。

　　经济史学前辈严中平先生生前常讲"四新"，要求我们研究提出新问题、新观点，要求发掘新材料，运用新方法。近20年来，史学界在这些方面取得很大成绩，创新的论著如层峰迭起，一改前此相当长一段时间经济史只是"炒冷饭"的局面，堪称一次史学革命。

　　原来，"四新"的提法是20世纪初开始的。梁启超倡"史界革命"首先是新观点，即进化论观点。傅斯年等创办历史语言研究时提出"扩充材料，扩充工具（方法）""益其观念""引出新问题"，实即"四新"。那时，为突破清朴学家以经训史的传统，特别注意材料。"史学本是史料学"，或谓乃蔡元培首倡。胡适最重版本搜集，陈寅恪取诗文、小说、佛典入史，傅斯年主持整理大内档案，连同驰誉世界的四大发现——甲骨文、汉简、敦煌卷子和因劫未能利用的吐鲁番文书，成为这时期史学最大贡献。由新问题引出新观点，形成疑古、辨古、重建古史界一场史学革命。"一分材料一分货，十分材料十分货，没有材料便不出货"，《历史语言研究所工作之旨趣》这几句话是治史箴言，也是这场史学革命的概括。唯在方法论上，当时只是

372

泛谈"科学方法",而少具体实践。有所创新,如王国维的"二重证据法"(以出土文物与文献对照),顾颉刚的"古史层累说"(按文献产生相反的顺序研究古史),仍不外考据学范围。

随着马克思主义在中国的传播,20世纪30年代以历史唯物主义为理论核心的新史学勃然兴起。新史学摆脱古史和典章的羁绊,从探讨经济基础和社会性质入手,开创了一场空前广泛和深刻的史学革命,这是人所共知的。这场革命以新的历史观和方法论为主导,而对新材料的发掘有所忽视,甚至把所有传统史学都称为史学派。不过,40年代以后有所转变,尤其是新中国建立后,有计划地、系统地发掘和整理史料,成果辉煌,为史学的大发展奠立了基础。然而,随着教学和科研的计划化,教条主义也日趋严重,许多新问题、新观点的探讨成为禁区,或动辄批判。方法上重蹈"以经训史"的覆辙。经济史"炒冷饭"的局面以此形成。正是在这种情况下,严中平先生重倡"四新",力挽狂澜,实属大智大勇之举。

所幸的是,也许是出于本性,史学界对史料工作从未中止。即使在"文革"期间,仍有不少人隐身于故纸堆中或社会角落,搜求新材料,藏之奁椟,以待"时飞"。改革开放,人云是中国又一次革命。对史学说亦然。随着改革,史学界新观点、新问题不断涌现;随着开放,海外的新论著、新方法也蓬拥毕集。中国史学,尤其经济史学,真正到了百家争鸣阶段。我想会有人注意到,这次史学革命较之历次革命的材料基础是大不相同了。考古的发展使我国新石器时代和青铜时代文化形成体系,并发现秦简、汉牍、帛书。档案的整理扩及中央各部门,并发现不少地方档案的集中点。方志的利用空前扩大,至于乡镇村级。碑刻、族谱尤其是民间文书,加上社会调查和习俗调查,成为一支史料新军。气象、水文、地理的变迁也都入史。正因新材料不断涌现,使我们对这次史学革命,即历史特别是经济史研究的创新十分乐观。

(原载《中国经济史研究》1996年第1期,纪念《中国经济史研究》创刊十年笔谈)

谈百家争鸣

1986 年《中国经济史研究》创刊，在"发刊词"中曾提出：

> 我们希望本刊发表的著作，或者是提出了新的问题，或者是阐述了新的观点，或者是运用了新的方法，或者是发掘了新的资料，当然都应当具有一定的史实根据和理论深度。
>
> 《中国经济史研究》坚持"百家争鸣"的方针，欢迎大家就不同的学术观点进行直率的讨论，对学术著作进行认真的评价。

这实际是宣布创刊《中国经济史研究》的主旨和承诺。有目共睹，20 年来该刊是遵循着这个主旨和承诺的。1996 年该刊创刊 10 周年时，我曾写短文《谈创新》，解释经济史学前辈严中平先生提出"四新"说的历史渊源，作为祝词。今天，当该刊创刊 20 周年之际，我想再以《谈百家争鸣》庆祝该刊阔步前进！

读者可以回忆，建国以来，中国经济史学的发展和繁荣，很大程度上是由不断掀起的专题讨论推动起来的。这在"文革"以前，有"五朵金花"之誉，概指奴隶制与封建制的分期问题、土地所有制问题、农民战争问题、资本主义萌芽问题、对洋务运动的评价或封建社会长期延续问题等。这些讨论吸引了众多史学家和经济学家参加经济史研究，并培养了大批新秀。不过这时期的讨论还比较拘谨,多是各抒己见,避免政治性问题的交锋,其中如地主阶级"让步政策"的辩论,乃属仅见。"文革"以后,情况大不相同了。这时破除教条主义,开放学术禁区,讨论基本上实现了百家争鸣,加以引进国外和港台学者的观点,空前活跃和繁荣起来。这时期的讨论,旧的问题有些已为新时代的思潮所屏弃,有些则扩大范围进入新的高潮。而风起云涌的新问题趋向多元化和专业化,不复像"五朵金花"那样动人。唯从一些宏观经济的讨论来看,如从自然经济与商品经济的消长、宋尤其是明清经济的再评价、市场发育、制度变迁等问题来看,则讨论中近代倾向和发展观点占了优势。到 20 世纪末和 21 世纪初,讨论问题进一步与现实经济接轨,如人口压力问题、环境与生态平衡问题、国家干预经济问题、儒学在经济发展中的作用问题等。新时代的讨论还有一点值得注意的是,有些问题经过百家争鸣,获得了局部的或大体上的共识。

那么,在这些问题的讨论中,何以会出现不同的学术观点?百家争鸣又是怎样推动经济史研究的前进呢?我想这里可以分别三种情况来讨论。

第一种情况是从历史观或经济学理论出发的对具体经济史问题的观点,有其理论的独立性,与众不同。如一些根据历史决定论、目的论或社会发展规律提出的论述,根据某种经济学说或经济规律提出的论点,都属这种情况。这种论点提出时也都佐以相当的历史资料,若其资料还不足以完全证实所提论点的价值,就会进入百家争鸣。在百家争鸣中,这种论点或被肯定,或被否定,而更多是通过扬弃乃至否定之否定过程,转化为新的概念,也就是原来论点的价值以新的概念表现出来。这当然是经济史研究的一大进步。

第二种情况是由认识论引发的观点的分歧。对历史问题的认识,原是主观与客观(史料)交流或沟通的结果,这种交流的失衡(主观主义或纯客观主义)、视域的偏差(以偏概全)、考察时在外部条件上的混同(环境效应),都会造成认识的分歧。在百家争鸣中互相启发,取得不同程度的共识,就把研究工作推进一步。但应注意,所有历史认识都是相对的,在时代思潮的演进中常需要再认识,并有新的问题出现。因而百家争鸣是长期的,无尽头的。

第三种情况是因个人掌握的资料不同而引起的观点分歧。其实,这是最重要的一环。在百家争鸣中,谁能掌握最全面的资料,谁能发掘最新的资料，谁就有最大的发言权，谁就领袖群雄，对学科发展做出贡献。当然也还要在资料的处理上下功夫，如训诂、校勘、考证、辨伪，资料的逻辑处理（归纳、演绎），数学处理（回归分析、相关分析）等。但应看到，历史是个多样性的、无限量的存在，而任何资料（文献、实物、口碑）都是单一的、有限的东西。用有限解释无限，必须依靠理论。历史研究还必须借助于抽象思维，借助于更改判断。在百家争鸣中，不要企图用资料这个硬件来统一所有不同观点。保留不同观点，对推进经济史学科的发展是永远有益的。

〔原载《中国经济史研究》2006 年第 2 期，纪念《中国经济史研究》创刊 20 周年笔谈（下）〕

研究经济史的一些体会

由于战争环境和时代思潮的动荡，我的学生生活非常曲折。我曾经历北洋工学院、清华大学、北京大学，学过工科、理科、经济和历史，非常杂，都没学好。但是，后来我在专业经济史研究中，却发现过去学的一点点理工知识（尤其数学）很有用。我学过的文献学，连同童年在私塾读的经文，也都常派上用场。这里的一个体会是：做学问必须专，专才能精；但又要有比较广泛的知识，博而后专，大有好处。

我做学生时学得很杂，但后来到哥伦比亚大学做研究生，就专学经济了。回来教经济学，又做了 20 年的经济行政工作。恰好我的直接领导薛暮桥、许涤新诸先生都是著名学者，在行政工作中也叫我们做研究，并有不少成果，包括经济史。这里我的一个体会是：在经济机关研究经济史大有好处，因为能密切联系实际，并易取得档案和调查资料。

"文革"后我到中国社会科学院经济研究所专业研究经济史了。据说经济史是门交叉学科，其实没有这门学科，研究经济史的不是学经济出身的，就是学历史出身的。这就很自然地形成两大学派：学历史出身的注重史料考证，学经济出身的重视理论分析。这两种研究方法都好，两派比一派好，可互相促进。但就每个研究者说，不妨有自己的体会。

我算是学经济出身的。我研究经济史就主要用分析方法，并喜欢计量分析，因为我学过计量学，并因此获金钥匙。但是，到 20 世纪 80 年代，看法开始有改变。

我首先感到的是，统计分析很重要，计量学分析则有很大局限性。一个模型变量有限，许多事情只能假定不变，这不符合历史。研究农业，灾荒不好计量，只能有灾是 1，无灾是 0。1986 年我在美国参加计量史学会议，那时 R. W. 福格尔还没获诺贝尔奖，但有些老计量史家已经转业了。历史现象，历史学家把它看成是因果关系，有时嫌简单化。计量史家把它看成是函数关系，那就太简单了。正如 R. M. 索洛所说，他们是"用时间变量代替历史思考"。① 历史是要下功夫思考的，不能用 t 推论出来。

经济学理论也有很大局限性。它没有普遍意义，受时间空间限制。有些可称为规律，如价值规律，但恩格斯说，它可用于 15 世纪以前，到 16 世纪就要用生产价格理论，到 19 世纪（这不是恩格斯说的）就要用边际效益理论了。这指欧洲，中国还不行。1995 年我写了一篇文章，提出"在经济史研究中，一切经济学理论都应视为方法论"，"任何伟大的经济学说，在历史的长河中都会变成经济分析的一种方法"。作为方法，它只能在一定的条件下应用。这篇文章由《经济研究》发表，经其他刊物转载，并获孙冶方经济学论文奖。②

那时，法国年鉴学派和新制度学派的经济史都在中国流行起来。年鉴学派的整体观和结构主义都来自社会学，不是来自经济学。整体观接近中国史学，它与经济学之强调分析，有如中医与西医。M. 怀特写了一本书《分析的时代》，指 20 世纪，叙述的历史变成分析的历史。不过近年来又恢复叙述历史的倾向。年鉴学派所称结构，就是部分与整体的关系。结构的良窳造成经济兴衰，这比原经济学的线性增长理论要高明得多。D. 诺斯的新制度学派是以新古典经济学为基础的，但他注意到非经济因素，把国家论和意识形态引进经济史。这实际是中国史学传统，中国历史上是强政府，讲义利论，不过，诺斯说他是取法马克思。总之，学习年鉴学派和新制度学派给我很大启发。至少，经济史不能就经济论经济，要研究社会结构、制度、思想。

① R. M. Solow, "Economic History and Economics," *Economic History*, Vol. 75, No. 2 (1985).
② 吴承明：《经济学理论与经济史研究》，《经济研究》1985 年第 4 期，第 3～9 页。

然而，使我感触最深的是 J. A. 熊彼特。他在传世巨著《经济分析史》开篇说，经济分析有三项基本功：历史、统计、（经济）理论。其中历史最重要，"如果一个人不掌握历史事实，不具备适当的历史感或所谓历史经验，他就不可能理解任何时代（包括当前）的经济现象"。①

我深感自己缺乏历史知识，没有历史感，这就做不好经济史研究。"历史感"尤难。我曾努力读前人的"历史哲学"，有十几家，虽可借鉴，但还是别人的，不是自己的。历史感或历史经验要靠自己研究历史得来，并要学古史，因为要通古今之变。这我就不如学历史出身的同行。好在我也读过两年历史，并幸遇名师陈寅恪、钱穆等，还有孟森老先生。也写过考据文章，只是太浮浅，需补课。

1999 年我写了篇文章，提出我对研究经济史的看法。我提出历史、经济、制度、社会、文化思想五个方面。② 我以为，经济史首先是史。每个历史时代都有它的时代的经济。如战国时代，各国经济都要为战争服务；秦汉大统一，就有了《货殖列传》。这不是上层建筑决定论。历史是上层建筑与经济基础统一的整体。从历史出发就是从整体入手。布罗代尔的《十五至十八世纪的物质文明、经济和资本主义》一书的第 1 卷就是整体论，它规定着第 2 卷经济和第 3 卷资本主义的"边界条件"。

历史研究是研究我们还不认识或认识不清楚的过去的实践，如果已认识清楚，就不要去研究了。这种认识，只有根据经过考证的、你以为可信的史料，别的都不足为据。但历史认识是相对的，随着知识的积累和时代的进步，过去认识清楚的东西又变得不清楚了，因此历史总要没完没了地再考证、再认识。

经济史是研究一定历史时期的经济是怎样运行的，以及运行的机制和效果。这就出现经济理论问题。经济理论是一定的经济运行的抽象，但不能从抽象还原出实践，正如不能从"义利论"中还原出一个君子国，世界上也没有一个"经济人"国家。在研究经济史时，一切经济理论都应视为方法，思维方法或分析方法。

---

① 约瑟夫·熊彼特：《经济分析史》第 1 卷，朱泱等译，商务印书馆，1991，第 29 页。

② 《经济发展、制度变迁和社会与文化思想变迁的关系》，《吴承明集》，中国社会科学出版社，2002，第 349 ~ 353 页。

任何经济都是在一定制度下运行的，否则就乱了。制度变迁通常是由于经济发展的需要。这和诺斯看法有异，是 J. R. 希克斯观点，也是马克思观点。历史上土地制度、赋役制度、租佃制度、雇工制度的变迁都是由于需要。但在重大的历史变革，如由传统经济向现代经济的转变中，单这些制度变迁还不行，还需要有体制的变革，以至根本法（constitutional）的变革。这是历史学家关注的，经济学家忽略了。

经济史本来是社会经济史，老一辈经济史学家都研究社会。1952 年禁止社会学，不敢研究了。1979 年已解禁，自应恢复社会经济史。

经济发展、制度变革、社会变迁，在最高层次上都要受文化思想的制衡。我不把文化思想看成"非正式制度"，不用"制约"，而用"制衡"（conditioned），有二义：一方面，不合民族文化传统的东西（如人民公社）行不通；另方面，文化思想又是改变传统的先导，这在历史上叫"启蒙"。历史学家重视启蒙，经济学家不重视。从管子起，历代都有启蒙思想，研究经济史要注意它。

（原载《近代史研究》2005 年第 3 期）

学习和治学的一些体会

一

我的求学过程很曲折，幼年曾入私塾，后就读于以理科著称的北平市立第四中学，而"九一八"以后就变成游学了。先是转入天津北洋工学院预科，继考入清华大学理学院，转入经济系，又转入北京大学史学系，一度参军，1940 年毕业于昆明西南联合大学。这是因为当时正值抗日救亡运动高潮，我是学生运动组织者之一，不能不狡兔三窟；同时感到原来科学救国的理想渺茫，不如改学经济和历史较切时需。那时从未想到专业研究学问。但当我成为研究员、专业研究中国经济史以后，回忆往昔，早年杂七杂八的学习经历却颇有好处；尤其是数学和一些理工知识很有用，乃至私塾所读经文也常派上用场。在研究中还感到新知识缺欠，专门学了一些现代物理学（过去学的是古典物理学）。研究经济史所需的社会学知识，也是后来补学的。

做学问要开放眼界，博闻广识，知世界之大，然后取一勺饮。在确定研究专题后，又要根据需要，随时求博，以补知识之不足，其涉及历史的专题尤其如此。章学诚在《文史通义》中曾有文论浙东之学和浙西之学。浙东之学源于陆九渊，经王守仁至黄宗羲；浙西之学源于朱熹，经顾炎武至于戴震。章学诚说"浙东贵专家，浙西尚博雅"，并行不悖。章本人是贵专的，甚至认为学海无涯，"善取不如善弃"。但他指出，浙东之学立论"必究于史，此其所以卓也"。"究于史"就是要深究人事、器物等"人伦日用"之事，由此"下学上达"，达于"通识"。通识即史义，也就是道。道"皆其事势自然"，人们是从博中认识的。

二

20世纪40年代，我在纽约哥伦比亚大学研读经济学。当时凯恩斯主义正盛行，在美国，因罗斯福胜选连任总统，凯恩斯的宏观经济理论成为国策。但在学术界并非一边倒，我在哥伦比亚的导师就是反对凯恩斯主义的。而我的学位论文恰是研究美国战时财政货币政策，因而下笔为难。凯恩斯的理论总是强调预期和消费者的倾向性，而不谈历史。我采取了"究于史"的办法，不去讨论理论本身，而专从"罗斯福新政"以来的实践经验、特别是历史数据上立论，亦即采取了实证主义方法，结果是成功的。论文通过答辩，其中《货币》一篇还获得"金钥匙奖"。①

此后，对于新的经济理论我都采取这种"究于史"的方法，并认为实证主义是研究经济史的基本方法，不可须臾或离。不过我所谓实证主义是专指文献和语言的诠释、文物的考证、数据的回归而言，不是指A.孔德的实证主义哲学。孔德说他提出实证（positive）一词有五个含义，我只取他第一个含义，即"真实"。但我完全拥护他的第五个含义"否定之反义"，即"对每一种见解都更公正，更能宽容"；"坚持从历史角度去衡量不同见解的各自影响、持续的条件以及衰落的缘由，决不作任何绝对的否定"。② 就是说，肯定自己而不要完全否定别人，尤其是前人。也就是恩格斯所说："今天已经被认为是错误的认识也有它合乎真理的方面，因而它从前才能被认为是合乎真理的。"③

---

① 此处吴承明先生记忆有误。1945年吴承明先生获得美国贝塔－西格玛－伽玛（ΒΣΓ）荣誉学会颁发的"金钥匙奖"，获奖论文是在哥伦比亚大学商学院研究生部选修多德（D. L. Dodd）的金融市场课程后所撰写的论文，其中译概要本《认股权、股票股利及股票分裂与扩充公司之投资理论》发表于《证券市场》第2卷第2期（1947年5月），收入本卷第132～149页。——编者

② A. 孔德：《论实证精神》，黄建华译，商务印书馆，1996，第30页。

③ 《路德维希·费尔巴哈和德国古典哲学的终结》，见《马克思恩格斯选集》第4卷，人民出版社，1972，第240页。

三

经济史是一门经济和历史的交叉学科，但目前在我国高校还没有这种学科专业设置。我们经济史学者不是学历史出身的就是学经济出身的，很自然地形成两大学派。前者注重史料考证，力图用因果关系解释经济变迁；后者注重理论分析，力图用计量方法分析变动要素。两派各有好处，可并行，互相促进，但就每个研究者说，不妨有自己的看法。我是学经济出身的，早年著述就主要是用经济理论作分析，并喜欢计量分析。但到 20 世纪 80 年代看法有所改变。

我首先感到经济学理论无普遍意义，适用于西方者未必适用于中国，适用于近代者多半不适用于古代。其中有可称规律者，如价值规律，恩格斯说它可适用至 15 世纪，至 16 世纪就代之以生产价格为基础的规律了，到 19 世纪晚期又通行以边际价格或均衡价值为基础的规律了。这是指西方，在中国还须另议。1995 年我写了篇文章，提出"在经济史的研究中，一切经济学理论都应视为方法论"，"任何伟大的经济学说，在历史的长河中都会变成经济分析的一种方法"；[1] 作为方法，它只能在一定条件下应用，经济史学者可以根据历史条件选用这种或那种理论，"史无定法"。

我还感到，统计学在研究经济史中非常重要，而计量经济学则有很大局限性。一个模型的变量有限，许多事情只能假定不变。即使是全要素分析，对于环境、习俗的演化，制度和政策的变迁，还有执政者的从宽从严，都无法计量。因此我提出计量经济学最好用于检验史学家已有的定性分析，而不宜创立新的论点。至于名噪一时的计量史学（cliometrics），只能用于狭小专题的研究，近年亦已少用。历史现象十分复杂，史学家把它看作因果关系已不够周全，计量史学家把它看成函数关系就太简单了。正如 R. M. 索洛所说，这是"用时间变量代替历史思考"，[2] 是不足为训的。

20 世纪八九十年代，法国年鉴学派和 D. 诺斯新制度学派的经济史学传

---

① 吴承明：《经济学理论与经济史研究》，《经济研究》1985 年第 4 期。
② R. M. Solow, "Economic History and Economics," *Economic History*, Vol. 75. No. 2（1985）.

入中国。年鉴学派的整体观和结构主义都来自社会学。整体观颇接近中国史学，它与经济学之强调分析，有如中医与西医。结构主义就是研究部分与整体的关系，结构优化或结构失调导致经济兴衰，这比经济计量学的线性增长假设要高明。诺斯的新制度学派是以新古典经济学为基础的，但注意到非经济因素，把国家论和意识形态引入经济史研究。他说这是取法马克思，而实际上符合中国史学传统。中国历史上一向是强政府，讲道德经济。年鉴学派和新制度学派的理论也有不适于研究中国的部分，但至少它们启发我，经济史不能就经济论经济，还必须研究社会结构、制度、文化思想。

J. A. 熊彼特在他传世巨著《经济分析史》开篇说，经济分析有三项基本功：历史、统计、（经济）理论。其中历史最重要，"如果一个人不掌握历史事实，不具备适当的历史感或所谓历史经验，他就不可能理解任何时代（包括当前）的经济现象"。[①] 历史感、历史经验，需要长期的真正的历史知识的积累。我在经济史研究中深感自己缺乏历史知识，就拼命读前人的"历史哲学"，读了许多家，但都是别人的，不是自己的。要有历史修养，必须认真研究历史，而且要有古代史知识（我过去主要是研究近现代史），才能通古今之变。

四

1999 年在一个学术会议上，我对研究中国经济史提出历史、经济发展、制度变革、社会变迁、文化思想五个方面的看法。[②]

我以为，经济史首先是史，每个历史时代都有它那个时代的经济。如战国时代，各国经济都要为战争服务；秦汉大统一，就有了《史记·平准书》《史记·货殖列传》。这不是上层建筑决定论。历史条件包括地理、生态条件和社会、政治条件；历史是经济基础与上层建筑的统一体，从历史出发就是整体观。

历史研究是研究我们还不认识或认识不清楚的过去的实践，如果已认识

① 约瑟夫·熊彼特：《经济分析史》第 1 卷，李浟等译，商务印书馆，1991，第 29 页。
② 吴承明：《经济发展、制度变迁和社会与文化思想变迁的关系》，《吴承明集》，中国社会科学出版社，2002，第 349～353 页。

清楚就不要去研究了。但历史认识是相对的，随着知识积累和时代思潮的演进，已认识清楚的东西又变得不清楚了，需要再认识。经济史研究就是没完没了的再认识。

经济史是研究一定历史时期的经济是怎样运行的以及它运行的机制和绩效，这就需要经济理论。经济理论是一定的经济运行的抽象，但不能从抽象（模式）中还原出历史，正如不能从义利论还原出一个君子国。世界上也没有一个"经济人"的国家，在研究经济史时，一切经济理论都应被视为方法——思维方法或分析方法。

任何经济都是在一定制度下运行的，否则不能持久。制度变迁通常是由于经济发展的需要。这和诺斯的看法有异，是 J. R. 希克斯的观点（《经济史理论》），也是马克思的观点（《德意志意识形态》）。历史上土地制度、赋役制度、租佃制度、雇工制度的变革都是由于经济发展的需要，总的看是不可逆的。但是重大的变革，如由传统经济向现代经济的变革，单这些制度的变革还不行，还要求有体制的（systematic）变革以至根本法的（constitutional）变革。这种变革实际是革命，是历史的断裂。经济史不仅要研究经济的连续性，还要研究它的断裂性。

经济发展和制度变革总是伴随着社会结构、群体组织和行为的变迁而出现的；革命性的制度变革更需要社会精英和群体的合作，这就需要研究社会变迁。经济史本来是社会经济史。经济史学者无力研究整个社会，主要是研究促进或阻碍经济发展的社会因素。在中国，这个最大的因素就是历代政府，应做专门研究。

经济发展、制度变革、社会变迁，在最高层次上都要受文化思想的制衡。我用"制衡"（conditioned）有二义：一方面，不合民族文化传统的变革（如人民公社）行不通；另一方面，文化思想又是改变传统的先导，在历史上称为"启蒙"。诺斯把意识形态看成是非正式制度，只见其限制的一面，马克思则重视启蒙。从春秋战国起、从《管子》起，历代都有启蒙思想，应予重视。

〔原载中国社会科学院老专家协会主编《学问人生——中国社会科学院名家谈》（下），高等教育出版社，2007，第 94～98 页〕

发挥大运河的运输潜力

——在"运河经济与商业文化研讨会"上的发言

1997 年 4 月 22 日　山东聊城

京杭大运河曾经对发展我国国民经济做出巨大贡献，但历代王朝并未能很好地利用它。充分发挥大运河的运输潜力，还有待于今朝。

史料但述大运河帆樯之盛，其运输力有多大，利用率如何，无记录，略可考者唯粮食运输，乾隆间，漕运正米及各种耗米 474 万石，约合 35.5 万吨，而实至京师入库者不及 300 万石，余属商品粮性质，商船运粮，远大于漕粮，明代已然。郭松义估计，乾隆时商人经大运河输粮年达 1050 万 ~ 1550 万石，即 80 万 ~ 116 万吨。邓亦兵估计年运量，临清以北段 350 万石，临清至淮安段 500 万石，淮安至扬州段 400 万石，扬州至浒墅段 600 万石，苏州以下 500 万石，均已扣除各段间重复运量，总计 2350 万石，合 176 万吨。邓系按各榷关粮税收估算，而以偷漏占 150% 计，可能稍高，但可知，大运河的粮运主要是商人贩运，官米只占 13%。

粮食以外，以纺织品、盐、土特产为大宗。江太新估计，漕船 6000 余艘，所带土宜和揽载客货有六七百万石到八九百万石，即 50 万 ~ 60 万吨，为粮食的 1.4 ~ 1.7 倍。但南方淮安、浒墅各关税收中非粮商品仅占二成强，北方临清关则非粮商品占一半以上。所有非粮商品均属商业性质。设与粮运等量，则乾嘉时大运河总运输量约 350 万 ~ 400 万吨，其中官米仅占 5% ~ 6% 而已。

咸丰五年（1855）黄河改道，江北运河多处淤塞，无力修复，以至废弃。解放后，修复济宁以南各段并略拓宽，运输量剧增至 1000 万吨以上。

可见明清盛世均未能发挥大运河的运输潜力。

　　未能发挥潜力的根源，在于王朝政府只重漕运，不鼓励乃至腴削作为运输主力的商船。漕船吃水不逾四尺，长不逾八丈（漕官常私自增大以揽客货），治河以勉强通漕为满足；河工经费严重不足且多中饱，治河思想亦有问题。

　　元代至元间，经郭守敬、韩仲晖等勘议开永济、会通河，才真正打通南北，成为大运河。临清至济宁的会通河是大运河的关键，但缺水，元世祖虽大力开通，而运量有限，漕粮仍主要靠海运。明永乐九年（1411），用汶上老人白英的建议逼汶水在南旺分流入运河，才基本解决问题。这时治河的理论，如利用泗水、黄水入运河，北端引泉水灌通惠河等，都在于开通水源，与今天我们南水北调改造大运河的思想一致。到清代，治河难点在苏北黄淮交汇处，用冲刷法，成效不大；对北段开通水源无所改进。这时没有郭守敬，也没有汶上老人，看来治河思想只是修修补补而已。

　　更重要的是财政补贴尽用于运漕，河工经费支绌。嘉庆前，苏北治河经费年50万两，会通河疏浚费仅6万余两，全部运河河工费不过100万两。而漕运方面，机构重叠，官丁冗杂，年支现金330万两、贴米246万石，米按江南价折银，共合700万两。以致漕运成本达每石8～10两，或估需20～40两；而商运成本，按江南与京津米的差价计，每石仅1～1.5两。嘉庆后，京津市场上商米已足够政府官军购用，但为维护王朝权威，咸丰初才开始减漕，光绪二十七年（1901）全部废漕。设早停漕，以漕运支出半数支援河工，河工费年可增至450万两，必能使河道畅通，商旅发达，税收增加；即使黄河改道，亦有力疏通，不致废弃。

　　民国间调查，运河木船的运价每吨公里为0.019元，各种兽力车为每吨公里0.08～0.32元，为河运的4～17倍。修建南北铁路后，铁路运价每吨公里0.016元，但水运改为轮船拖驳，其运价仍低于铁路。运河的经济效益不会因京九铁路通车而消失。改造大运河、发挥其运输潜力，仍有必要。

（原载《中国商业史学会通讯》1998年第10期）

中国 GDP 的故事

中国 GDP 的研究始于 20 世纪 40 年代。这以前，只有德国 Dresdner 银行 1930 年出版的《世界经济力量》一书笼统地说中国 1926 年的 GNP 为 250 亿马克（合 125 亿元）。后来英国人 Colin Clark 在《经济进步的条件》中估计 1925～1935 年中国的 GNP 为 43.5 亿英镑（合 690.4 亿元），他是按农业人口所得与非农业人口所得分别估计的，不过，其书出版已是 40 年代了。那时国民收入通称 GNP，60 年代才改用 GDP。当时中国甚少国外投资，故二词尽可通用。

抗日战争胜利，中国政府向美国申请一笔 20 亿美元的贷款，为战后工矿建设之用，由资源委员会负责与美方洽谈贷款运用计划。1946 年春，资源委员会聘请宾夕法尼亚大学的库兹涅茨（Simon S. Kuznets）教授（当时任职于美国战时生产局）为顾问，主要任务是为中国设计一套资源和工矿产业的调查统计方案，同时聘请在美学人张培刚、丁忱和我为专门委员，做库氏助手。库氏是著名的国民收入专家，有"GNP 之父"之誉，他的《国民收入及其构成》一书已于 1941 年出版（库氏获得诺贝尔经济学奖则是 1971 年的事）。因而，他对中国 GNP 研究也颇感兴趣。

恰好，研究中国国民收入的刘大中先生和巫宝三先生两位大家都在这时出现成果。刘大中在康乃尔大学由习工程转入经济，在布鲁金斯研究所时开始研究 GNP，他的《1931～1936 中国国民所得》（英文）一书则是在任职中国驻美大使馆商务参处时完成的，1946 年出版。当时我们所见的还是他的原稿，并有幸同他面谈。不过，后来流行的乃是他与叶孔嘉合著的《中国大陆经济：国民收入和经济发展，1933～1959》（英文，1965）。巫宝三于 1942 年在重庆李庄中央研究院社会研究所开始研究中国 GNP，在所长陶孟和的鼓励下和该所汪馥荪、章季宏、马黎元等先生的协作下，惨淡经营五年，完成《中国国民所得，一九三三年》上、下册，于 1947 年出版。当时我们所见的乃是复写纸写的四大本手抄稿。那时还没有中文打字机，而在李庄的中央研究院似乎连日本人推行的誊写器也没有。不过，巫宝三曾对该书作了《修正》，文载于《社会科学杂志》1947 年 12 月号，今人引用皆以修正文为准。从那时直到今天，这两家仍是研究中国 GDP 的权威，而两家数据互异，国内学者大多用巫宝三体系，国外学者则大多用刘大中、叶孔嘉体系。

库兹涅茨和我们在美国做了三个月准备工作，1946 年夏来南京。资源委员会只提供库氏一人的飞机票，库氏夫人和我们三人都是乘美军运输舰改装的轮船，票价最便宜。在南京，库氏于公务之余，写了一篇《评巫先生中国国民所得的研究》，主要讲概念和方法论问题。这时巫宝三不在南京，库氏没有和他面谈，是个失误。后来巫宝三写了一篇《答复》，又在一篇文章中说库氏的评论，有些是"各有其是"，有些是"强人所难"。

当时中国尚未正式开征所得税，缺乏工资、租金、利润、利息等收入资料，估计 GNP 只能用价值增加法，即各经济部门的净产值和服务价值相加而成，这在库兹涅茨是明确了的。巫宝三和刘大中都是用此法估计 1933 年的 GNP（因只有这一年有刘大中主持的工业普查），然后用生产和价格指数推算 1931～1936 年的 GNP。巫宝三估计 1933 年的 GNP 为 199.5 亿元，修正后为 203.2 亿元，而刘大中、叶孔嘉的估计是 298.8 亿元，与巫值相差 47%～50%。其实，这个巨大差额主要不是由于概念和计算方法不同，而是由于占 GNP 60% 以上的农业净产值不同。巫宝三估计 1933 年农业净产值为 122.7 亿元，修正后为 125.9 亿元，而刘、叶估计为 187.5 亿元，相差 49%～53%。此差额又在很大程度上受中央农业实验所和卜凯对粮食尤其是水稻产量统计的影响，前者为 25.1 万担，后者达 37.5 万担。近代粮食尤其是水稻的产量问题至今还未解决，GDP 的问题也因此难以解决。

资本形成（capital formation）是 GDP 研究中一个重要问题。巫宝三是从消费方面确定资本形成的，即用 GNP 减去消费，从而得出资本形成。他在哈佛大学的博士论文即为《中国资本形成与消费支出》。在《中国国民所得》中，他估计 1931～1936 年间有四年资本形成为负数，六年合计为负 11 亿元，这很令人悲观。当时，已有用其他方法估计资本形成者，如卜凯关于农业资本形成的估计，谷春帆关于工业资本形成的估计。库兹涅茨主张用资本品的流通来估计，他的《商品流通与资本形成》已是名著。我曾用商品流通法于 1946 年冬发表《我国资本构成的初步估计》一文，估计 1931～1936 年资本形成共 13.9 亿元。事前，我曾向巫宝三请教。后来巫宝三的《修正》改为三年负、三年正，六年资本形成共为正 16.7 亿元。悲观气氛顿失。

20 世纪 50 年代以后，两位大家都不再研究 GDP 了。刘大中奔走于美国和中国台湾间，曾受台湾勋章，61 岁以自杀闻。巫宝三学识渊博，转而致力于中国经济思想史研究。1995 年为他庆祝九十华诞，为学术界少有之盛会。20 世纪 50 至 70 年代，学术界但知 NC（苏联式的国民收入），而 GDP 无人问津。

估算 GDP 需大量的系统的统计数据，故对中国 GDP 的研究大都限于 20 世纪。突破这一限制的是华盛顿大学的张仲礼教授。我同张仲礼是在他回国后认识的。他在 1962 年出版的《中国绅士的收入》一书中有一篇对 19 世纪 80 年代中国 GDP 的估计，总数是 27.8 亿两。密西根大学的费维恺（Albert Feuerwerker）教授认为张仲礼的农业部分估计过低，予以增加了 1/3，总值改为 33.4 亿两，并载于他的《中国经济，1871～1911》（1969）一书。后来他又用其他方法估计 1880 年中国的 GDP，总数略同而内容较详，以论文《早期工业化》提交 1984 年意大利召开的中国经济史讨论会，我也参加了这次讨论。不过，他"加 1/3"的结论已被编入《剑桥中国史》第 11 卷，由于此文名气大，流行广，他后来的估计反无人过问。

1987 年，刘瑞中发表了一篇《十八世纪人均国民收入的估计及其与英国的比较》。他估计了 1700 年、1750 年、1800 年的中国 GDP，而几乎把全部力量都放在粮食尤其是水稻产量的考察上，可谓抓住了要害。另一方面，针对库兹涅茨所说工业革命以前不发达国家就比欧洲发达国家落后得多的论点，他比较了 18 世纪中英两国的人均 GDP，结果中国并不是很落后。他的比较是把两国人均 GDP 都按当地价格折成小麦和米，这实际是一种很现实的购买力平价法。

更大的突破来自世界经合组织发展中心的首席经济学家麦迪森（Angus Maddison）。他在《长时期内中国的经济成就》（1988）一书中，用购买力平价法（PPP）估算出，从汉光武到元忽必烈（公元 50 年～1280）人均 GDP 增长 35%，而同时期整个欧洲的人均 GDP 没有变化。直到鸦片战争前的 1820 年，中国的 GDP 都居世界各国之冠，1890 年才逊于美国居第二位，1952 年才少于苏联居第三位。按 1933 年币值计算，中国的 GDP 为：1890 年 212.8 亿元，1913 年 250.2 亿元，1933 年 299.8 亿元，1952 年 317 亿元。他的估计恐怕是所有中国 GDP 研究中最乐观的。麦迪森于 1987 年来北京演讲，我做评论员。当时他《长时期》一书尚未正式出版，我所见的是预印本。我没有评论他对 1820 年以后的估计和论点，而是对他高估宋代的经济成就、低估明代的经济发展，导致 1280 年的人均 GDP 几乎与 1820 年相等，提出了意见。

有了这些大家的论述，在 20 世纪 90 年代，对中国 GDP 的研究异常活跃。就我接触到的说，1998 年，南开大学刘巍的博士论文估计了 1927～1936 年逐年的 GDP；1999 年，北京大学骆毅的博士论文估计了 1700 年、1750 年、1800 年、1850 年的 GDP。我参加了他们的论文答辩。他们都在前人研究的基础上有所创新，表现出青年人的气概。

1993 年到 2000 年，刘佛丁和王玉茹在多篇著述中考证和讨论了前人对中国 GDP 的研究，并在 1997 年出版的《近代中国经济的发展》一书中系统地估计了 1850 年、1887 年、1914 年、1936 年、1949 年的 GDP，按 1936 年币值计算分别是：181.6 亿、143.4 亿、187.6 亿、258.0 亿、189.5 亿元。刘佛丁教授是我早年的合作者，王玉茹教授原是我的博士生。他们研究的一个特点是把 GDP 的增减和近代中国经济发展的周期性结合起来。原来库兹涅茨就是从研究美国市场的周期变化进而考察美国的 GDP 的。我从 1995 年起注意 16 世纪中国市场的周期性，迄今还只考察到 19 世纪前期，并且没能与 GDP 的研究结合。实际上我从未真正研究过中国的 GDP，只是利用别人研究的成果。

新中国建国后，采用苏联的 MPS（物质生产）统计制度，其中的"国民收入"只计算物质生产和"生产的"服务的价值。如运输业只计货运，不计客运，因客运是"非生产"的；商业只计国家调拨，通讯只计公家邮电，因私人买卖、私人邮电都是"非生产"的。学校、医院更是消费单位，不创造价值。1978 年以后，国家统计局兼采国际通行的 SNA（国民账户）制度，在"国民收入"之外加计 GDP，1993 年后专用 GDP。这就出现一个将原来的"国民收入"转换为 GDP 的问题，然而，此事谈何容易，因除计入"非生产"服务和固定资产折旧外，原来生产中还有许多"非生产"的投入。学术界只好选取若干年份按一定比例转换。日本一桥大学受文部省资助，有一个重建亚洲历史经济统计的庞大计划，其中国部分的主持人久保享曾来我家咨询，也涉及这个 GDP 转换问题。1996 年国家统计局主管 GDP 的李强先生与一桥大学尾高煌之助教授协议合作，于次年完成了 1952～1978 年中国 GDP 的转换。从此，新中国有了一套完整的 GDP 统计。考察我国经济增长速度、经济结构变迁、资本形成等，都靠这套统计。

2001 年 12 月，匹兹堡大学的罗斯基（Thomas G. Rawski）教授在 *China Economic Review* 上发表一篇《中国 GDP 统计发生了什么事？》，指出国家统计局发表的 1998 年、1999 年 GDP 增长 7.8%，7.8% 是虚假的。他以民航客运增长 2.2% 为最高限，能源消耗减少 7.8% 为最低限，参考职工下岗、农民收入减少等因素，估计这两年 GDP 的增长最高不过 2%，低则达负 2%。国家统计局发表的 2000 年、2001 年 GDP 也有夸大。此文一出，举世轰动。半年多来，在美国和中国有大量文章回应或评论，网上的反应更是让人目不暇接。

我没有能力对此做出评论。我讲中国 GDP 的故事，只能回顾往事。罗斯基和他的夫人 Evelyn 教授，过去都是研究中国经济史的。20 世纪 80 年代我们常有往来，他们常来北京，并邀我到匹兹堡座谈。罗斯基对中国经济史的主要贡献有巨著《战前中国经济增长》，于 1989 年出版（战前指 1942 年太平洋战争）。在该书中也像在最近这篇文章中一样，他不是估计 GDP 本身，而是用不同方法估计各个部门的年均增长率，然后用各部门在 GDP 总数中的比重（权数），加权平均，取得 GDP 的年均增长率。

由于采用不同方法，这里常有惊人之笔。例如他用一些工矿产品估算

1912～1936 年中国工业的年均增长率为 9.4%，高于同时期英国、日本甚至苏联的工业年均增长率（当时苏联因第一个五年计划轰动世界）。不过，在计算 GDP 时他把现代工业的年均增长率定为 7.7%，手工业定为 0.7%，而两者在 GDP 中的权数仅占 8.7%。

关键问题仍在农业部门。历来都是用种植面积和亩产量估计粮食产量，从而研究农业净产值。这时候，已有珀金斯（Dwight H. Perkins）和许道夫两位农业史专家的估计，结论是农业增长大体与人口增长一致。罗斯基则从理论上推断，农业增长率必须超过人口增长率，才能提供工业发展的积累。因而他采用"间接的"估计方法，即从农业雇工工资的提高、纺纱女工和矿工工资的提高（这些工人都来自农村）、棉布消费量（以产量代替）的增长，以及农民生活的改善（据卜凯调查）等因素，给人口增长率加上一个 0.4 的升值，把农业年均增长率定为 1.8%～2.1%，这就比珀金斯估计的 1.0%、叶孔嘉估计的 0.8% 大得多了。而农业占 GDP 的权数达 63%，其影响就更大了。

1975 年，珀金斯发表《二十世纪中国经济的增长与结构变迁》，估计 1914（1918）年到 1933 年中国 GDP 的年均增长率为 1.4%。1977 年叶孔嘉在台北提出《中国的国民所得，1931～1936》（英文），估计 1914（1918）年到 1931（1936）年中国 GDP 的年均增长率为 1.1%。罗斯基估计 1914（1918）年到 1931（1936）年中国 GDP 的年均增长率：低值为 1.3%～1.5%，高值为 2.3%～2.5%，他倾向于采用中间值，但农业应取高值，故总是在 2% 以上。

（原载《经济学家茶座》2002 年第 4 辑）

黄诚小传

　　黄诚，字幼山，1914 年 5 月 16 日生于河北安次县调河头村。六岁丧父，依母耕读。少颖慧，有大志。十岁为文言志曰："但愿死后永留印象于人间足矣。"及长，猎书史，慨时事，"晏谈每落伤时泪，论古常怀隔世忧"。乡无高学，1930 年随姊负笈北平，入四中理科。"九一八"变起，奔走国是，倡组中小学联，不容于四中校当局，转入天津北洋工学院预科，犹有科学救国之志也。在北洋与后十级级友魏东明等组荒火社，读书论政，渐及革命。旋以学潮被除名，愤而考入清华工学院，后转历史系。

　　黄诚进清华后，即参与十级之反"拖尸"运动，并参与蒋南翔领导之现代座谈会，级友杨述倡组之《东方既白》社。1935 年与级友姚依林等参加民族武装自卫会。"一二·九"运动中，蔚为学运领袖，任清华游行队伍总领队，清华救国会主席，南下扩大宣传团总后勤。1936 年 1 月参加中国共产主义青年团，4 月转为中共党员。是年 2 月 29 日，反动军警晨夕两度搜捕清华进步学生，黄诚赫然列黑名单之首。是晚，避难于冯友兰教授家，一夜数惊，乃作《亡命》诗曰：

茫茫长夜欲何之？银汉低垂曙尚迟。

搔首徘徊增愧感，抚心坚毅决迟疑。

安危非复今朝计，血泪拼将此地糜；

莫谓途艰时日远，鸡鸣林角现晨曦。

学生救亡运动高涨未已，黄诚终于是年6月与十级陈其五、吴承明等被清华开除。黄诚转入中国大学国文系，10月，被选为北平学联主席，并任学联党团书记，领导学生运动，贯彻党的统战政策。一度锒铛入狱，不改初志，迄"七七"抗战。

抗战军兴，黄诚于1937年10月抵武汉，由八路军办事处荐往七战区刘湘部队工作。他于川军中建中共特别支部，任书记，驻安徽歙县岩寺。年底，陈毅同志率新四军部队来岩寺，接见黄诚等。次年春，刘湘死，黄诚调任新四军政治部秘书长，参与军机，从事文汇、秘书、教育、统战等工作。1941年初，国民党反动派发动骇人听闻之"皖南事变"，以七个师兵力围袭新四军。黄诚率所部于鹿角山隘口突围，持双枪杀敌，弹尽被俘。7月，被押送上饶集中营，囚于石底监狱。

黄诚入狱后，曾设法托人寄信于杨述称："军败被拘，生死莫卜。几年来从事于抗战，无愧于心。我决不因斧钺在前面变初衷，假如就这样死了，则求仁得仁复何怨？"在狱胸怀坦然，组织难友，与反动派酷刑、软诱、劝降、分化等阴谋进行斗争，义正词严，凛然不屈。最后，组织越狱，首难战友徐锦树壮烈牺牲，黄诚等则遭反动派秘密杀害。时在1942年4月23日，而外界不知也。

1944年9月，陈毅同志悉其事，为赋三绝句悼之。其一云："松冈明月魂如在，记取铁窗仍多情；临难铮铮风骨好，皖山不负夜台行。"

牺牲前，黄诚曾托人传书其姊，知将就义，嘱奉老母。姊黄珮，治公羊学，解放后始悉烈士确息，挽曰："激愤廿七年，生尔何为，赢得坚贞警海内；凄凉几行字，斯人不死，长留浩气满人间。"

黄诚甥张铭洽，数年来奔走南北，遍集烈士史料，撰《黄诚传》，摘刊于《中共党史人物传》第27卷。呜呼！余与黄诚三度同窗，同日进出清华。犹忆登高，论学书学剑，诚兄题照曰："高台百仞凌云汉，切莫临危学绿珠。"似戏言，实戒我也。今烈士成仁，我十级之光辉；我尚偷生，幸无所惧。言犹在耳，聊为小志，敬献亡友焉。

1987年5月10日

〔原载《清华十级纪念刊（1934～1938～1988）》，1988〕

"一二·九"之话

　　记得"一二·九"的前几天，偶尔在市场上翻见一本不大出名的《十日杂志》，在一篇轻松的描写北平学生男女生活的短文末尾，提到一句："华北的情形也日见严重了，听说各大学校长曾联名发了通电，但学生们仍是在恬静空气里读书（大意如此）。"我当时看了没有什么感觉，轻轻地忘掉了。谁知几天以后惊天动地的"一二·九"运动便席卷而起，使我重记起《十日杂志》上的话。

　　后来我和许多朋友闲谈关于"一二·九"前后的事，我更相信大多数的人在"一二·九"之前，谁也没想到会有这么一桩事情发生，谁心里也没有想着："形势严重了，学生运动要爆发了。"这运动的爆发在大多数人是心理上偶然的。

　　记得第一次清华开全体大会时，主席报告了目前危机的形势后即宣称："我们只有沉着地应付未来悲惨的局面，一切宣言通电之类都归无用，反而引起别人的注意和压制。"大家听了也多点首哑然。那天通过的议案是"华北有什么特别事情发生，我们即全体离校，督促学校南迁"。提议人慷慨激昂的演说："我们要南迁！要督促学校南迁！我们不能在非中国人的统治下读书！"大家鼓掌！

　　不料三四天之后，全体大会便通过要游行请愿的案子，随着洪涛一般的万人队伍奔流出来了。

396

那时我是非常盲目的。这种事对我是新奇的、偶然的。我也想到国难的危急，但没有想到国难危急就该把学生队伍排到大街上去；我只想到我是该去参加的，但不知为什么参加。我不知这一大群人到街上去该怎样作，我怀疑，事情会变得怎样呢？不知不觉地就跟着别人喊起口号来，去散传单，纠察队伍，布置食粮……这些事似乎都是临时想到的。后来我曾问过许多朋友，他们也这样感觉。

我没有故意看轻学生——他们都是有知识的理智的一群；但群众行动，还大部分是感情的。一个群众运动，或是革命，无论在历史上是怎样的"必然"，在参与者的心理中仍然是一种奇迹；在整个过程中无说是怎样阶段的发展的，在运动的进行时仍然是感情的自发的。我觉得与其把群众运动当作一个政治事件看，还不如把他当作一个艺术作品看，来得更有趣味而更能认识他。1789年6月20日，法国四五百个民众的代表拥到王宫去请愿被享以闭门羹，他们便跑到一个网球场上去宣誓，7月14日，乱民结成的队伍如潮赴壑般的向巴黎东端进行，把王家炮台和巴士底狱攻下，10月5日便有大队的妇女混着若干男扮女装的男子向凡尔赛进发，把路易十六拥回巴黎。这些历史上伟大的事迹，绝不是任何聪明的人事前所能计划的，6月12日的法国民众代表不但不曾想到攻巴士底和假扮女子进发凡尔赛，就连"在网球场上作有名的宣誓"也不会想到的聪明的人，与其说他善于鼓动群众情绪，还不如说他善于驾驭群众情绪。

于是在群众行动中往往会发生许多被人目为激烈的事情，而最愚蠢的是有些人把这些事情认为是某党的阴谋或某人的煽动。例如埃及学生焚毁大学，清华同学击毁捕人来的汽车。更愚蠢的是有人甚至把整个运动都归功于某党或某人，我敢说，假如上帝是不存在的话，那么世界上没有任何人能领受这个功劳。

这些意见也可以在我和许多朋友谈一些运动的发生中结论出来。17年前北京大学小小的食堂中，大家正在浴着从天窗射进来的明朗阳光中谈论时局，罗家伦和段锡朋跳上食桌作了一番动人的演讲，便激起历史上涛头万丈的巨浪——五四运动——来。清华的五四运动据说是由于闻一多先生头天晚上在食堂中贴了一篇岳飞的《满江红》所引起的。那时中国共产党还没有成立，因此这些事便没有被指为共产党阴谋煽动。但几年后的"三一八"

惨案时，政府便下令通缉共产党员顾孟余、李石曾、易培基了。

有人把这些事称为污蔑，假如真是有意来污蔑的话，那么"污蔑"刚好是勉强的非感情的，也可以说是理智的。这理智把握了和真实相反的一面，因此他们是最愚蠢的人。

我对"一二·九"运动总是好这样来看的。我没有研究过心理学，"一二·九"运动告诉我许多群众心理上的事情。我约略的可以想到，五四运动不是罗家伦的一篇演讲或岳飞的一首《满江红》而产生了那样的群众心理，反之那样的群众心理产生了罗家伦的演讲，贴出了岳飞的《满江红》。如果是有人煽动，煽动者便是被煽动者的一群。常识告诉我，英格兰人稳重保守，历史告诉我，英格兰人不稳重不保守；1381年保尔作了一篇演说道："亚当耕田，夏娃织布，贵族在何处呢?"于是成千成万的农民，由石匠泰纳领着攻占了伦敦，"稳重保守"不过是指贵族说而已，成千万的农民，甚至泰纳自己，在当时也许是感到奇异的、怀疑的，时常顾虑到"事情会变得怎样呢?"这事对他自己是偶然的，像我在"一二·九"游行队伍中一样。

在中国偏是理智的人太多，他们对"一二·九"运动的看法和我恰恰相反。《十日杂志》假如不是因为他不出名的话，那么为写那篇软性短文的笔者，也许就承受了这伟大运动的功劳。这些人，理智得使他们变成最愚蠢的，我为他们怅然。

（写于1936年12月。原载《清华副刊》第45卷第8、9合期）

忆蒋南翔同志在清华园的几件事

我是在清华园认识蒋南翔同志的，认识的渠道是现代座谈会和《清华周刊》。

清华的现代座谈会成立于 1934 年春夏之交，这年秋我考进清华大学，就参加了该会的活动。南翔同志是该会哲学组的负责人，但经常主持两周一次的时事座谈，会上不少理论性的讲话和发言。我原是化学系学生，对社会科学发生兴趣，多半是受座谈会的启发。这年 10 月，南翔同志邀请冯友兰教授到现代座谈会演讲《访问苏联之印象》，海报一出，听众踊跃，开成一次大会。南翔同志主持大会，并作介绍。会后不久，冯友兰先生即被国民党反动派逮捕，解往蒋介石在保定的"行营"。原来冯先生是出席在欧洲召开的国际哲学会年会，提出论人生哲学的论著，归国途中应苏联哲学界的邀请访苏的。国民党反动派逮捕这样一位中外闻名的学者，实在荒唐。一时舆论哗然，冯先生旋获释。

南翔同志比我高两个年级，但还不是毕业班，不算是"老大哥"。他给我的印象却像是一位长者。他待人和蔼、亲切、言谈稳重，好像还有点腼腆。一件灰布袍，平时静若处女，闲时一把二胡，闭目独奏一曲《平沙落雁》。现在回忆起来，青年蒋南翔可说是思考型的，他九分沉思，一分表态，所以言语不多，言必有中。

南翔同志是中国文学系的，他与外国语文学系的何凤元、学哲学的张宗植都是宜兴人。三人夙称莫逆，又都才华横溢，都是《清华周刊》的编辑和主要撰稿人，堪称清华园三才子。

当时左派同学没有能参加学生自治会的领导班子，却从1934年起掌握了《清华周刊》编辑部，由当时的中共支部书记牛佩琮任总编辑，把它办成了一个进步文化的论坛。这年秋，牛佩琮受国民党特务跟踪，不得不离校；南翔膺选为周刊总编辑，姚依林为单独出版的副刊编辑。这一届的《清华周刊》社人才济济、佳作如流，还出版了几期扩大篇幅的学科专号，声誉日隆。我就从中学习了不少社会科学的理论知识。《清华周刊》还有一个颇具规模的发行网，有一百多个户头，遍及各省市以至海外。时我任总发行，一些当时不能公开投邮的抗日救亡文件也是用《清华周刊》的封套，经这个发行网发出。

1935年1月和3月，国民党反动派两次在清华园搜捕进步学生，近三十人，包括何凤元和张宗植都被捕了；清华的党组织遭到破坏。这时，就剩下蒋南翔同志来领导反白色恐怖的斗争了。他一方面奔走各方营救被捕者，一方面谋求恢复组织。恢复之道有二：一是他与陈国良（陈落）、牛荫冠重建"社联"的清华小组，吸收了一批积极分子。一是建立"民族武装自卫会"的清华小组，其中大部分是低班同学；当时姚依林和我已通过世界语、新文字活动参加了民族武装自卫会。但是，这时的社联和武卫会都已是秘密组织了，要开展抗日救亡活动还必须有公开团体（现代座谈会已于1935年3月被解散）。一到暑假，机会来了。南翔对我们说：暑假学生回家，我们要动员同学留校，组织暑期同学会。暑期同学会不受正规的清华学生会羁绊，可以独立活动。南翔被选为暑期同学会主席。随之而来的反对日本走私、赈济黄河水灾等活动，都是暑期同学会领导的。并由暑期同学会派姚依林为清华代表参加北平市的黄河水灾赈济会；众所周知，这个会就是北平学联的前身，它孕育着后来的"一二·九"运动。

在南翔同志领导下，清华暑期同学会不是干巴巴地搞政治运动，而十分注意同学们的思想和生活问题，以及文体活动。南翔同志后来成为我国著名的教育家和青年运动领导者，也许在清华这一段就是他的初步实践。如组织清寒食堂，解决一些经济困难同学的伙食问题，即属一例。还有一事，在清华的一些回忆文章中未见记述，即南翔叫周嘉祺（朱辉）和我

"设法进入"清华的民众夜校。这个夜校是由学生会领导的，学生大部分是清华工友的子女，也有附近农民的孩子，而校长和教务长是由两位右派同学担任。周嘉祺和我终于成为该校教员，我还在校中办了一个新文字班，孩子们很快就掌握了拼音文字，能作文和写信。"一二·九"运动前几天，一到午夜该校的办公室就繁忙起来，因为这里有两台油印机，许多宣传品都是在这里刻印的。

不久，何凤元等获释，张宗植离校。1935年8月，清华恢复党支部。我是由南翔介绍入党的，即在恢复支部的会上宣誓。何凤元原是支部书记，恢复组织后仍任支书，但十月就调到北平市委去了，南翔继任支书，宫日健和我任支委，这届组织迎来了"一二·九"运动。

北平学联在11月18日成立，姚依林任秘书长，当时就酝酿着游行请愿行动。但在清华要发动这样一场行动却不容易。首先，清华是有"民主"传统的，这样的全校行动必须召开全体学生大会正式通过。11月27日召开了一次大会，记得是由南翔任主席，我任提案人。会上发生争执，一片混乱，无结果而散。这才懂得和过去搞"飞行集会"不同，在知识分子中必须作充分的"理论"工作。于是，每夜分头专访，小座谈，请名教授演讲时事。紧张地闹了一个星期，12月3日再召开全体大会，经过激烈的辩论，最后表决通过了请愿案。其次，清华是有合法的学生会的，它却无意领导这一运动。因而是由大会另外产生一个清华救国委员会，大约是由11人组成。救国会的成员名单颇费周折。因为在事前的辩论中，同学间的左中右倾向已完全分明，救国会的委员要包括各种倾向的代表人物在内，而非左派单干，同时又要掌握领导权。主席一职，原拟由搞过"九一八"运动的共青团员黄诚担任，反复考虑，决定由当时完全是用功读书的"好学生"周嘉祺担当，黄诚副之。周与黄诚和我是高中同学，曾住同屋，彼此深知。另一副主席则是当时即倾向分明、后来做了蒋经国的秘书的陈元。而这一切都是南翔运筹帷幄，领导布置的。当时，我还不知道"统一战线"之说，南翔是否研究过我不知道；不过，从他对救国会的战略部署看，已是在执行毛主席这一伟大思想了。

"华北之大，已经安放不得一张平静的书桌了。"这是南翔为清华救国会起草的《告全国民众书》中的一句名言，发表后立即传诵全国。这篇

《告全国民众书》，短短一千余字，却绝非口号堆积，而是以读书和救国的关系为主题，娓娓而谈，道出当时学生界抑郁多年的心声。文中说我们有愧于"五四运动"的前辈，中间还引用了胡适先生自己的话，说他过去委曲求全地为"不抵抗"辩护，今天却慨然声明"再不能为华北的自治政府辩护了"。文章进而又说，我们"要比胡先生更进一步"，因为抗战不只是守土有责的长官们的事，"民众的地位是更为重要，民众的力量是更为伟大"。今天重读这篇《告全国民众书》，可想见当时22岁的南翔同志，思想见解是多么深刻。

1936年初北平学生举行南下扩大宣传以后，在清华园来了"二·二九"大搜捕。事前我们已有所闻，都不住在自己的宿舍，而是与二院平房中的新同学换位。我住在林兴育房中，南翔住在隔壁。我天未亮即起来理课（那天是期终考试），见到军警憧影，急敲隔壁的墙，叫他做准备。南翔竟跳窗而出，真是失策。因为清华园已被包围，他随即被捕。其实，这时国民党宪兵第三团早已应日本人要求撤离北平，这些捕人的军警都是新手，这天他们虽有名单，却无照片。他们进屋时，我用广东话说我是林兴育，他们翻看桌子里果有林兴育的笔记一本和信件，就走了。姚依林是清晨来校参加考试在校门口被捕的，警特们始终没弄清他是谁，他身上带有一本英文《共产国际通讯》，内有季米特洛夫在共产国际上论反法西斯统一战线的报告，警特们也未发觉。他和南翔还有被捕的方左英都被关在大门口的校警室里，清华校警则是站在学生一边的。天亮，同学们集中在大食堂，当时我是清华民先大队长，即组织民先队员冲进校警室，把他们三人抢出，隐没入人群。当晚，大批二十九军队伍再来清华园搜捕，南翔由三院食堂的工友掩护，在厨房烤火聊天。这晚被捕21人，却没有一个支部、救国会或民先的负责人。假若是原来受过特务训练的国民党宪兵第三团来捕人，恐怕情况就不同了。

大搜捕后，南翔去上海。8月间，他再回到清华；这时，我已被清华开除，到北大去了。我的回忆也到此为止。不过，我还想赘述50年后的一事。这时南翔已年逾古稀，是中央顾问委员会委员了。1985年12月中央顾问委员会召开"一二·九"五十周年纪念会，南翔除做报告外，领导一组同清华等校的现代大学生代表座谈，我也在座。他颇有感慨地提出了一个"代沟"的疑问。如今的"一二·九"运动尚存者与现代大学青年之间有没有

"代沟"？这是很难回答的问题。以南翔同志说，他毕生献给中国教育事业和青年运动，直到"十年动乱"后再长教育部，为改革、开放和中国教育的现代化鞠躬尽瘁；"代沟"云云，似难耳顺。然而，天下滔滔，有易与不易，谁又能说"代沟"不是个值得研究的现象呢？

（原载清华大学《蒋南翔纪念文集》编辑小组编《蒋南翔纪念文集》，清华大学出版社，1990，第 47～52 页）

回忆郝诒纯同志在
"一二·九"运动中
二三事

　　1935年"一二·九"运动爆发，当时郝诒纯同志是北平师大女附中的学生。她积极参加运动，次年2月"民先"（中华民族解放先锋队）成立，郝诒纯同志就被推举为西城区队的区队长。"民先"成立后，4月北平市委决定取消原有的共青团组织，团员转党，青年工作移交给"民先"。原来人数较多的华北武装自卫会也宣告结束。所以，"民先"成为党直接领导的唯一青年革命组织（学联是由各校选举代表组成的社会团体，性质不同）。"民先"有六个区队，西城区队即第六区队，学校较多，1936年底有一百多人，工作任务十分繁重。其他五个区队的领导都是大学生，男性，唯西城区队是女中学生郝诒纯，一个刚刚十六岁、风姿温雅的姑娘，领导这个队伍，真是令人敬佩。凡是认识她的人，至今谈起来还都是满腔热情，难以忘怀。

　　郝诒纯同志是著名的地质学家，中国微体古生物学的奠基人，对油气田勘探有重要贡献。这是"一二·九"运动以后的事，当时没有想到的。但当时人们都知道，这位温文尔雅的姑娘不仅是活跃于平津的青年革命者，也是个学习上孜孜不倦成绩卓越的好学生。她并且不断追求新知识，帮助别人。她不怕困难，于1939年在西南联大攻读时选择了学习和工作环境都十分艰苦的地质学专业，恐怕也不是偶然的。我还想提的是，在"一二·九"运动中，人数较少的地质系同学，活跃于"民先"组织的特别多。如北大地质系的袁宝华、宋尔康、黄劭显、吴磊伯都是老"民先"。袁宝华成为学

404

生运动的高层领导，吴磊伯则是"民先"东城区队的区队长，与郝诒纯遥遥相望。清华大学地质系的池际尚（女）、李孝芳（女）都是"民先"积极分子。还有学气象的叶笃正、学地理的傅国虎，都活跃于"民先"，而在清华，气象和地理都属地质系。很难说地质学与抗日救亡有什么关系；不过，搞地质要不怕艰苦，深入祖国大地，跋山涉水，工作要刨根问底，他们至少都是爱国者。

郝诒纯同志于 1936 年 12 月参加中国共产党。1937 年 7 月抗日战争开始，她于北平沦陷后转移到天津耀华中学。在天津她继续革命工作，任天津"民先"地方队部组织委员，地方队部党支部委员。她 1938 年考入昆明西南联合大学，即战时北大、清华、南开三校联合的大学。

在昆明，原有个云南青年抗日先锋队，简称"抗先"。1938 年北平的老"民先"到昆明，组织"民先"云南地方队部，郝诒纯同志任组织部长。为统一领导，"抗先"合并于"民先"，扩大队伍，1939 年发展到近百人。这时，形势改变，"民先"这类组织已不适合学生抗日救亡运动的需要，中央中南局于 1939 年 9 月重申撤销"民先"组织的决定，西南联大的"民先"宣告结束。

在此以前，1938 年底，西南联大革命青年就以"民先"队员为骨干，组织了公开活动学生团体群社，郝诒纯同志即是群社的发起人之一。第二任群社社长邢福津（方群），又是西南联大地质系的同学。群社从为学生谋福利着手，得到群众信任，进一步举行时事报告会，开展各种文娱、体育活动，出版《群声》《大家看》壁报，组织歌咏队、话剧团、夏令营等。活动日益开展，社员发展到四百多人。郝诒纯同志除领导群社工作外，还曾任西南联大第二届学生会理事会主席、第三届学生会主席。同时，她在地质学研习上也到了攻坚阶段。

附带言及，西南联大的地质系也是包括气象和地理专业的。这时系中除池际尚（女）、郝诒纯（女）外，还有刘以美（女）、马杏垣、陈涟（女）、沈吾华（女）以及赵德华、李炳泉；他们都是中共地下党员，都参加"民先"、群社的救亡运动。这么多的女性地质学者都是革命先锋，真令人敬佩。

（与文铭合著。原载《大地的女儿——郝诒纯院士纪念文集》，地质出版社，2004，第 30～40 页）

清华大学第十级简史

1934 年夏，清华大学在北平、上海、武汉、广州设四处招生考场，报名者 3537 人。8 月 21 日发榜，正取 317 名，备取 60 名。开学时，注册入学者 270 名，是为清华第十级，亦即 1938 级。

同年 9 月 17 日上午 10 时在清华大礼堂举行开学典礼，并欢迎新生入学。仪式隆重，校军乐队奏乐，行礼如仪，梅贻琦校长致辞。他讲道：本年度录取新生较往年为多，外间不明真相，贬誉兼具。殊不知本校所以多招新生者，乃根据设备情况及师资指挥能力而定，并非以学生人数众多，用数目字做宣传及竞争手段也。又称：今日开会，更须想到明日即为 9 月 18 日，三年前之明日即为我国最严重之国难开始时期。因以埋头苦干，预备异日报仇雪耻相勉。梅氏致辞毕，教务长郑桐荪、秘书长沈履相继训勉同学勤学敦品，并报告校务发展、经费支配等情况。会毕，当日下午即开始上课。

此时，正值金瓯残缺、国难日益深重之秋，亦是人民抗日救亡呼声日趋高涨之时。学生大都精神振奋，思想活泼。我级入学之始，即掀起一个反"拖尸"运动，此项因袭美国大学之习俗，从此在清华绝迹。

清华学生，除全校的学生自治会外，各级均有级委员会组织。我级亦于入学后即选举成立级委员会，由 11 人组成，除主席一人外，余分司学术、体育、游艺及文书、会计等。并于第二届级委会上，制定了十级级歌、级呼、级旗等。级歌系请朱自清先生作词，李抱忱先生谱曲。歌词如下：

举步荆榛，极目烟尘，请君看此好河山。

薄冰深渊，持危扶颠，吾侪相勉为其难。

同学少年！同学少年！一往气无前。

极深研几！赏奇析疑，毋忘弱时仔肩。

殊途同归，矢志莫违，吾侪所贵者同心。

切莫逡巡，切莫浮沉，岁月不待人。

级呼是：

风云万里，牛斗星高，十级年少，快逞英豪！

谁有肝胆？谁有热血？唯我十级，众志成城！

又制定级色为蓝色。级旗用紫蓝白三色组成，横幅尖尾，"清华第十级"五字居中。

在1934年下半年和1935年，十级即有不少同学参加了共产党领导的社联、左联、语联等组织和清华的现代座谈会、世界语学会、新文字研究会等进步团体，后二者实以我级级友为主。1935年春民族武装自卫会和同年秋黄河水灾赈济在清华的活动，亦是以十级同学为骨干。由此而成立了北平学联，我级级友任清华的代表。原来这年秋清华重建中共党组织时，已有十级同学参加了党和共青团。后来，为领导抗日救亡运动成立了清华大学救国委员会，我级级友膺选者最多，并任主席和副主席。

接着，爆发伟大的"一二·九"运动。十级同学踊跃参加了轰轰烈烈的"一二·九"和"一二·一六"游行示威。从此，众多级友投入到波澜壮阔的爱国救亡运动和革命斗争中去。1936年一月，学联组织南下扩大宣传团，我级级友参加者甚多，并任清华大队领队。宣传团回校后，组织中华民族解放先锋队，清华大队首届队长亦是我级级友。2月29日，反动军警包围清华园，搜捕进步同学，我级级友参加了英勇的抗暴斗争。自此，直到1937年上半年，即不断有级友离校，参加了北平市委和外省党组织领导的革命工作。1936年暑假，在国民党的重压下，各校开除了一些进步学生，清华开除了救国委员四人，其中有十级级友三人。

在此期间，十级的各种文化、体育、文娱活动亦空前活跃起来。我级原有读书会、研究会等组织。我级级友除参加《清华周刊》的工作外，并有的自组团体，出版《东方既白》等刊物，并主编《北平新报》《天津益世报》的三种副刊。许多级友参加了海燕歌咏团和清华话剧社，以我级级友为主演出了《回春之曲》《乱钟》《苏州夜话》《南归》等精彩剧目。我级嗜皮黄、能生旦净丑者亦不乏人。体育方面有十级紫白体育会、男女排、篮球和足球、田径运动员都蜚声全校、屡建奇功。1936年的十级运动会，倾级出动，花样翻新，尤轰动一时。我级的棋弈大师亦颇负声誉。

1937年7月开始了全民抗日战争。9月，北大、清华、南开三校在湖南长沙组成国立长沙临时大学，设在小吴门外圣经学校旧址。学生陆续南下，到达长沙；也有许多级友此时离校参加部队或抗日工作。临时大学注册学生共计1459人，其中清华638人。不久因华中战局紧张、三校再迁云南，组成西南联合大学。迁校分水陆二路：陆路244人，组成"湘黔滇步行团"，于1938年2月19日出发，跋山涉水，历时两个月零八天，全程1663公里，于4月26日到达昆明。水路由长沙乘粤汉铁路到广州，转乘小轮到香港，再搭轮到越南海防，然后经滇越铁路到达昆明。当时以校舍不敷，理工学院设在昆明，文法学院设立蒙自，学生分途前往。三校学生来滇者共计993人，其中清华481人。

西南联大于1938年5月4日开始上课。十级属毕业班，于8月初即告结业，发给清华毕业证书。当时我级同学利用石印编刊级友们自行书写的《清华第十级年刊》。

自抗战开始，十级即有部分同学参加抗战工作。在长沙临大和迁滇过程中又有不少级友离校，或投笔从戎，到陕北抗日根据地，或参加战地服务团到各战区。其间，又有陆续返校者，他级亦然，以致级别参差。十级同学于1938年8月在云南毕业者共计209人，其中八、九级的大哥大姐在我级毕业者57人。而我十级同学亦有在十一级毕业者48人，在十二级毕业者24人，在十二级及以后毕业者还有18人。盖自1934年9月17日我十级诞生后，继续入学和由他校转学入十级者，中途参军、辍学未再返校者，中途借读或转学入他校者，一日同窗，欢忧与共，皆是我级级友。总计十级级友不下381人。是仅编者所知，仍不免阙漏也。

纵观清华十级，人数较往届各级都多。入学之日，值国家民族危难至极之际，亦是人民奋起挽救危亡和力争解放之时。伟大的时代激励着我们，我们也以天将降大任于斯人而自勉。随着爱国进步思想的传播，从十级始，清华园风貌有了明显的变化。关心国家大事代替了一些人们闭门不闻天下事的风气，艰苦奋斗代替了某些人的一味追求洋化，反"拖尸"之举不过象征其开端而已。继之，在一浪高一浪的学生救亡运动中，十级级友始终站在斗争的最前线，也接受着严峻的考验和锻炼。全民抗战兴起，学校南迁，我级多数级友在涉艰历险的条件下，弦歌不辍，坚持到卒业。他们大都以优异的学识贡献于抗战和建设事业，或在国内外深造，成为知名的学者、科学家。还有大批级友，先后投入革命的洪流，为抗战胜利和中国人民的彻底解放而战斗。其中部分级友，在民族解放斗战中坚贞不屈，以至流血牺牲献出自己的生命；让我们在此大书凌松如、陶守文、黄诚、扬学成、齐振铎五位级友的英名，他们不愧是英烈儿女，是我级全体同学的光荣和骄傲。全国解放后，许多同学虽有不同的遭遇，但都能献身于祖国社会主义事业，在不同的岗位上，为人民立下了功勋。饮水思源，不能不为哺育我们的祖国人民和培养教育我们的清华母校，敬表感恩报德的心情。

值兹十级校友离校五十周年之际，我们级友大都已到古稀之年，已经作古者亦有110余位，令人不胜哀伤。然健在者仍都老骥伏枥，壮志盎然。有的级友肩负党和国家领导的重任，有的负责或曾负责部门或地区的领导工作，许多人以专家主持科学研究或建设工程等重要项目，不少人授业高等学府或伏案著作，卓有成就，他们都是国家的栋梁。我级身居国外的级友，或者学术上成为国际知名人士，或在事业上获得卓越的成就，而他们都心向祖国，以不同方式对祖国的经济和文化建设事业做出贡献。清华几年的同窗生活，凝聚了级友们的深厚友谊，这种友谊把我们十级全体同学紧密地联系在一起。我们相信：所有海内外、海峡两岸的十级级友，都将为实现祖国的最终统一，为振兴伟大的中华民族，继续贡献出自己的一切。

〔与李为扬、赵继昌合著。原载清华十级纪念刊编辑组编《清华十级纪念刊（1934～1938～1988）》，1988〕

书评与序言

许涤新《广义政治经济学》一书评介

一

许涤新同志的《广义政治经济学》曾经是流行较广的一部著作。其第 1 卷、第 2 卷原是解放前在香港所写，1949 年出版，第 3 卷于 1954 年出版。那时，国际资本主义还处于大战后恢复期中，我国的社会主义建设则刚刚开始，尚无经验可言。三十多年来，资本主义国家经济发生了很大变化，社会主义国家经济有了巨大发展，我国对于经济学和经济史的研究也有了很大进展，并提出一系列新的问题，因而原书显然已不能同这种新的情况相适应了。作者有鉴于此，故决定对原书作较大的修订，几乎是全部重写的，可看作是一部新书。新书第 1 卷已于 1984 年 4 月由人民出版社出版，第 2 卷也将在今年内出版，第 3 卷可望于明年问世。

一百多年前恩格斯提出广义政治经济学时即指出："政治经济学不可能对一切国家和一切历史时代都是一样的"，因而，作为一门历史科学，它不仅要研究历史上各种社会的生产方式，对于和资本主义并存的"比较不发达的国家"的经济"同样必须加以研究和比较"。[①] 作者解放前夕写本书时，目的就是"要写出一本中国化的政治经济学"，"一本马克思列宁主义普遍真

---

① 恩格斯：《反杜林论》，《马克思恩格斯选集》第 3 卷，人民出版社，1972，第 186、190 页。

理与中国具体情况相结合的政治经济学读本"(《初版序言》)。现在的修订本不仅较多地用了中国历史上和当前社会主义建设的材料，并且处处是从中国的实际出发，特别是从当前经济问题出发，来考虑全书的内容。这就是作者所期望的，使它"不仅具有理论上、学术上的意义，而且具有活生生的现实意义"。应当说，这样一部广义政治经济学，在今天还是一个尝试性的创举。

为适应这样一个读本的需要，本书深入浅出，通俗简明。但是，对于一些学术界有争议的问题，不论是历史上的、当前社会主义建设中的或国际垄断资本主义的，作者不是采取回避的态度，而是加以分析，并明确地提出自己的看法和意见。

二

本书第 1 卷是论述前资本主义，即原始社会、奴隶制社会和封建社会的生产方式，唯最后一章，以相当篇幅论述了商品和货币。商品货币关系是社会生产力在前资本主义社会里发展的成果，同时，它又是资本主义生产的前提。在剖析前资本主义经济中不能忽视它。这里，作者又着重研究了价值规律的作用。按照恩格斯的说法，价值规律在有文字记载的历史以前就开始发生作用了，在前资本主义社会它一直起着支配作用，而在进入资本主义社会以后，它逐渐发展成为生产价格规律。

本书第 2 卷包括三部分内容，即资本主义、帝国主义和殖民地半殖民地经济。作为一本中国化的政治经济学著作来说，或者有人认为资本主义、帝国主义在我国已为陈迹，因而只具有历史的意义。作者批判了这种看法，并指出，任何社会主义经济都不能闭关自守，都必须同客观存在的资本主义世界有往来。就中国来说，为了实现社会主义现代化，不仅要开展对外贸易和引进先进技术，还存在着经济特区、中外合资以至独资的资本主义企业，今后，在相当长时间内还会遇到"一国两制"中的资本主义问题。在这种情况下又怎能闭目塞听，对资本主义和垄断资本主义不予深入研究呢？因此，第 2 卷中的资本主义、帝国主义部分，不仅是根据马克思的《资本论》和列宁的《帝国主义是资本主义的最高阶段》所阐明的政治经济学的一般原理，并从社会资本再生产和经济危机上分析资本主义世界最近的发展，探讨垄断资本主义经济增长的意义。经济危机体现着资本主义再生产的周期性，作者对它作了历史的分析，从 1825 年英国经济危机直到目前的滞胀。这有助于了解资本主义发展规律的全貌。

第三部分，即殖民地半殖民地经济是第 2 卷的重点。除了从历史上（资本主义原始积累时期、自由竞争时期、帝国主义时期）分析殖民地经济的畸形发展和特征外，作者的主要观点是把第二次世界大战后第三世界的兴起同帝国主义殖民体系的瓦解联系起来考察。这样，就能更加深刻地认识列宁的帝国主义理论和毛泽东关于划分三个世界的理论的意义。作者指出，第三世界的兴起和殖民体系的瓦解，在作为历史科学的广义政治经济学中，应占有重要的地位。

在这一部分中，半殖民地半封建的近代中国经济，占有较大分量。对于鸦片战争后中国经济的演变，外国在华资本、买办官僚资本和民族资本的发展都有具体的分析。这种半殖民地半封建经济以及在它消灭后所建立的新民主主义经济，曾经是本书初版的重要内容。但是，半殖民地半封建经济和新民主主义经济都不是独立的社会制度；近代中国经济的演变和第三世界的兴起，归根到底都在说明社会主义生产方式的必然性和建设社会主义道路的复杂性、多样性。从广义政治经济学来说，它体现着社会经济发展的历史规律；对于我们正在进行社会主义现代化建设的人们，特别是青年一代来说，那就是只有了解我们的昨天，才能更深刻地理解和珍惜我们的今天。

本书第 3 卷是论述社会主义生产方式。这一卷还在写作中。全卷采取分论社会主义的生产、流通、再生产、分配的体系。除了论述社会主义经济的一般原理外，主要是根据中国建设社会主义经济的经验加以总结。

对于社会主义生产的分析是从所有制开始，包括我国现行的多种所有制和责任制。在生产分析中，作者承认社会主义基本经济规律的存在，而着重研究了按比例规律的作用，它实际是价值规律在社会主义经济中的要求和表现，从而提高了价值规律的意义。在分析社会主义生产中，作者还讨论了人与自然界的交换和生态平衡问题，这是近年来在世界和在中国都十分重视的一个问题。

作者认为，社会主义生产是使用价值的生产，同时它又是价值形成过程，是两者的结合。从这个观点出发，探讨社会主义的流通和再生产问题。

作者充分肯定社会主义经济中商品、货币关系的必要性，并再次强调价值规律在社会主义市场和资金周转中的作用。社会主义流通过程是社会再生产的一个重要方面，也是社会生产、分配和交换的统一性的根据。对于再生产，作者采取了历史的、全面的考察方法，从简单再生产起，直到社会主义扩大再生产，并把两大部类关系、综合平衡、积累与消费以及人口等问题分叙在内。接着讨论生产劳动和第三产业的兴起、国民收入和再分配等问题。这就体现了社会主义经济中宏观控制和各种经济机制的作用。

本卷的最后部分准备研究消灭三大差别和社会主义经济为进入共产主义作准备的问题，其中将突出科学知识的作用和建设社会主义精神文明的重要意义。

三

现在再看一下已出版的第 1 卷的主要内容。

解放前，对于中国原始社会的研究大体还限于社会发展史的范围。本书初版也是按照恩格斯的《家庭、私有制和国家的起源》一书的体制编写的。这些年来，随着考古工作的开展，对于中国原始社会经济，特别是新石器时代和原始农业的研究有重大进展。本卷关于原始公社生产方式这一章，就改从生产力和生产关系的演变来写，以符合政治经济学的要求。这一章在论述私有制的出现和向奴隶制过渡的问题上，避免了一般论述中简单化的毛病，指出这一过程的复杂性和长期性。在中国，它经历了一个持续近千年之久的过渡时期，经过无数次战争和社会组织的更替，原始氏族公社才逐步被奴隶制所代替。

奴隶制是一种残暴的剥削制度，但它的存在是具有历史根据和自己的发展过程的。作者在这个问题上不是单纯地暴露奴隶主对奴隶的野蛮榨取和虐待，而是根据马克思的剩余价值学说做了进一步的分析。马克思指出，以使用价值为目的的生产，剩余劳动的榨取总会受到一定的消费欲望的限制，而以交换价值为目的的生产，必然会造成对剩余价值漫无限制的需求。这个原则也适用于奴隶制生产方式。在早期，特别在家长奴隶制中，对奴隶劳动的榨取还比较缓和。在奴隶本身成为可以随时买卖的商品以后，暴力榨取就会达到疯狂的程度，因为从奴隶身上所得的收益已具有购买奴隶所投资本的利息的性质。在早期，极度虐待奴隶主要是在金银矿的生产中；而随着商业和商人资本的发展，以致"以生产直接生活资料为目的的奴隶制度，转化为以生产剩余价值为目的的奴隶制度"，[①] 对奴隶的剥削就要残酷不知多少倍了。作者认为这是"商品性奴隶制生产时期"，这时对抗性矛盾加剧，奴隶制也濒于崩溃。

在本书中，作者对奴隶制社会方面在学术界有争论的一些问题，提出了自己的看法。首先，对于我国西周社会的性质，作者改变了他在初版中作为封建社会开始的看法，明确"西周是一个奴隶制经济高度发展的国家"，并明确它和商都是种族奴隶制。这样，就把夏（从传说中的禹开始）作为中国奴隶制的产生时期，商是它的发展时期，而于西周达于鼎盛，前后约1300年。其次，关于亚细亚生产方式，作者比较了各种论点，明确提出，它实质上就是一种奴隶制的生产方式，与西方不同的是，它除了奴隶和奴隶主的对抗性生产关系外，还具有土地国有、集权的专制制度、农村公社的存在和国家治水等特点，最后这一点又是与亚洲各国农业比较发达分不开的。

由于封建社会在中国延续了二千多年，新中国也还是从半封建的制度中解放出来的，本卷的重点自然放到封建制生产方式上，并占有最大篇幅。

作者提出，直接生产者在生产关系中身份的变化，即奴隶身份的一定程度的提高，是奴隶制过渡到封建制的根本因素。据此，作者比较详细地分析了从奴隶制到封建制的演变过程在西方，这就是长达几个世纪的封建化时期。在中国，它是发生在周平王东迁到战国初的390多年间。这期间各侯国发生了政权、地权、田制和税制等一系列剧烈的变化，直接劳动者则经由"半奴隶"身份逐步转化为封建制下的农民。这样，作者也就回答了学术界有争论的中国是否存在过领主制经济的问题。作者认为，春秋时期，原来奴隶主占有的采邑演变成以领主占有制为内容的采邑，也就是奴隶经过"半解放"改变为处于半奴隶身份状态的农奴的时期。不过这种领主制生产方式为期不长，战国以后，私田大量开发，土地买卖，采邑不居

---

① 马克思：《资本论》第3卷，人民出版社，1975，第371页。

重要地位，地主制经济就逐渐代替了领主制经济，直接劳动者也被列为国家的编户了。

地租是封建制下剩余劳动的一般形态，也是剩余价值的原始形式。理所当然，作者以较大篇幅对封建地租的理论，特别是中国封建地租的内容做了详细的论述。同时，作者也十分注意在农村中占有相当比重的自耕农问题。作为一种生产方式，作者研究了它存在的条件，它和级差地租或超额剩余产品的关系，它所受到的粮食价格的限制，购买土地所需资金的负担，以及赋税的剥削等，指出这种小农经济的不利性和生产条件日益恶化的必然性。这在一般政治经济学著作中是比较少见的。不过，这部分主要是根据马克思的小块土地所有制的理论进行论证的。就中国来说，以家庭为单位的农业经营，特别是自耕农对农业的集约化和技术进步，是有过重大贡献的。

在封建生产方式这一章中，作者着重讨论了中国封建社会为什么长期延续、鸦片战争前中国资本主义生产为什么没有得到发展的问题，这也是近年来学术界热烈争论的问题。作者认为，封建阶级对农民残酷的剥削和压迫，农业经济中小农业和家庭手工业的密切结合，适合于静止社会状态的实物地租形式，土地自由买卖所造成的农民失去土地和官僚、商人资本土地化，这四者成为中国封建社会长期延续的主要原因。这些原因又是互为因果，联系在一起的。对于中国封建社会内部孕育的资本主义萌芽长期得不到发展，作者主要是从掌握在贵族、官僚、地主、大商人手中的货币财富的动向进行分析的。这些货币财富，相当人一部分被用于骄奢淫逸的生活消费；一部分被用于购买土地；一部分被用于商业和高利贷活动；还有一部分被窖藏起来。这就使得货币积累不能同雇佣劳动结合，转化为产业资本。同时，作者也注意到上层建筑特别是政权方面的原因，像清政府的矿禁、海禁和限制工场手工业的政策，以及赋税徭役的繁苛，都是阻碍资本主义关系发展的力量。

对于中国封建社会的长期性和资本主义关系得不到发展的问题，恐怕是不能简单地归之于某一原因的。但在众多的因素中，它们的相互关系和层次关系，以及形成这些因素的条件，还都是前资本主义政治经济学需要研究的课题。

一百多年前恩格斯提出研究人类各种社会的生产、交换、分配等任务时说:"这样广义的政治经济学尚有待于创造。"[①] 时至今日。恐怕还是这样。许涤新同志的这部书,自认为是"一个大胆而冒昧的尝试",是有道理的,不过,也可看作是创造过程中的一个创造。

(原载《经济研究》1985 年第 11 期)

---

① 恩格斯:《反杜林论》,《马克思恩格斯选集》第 3 卷,第 189 页。

评《清代皇族人口行为和社会环境》[*]

我国历史资料丰富世所罕见，而人口历史学的研究发展颇迟。过去著作主要是对历代人口总量和地区分布的估计，以及示例性的村社、家庭人口组织与变迁的考察，极少涉及人口行为模式的探讨。近些年来，国内外一些学者利用我国民间族谱，借用西方人口学和定量分析方法，对婚龄、生育率、死亡率、迁徙率等进行研究，补充了过去研究之不足。唯现存民间族谱最早不过明代，而谱系中断者甚多，又只记男嗣，少女性资料。本书所用清代皇族宗谱即《玉牒》是近期发掘出来的。它自 1660 年至 1921 年撰修 28 次，记录了近三百年来清代宗室约 8 万人和旁系（觉罗）12 余万人的资料，不仅包括女嗣，且因宗室无俸禄者均给养赡银米，故申报及时，审核严密。加上皇族专管机构宗人府的文书档案和十余种专用名册，实为今所仅见的支系最全、人口最众、质量和可信性最佳的族谱资料。为便于数据分析，在美国加州理工学院李中清先生倡导下，自 1990 年起，投入巨大人力，将《玉牒》记录重加审定，输入电脑，现已建立起近 8 万人的资料库。李中清、郭松义主编的《清代皇族人口行为和社会环境》一书就是利用该资料库数据分析撰写的论文集。

本书中除据资料库数据研究的成果外，还收入了 4 篇介绍和评价宗人府

---

[*] 李中清、郭松义主编《清代皇族人口行为和社会环境》，北京大学出版社，1994。

谱牒的文章，3 篇研述清皇族的背景文章。中国第一历史档案馆的鞠德源是最早研究宗人府档案的学者，1988 年起即发表有关于清皇室人口的论述。他在本书中撰文全面分析了清皇族的人口呈报制度，各种人口册籍的结构与内容，并对它们的准确性和实用性做出评价。另有北京大学的赖文忠，用计量学方法对 1840 年后谱牒所示死亡率的可信和不可信部分作出判断。中国社会科学院历史研究所的郭松义是清史专家，于 1987 年即有清代人口问题与婚姻状况的论文问世。他在本书中撰文详述了清宗室的等级结构，各等级政治、经济地位的变迁，并对他们典卖和丧失祖遗圈地后的生计问题做了专门考察。最下层的也是占人口最大比重的"闲散宗室"，除及龄者领取菲薄的养赡银米外，由于禁止宗室从事社会职业，他们既无谋生之路，也没有这种技能。这就造成嘉道以后，物价日涨，宗室中的贫困户也日增，负债累累，而游惰之风也愈炽的局面。另有台北近代史研究所的赖惠敏，撰文对清皇族的封爵、任官和袭、荫、科举、捐纳等途径作了计量分析。这组史料和背景分析的文章，不仅有助于读者了解本书正文和对其结论的代表性作出判断，这些文章本身即是用文献学和计量学相结合的方法研究清代皇族人口的富有创见性的论文。

　　本书正文共 5 篇。作为全书概论的《中国历史人口制度：清代人口行为及其意义》，是李中清在 1922 年的著作。李中清研究中国人口问题多年，著述甚丰，并在辽宁满族村落作过户籍调查。在本书中，他和夏威夷大学的王丰、密歇根大学的康文林合撰了两篇论文，分别研究了清皇族人口的生育率和婴儿、儿童死亡率，目的在于探讨一种完全不同于西方的人口行为模式。另两篇是赖惠敏所撰皇族家庭过继策略的研究、台北经济研究所的刘素芬所撰皇族婚姻与宗法制度的研究。

　　据李中清等研究，清皇族女性出嫁的年龄，由 18 世纪初期的平均 18 岁渐延至 19 世纪中期的 21 岁；年满 40 岁尚未娶妻的在上层皇族中几乎没有，而在下层皇族中竟占 6.3%，并有增大趋势。就是说，晚婚和单身这两种在欧洲人口模式中早已存在的生育控制机制，在清皇族中也是存在的。而清皇族生育机制特异之处在于婚后的控制，据说这是历史上的欧洲人口行为所没有的。清皇族的生育水平远较同时代的欧洲人为低，并有下降趋势。一夫一妻家庭的子女数由 18 世纪前期的平均 4.6 人降为 19 世纪前期的 4.1 人；一夫多妻的家庭更由 8.4 人陡降为 5.2 人，因纳妾者和纳妾规模都减缩了。最可注意的是，在整个 18 世纪中，单妻家庭生孩子的间隔期由 30 个月增至 40 多个月，最后一胎即结束生育时间，按父龄计，由 40 岁提前到 37 岁。这主要是在下层皇族中，这种明显的婚后控制，作者称为"第二种节制性控制机制"，是很突出的，也是本书论证的重点。本书其他研究还指出，传统的宗法制度以及男尊女卑、守寡守节等观念对皇族的生育率亦发生抑制作用，低层皇族也可能吸收了中国房事书中所述的民间节育方法。

再看死亡率。自 18 世纪初期到晚期，皇族儿童的死亡率由平均 40% 下降到 10%，下降最猛在乾隆前期。婴儿情况相反，男婴的死亡率大体保持在 10% 左右，而女婴的死亡率由 10% 上升到 30% 以上，上升最猛在乾隆中期。新生儿死亡率，在低层皇族中比在高层皇族中大一倍；而儿童的死亡率，在低层皇族中却比高层皇族小一半。这都说明存在着父母的干预行为，一方面溺杀女婴普遍化了，一方面加强了对儿童的护理，务使成人。这种干预在低层皇族中最为强烈，因为他们无力多育孩子，而又必须有男儿养老。作者还提到，中国传统社会的单位是家庭集体，不像西方之重在个人，因而对于婚后性生活的节制以至像溺婴这种残忍手段都可以接受，足以形成一种独特的人口模式。至于加强护理儿童的成长，书中收有南开大学的杜家骥关于清皇室重视天花防治及其对皇族人口影响的文章。

上述皇族人口行为，完全不同于同时代欧洲的人口模式。它无助于说明西方多数学者关于中国 18 世纪"人口爆炸"的断言，也不同于认为传统中国人是早婚早育、高出生率、高死亡率的那种流行概念。用李中清的话说，他们的研究是对这些传统看法的"挑战"，并且，"使那种认为清代人口增长导致贫困的看法受到了质疑"。

本书中一再提醒读者，清代宗室是一个特殊的贵族阶层。还有的作者提出，北京的满族仍保持一定的独特生活特点，而皇族婚姻有的可能有近亲之嫌。此外，迁徙是调节家族人口和支系蔓延的重要行为，而土地分配是制约我国人口繁衍的基本因素。皇族既不迁徙，也不耕作，不受此两种因素影响，故本书亦不置论。如果我们将本书的结论与已有的对民间族谱的研究相比，则在婚龄、婴幼儿死亡率方面变动的长期趋势大体一致，唯不如皇族变动的剧烈。在生育率和婚后生育节制问题上则有出入。例如，据这方面的著名学者刘翠溶的研究，由明至清生育率有增长趋势，而 18 世纪迄 19 世纪前叶殊少变化；而按年龄组制成的钟形生育曲线也与本书所列不同，应是属于不受控型。[1] 不过，由于民间族谱不记女嗣，所研只是男童的生育形态，节制或无必要。最近有人从文献和过去罕为人注意的史料中论述清代江南人口行为，观察有多种人口控制，以至避孕、堕胎、绝育的方法和实践，并结合江南人口实际增长速度做出评论。[2] 总之，我认为本书的研究确实提出许多发人深思的创造性见解，并且有望形成一种新的符合中国人口行为特征的人口史理论。只是本书限于清皇族的数据，尚有待更多的史料加以补充和修正。

本书作者力求将皇族人口行为与其所处环境结合起来考察，不过因系用定量分析法，主要是从皇族各阶层的地位来区分，对于整个社会政治、经济、制度和宏观人口的变迁考虑不足，这可能是本书的一个缺点。但本书仍然是一部微观分析与宏观考察相结合的、开拓中国人口历史学的创举之作，值得推荐给读者。

（原载《历史研究》1995 年第 4 期）

---

[1] 刘翠溶：《明清人口之增殖与迁移——长江中下游地区族谱资料之分析》，载许倬云等主编《第二届中国社会经济史研讨会论文集》，台北，汉学研究资料及服务中心，1983。

[2] 李伯重：《控制增长，以保富裕——清代前中期江南的人口行为》，《新史学》第 5 卷第 3 号，1994 年 9 月，台北。

读《中国近代经济史简编》

  建国 50 年来，我所见中国近代经济史著作不下 10 种，本书是最新的一种；我于 1999 年本书出版的次月即获读全文，实属幸事。

  本书名曰《简编》，然作者刘克祥、陈争平同志都是研究中国经济史的老手，又都是自 1981 年就开始编纂的三卷本《中国近代经济史》巨著（尚未出齐）的撰稿人，刘克祥并且是其中第 3 卷的主编之一。这部巨著，不仅资料之丰实超过已有同类著作，而且每一重要课题都是先作专题研究，并多半先行发表以观反应，然后缩写入书。故在体例上是史论结合，即按历史阶段编排，而于重要部门、事件、问题都横向展开，深入探讨。目前这本《简编》也具有上述严谨风格和体例，并吸纳作者最近的研究成果，但在选题、资料和论证上力求精简，不过 50 余万字，以飨一般读者。这种精简也是一种创造。举例说，汤因比的 12 卷《历史研究》，卷帙实在浩繁，今人所读差不多都是汤氏审定的简编本；正是这简编本，充分宣示了汤氏的文明多元论和"挑战与应战"的历史观。

  中国近代史是从西方资本主义武力打开中国大门的鸦片战争开始的。一般认为，西方资本主义对中国的侵略是从贸易开始的，到甲午战争以后，西方自由资本主义进入垄断，进入帝国主义阶段，对中国的侵略也变成割地赔

刘克祥、陈争平：《中国近代经济史简编》（以下称《简编》），浙江人民出版社，1999。

款、攫取路矿权以瓜分中国、输出资本以控制中国经济命脉了。本书提出并以大量第一手资料证实，甲午战争以前，西方列强虽已在中国获得完整的贸易特权，但其侵略仍是以暴力强制为主，有浓厚的老殖民主义色彩，绝非用"机器战胜手工"的市场经济原理所能解释的。这种认识非常重要，因为甲午战争以后，以迄"七七"事变，战争不断，列强无论在商品输出或资本输出上，直接的、间接的、隐藏的暴力强制也从来停息。透过现象看实质，在这方面，本书论据确凿，揭露深刻，并充满正义气概。读者缅怀先辈竞业之艰辛，益会珍惜今日努力的成果。它是一本历史科学的论著，也是一部难得的爱国主义教材。

如何看待列强侵略与近代中国的关系，是研究中国近代经济史的关键题。长期以来，西方汉学家中曾流行一种"冲击与反应"范式，认为近代中国的一切变化都是对西方文明冲击的反应。我以为，这是一种完全忽视内因的错误理论，也与前述汤因比"挑战与应战"的命题异趣。西方资本主义、帝国主义的对外扩张和侵略是世界性的，但其结局，在美洲、非洲各国和在印度、日本等地都各不相同。只有中国走上半殖民地半封建道路，并在东方帝国主义的严重侵压下走向社会主义（本书论述至解放区经济为止）。在资本主义引发的世界大变革的洪涛中，一国走什么样的道路，其历史命运如何，从根本上说是决定于本国的文化或文明，以及当代和几代人的智慧与努力。

本书分为上中下三篇，即中国近代经济发展和演变的三大阶段，每个阶段都是以外国列强对中国的侵略或加强侵略开篇。但作者并不是运用"冲击与反应"范式（我不赞成研究历史使用任何模式或带有目的论、决定论的研究方法），而意在阐明每个时期广阔的国际背景，再根据中国社会结构、经济实况相当时人的决策进行分析和评价。

在整个近代时期中国还是一个农业国，农业占国内生产总值的60%～70%。有些研究者十分关切代表进步的新式工矿交通企业的发展和不发展，为之咨嗟兴叹，而对作为国民经济基础、其实也是工业化基础的农业经济的变迁注意不够。我本人就是这样；近年来打算补课，以探讨二元经济中传统农业对中国近代化的作用和制约，但已力不从心。

本书则一直是十分重视农村经济这个领域的。在上篇中，首先对以太平天国为核心的农民大起义失败后的农村经济作了全面的详尽的分析；对清政府重整地权、招垦、清赋等重大措施的正面和负面结局做出评估；对令学者困惑的地权分散和地租额下降现象下的实际地租剥削率做出创造性的论证。这等于对近代中国农业的基础或西方史学家所谓"初始条件"给予定位，可说是本书一大贡献。以后，在中篇和下篇又对农村生产关系的变迁，对人口与耕地的消长，对农业生产力的兴衰和生产结构的演变，对农业经营方式和农产品的商品化，进行考察，并尽可能给以总结性的论断。这是件非常繁重艰难的工作。我国直到20世纪二三十年代才有少量的农村定点调查，一般农业资料都极其零星，偏于某些地区，并有偶然性，缺乏可比性。用这些资料做出总结性论断，全凭孜孜不息的文献学工夫，广博的历史知识和沉着的治史经验；这正是本书论证的可贵之处。按照本书论断，我国近代农业状况着实令人悲观。但与"初始条件"相比，在租佃制度、雇佣劳动、产品结构、经营方式方面仍然有所进步，在生产商品化上有不小的进展。作者没有系统地估计农业产量，不过今天我们公认旧中国的主要农作物都在1936年左右发展到高峰。再与工业发展对比看，显然农业做出牺牲，也就是对工业化做出了贡献；反过来也可说，农业发展的迟滞掣了工业的后腿。

新式工矿交通企业的出现是中国经济走向近代的标志。这方面，本书首先指出商品市场和劳动力市场是新式企业产生的条件。我国劳动资源充足而资本严重短缺，因而资本市场同样是研究的重点。在上中下篇即经济发展的三大阶段中，都是先考察商业和金融业的状况，然后论述新式工矿交通企业的发展。这种思路和安排是很有见地的。和以自给生产为主的农业不同，新式产业完全是市场机制。我一向以为近代化的历史总是商业革命导致工业革命，市场疲弱是近代中国工业化困难的症结，而一些商业金融业"畸形发展"的论点是没有根据的。本书论述各时期商业、金融业的演变以及国际贸易的考察，都较周详，评估有分寸，有些问题，如钱庄票号的作用、税制、币制的改革等，颇有创见。唯有物价、币价的长期趋势缺少系统考察，难窥市场机制底奥。

新式工矿交通企业的产生与发展资料较多，本书用宏取精，剪裁得当，一目了然。对于洋务企业以及洋务派政策思想，破除早期讨论中的一些偏见，重新评价，我以为是中肯的。论北洋政府的经济措施，不是一笔抹杀，具有新意。对民族资本企业的考察，以及对民族资本家"实业救国"和经营思想的分析，都见公允，并揆之经济学原理，不乏创见。整个这部分的论述，读之有释然之感。

相比之下，本书对于1927～1937年"国统区经济"的论述，除关税自主、币制改革等问题外，未免失之疏略。这个部分的研究，在十几年前还是学术界的"禁区"，而这时期的经济资料，尤其宏观数据，在整个近代经济史中是最好的；难尽发挥利用，未免可惜。进入抗日战争时期，本书的论述陡见活跃。资料尽可能充实，论证尽可能完整，馨竭心力。对战时"统制经济"采取了比较宽容的态度，而全文充满激情，揭露日寇掠夺政策，敌忾同仇，读之令人振奋。最后两章，分别论述国统区经济的崩溃和解放区新民主主义经济的成长，也都写得很好，论证对比，有声有色。

最后，我想谈一点经济史著述中的评价和风格问题。有人认为经济史是历史科学，只应客观地叙述史实，不宜多作价值判断，更忌动感情。我不这样想。我以为，历史研究本来应有实证分析和规范分析两种功能。规范分析，自然包括了作者对历史事物或行为的评价。而在实证分析中，所谓"客观史实"，实际是作者自己对过去事物或行为的认识。人们对历史的认识是不断更新的，这正是史学的进步，否则不需要有新的著作出版了。这种新的认识，其实也是一种评价。不过，在实证分析中要严格遵守历史主义原则，即把事物或行为放在当时的历史条件下；而规范分析，则要考虑事物或行为对后人以至今人的潜在效应。又在经济史中，评价的标准不限于道德规范，而往往是价值观，这是需要分析和论证的。因而，与其把作者的意见暗含在"史实"中，不如直截了当说出来，如"太史公曰"，以期"以史为鉴"之效。再说感情问题。大约史家论史，既要"说出来"，如非惺惺假意，总不免触动感情；触动感情也就会挥毫泼墨，所谓"采笔干气象"。感情表现作者的真诚，也使所写历史栩栩如生，读者易于感受，有益古为今用。我国史学原有重视价值判断的优良传统，又有文史同源的采奕风格，发扬这种传统和风格，何乐而不为？

（原载《中国经济史研究》1999 年第 4 期）

评介李伯重《江南农业的发展 (1620~1850)》[*]

我常说，历史研究（不是写历史）是研究过去的、我们还不认识或认识不清楚的人们的实践，如果已认识清楚就不要去研究了。人类的历史实践除很小部分外，都难说已认识清楚。并且，由于认识的时代局限性，一代人以为认识清楚的事情，到了下一代又会变得不清楚或不很清楚，需要重新研究。历史总是要不断研究，不断重新认识的。李伯重这部著作，就是以迄20世纪末的历史知识和理论水平来重新认识江南农业史的。

李伯重是我国青年一代的经济史学家。他于1978年开始致力于唐代江南农业的研究，有专著问世。[①] 1982年起，他专注于明清时期江南经济的整体性考察。接着，回到农业，他从两个方面，即生产经营的集约化和资源利用的合理化，来论证明清江南农业的发展，完成系列的专题研究。他证实，在没有重大技术改变的情况下，土地、水、劳动以及畜力等农业资源的合理利用，亦即资源配置一定程度的优化是可能的，并详察其绩效。又提出，自唐至清，在江南水稻生产集约化过程中，劳动的投入并无大变动，而资本投入（特别是肥料）的增长起了重要作用。他又提出江南农业"外向化"的论点，即它的丝、棉产品主要是外销，而粮食、肥料等大量依靠外区输入；

---

[*] Li Bozhong, *Agricultural Development in Jiangnan, 1620–1850*, London, MacMillan, 1998.

[①] 李伯重：《唐代江南农业的发展》，农业出版社，1990。

并进而研究了江南在物质、劳动、资本和文化技术上与外区的输出和输入，及从中得到的分工和比较利益，是江南经济发展的重要途径。他的这些论点深受学术界重视，有些并引起讨论和后继的研究。20世纪90年代，他又对明清江南的人口、环境（气候）、农业技术等作了系列的专题研究。其中最引人注意的是他对江南人口和人口行为（控制生育）的考察，和劳动力增长与在一定生产模式下劳动力需求关系的研究。在他看来，迄1850年以前，江南农业中并不存在劳动力过剩，在某些生产模式转换时期还曾出现劳动力不足。

李伯重的这些专题研究都是实证性的，发表为论文和研究报告近20篇；读者常以其论证之周详和新发掘的与罕见的资料之迭出而叹服。本书《江南农业的发展，1620～1850》就是在这些专题研究的基础上，经过反复修正和在若干问题上的重要补充，使之成为系统的理论。

本书是20世纪90年代初作者在美国伍德罗·威尔逊国际学者中心（The Woodrow Wilson International Center of Scholars）任常驻研究员时开始命笔的，几经寒暑，数易其稿，到1996年秋才完成，时作者已转到英国剑桥大学圣约翰学院任客座研究员了。本书选择1620～1850年即我国通常所称"清前期"这个时间段，是因为与出版社约定的书稿篇幅有限，也因为正是这个时期，对江南农业"衰退""停滞""有增长而无发展"，以及"人口爆炸""过密化生产"等议论最多；澄清这些观点，是重新认识江南农业史的关键。在这方面，作者不是对任何观点作理论辨析或批判，而是尽力详考江南农业发展的历程和绩效，从历史认识上予以澄清。这是一个史学家应有的态度。而为了明确历史发展的历程和绩效，必须有比较研究。本书在许多问题上都追溯到明后期以至宋代这两个江南农业有重大变革的时期；也时常下延到1850年以后江南农业的衰退和20世纪30年代以至1949年后的复兴，以确定"清前期"江南农业的历史地位。这又是经济史研究在方法论上的必要。

本书分为三篇。第1篇"关键生产要素的变迁"，即江南劳动力、土地、气候和农业技术的变迁。这些变迁是江南农业得以发展的物质基础。第2篇"农业生产的变迁"，讲了三个问题，即农业资源的合理利用，农业生产的集约化，农业的外向化（externalization）。这三者实际是清前期江南农业发展的主要途径。第3篇"农业的发展"，包括两个命题，即土地生产力的增加和劳动生产力的提高。这里的"生产力"（productivity），也就是

"生产率"，它表示农业发展的实际绩效，因而是本书研究的最终目标或结论。这两个命题，在作者过去的专题研究中都曾述及，但在本书中展开全面讨论，考证綦详，尤其是劳动生产力一章，等于是全新的研究。下面，我也就劳动生产力这一章的论述作些评介。

研究这个问题，首先须对劳动生产率有个明确的概念。李伯重早在 20 世纪 70 年代末研究唐代江南农业时即提出，考察中国传统农业的劳动生产率不能用现代工业中的概念：工业劳动生产率是按劳动日或小时计算，传统农业则应按年计算；工业劳动生产率是以工人为单位，中国传统农业的生产则是以家庭为单位；工业所计算的是一个工种的单一劳动，传统农业则须计入大田和工副业多种劳动。此外，工业劳动生产率是以货币计值，传统农业则常以实物计值，因农民主要是生产使用价值。这些论点十分精湛，切合中国历史实际，西方学者常因此陷于胶柱。

本书前几章的研究已为劳动生产率的增长提供了依据。例如，书中估计了 17 世纪后期和 19 世纪早期江南的农业人口和稻、桑、棉的播种面积；并认为这期间稻的亩产量增长了 45% ~ 50%，稻与麦（或豆、油菜籽）二熟制的指数由 140 增为 170；丝业的工率无变化，纺织则由每匹布 7 个工作日减为 6 个；等等。但是，作者并不是像在工业经济学中那样构建一些公式来推导劳动生产率。由于这些数据大都是事例的或估计出来的，用公式计算出来的结果不能令人信服，甚至会产生误导。我一向认为，在没有系统统计的古代史的研究中，计量学方法应主要用于验证已有的定性分析，而不宜单独作出判断。本书就是用实证的理性分析得出江南劳动生产力提高的动力、途径和方式，再用计量法给出设想的内容。

作者在本书中，是从江南二熟制的发展、家庭农场规模的演变、农家劳动的分工上，来考察劳动生产率的增长的。二熟制的发展，意味着土地、水、劳动等资源的合理运用，是单位产量增长的主要途径，也是劳动生产率提高的基础。他详细考察了稻、麦、油菜籽以及转换作物（这种转换也是资源的合理运用）桑、棉等生产条件以及生产成本和使用价值，认为到 19 世纪中叶，江南的农业生产结构已达到最佳配置。超过这个限度，例如康熙和道光时都曾受命试种双季稻，均遭失败。

家庭农场原来规模颇大，到明后期已缩小到 15 亩左右，到 19 世纪中叶降至 10 亩左右。这并不是由于"人口压力"或人地比率的限度，而是由于在合理利用自然资源下家庭劳动力的制约。作者曾详细考察，用工最多的桑蚕区，尽管桑地和稻田的搭配有多种方式，而一般共为 9 亩，顶多 10 亩。植棉区，一般 4 亩棉花需配置 6 亩稻田。盖超过一定比例，就不能保证治丝或纺织的劳动力，不易经营。占 60% 的水稻种植区，在单茬作物时，每家可耕种 20 亩，而在二熟制下，有牛户可耕种 10 亩，无牛户仅种 7～8 亩，超过 10 亩者常需雇工，加重管理困难。"一夫十亩"是江南二熟制下家庭农业生产和管理的最佳规模，从而也可以最大限度发挥家庭的劳动生产力。太平天国以后，江南人口剧减近半，但农场规模并未扩大，因为从生产经营上说，扩大没有什么好处。

作者考察，自宋代直到明中叶，江南农家都是男女同下大田劳动，并同在农暇时从事育蚕缫丝或纺织。"男耕女织"是在明至清中叶江南农业发展中逐步形成的，到 19 世纪中叶，已很少农妇下田的记载，下田也主要是除草、施肥等轻活。这种男女分工，是劳动生产率提高的关键。妇女因生理关系，大田劳动总逊于男性，又因需理家务，适于户内生产。原来桑蚕的利益，按每亩田计，可达种稻的 3.6 倍。棉纺织的利益，因布价下降（明后期 1 匹布值 2.3 斗米，19 世纪中叶仅值 1 斗米）而减少，但纺织无税，仍优于大田。分工使妇女专业纺织，效益大增。而大田生产，原由 2 人承担，改为 1 人，等于劳动生产率提高一倍。不过，其所以能由农夫 1 人承担，端在于农场缩小近一半，可是由于二熟制推广，产量并未减少一半，所以农夫的劳动生产率仍有提高。

因此，作者把"二熟制""一夫十亩""男耕女织"称为"三位一体（trinity）的江南农民经济模式"。正是在这种模式下，即三种最佳组织或结构的有机结合下，劳动生产率达于最优。这种分析，主要是采取了结构主义和新制度学派的史学理论；所谓"三位一体"，实际上是一种自然形成的、无成文规定的经济运行制度和结构体系。比之过去史学界常用的因果链和线性发展的分析方法，是一大进步，因而也更具说服性。

在这种实证的理性研究的基础上，作者以他所据有的文献和估计的数据，作了计量分析。他在原书中是逐事逐段详细解说的，我仅择其中三事，并为了节约篇幅，制成三个其义自明的表。表 1 是以何良俊在《四友斋丛说》中所说松江西乡的情况作为明后期的个案，以姜皋在《浦柳农咨》中的记载代表清中叶的个案，比较大田劳动生产率的增长（增24%）。表2是江南全区的宏观比较，按作者估计的数据计算，两个世纪大田劳动生产率提高80%。这是因为，何良俊所举松江西乡例的农场面积和亩产量都比较突出，一般没有那么大。表3是用表1的事例比较两个时期实即两种制度下纺织的效率，计增5倍。从中还可看出，在农场面积达25亩又无二熟制和男女分工的情况下，仅能织布9匹，自用而已，无经济效益。这三个例子，尽管在数据真实性上可以挑剔，但足以证明"三位一体"之说，殆非虚构。

表1　松江

	明后期（何良俊）	清中叶（姜皋）
户有耕地（亩）	25	10
亩产量（石）	稻2.5	稻3，麦1
总产量（折稻，石）	62.5	37
每亩成本（折稻，石）	1	1.25
净收入（折稻，石）	37.5	24.5
耕作者	夫妇2人	农夫1人
人均净收入（折稻，石）	18.8	24.5
劳动投入（每亩15日）（日）	375	稻150，麦30
每个劳动日产量（折稻，斗）	1.7	2.1

表2　江南估计

	17世纪中叶	19世纪中叶
户均耕地（亩）	15	9
复种指数	140	170
播种面积（亩）	稻15，麦6	稻9，麦6
亩产量（石）	稻1.7，麦1	稻2.5，麦1
总产量（石）	稻26，麦6	稻23，麦6
总产量（折稻，石）	30	27
耕作者	夫妇2人	农夫1人
人均产量（折稻，石）	15	27

表3 纺织例

大田经营	明后期		清中叶	
	田25亩,单茬稻共需375个劳动日(每亩15个)		田10亩,二熟制共需180个劳动日(稻10个、麦30个)	
	农夫	农妇	农夫	农妇
能用于生产的劳动日	300	200	300	200
整地所需劳动日	50	—	20	—
其他大田所需劳动日	163	163	160	—
碾米磨面所需劳动日	62	—	37	—
大田活外剩余劳动日	25	37	83	200
全家剩余劳动日	62		283	
织布一匹所需劳动日	7		6	
全家可织布匹数	9		47	

（原载《中国学术》总第5辑，商务印书馆，2001年1月）

一部金字塔式的
中国经济史新著

——《中国近代经济史（1895～1927）》评介[*]

汪敬虞主编的《中国近代经济史（1895～1927）》是一部研究清末民初中国经济变迁的专著，由多位专攻中国近代经济史学的老专家和本学科博士、硕士青年学者共同撰写，被列入国家社会科学"八五"重点项目。本书是已故经济史学大师严中平主编的《中国近代经济史（1840～1894）》（人民出版社，1989）的续篇，其准备工作可溯及20世纪60年代，与严著同时，并一本严著传统，即在长期考究史料的基础上，先作专题研究，本书并有十几项专题研究成果先行发表征求众议，然后编写成书。体系完整而根底扎实雄厚，有博大而精深之效。

1895～1927年的中国经济是典型的半殖民地半封建经济。根据半殖民地的时代环境和半封建的历史条件，本书以中国资本主义的发展和不发展作为全书的中心线索，用以推动理论分析，并提纲挈领，联系各个方面。全书分为3篇16章，近180万字。我先评介各篇的基本内容，再讨论这个中心线索问题。

第一篇讲述帝国主义在华经济势力的扩张和渗透，包括对外贸易和国际收支、外国在华金融活动、中国的外债、外国在华工矿交通投资四章。帝国主义势力，一向是近代经济史著作的重点，大都论述较详，我仅略述本书的特色。对外贸易方面，本书作者在前人多种研究的基础上，对1895～1927

---

[*] 汪敬虞主编《中国近代经济史（1895～1927）》，人民出版社，2000。

年的进出口值作了迄今最为完整的修正，显示中国的外贸逆差和重大变化实自甲午战争后开始；并结合进出口比价，对贸易条件的演变提出新的看法。又用计量学方法，对铁路与市场的扩大和中国参与国际市场分工的作用给出量化概念，有利于对整个外贸的评价。国际收支，过去经济史注意不够，本书作者几乎净尽地集中了中外所有前人论述，重构 1894～1930 年中国国际收支平衡表，并着重讨论了国际收支与中国近代化过程中的资金供给问题，提出围绕中国外债的"恶性循环"论点。这些都属开创性研究。在外债一章，除对重要外债的原委和后果详为分析外，对中国政府为开发经济而举借的"实业借款"作了专门的研究和评价；按用途计这种借款占该时期外债最大比重（36%），而过去经济史著作较少注意。对外国在华金融业、工矿、交通业的研究，采取行业和个案结合的办法，利用企业第一手资料和当时人评论，常于细微处看出问题。

第二篇题为"中国传统封建经济主体地位的延续和推移"，包括农业和政府财政、经济政策两个部分。

农业部分有五章。作者把这时期农业的主要变化概括为土地商品化、农产品商品化、劳动力商品化三个特征；在三个商品化的作用和影响下，租佃关系、农业经营方式和国家的农业政策都发生一定的变化。这种考察的视角和思路是颇为新颖的。尤其在农产品商品化上，区分商品类型，认识深入了一步。在资料占有上，作者检索了本时期几乎所有现存的地方志，整理了大量调查资料和档案材料，并做了大量的实地调查，不少材料是首次与读者见面，其中有关雇佣劳动和地主经营部分尤为珍贵。鉴于农业的地区差异悬殊，作者采用宏观、中观（区域）和个案三种研究相结合的方法，分别不同类型叙述。又尽可能做出量化分析，在地权分配、租佃范围、地租额、雇佣劳动、农业生产和商品化程度上，都做出了自己的统计或估计。这就把该时期农业经济史的研究提高到一个新的水平，其中如三类地区的地权分配、南北方地租额估计、农业长短雇工的比率，以及经营地主的形成途径、资本构成和经营状况等，均属开创性研究。不过，中国是个农业大国，在人口和生产上农村都占绝大比重，本书农业部分的研究仍有不足之感，对于人口问题和自耕农经济甚少论述。

财政和经济政策部分有两章。甲午战后，政治经济制度的改革是挽救中国危亡、也是振兴经济的唯一出路，维新派和革命派思潮相继登场，改革成败关系国家命运。过去经济史学对此重视不够。本书作者详细考察了清末财政经济出现的一些新局面和清政府政策的若干变化，包括倡导和扶持民间资本，以路矿为中心重整经济，以及立商政、定章程、设学校，试图中央集权和经营市场化等，但未能推进到体制变革层次，以至戊戌变法被扼杀而功败垂成。对于八国联军战役以后清政府主动实施的"新政"，作者认为它在变革范围和层次上较之前期的改革有所扩大和提高，但随着列强的步步进逼和国内革命运动的高涨，清廷的制度改革让位给皇权的维护，新政都成泡影。民国建立后，北洋政府的改革，从公布的政策法规上说，已有了向早期现代化取向的转折；但还远离经济法制化、政府依法干预经济的要求。而在实施上，执政者志在聚敛资财，与法规背道而驰，改革自无效果可言。这种分析，不同于有些著作之一笔抹杀的写法，我以为是实事求是的。

第三篇讲述中国民族资本的发展。这也是一般近代经济史研究的重点。本书的特色，首先是系统完整，包括工矿业、手工业、交通运输业、商业、金融业共五章。其次是充分利用了新发掘的企业、工商团体的档案和文书材料，检阅了中外学者最新的论著特别是个案论著，所以基础异常丰厚。在工矿、金融业的研究中，十分注意市场条件和市场竞争。在行业研究中，作者在分析本行业一度飞跃发展而后继乏力的原因时，注意了封建传统因素包括人们观念上的阻力。在手工业一章中，作者提出中国工业"多元结构"的论点，认为生产力演变的生命周期中有"扬弃"和"亲和"两个过程，多种生产方式并存是历史固有的现象；迄20世纪30年代初，我国手工业的产值和功能还都远大于机器工业。在商业一章，作者以相当大的篇幅讨论了国内市场商品流通的规模，从数量估计和铁路、轮船运输以及邮政货运上加以认证，并对几种有代表性商品的流通量作了分析。这些都属于开创性的研究。

现在，回到本书的"中心线索"问题来。本书主编在导言中以"中国资本主义的发展和不发展"为题系统地论述了这个中心线索。他指出："中国近代半殖民地地位的形成，这是中国资本主义发展的时代环境；中国近代半封建社会的持续，这是中国资本主义发展的历史条件。"这两者对于中国资本主义的发展和不发展"有着合乎逻辑的历史规定性"。关于时代环境，他论述了帝国主义在华享有的各种特权，再以"给与拿、促进与压迫"为题评价帝国主义在华的作用，主要是负面作用。关于历史条件，他以"突破封建生产关系动力的不足"和"上层建筑与经济基础互动的乏力"为题作了专论。然后以大量史实论证中国资本主义不能充分发展的现实。最后,他热情赞扬了中国人民要求独立发展经济的精神,高度评价了那些努力于中国产业革命的实业家。"但是,所有这些努力,最后都失败了。所有的希望,最后都落空了"。他在文首概括说:"近代中国是以中国的资本主义不能得到真正的发展而告终。结束近代中国的历史,是社会主义中国的出现。"

怎样看待这个中心线索呢?据我所知,汪敬虞在1961年就提出过这个中心线索的论点,在1989~1990年,学术界曾有多篇文章对此进行讨论。1996年,我为本书原稿作鉴定时的看法是:从历史条件、时代大环境来考察近代中国经济演变是对的,"资本主义的发展和不发展"这个提法合乎辩证思维;阐明中国不能走资本主义道路而选择社会主义道路符合历史唯物主义。

现在,我想补充说明,所谓中心线索,是我们在著书立说时的一种历史观,也是方法论。从历史观来说,可以有不同的历史观并存,对同一历史事件做出不同评价,这对历史研究是有好处的。事实上,我们所见著名的历史著作,都是各有其自己的历史观的。而从方法论来说,我以为任何历史观都不能违背实证主义原则,否则就会陷于主观臆测,或陷于目的论、决定论,不是真正的历史了。在西方,自19世纪末起,就不断有批判实证主义的思潮,但据我看,无论是克罗齐、柯林伍德,或是卡尔、贝克尔,都不是根本否定实证主义原则,而是探讨人们对历史的认识的性质或认识的相对性。人们对历史的认识是有限的,随着知识的积累和时代精神的发展,需要不断地再认识和重新撰写历史,史学家的历史观也会随着时代思潮而有所改变。但作为治史方法的实证主义原则,只有精益求精,不能须臾或离。中国史学家也有不同的历史观,但从司马迁起,除前些年一度陷于教条主义外,从未背离过实证主义原则,这是中国史学的优良传统。

反观本书,从上面对各篇的简介可以看出,它完全是本着实证主义原则撰写的:资料翔实丰富,基础雄厚稳健,每项论证都有根有据,这是本书的最大特色。这种著作随着时代转移,即或某些论断必须修正,仍将巍然屹立于史学之林。按国外先例,称之为金字塔式著作,当之无愧。

(原载《经济研究》2001年第1期)

对《中国十个五年计划研究报告》的简要评论

编者按：2006年5月30日中国社会科学院召开第三次科研成果发布会，推介该院重大课题成果《中国十个五年计划研究报告》。该成果形成专著共90万字，由人民出版社出版，著名经济学家刘国光任主编，张卓元、董志凯、武力任副主编。该成果通过收集和整理大量第一手档案资料，将新中国从1953年以来有关经济发展和制度变迁的重大事件贯穿起来，将我国十个五年计划的制定、修正、颁布、实施以及实施后的经验和教训完整、系统地展现在读者面前。该书是目前国内外公开出版的第一部时间跨度最长、内容最全面、资料最丰富的关于中国五年计划制定和实施历史研究的学术专著。现将中国经济史学会原会长吴承明研究员在会上对该成果所做的一个简短的评论刊发于此，以示推介。

这个研究报告是个伟大的工程，写得非常成功。它不仅总结了56年来我国实行计划经济和转入市场经济的经验教训，还详细论述了计划在执行中不断修改的极其复杂的原因，分析了体制改革和经济转轨中的矛盾和困难，并且充分探讨了计划经济和市场经济中的思想矛盾、思想转变和理论斗争。这些都是我们过去不知道或不清楚的，读了这个报告才恍然大悟，如同上了一堂大课，开了眼界，受到教育。

在 1978 年改革开放以前，我是从事经济行政工作的，也参加过一些计划会议。但在具体工作中的感觉是政策和要求年年变、月月变，有时又变回来，似乎根本就没有什么中长期计划，或者如报告前言中所说，计划"走了样"。那时对经济发展还都是线性概念，不懂得结构主义和全要素分析，把政策的多变归之于价值规律。这部研究报告对每个五年计划都做了按年度一年一年的检验和分析，指出改变的条件和原因，同时按时间分析了各种政治干扰、领导者的思想、计划执行者的思想、民间学术思想以及思想认识的转变和统一。从中可以看出，恰恰是这种不断改变的、"走了样"的计划经济，才逐步使我国的五年计划具有了科学性和实践性，取得了成绩。

这部报告的写法是实录式的，按时间实录史实，再加以逻辑和思想分析。这是一般经济史和报刊文章所没有的。一般经济史只是就每个五年计划的最后成果来总结这个计划的伟大成绩和缺点，没有实际的真实的分析，那是不足以使人信服的。

1978 年改革开放以后，我离开了经济实际工作，到中国社会科学院经济研究所专职搞经济史研究。这 20 多年接触到的文献，大都是一般经济史式的文献，没有按年按日的实录材料，没有思想矛盾和认识转变的记载，因而对体制改革的困难、计划与市场的争议、双轨制的反复以及为什么还要治理整顿等问题总是搞不清楚。所以现在，作为一个经济史研究者来评论这个报告，我就提出：我们的研究要向这部报告学习，向实录式加思想分析的写作方法学习。

（原载《当代中国史研究》2006 年第 4 期）

生产力经济史和区域研究

——序《发展与制约：明清江南生产力经济史研究》[*]

李伯重同志是我国新一代的经济史学者。他于 20 世纪 70 年代末开始致力于江南经济史的研究。1981 年在韩国磐先生指导下完成他的硕士论文《唐代长江中下游地区农民个体生产的发展》。此后继续研究宋、元江南经济，然后集中到明清时期，陆续有成果问世。1985 年在傅衣凌先生指导下完成他的博士论文《明清江南工农业生产六论》。《六论》内容迭经深入探讨，以多个专题论文发表，受到史学界重视。他又以"趋势与前景"为题，另撰英文稿，提交 1987 年 1 月在美国召开的"中国史研究经济学方法研讨会"。1988 年 1～7 月，伯重同志应邀在美国加利福尼亚大学洛杉矶分校讲学；同时，吸取中外学者意见，重新撰写本书，定名为《发展与制约：明清江南生产力经济史研究》。因此，这本书乃是他长期研究江南经济史的成果，可谓披阅十载，数易其稿，与同时完成、已经付梓的《唐代江南农业的发展》成姊妹篇。我得先睹原稿，不胜欣慰。

本书发掘不少罕见资料，论证严谨，殊多创新见解，几乎翻开每页都可见其功力。而全书是以生产力和地区经济作为研究对象，这在我国史学界尚属新开拓的领域，本书也许是第一部这种研究的系统专著。因此，我想借本书出版之际，就生产力和地区经济史的方法论方面略述管见。

---

[*] 李伯重：《发展与制约：明清江南生产力经济史研究》，台北：联经出版公司，1988。

一

经济史应当是研究各时期社会生产、交换、分配、消费的历史。其中人们劳动、生产发展的成果及其效率尤应是考察的基础。但是建国以来，我国经济史的研究却长期集中在生产关系上，甚少研究生产力。这大约有两方面的原因。其一是我国传统史学一向比较重视典章制度，很少生产实践的记载，以至田亩只是纳税亩，"天下粮谷"实指赋额。劳动、生产统计资料贫乏，研究者也往往驻足。其二是用马克思主义研究中国经济史实际始于20世纪30年代，在长期的土地革命和社会革命中，自然会以研究生产关系的变革为重点。50年代曾有一场关于经济史研究对象的讨论，占主导的意见是经济史研究应当研究生产关系的演变过程，而生产力只是"条件"；这显然是受当时苏联某些经济史学理论的影响。到"十年动乱"中，批判"唯生产力论"，生产力的研究成为禁区，史学界深感窒息。自1979年起，我曾在几个场合提出这个问题。我说："不研究生产力，经济史就愈讲愈空，成为社会发展史"；"不讲生产力，生产关系的演变也就无规律可言了，'穷过渡'的理论就是这样产生的"。①伯重同志就是在这时开始生产力经济史研究的。近年来，情况有了变化，尤其是"生产力标准"提出来以后，既然生产力是评价社会主义初级阶段的标准，是否也是经济史的标准之一呢？

生产力经济史，在我国史学界可说是一个新的领域；不过，它并不陌生。第一，我国过去经济史的研究确是偏重生产关系，但在研究建国以来的经济发展即现代经济史时，却是以生产力为中心的，在体系上也多是以几个五年建设计划分期，以社会总产值、国民收入、积累与消费、劳动生产率等为主要指标的。这隐含着一种看法，好像只有在消灭了剥削制度之后，生产力才有发展，而在此以前，似乎就难以启齿。姑不论这种看法的背景，单就方法论来说，这种宏观经济的研究方法却不适宜于研究古代。上述这些指标，即使在明清时期也几乎不能得到。第二，西方的经济史学者，包括他们

---

① 吴承明：《关于研究经济史的意见》，《晋阳学刊》1982年第1期。

对古代经济史的研究，一直是十分重视生产力，也可说是以生产力为主的。而这里也隐含着一种看法，即生产关系是无足置论的。18 世纪中叶当经济史作为一门学科在法国出现时，即流行着"各历史时代经济问题基本相同"的理论，[1] 因为它们都是受供求关系的支配。经过德国历史学派，直到近年来发展经济学和历史计量学兴起，西方经济史学者曾做出很大贡献，并形成各个学派，可供我们借鉴。但是，绝大部分著述仍是从资本主义的生产和市场模式出发，这对于研究我国封建经济仍难适用。因此，生产力经济史虽然并不陌生，可是要具体写一部唐宋或明清的生产力发展史，在方法论上仍然需要一番创建功夫。

我们所说生产力是指社会生产力，它有它自己发展的规律，同时也要受生产方式的制约。过去我们曾把政治经济学的研究对象明确定为社会生产关系，它的以抽象范畴为架构的研究方法，也成为经济史忽视研究具体生产力的原因之一。近年来我国已开始创建"生产力经济学"，不过还在探讨阶段，并且其所用的方法，无论是因素论或系统论观点，也都是着眼于当代，而非历史。其实，马克思主义政治经济学并非仅以生产关系为研究对象，也非仅限于资本主义生产方式（广义政治经济学）。马克思的理论是一种最彻底的"发展论"（列宁语），[2] 他的再生产理论，诸如社会必要劳动在各部门的比例分配，两大部类之间的关系等，是适用于各种生产方式的。伯重同志在本书中提出：生产力的发展即是社会再生产的扩大，因而他的研究是以马克思的再生产理论为基本指导思想，发展的条件和制约的因素也以此为根据。这就给他的全部研究找到一个坚实的立足点，展开思路，形成高屋建瓴之势。

在具体进行研究中，本书不是从一定的生产模式出发，而是从各个生产部门、生产过程入手。对于每一生产部门，又是利用投入—产出原理，并尽可能运用计量学方法，分析其劳动、物质乃至技术因素，考察其区域内部的和外部的条件，探讨其发展前景。以农业生产为例，作者根据大量直接、间接资料，经过详密考察后认为：到明清时期，江南水稻的生产已达到传统农

---

① 参见《剑桥欧洲经济史》第 5 卷，1971 年英文版，第 1～2 页。
② 《国家与革命》，《列宁选集》第 3 卷，人民出版社，1972，第 243 页。

业劳动投入的极限，集约程度的提高已主要是依靠以肥料为代表的资本投入了；而桑、棉和其他经济作物的生产，则有不同的情况。这种产品间的不同情况，又导致水土资源的再分配和人畜力之间的调剂，即导致资源利用的合理化。作为有力证明之一，是作者计算的水稻生产的劳动投入量，在中晚唐已达到每市亩 11.9 个工，而明末亦不过 12.1 个工，清中叶约 10.5 个工。反之，肥料的投入量（折合为标准肥）在明清时期增加了 80% 强；种子、水利等其他资本投入也有增长。这个结论，不仅与一些单从人口与耕地比例得出的集约化概念不同，而且对晚近研究中提出的边际收入递减下的生产和"农业内卷化"（involution）理论在江南这个人口最密地区适用的程度，也提出挑战。这又使人感觉到过去一些农业史研究中的人与地的观点，未免过于狭隘了。

本书采用从生产部门入手的方法，然未能包罗全部生产，对发展与制约因素的分析也不能巨细无遗，因而对整个地区的社会净生产、积累与消费等未能做出宏观概括。不过，这是研究中国古代经济史比较最可行的选择。以本书而论，至少对于生产力有代表性的产业部门都已作了考察。据我所见，只是对于运输业，虽然对水运成本已有分析，而未能作为一个产业部门进行全面研究，是美中不足之处。这里，作者还采取了一个做法，即对于前人已有的论证，不再重复。即如清代已占江南产值第一位的纺织工业，作者尊重前人"硕果累累"的研究成果，书中不再立论，这是一种十分可贵的文风。至于发展与制约的因素，本来难以求全，其中有些亦非经济史本身的任务。本书所论各项，诸如能源与动力问题，铁、木和其他原材料的问题，肥料问题，都是江南工农业生产中关键性的问题；人力与文化素养、运输与地理条件，则是本地区之所长。这种探讨可谓抓住重点，纲举目张。尤其能源、肥料等章，考证纂详，见前人所少见，发前人所未言，在中国经济史研究著作中，洵属佳构。

二

区域经济史的研究，亦属近年来所兴。它已由原来的区位论、传播论、经中心－外围（core and periphery）学说，形成一种多渠道的研究方法。以我国幅员广阔，各地区经济发展极不平衡，进行区域经济史的研究，实在是一条必行之路。其实，我国史学早已有区域史的传统。历代地方志即属此类，其著作之丰富为世界仅见。如前所言，我国正史中甚少生产实践的记载。而地方志之物产、风俗等篇常可见生产劳动状况，江南尤多，及于镇市乡里。本书作者蒐检殆遍。但地方志是按行政区划，非经济区划。本书以自然条件为主，将"江南"划定为明清的苏、松、常、镇、应天（江宁）、杭、嘉、湖和太仓八府一州，而这个区域在人文上和历史上也是一个特定概念，与今天的长江三角洲经济区大体一致。这就使得本书的研究，更具有发展论和现实的意义。

区域经济史的研究，有纵的方面和横的方面两个要领。一是由于划定区域，可将研究时间放长，探讨经济发展的长期趋势和阶段性或周期性变化。西方称为空间与时间（spatial and temporal approach）研究方法，近年来颇为流行。另一个是区域与区域之间的关系和比较，即不是孤立地研究某一个区域，而是以其他区域作为环境来进行考察，包括劳动、资本和产品的移进移出，技术的传播以及扩散、互补、竞争等效应。伯重同志在本书中，可说是兼顾了这两个方面，并且在思路上有开拓性的创见。

本书是探讨明清时期江南的生产力的，但如前所说，作者的这一研究是从唐代开始的。有许多问题，特别像人口、农业、交通等演变，不是一两代时间可以得出定论。如前述作者关于江南农业生产集约化的研究，就是经与唐代比较，才肯定其质的变化；在手工业方面，又多是与宋代比较，才做出结论。不仅如此，作者的研究，又是"瞻前顾后"，从鸦片战争后江南经济的重大变化来探讨其所以发生变化的内部条件和潜在因素，这才能对明清江南地区生产力有较全面的认识。

原来区域经济史研究的特长之一，就在于它能够分离出地理和人文条件所造成的不平衡状态，深入探讨某一地区具有历史特征的东西（无论是导致正向或逆向的因素）。如作者在本书导论中引述的"原始工业化"理论，就是近年来欧洲区域经济史研究的产物。姑不论这个尚在争议中的理论本身的适应性如何，在明清时期的江南，则确实有该理论所考察的 17 世纪法兰德斯、列日、英国重土带等地区的现象，即为市场而生产的农民家庭手工业区和商业化农业区并行发展的现象。并且，和欧洲不少地区后来发生的逆工业化现象不同，江南地区确是在 19 世纪 60 年代以后成为中国工业化或近代化漫长行程的始点站。因此，伯重同志在明清江南生产力的研究中，把中国的近代化道路作为思想线索，从而探讨这一地区实现工业化的内部条件和外部环境，已有的经济发展水平和未来的发展途径，存在的矛盾和解决的方法等。我认为这些思考是十分中肯的，也是作为经济史学家应有的胸怀。历史研究毕竟是为现实服务的。

关于横的方面即地区间关系的问题，近年来国外某些研究中国经济史的学者曾提出迄明清时期，中国各大经济区的发展仍属非同步的、自给性（autarky）的看法。国内也有人强调封建社会地区经济的封闭性。这是一个值得探讨的问题。当然，也正是在这个问题上，表现出强烈的地区差异。本书作者是把明清时期的江南，看成是一个全国性自由交通的贸易的中心，北至东三省，西至川滇，南至两粤，无不互有往来；海外，尤其是南洋和日本，也交往频繁。我认为，这是符合历史情况的。中国早就是个在政治和文化上统一的帝国，在经济上，长期的地主制经济也与中世纪西欧的领地割据制度有质的不同。因而，地区间的关系和欧洲（它们已成为国家间的关系）是颇不相同的。这是研究中国区域经济史应予注意的事情。

江南地区缺煤铁，少地下资源，明清时期粮食已不能自给，靠外地接济。但是，它仍然是我国经济最发达的地区，以迄今日。探讨其发达之由和发展之路，正是区域经济史研究的任务。作者在这里是把江南置于整个中国，乃至于东亚大环境之中来进行研究的。江南取于外区而生存，而它给予外区的大约还要多于所取，这从江南赋税占全国之半和北上船只往往回空可以想见。而这种不平衡也正是江南发展的主要制约。只有外区经济发展，江南在能源、原材料和粮食上得到保证，它才能进一步发展。而江南也有支持外区发展的人力和财力。这有点像系统论中的耗散结构原理，使整个经济进入有序。我想，这也许是作者研究江南生产力的构思和主旨。不论我这种想法是否符合作者的本意，就方法论来说，作者的这种努力无疑会给人以鼓舞，在中国经济史的研究中开拓了一条道路，至少是一个思路。

1988 年

企业史和中国近代化
道路研究

——序《大兴纱厂史稿》*

　　大兴纱厂是石家庄地区近代工业的先导，也是我国内地近代纺织工业发展的一个典型。杨俊科同志曾任职该厂，多年潜心收集大兴史料，查阅了大量文献档案，走访了各地有关当事人，钩沉稽隐，与梁勇同志合撰《大兴纱厂史稿》。我得先睹原稿，不胜快慰。本书是一部企业史，值该书问世之际，我想就企业史与研究中国近代化的问题略述管见。

　　企业史在资本主义发达国家甚为盛行，差不多每家较大公司都有自己的专史，并不少是请专家撰写。对于企业史的研究，则主要属于经营学学科。大兴纱厂创办 30 年间，主事者采取稳健的发展方针，财务上厚积存底，生产上注意产品信誉，以适应农村用户的要求为依归，经营思想具有民族特色。同时也两度派员赴日本考察，吸取先进经验，力求改进。这是大兴经营成功的原因之一，本书对此有详细的介绍和分析，足资今日企业管理借鉴。

　　然而，企业史在我国经济史的研究中还有它更广泛的意义。这是因为近代中国的宏观经济资料非常贫乏，加以半殖民地半封建条件下资本形态及其运动的复杂性，常需借助于各类典型企业来研究其发展道路。在内部生产关系方面，更需要从微观上考察其特征，即所谓"解剖麻雀"的方

---

　　* 杨俊科、梁勇：《大兴纱厂史稿》，中国展望出版社，1990。

法。无论是研究中国近代化过程或资本主义发展过程，从思考方法来说，总的不外两种方式，即系统论方式和因素论方式。前者是从设定一定的经济模式出发，注重于经济结构的演变。后者是从探讨发展中的能动因素入手，最后完成整体架构。就我国现有的历史资料情况和研究成果来看，我历来倾向于采取后一方式。在这种思考方式中，企业有如细胞，企业史具有更重要作用。建国之初，我参加陈翰笙、范文澜同志领导的一个"中国近代经济史资料编辑委员会"，该会出版的第一本书，即我所编的《开滦煤矿矿权史料》。20 世纪 60 年代初，我受命主编一套"中国资本主义工商业史料丛书"，到"文革"前已出八种，第一种也是一本企业史，即《北京瑞蚨祥》。近年来，陆续有多种企业史出版，并且由资料书进而成为专著，史论并行。《大兴纱厂史稿》当是最新的一部。这是一个十分可喜的现象，这些著作的完成，对于中国近代史的研究做出不可缺少的贡献。

棉纺织工业是我国比较最有发展的近代工业，到 1936 年，它已有了替代进口洋纱洋布的生产能力。自 19 世纪末我国创办纱厂起，它就是在我国历史上已臻发达的农家手纺织业的基础上发展起来的。即利用农村丰富的棉产和劳动力，用现代化方法加工成纱，再卖给农村机户织成布；以此积累资本。到 20 世纪 20 年代以后，再逐步扩充纱厂的机器织布，以机布代替商品土布。这是一条适合中国国情的、城乡结合、工农结合的工业化道路。它同当年英国棉纺织工业的那种以印度、美洲为原料基地、以殖民地为销售市场的发展道路，是完全不同的。既然如此，我国的纱厂本应建设在内地城镇，以农村为基地。但事实上，它不仅首先出现于帝国主义控制的条约口岸，并始终集中于沿海地区。这是中国近代工业半殖民地性的表现，它扭曲了中国近代棉纺织工业发展的道路，也最后扼杀了它的发展。以致我们研究近代工业史，所见也主要是以口岸为基地、以外国租界为背景的纱厂史料，不能洞悉棉纺织业本来应有的生产和经营的经验。为了研究内地办厂的得失，我们在 60 年代初拟订"中国资本主义工商业史料丛书"出版计划时，就布置了南通大生资本集团和武汉裕大华资本集团两个选题。大生资本集团史后来由南通博物馆和张謇研究中心完成，闻已付梓；《裕大华纺织资本集团史料》由武汉市工商行政管理局和湖北省社会科学院经济研究所等几个单位完成，已于 1984 年出版。

大兴纱厂是裕大华资本集团的企业之一。它位于我国主要棉产区河北省南部，可利用附近的井陉煤发电，又邻近高阳、定县等发达的手织区，有良好的市场条件。《大兴纱厂史稿》详述了它的这些"地利"条件，并从原棉采购、劳动力资源、生产成本、销售方式上作了分析。也研究了内地办厂的诸种困难，其中最重要的当属军阀混战的破坏、捐税勒索、交通屡断等封建势力的钳制。本来，原楚兴公司是靠租办湖北官布局起家的，1922 年因湖北"将军团"夺走布局遂再创办裕华和大兴；"九一八"事变后，大兴陷于危机，因在西安创办分厂（即后来的大华），"以舒石厂之困"；抗战前夕，大兴一度筹划卖厂，而抗战后不久，即遭日寇劫管。大兴的历史，一如整个民族工业，是一部辛酸史。但裕大华资本集团在此过程中，力排众难，并力求发展，它也确实得到发展，并以余利开发利华、广元煤矿以及运输、植棉、贸易以至银行事业。在这方面，集团主事人的决策和企业家精神是不容忽视的，而它的内地办厂的工业化路线则更值得我们研究。

大生纱厂的厄运来得更早，1925 年即因负债累累被银行团接管。但张謇以大生资本力量而创建的，包括农、工、商、运输以至金融的"南通实业"，则至今仍为南通人士所怀念。我认为，大生、裕大华所走的道路在当时是一条中国式的工业化道路，它的特征即在于不仅是引进西方先进技术，而且立足于本土，充分利用中国传统经济中的能动因素，形成工农结合和以农村为基础的格局。它与那种移植西方的、以条约口岸为基地的工业化路线形成强烈的对比。但是，在近代中国半殖民地半封建的条件下，这种工业化道路不仅总的说是失败的，而且遭受忽视、默默无闻。一度流行的反而是那种把"现代"和"传统"完全对立起来，视为互斥的二元经济结构理论，这实际是以西欧工业化为模式的理论。在 1987 年召开的"张謇国际学术研讨会"上，我曾提出一篇论文，兼讨论了棉纺织以外的一些工业的发展历史，我说："我国近代化历史上的失败，既有其内部的原因（封建主义），也有外部的原因（帝国主义）。但在失败史中，我们还可隐约地看见一些中国式工业化的努力的憧影，这就是张謇在南通的未完成的事业。"

　　我的想法很简单，即为促进中国的近代化或现代化，无论过去（当然它只能提供经验和教训）或今天，都不能仅是引进外国先进的东西，而且要立足于本土，充分发掘传统经济中的能动因素，走中国式的道路。

　　我希望《大兴纱厂史稿》的问世，能引起近代经济史学界的兴趣，对中国近代化的道路进行深入的讨论。

1989 年 9 月

二元经济理论与
区域经济史研究

——序《中国经济发展的区域研究》[*]

吴柏均是我国新一代的经济史学者。他从考察中国近代粮食进口贸易开始，转入区域经济史，特别是经济区位（区域经济结构的变迁）和城乡关系与工农业关系的研究。他在研究历史课题时，总是着眼于今天。他曾多次对改革开放后的农村经济进行实地调查，并写出改变区域经济结构以建立区域间粮食供求平衡，按乡镇、小城市、大城市等建立层级的农村劳动力流动模型等论著。这些论著中，有相当部分就是以他在本书中总结的历史经验为基础的。

本书是吴柏均作于 1989 年的博士学位论文。文中，他从对无锡地区经济史的实证分析中，提出不少创见性的观点和理论。17 世纪中叶以来，无锡地区是我国江南经济发展中一个比较成功的典型。它在全国经济中未必有很大的代表性。但是，无锡的成功并没有什么神奇之处。从作者在本书中分析的经济结构变迁和资源重新配置的过程看，本来都是经济增长中普遍的现象。作者正是从这种普遍的规律性的东西中，创立他的论点的。因而我认为，本书对于建立适合中国国情的发展经济学做出了贡献。附带提及，无锡的经济史料比较丰富，尤其是陈翰笙、薛暮桥、孙冶方等前辈领导的几次无锡调查，从中可寻绎出 11 个村 750 户，包含 2000 多个变量的较长期的可比数据，这是其他地区所不及的。作者以此作为他计量分析的基础，无疑增强

---

* 吴柏均：《中国经济发展的区域研究》，上海远东出版社，1995。

了他的论点的可信性。

按本书分析，直到明末，无锡还是江南经济中相对低度发展的地区，从经济区位说，落后于苏州、嘉兴、松江、湖州等府。自此至 19 世纪中叶，无锡发生区位变动，由单一的农业自然经济转变为农业与商业并重的经济。这主要归功于手工棉纺织业的引进和区域间贸易的发展所导致的资金和劳动力的重新配置。而根本性的区位转变是在 19 世纪 70 年代到 20 世纪 30 年代。随着桑蚕业的发达和城市现代化工业的建立，无锡成为一个开放型的工农业并重的经济区域。20 世纪 20 年代末，工业在工农业总产值中已超过农业，居 63%；市镇崛起，城镇人口占全区的 30% 左右。转型期间（约 40 年），农村劳动力的平均收入以 1.5% 的年率递增；农家经济的总流量中，有 59% 是通过市场交换。区域间贸易扩展到国际市场，但一度作为无锡经济引擎的商业，对经济区位已不起决定作用了。作者从他的分析中得出结论：这期间无锡的农村经济，是在传统的土地制度和小农经营方式没有改变、技术也基本没有变革的情况下，通过引进新生产项目，扩大开放性和市场性，调整经济结构，导致资源重新配置，取得增长的效果的。农村经济的这种增长，有力地支援了城市现代化工业的发展。

作者研究的成果给我以很大启发。我想借此机会，对目前颇为盛行的二元经济理论提出一些看法。

二元经济是经济落后国家进入现代化过程中普见的现象，意指极其广泛的传统经济部门与生长着的现代化产业部门并存的局面。但是，自 1954 年 A. W. 刘易斯发表《劳动力无限供给下的经济发展》以来，西方学者都只以传统农业和现代化工业来建立他们的增长模型，并集中于农业剩余劳动力如何向工业转移问题，把这种转移作为二元经济发展的标志。我国学者对中国二元经济的研究大都是从建国后开始（因有系统数据）。有的以农业与第二、第三产业的相对发展为主题，有的以农业与工业净收入的比值为依据，而重点也是农业劳动力的移出，并以西方学者的增长模型为基础。为与本书内容衔接，我只讲二元经济的最初阶段；并为节约篇幅，只讲农村经济这一面（尽管吴柏均在本书中对无锡的现代化工业有详细的论述）。

刘易斯的模型把传统农业看成是完全消极的东西，它的边际劳动生产率等于零，它的任务只是在固定的低工资水平下向工业部门输送劳动力。1964

年，J. 费和 G. 拉尼斯的《劳力剩余经济的发展》注意到为了继续向工业输送劳动力，农业本身必须提高生产力。但在他们的模型中，农业是在部分劳动力移出后才开始有剩余的，这种剩余并因农业劳动力的不断移出而减少以至消灭。农业劳动生产率的提高则要靠外生的技术等投入，传统农业本身仍是无所作为的。1967 年，D. 乔根森的《农业剩余劳动力与二元经济》否定了早受怀疑的农业边际劳动生产率等于零的假设，并进一步重视农业剩余，但把重点转移到技术进步率与人口增长率的比值上。以后的学者大都更加重视技术等外生变量。1979 年，刘易斯发表《再论二元经济》，提出了"两部门相互关系"的命题，但只论述了工业部门对农业发展的积极和消极的作用，而传统农业对于工业除了输送劳动力外，似乎没有任何积极作用。

以上是二元经济理论的简介，下面谈我个人的一些看法。

传统经济是包括农业、手工业、商业、运输业和其他服务业的有机体系。本书再次证明，这些部门结构的变迁即区位的升级，是无锡经济发展的根本原因。现代化产业即二元经济产生后，传统经济并未停滞，而是发生更大的结构变化。作者据 11 个村的资料计算，20 世纪 20 年代末，村民的生产性纯收入中，农业收入只占 56.5%，手工、饲养等副业收入占 34.5%，商业、运输收入占 9%。非农业收入增长是传统经济发展的标志。刘易斯在二元经济论中也论及落后国家的手工业者、小商人、码头工人等，而把他们都看成是"隐蔽的失业人口"。这是不能接受的。传统经济的非农业部门基本上没有过剩劳动力；相反，在二元经济发展中，它是吸收农业剩余劳动力的一支力量。本书作者按劳动时间计算，无锡 11 个村在非农业就业的占在村劳动力的 21.6%，远超过离村劳动力（可看作输往现代化部门）的人数。

为了建立模型，以农业作为传统经济的代表，未尝不可。然而，上述各种二元模型都是把农业作为单一的粮食生产，不计其他。其含义是：土地量不变，非粮食生产只是替代粮食生产，同受土地报酬递减律的支配。因而，机会成本极低，所谓零边际生产率的概念，亦因此而来。这是不符合实际的。在二元经济中，经济作物和园艺林畜渔业常是相对于粮食增长更快，这是为现代化工业提供原料和适应城市化的需要，同时也会改变土地的利用率，增大土地价值。桑蚕业的兴盛是近代无锡农业经济增长的关键。本书作者指出，无锡植桑面积的扩大并未改变稻麦种植的规模。20 年代末，水稻播种面积占农地面积的79.5%，麦的播种面积占农地面积的74.7%，桑的种植面积占农地面积的21.7%。农地面积未变，播种和种植面积实际是增加了。近代中国，经济作物和园艺林畜渔业的比重是增长的，1936年约占农业总产值的40.4%，这实际是传统农业对二元经济发展的贡献。

由于早期的二元经济模型没有经得起20世纪五六十年代第三世界国家实践的考验，二元论者日益重视农业增长的必要。增长要素不外资本和技术，而这在农业模型中都是外生变量，决定于工业方面的发展战略和技术政策。学者在工业方面的建议大多是中肯的，但普遍的忽视了农业本身的积极因素。原来传统农业是有很大的剩余的，从地租常占产量的一半可知。但地租很难转化为储蓄和投资，农业的真正发展必须经过某种形式的土地改革。不过，据本书考察，除地租和其他支出及价格损失外，在较好的20世纪20年代末，无锡佃农的纯收入可有2.3%～3.3%的结余，半自耕农可有9.9%～13%的结余，自耕农可有17.6%～22.8%的结余。在技术上，我国传统农业也不是完全停滞的，就费和拉尼斯倡导的"本地技术"说，中国是很先进的。20年代以来，无锡在机灌、机器脱粒、蚕种改良等方面都有进步，并出现戽水专业户和育种场。无锡农户的积累和技术改进，都是农业本身结构调整和资源重新配置的结果。

我屡已提及，西方的二元论者总是低估传统经济的作用，忽视农业与工业之间的互补关系。他们都肯定生产要素之间的可替代性，否则资源配置将失去选择空间。殊不知，替代性就包含了互补的内容。我国学者也有人过分强调解放前小农经济的落后性，以至认为二元经济是一种"二律背反"。实际上，在解放前，农业对于现代化工业（尽管十分微小）的建立和发展是有很大的贡献的，除了提供原料、扩大工业品市场，最大的项目恐怕是通过不利于农业的贸易条件对工业的资助。西方二元论者常担心由于农业剩余劳动力的转移会出现不利于工业的贸易条件，实际上这是从未发生过的事。工农或城乡交换常是农民吃亏，唯价值或影子价格难以确定，无从计量而已。此外，本书还证明，在无锡现代化工商业的初始资本中，有60%是由传统商业提供的，在某些行业中，地租转化也占一定比重。

我国"男耕女织"的小农经济本来是一个农工互补的经济体系。在旧制度下它只能发挥有限的作用。但在新制度下，出现了奇迹般的乡镇工业。

据1983年对无锡等四县的调查估算,江苏全省乡镇工业是由农民集资创办的,四年中,企业利润用于农田基本建设、农业技术改进和农村福利事业的款项,相当于同期国家对全省农林、水利、气象的投资总额。费孝通在总结这次调查时说:"乡镇工业是根植于农工相辅的历史传统的","从一对对的'男耕女织'到一村一乡的农副工综合发展,使农工相辅的传统在社会主义制度下发生了历史性的变化"。1992年,全国这种"支农、补农、养农"的乡镇工业产值已占完全现代化的国有大工业产值的74.4%,它对现代化大工业起着补充的作用,也为农业剩余劳动力的转移提供一条最佳的渠道。在我看来,它是我国人民在实践中创造的一种最佳的二元经济模型。

以上是我利用吴柏均著作中的某些论点对二元经济模型提出的某些看法,并非全面论述二元经济理论。所用作者的论点有未符原意之处,当然由我负责。

1993年8月

价格研究——经济史与
经济理论

——序《近代中国价格结构研究》[*]

王玉茹同志这本《近代中国价格结构研究》，原是她 1994 年所作博士学位论文，原名《相对价格变动与近代中国的经济发展》，出版前作了若干修正。

王女士原攻政治经济学，20 世纪 80 年代初开始研究中国近代经济史。她从个案分析入手，再进入宏观考察，已有不少论述问世。她 1987 年发表的《论两次世界大战之间中国经济的发展》、1991 年用英文发表的《二元结构与经济增长：1880 年到 1930 年中日两国近代化过程的比较研究》，都是从计量分析入手，对近代中国经济的发展提出自己的看法。这本书是考察1860 年至 1936 年相对价格的变动和中国经济发展的关系的，是她用功颇深的著作。在本书中，她过去的思路已比较成熟，广征博引，所提出的论证也更富于创新精神。

我常说，史学是研究过去的、我们还不认识或认识不清楚的事情的，如果已认识清楚，就不要去研究了。因此，不论是新老课题，每项研究都应有所创新。从相对价格的变动也即一定的价格结构来研究国民经济的发展，在我国还不普遍，前人的论述主要是一些专题讨论。本书把价格结构作为一个体系，考察它的运行机制和与经济发展的关系，从而提出不少新的看法或观

---

* 王玉茹：《近代中国价格结构研究》，陕西人民出版社，1996。

455

点，其中有的看法与前人相异，这是很自然的。作为本书重点部分的生产要素价格的研究（本书包括资本价格、劳动价格、土地价格三项），前人还罕见系统论述；又因它们关系市场机制下资源的调配和国民收入的分配，需同时考察，因而可以说是一个全新的课题。作者在这部分的研究成果，都可说是创新之作。

创新是好事，好在它能推动学科的进展。任何创新，不仅是新观念，包括新方法以至新材料，都不免有缺点以至错误，需要经过讨论，证实或证伪、补充或改正，这就丰富了学科的内容。本书既已问世，我希望能引起读者和同行的关注，促进学科的发展。

另外，我还想趁本书出版之机，在方法上谈两点个人看法。

价格运动，常被看成是一种功能信号。它对生产和消费起调节作用，引导以至支配资源的配置和收入的分配，即所谓市场机制。而实际上，价格原是个因变量，由供求决定，价格结构乃是经济活动的结果。经济史上研究价格运动的前辈，如厄什（A. P. Usher）、阿倍（W. Abel），从相对价格的变动中推测农业生产的兴衰。这是因为他们研究的是 15 世纪以来以至更早时期的欧洲农业，缺乏生产数据，只有从比较有记录的价格相对变动中回测。近代史的研究就不应当是这样了。首先应当探讨相对价格变动的原因，然后研究这种价格结构的机制作用。我不是说每篇文章都要这样，而是就整个学科而言。在西方，由于经济学家在研究现实经济或在理论构架中常把价格结构作为已有的存在，甚至作为经济运行模式中的自变量，以至经济史学界也有这种本末倒置的倾向。而在中国，有个特殊情况，就是尽管近代中国的对外贸易仅占国民生产不大的比重，物价变动却在很大程度上受国际市场价格的支配，因而，中国史学界对近代价格的研究一向是集中在物价水平和价格结构怎样形成的问题上。相比之下，对于这种价格结构怎样影响经济运行，就注意不够了。

本书就原来的命题来说，主要是研究相对价格的变动对经济发展的影响。书中对这方面的考察和分析十分细致，这是本书的贡献。而这种考察总的着眼点是价格变动对中国经济近代化进程的正面的和负面的影响。不幸的是，负面影响似乎更占优势。这也是无可奈何的事。但是，作者并未忽视关于价格变动的原因和价格结构形成的研究，而是首先进行了这方面的研究，即本书的第一章。这章篇幅不大，但考察颇为深入，并提出新的观点。最值得注意的是作者在这里运用一种新的方法，即把价格变动放在近代中国经济发展的周期运动中来考察的方法。

经济发展形成周期运动是客观的存在。在我国，除对 40 多年来社会主义经济的周期运动有所研究外，对历史上经济周期的论述还几乎是空白。形成周期的原因，各学派有不同的见解，但研究者都主要是从价格变动入手，不仅是资本主义经济的长短周期，西方对中世纪欧洲经济的长周期的考察也是这样。王玉茹参加了对近代中国经济周期运动的研究。[①] 在本书中，她是从物价指数的长期变动中，解析出周期波动因素即周期偏差，重构成价格的周期波动曲线。这样，一些价格的相对变动就更明显了。例如，农产品价格的周期波动幅度大于工业品价格的周期波动幅度，说明农产品价格波动的加速原理和农业所处的不稳定地位。又如，进口物价的周期波动与物价总水平的周期波动近似，而出口物价则否。作者从而提出一个中国近代物价的传导机制：世界市场银价的变动通过汇率变动导致进口物价的变动，再导致中国物价总水平的变动。在传导过程中波动的离中趋势逐步减弱，故相对来说，中国这一时期的物价比较平稳。这又是一个重要的创见。

以上是我想谈的第一点。第二点是，研究经济史需要有经济学根柢，用以解释历史上的经济行为。本书中，作者是根据马克思的劳动价值学说来解释价格的形成，但也采用新古典主义的均衡价值理论，并明确提出，用新兴的以诺斯为代表的新制度学派观点解释中国近代经济发展的适用性，这样是否有矛盾呢？否。

我曾提出，在经济史研究中，一切经济学理论都应视为方法论。并且，经济学是一种历史科学，任何伟大的经济学说，在历史的长河中都会变成经济分析的一种方法。不仅如此，马克思的世界观和历史观，即历史唯物主义，用恩格斯和列宁的话说，也是研究历史的方法。[②] "史无定法"。我认

---

① 在刘佛丁、王玉茹、于建玮著《近代中国的经济发展》（山东人民出版社，1997）一书中，认为 1887～1935 年中国经济的发展有两个为期 25 年左右的中长周期波，1936 年开始的另一个周期波被战争所打断。

② 见拙作《经济学理论与经济史研究》，载《经济研究》1995 年第 4 期。

为，经济史研究可以根据问题的性质和资料的可能，采取不同的经济学（以及其他学科）的方法来分析和论证。

在马克思的理论体系中，决定某种商品价值的是生产它的社会平均必要劳动时间，而相对价格所反映的是劳动时间（包括活劳动和物化劳动）在各部门的比例分配，通过相对价格调节生产即价值规律。古典经济学，如亚当·斯密所说"看不见的手"，实际也是价值规律。这只手所调动的也是劳动的配置。恩格斯说，价值规律在有文字记载的历史以前就起作用了，直到15世纪，它在经济上是普遍适用的。[1] 然而，社会平均必要劳动或抽象劳动是无法精确计量的，16世纪西欧进入资本主义后，市场变得复杂了，已不能用社会平均必要劳动来解释市场机制，马克思提出生产价格理论，即生产成本加各部门的平均利润，来解释相对价格的形成。而所谓生产价格，实际上就是斯密的"自然价格"，李嘉图的"生产价格"或"生产费用"。[2]

现代所谓市场经济就更复杂了，并且国际化了。进入市场的不仅有劳动产品和劳务，还有精神产品如技术市场、信息市场，还有权利如专利权、专用权、知识产权，还有未来的东西如期货、期权、风险市场。所有这些都要有个价格，市场上没有的东西，但也有个影子价格。这许许多多的相对价格的关系已非生产价格所能尽解，比较适用的是新古典主义的均衡价值理论。这种理论既描述市场机制，因而也可称之为价值规律。在均衡价值理论的模式中，决定价格的已不是平均成本、平均利润，而是边际成本、边际收益了。边际成本、边际收益，理论上已不是基于劳动量，也许是基于事物的稀少性或效用，但它们是在实践中可以捉摸，可以比较精确计量的。但新古典经济理论完全忽略了经济结构、社会制度、国家和道德规范的作用，只宜作短期的、静态的微观分析。以诺斯为首的新制度学派经济史学恰恰能满足这方面的要求，又值我国正在进行体制改革，是以其说受到广泛重视。

近代中国经济已不同于传统经济，但还远不是现代的市场经济，它还有自然经济、半自然经济的遗存，也有相当发达的商品经济，并与现代化国际

① 恩格斯：《〈资本论〉第三卷增补》，《资本论》第3卷，人民出版社，1975，第1019页。
② 马克思：《资本论》第3卷，第221页。

市场接轨。在近代中国市场上，可以说有古有今，有不同质的形形色色的交易并存。经济史所要研究的正是这些形形色色的东西，和它们交互引导出来的结果，而经济学理论只是解释的方法。作为方法，作者用劳动生产率，也用边际成本、边际收益，也用产权、交易费用、制度变迁来解释或分析不同的价格形成和演变，以及其效应和后果，我认为都是可以的。反之，用一种理论体系或一个模式来解释它，反而是不符合实际的。

1996 年 1 月

新民主主义经济的
实践分析

——序《1949～1952年中国经济分析》[*]

本书研究的是通称国民经济恢复时期，即1949～1952年的中国经济。短短三年时间，不仅国民生产各部门都恢复或超过了战前最高水平，而且医治好了延续十多年的通货膨胀痼疾，平衡了长达半个世纪以上的国家财政的严重赤字和国际贸易的严重亏损。实际上，它不是一般的经济恢复，而是一场划时代的变革：改变了百余年来半殖民地半封建的经济状态，建立起一种全新的经济制度，即新民主主义经济制度。

新民主主义经济是一种国营经济领导下多种经济成分并存的经济体制，通过计划指导和市场机制来规范国民经济的运行。它和第二次世界大战后许多国家通行的混合经济颇为相似，但有一点最大的不同：它是在中国共产党和因驱逐帝国主义势力及没收官僚资本而控制了国家经济命脉的社会主义国营经济的领导下运行的，这是中国特有的。同时，中国还实行了土地制度的改革，实行公私兼顾、劳资两利、城乡互助、内外交流的政策，以调动各方面的积极性。正是在这种经济制度和政策下，出现了上述伟绩。因而，学术界研究新民主主义经济理论、探讨其运行规律，一时成为热潮。

从历史上看，大约除了原始社会以外，人类各种文明社会都是多种经济成分并存的。单一的资本主义经济不曾有过。单一的社会主义公有经济体

---

　　[*]　董志凯主编《1949～1952年中国经济分析》，中国社会科学出版社，1996。

460

制，即使强力行之，如斯大林一度所为，最后亦陷入困境。从历史上看，交换导致专业化是生产进步之源，在现代生产中，市场调配资源和协调发展的作用是不能用指令性计划代替的，长期的计划经济必然导致结构危机。正因如此，我国在 20 世纪 70 年代末实行了邓小平领导的经济改革。这次改革，经纬万端，无异于又一次革命。但在多种经济成分并存和市场机制这两个基本点上，与建国初期的新民主主义经济并无二致。改革 15 年来国民生产的平均增长率居于世界前茅。这时，再来研究建国初期的经济就更有意义了。

新民主主义经济思想是中国共产党和毛泽东在长期的中国革命和革命根据地的实践中形成的。本书考察了它的形成过程，认为 1949～1952 年是这种思想"全面认真贯彻实施的唯一时期"，这时期的新民主主义经济可说是今天的社会主义初级阶段经济的"雏形"。这种看法，明确了新民主主义的性质，并肯定了它的历史地位。我认为，这种看法是符合历史实际的。

然而，本书的主要的贡献还不在此。如书名所示，本书的任务是对 1949～1952 年中国经济的实践进行分析。上述看法是具体分析所得结论的概括，只有对实践的分析是符合历史实际的，这种概括或看法才是正确的。本书分析的主要目的是给今天的社会主义市场经济的运行提供借鉴，这也就是为什么今天再来研究建国初期的经济更有意义。本书着重分析了当时的产权关系，宏观管理，投资、就业等政策，价格、税收、信贷等作为经济杠杆的运作经验，显然都是为了这个目的。要使分析符合历史实际，首先必须保证当时实践资料的真实性，当然也要有历史学的眼光和经济学的论证。我想指出，当时的媒体报道和公报文献大多是简化了和有选择性的（为了现实效果这在当时是必要的），成为历史分析的一个困难。本书则是在原始档案的基础上撰写的。各位作者都有长期研究档案资料的经验，都是 12 大卷《1949～1952 年中华人民共和国经济档案资料选编》的编者，又都有经济史专著和专题研究问世。这就使本书的分析具有自己的特色。例如，对一些重要问题，从历史上追索，找出其来龙去脉，以至对其思想根源进行剖析。对一些重要事件，从经济学上分析其性质，产生原因，再考察实践对策和结果。对有些经济行为，不仅分析其效果、效应和负效应，还对其长远影响做出评估。对于政策措施，从较广泛的实践层面中分析其利弊得失，指出执行中的偏差，也不避讳决策中的失误。从这些分析中，可看出不少创新的见解。

下面简举二事，以见一斑。

抑制通货膨胀，是建国后经济工作的首要任务，因为不稳定物价，整个新民主主义经济都无法正常运转。对于人民政府在三四个月内就完成此项重任，过去论述都太简，给人留下神秘感。或强调党的威信，好像中央几项决议就解决了问题；或突出打击投机倒把，有"阶级斗争一抓就灵"之慨。本书先分析了当时通货膨胀的性质，它不是由需求、供给或经济结构导引的，根本原因是财政赤字过大，通货发行过多。在治理上是从金融紧缩入手的。原来自1949年夏季起，就陆续采取了管制金银、临时冻结人民币发行、提高私营企业存放利率以至暂停全部银行放款和收回贷款等一系列收缩银根的措施。而对付投机资本，则主要是采取西方所谓"公开市场政策"，不过西方主要用金融商品，我们是用粮食和纱、布。集中这些物资，由国营公司在价格高峰时（11月25日）抛出，让投机商吃进，此后10天，粮棉价格大跌少涨，投机资本几乎全部破产。进入1950年，主要用财政紧缩办法，大量发行公债和提高税收，以回笼货币并抵补财政赤字。这样，到本年3月份就有条件实行统一财经的政策，彻底平衡财政收支和稳定物价了。统一财经是一项重大政治决策，依靠行政力量执行，但也需经济手段来配合。如建立金库，灵活调拨，平衡货币收支；扩大国营公司库存，及时调运，市场吞吐等。统一财经也造成一些不良后果，需要以后来改正。

1950年3月物价稳定后，私营工商业陷入困难，纷纷停工歇业。当时私营经济尚占工业总产值的52%，商业总零售额的85%，并且按照新民主主义经济政策，私营经济是应当有一个发展的。必须改变这种状况，这就是当时所称调整工商业。在当时公布的和后来论述的文献中，都把私营工商业的困难主要归之于"虚假购买力"的消失。本书从更高一个层次分析，除投机需求消失外，当时实际消费水平确有下降，加以消费结构的变化，造成有效需求的减少。此外，生产成本增加和价格政策的某些失误也要考虑在内。当时调整工商业的措施，除调整劳资关系是由工会出面协商外，主要是运用投放、信贷、利率、税收、价格等经济杠杆通过市场进行的，有类似今天的宏观调控。调控并及于农村，如扩大农产品收购、降低农业税、开展城乡物资交流等，因为提高农民购买力对复兴私营工商业至关重要。本书中还总结出一项"信息调控"。因当时缺乏信息市场，国家计划又不能指令下达私营企业，因采取专业会议、产销会议，公布产销信息，如何者已生产过剩，何者出口饱和等。本书提出这项经验是很有见地的。"五反"运动以后，私营工商业再度陷入困难，因有1952年的第二次调整，以后还有第三次调整。

在调整工商业和其他调控中，金融调控是最灵活的手段。金融调控有多种形式，而目的大都不外紧缩或放松市场银根。据本书分析，自建国起至1952年，有四次较大的紧缩，三次较大的放松。主要目的不同：紧缩银根，或为抑制通货膨胀，或为平衡财政现金收支，或为配合抗美援朝，或为限制市场过热；放松银根，或为刺激需求、调整工商业，或为活跃城乡贸易，畅通物资交流。和计划体制下的一成不变或一刀切不同，市场调控贵在灵活，三年七变，尚未计地区间、部门间的差异，有时这里紧缩，那里已开始放松了。

以上只是举例，但亦可看出新民主主义经济林林总总，有不少可供今天社会主义市场经济借鉴的东西。本书对它进行了全面分析，完成了一项很有价值的科研工作。我为之祝贺。

1995年5月

档案资料与微观分析

——序《明代黄册研究》*

　　黄册制度是明代户籍与赋役之法的一项基本制度，历来受到学者重视。尤其 20 世纪 30 年代以来，考证研究颇盛，不乏名家论著，几乎成为明史的一个分支学科。然而，迄 70 年代末，学者并未见过黄册原本，所论大皆据史书、地志有关记载，南京黄册贮藏库的专志《后湖志》，以及明清人士对黄册制度的评议等文献资料。文献资料固丰，足资系统论述，而难于实证。原来黄册内容，主要是按户分列"人丁"（人口）与"事产"（田土、房屋以至动产），以及两者在每十年大造期间的增减变动。其特点在于项目具体，而每项必有数据，可形成历史变量。学者既未见黄册原本，所论亦多是黄册制度本身及其兴衰变化，鲜能利用黄册资料特点以验证史书记载及作计量分析，来考察当时社会经济中的有关问题。

　　本书作者栾成显同志治明清史有年，1983 年起，从事于整理卷帙浩繁的徽州档案文书工作，于中先后发现一批明代黄册抄底散页、成册的黄册底籍抄件，以及有关黄册的田土与税粮归户册、实征册、编审册等，都 80 余万字。据此，他首先对学界过去所传的、被目为福建德化县黄册残篇的几张照片作了缜密的考证，确定其原物并非黄册，而是永春县造报的保甲文册和德化县报查的钱粮文册。继之，他就黄册制度和有关问题作了一系列专题研

---

　　* 栾成显：《明代黄册研究》，中国社会科学出版社，1998。

究。此间，亦有其他学者勤力钩沉，发现另一些黄册残篇及有关文书，也都大多出自徽州藏档。至此，已发现的黄册档案和有关文书约有十余种，100余万字。栾成显同志这本《明代黄册研究》就是以这些档案文书为根柢，结合文献资料，并吸收和借鉴中外学者已有的研究成果，在十余年专题研究的基础上撰写成书的。

黄册底籍和有关文书的发现是史学界一件大事，它引导明代黄册研究出现一场革新。虽然目前已发现的黄册档案和有关文书极其有限，并多残缺，但它们是第一手资料，有比较清楚的产生条件，是高度可信的和可鉴定的（包括对其不实之处的鉴定），因而可用以验证和补充文献记载，用实证方法解决过去黄册制度和制度史研究中的一些存疑和有争议的问题。而更有意义的是，利用这些资料和它的系列数据，对当时社会经济中的有关问题进行探讨和分析，或对传统的论点进行检验和修正。这就使黄册的研究突破制度和制度史的范围，扩大视野，走上一个新的阶段。本书作者正是黄册研究这场革新的倡导者和实践者，读者在本书中可以看到不少创新性的篇章，成为本书一大特色，也是一大贡献。

黄册原是以人户为中心的赋役册，目的在将人丁编入里甲，轮流服役，因而对人丁登录规定颇严，如成丁、不成丁、妇女大、妇女小以至出生、死亡年份等。但官方主事者为保证顺利派役，力求里甲人户稳定，最好不变。以至今所见黄册底籍反而是"人丁"部分最多舛谬。如成丁与妇口（配偶）全然不成比例；早已析产分为几户以至几十户，仍按一户入册；人财俱亡的绝户仍然附册；等等。故黄册对于人口，尤其是人口行为的研究无甚裨益，不如族谱。但黄册的一些有关文书，如本书所用汪氏实征册、朱学源户归户册，则对一族内的分户和财产记载綦详，胜于族谱。本书据以研究当时徽州的家族构成、宗法关系的遗存、析产分户的诸种形态等，皆有所发明。

已发现黄册中"事产"部分的田土记录十分详尽，最为珍贵。它于田、地、山、塘皆严格分录其地段、田亩及（或）税粮数，并十年间之增减和实在数据。尤其是田土买卖，于一户之下按时序逐笔胪列，包括数量、地段和对方姓氏，推收明白，胜于通常所用散漫的契约文书（惜缺田价）。本书作者根据这些资料，着重研究了万历九年（1581）田土清丈的效果，一户田土的地段分布，一个图土地占有的阶级分配、土地买卖的比重和频率、地主制经济的产权形态，并写出"明清农村经济结构"专章，探讨了封建国家、地主、农民三者之间的关系。这都是黄册研究的创新，也是本书的最重要贡献。

已发现的黄册档文都很零散，顶多是一个图（里）的全册，因而只适于作微观分析或个案研究，然后结合文献材料，考察这种研究结果的适用性和普遍意义。

我国史学原有重视微观分析的传统，并发展出精湛入微的考据之学。盖史学原以政治史为主，事件构成历史，穷究各个事件的原委，通而作史论。西方史学，原亦如此。20世纪30年代，西方开展史学革命，批判所谓历史主义的传统，讲求用社会科学的原理和方法研究历史，宏观史学以兴。尤其经济史，目的在于考察一代社会经济的运行及其机制，探讨经济发展和制度变迁的规律，更重视宏观。然而，正如在经济学上，30年代兴起的宏观经济学是以李嘉图以来的微观经济理论为基础的，在经济史学上，宏观研究也必须以微观分析为基础。尤其是古代经济史，甚少诸如国情普查之举，更要依靠微观分析来积累材料、提供思路和实证论点。揆诸今日西方经济史学，若社会学派、计量学派、新制度学派，都是以宏观研究为鹄的，然而，微观分析并未少废：地区史、专业史划分更细；企业史、经营史等个案研究转成热门。目前这些新的经济史学派均已被介绍于我国，青年习之甚稔。这是个好现象，但是，似乎有一种在宏观大纛下轻视微观史学的倾向，我为之杞忧。

微观分析不仅是宏观研究的基础，历史事物的一些发现亦常出自微观。这种发现有若文物出土，暮然而得；然必须结合宏观，反复研究，始明其奥。例如本书中的朱学源户，即可视为一种发现。在黄册上，朱学源是一个拥有水田500余亩的匠籍大户，而考其实，则早经分成四五十个独立家庭，各有田10余亩，最多一户80余亩。又考察，这种现象不仅在依法不准分居的军籍、匠籍户，亦存在于民籍户。因而，据官方报告而来的大土地所有制和地权分配的概念，应有所修正。又考察当时社会，析产分户固属常态，但亦有析产而不立户、分爨而共居、分居而同堂出入等多种情况。作者结语认为，从了解中国封建社会的经济结构来说，朱学源户这样的庶民地主具有普遍意义。

　　本书中，作者研究的各项结论都具有新颖性，均可作为一家之言，供学者研讨。而作者治史的方法，即档案文书与历史文献相结合、微观分析与宏观考察相结合的方法，我认为是极好的，具有普遍意义，应当提倡和推广。

1997 年 5 月

（本文曾载《新华文摘》1998 年第 12 期）

中西历史比较研究的新思维

——序《转变的中国——历史变迁与
欧洲经验的局限》[*]

近30年来，中西比较史学的研究有很大的进展，人们突破了长期支配这一研究领域的西欧中心主义，也突破了20世纪50年代以来流行的"对西方冲击的回应"模式。在中国，柯恩的《在中国发现历史》一书颇受注意（Paul A. Cohen, *Discovering History in China*, New York, 1984），但他提出的"以中国为中心的中国史"的主张，并非认识中国特色的最佳途径。只有比较两者的"异"，又比较两者的"同"，才能看出各自的特色。要做好比较研究，需要对西方的（至少是西欧的）和中国的走向近代化的历史进程，有同等深度的认识和学术根柢，又需要在历史观和方法论上有深思熟虑的修养。美国加州大学（Irvine）历史系王国斌教授就是从这两方面来提出问题和讨论问题的。

他的新著《转变的中国——历史变迁与欧洲经验的局限》是从经济变迁、国家组成、社会冲突三个方面来做中国和西欧的历史的比较研究，并希望从比较所得的更大范围的社会演变轨迹中，来改进人们对社会发展的看法。它是迄今我所见到的唯一的一部从整体上考察、在观点和方法上都具有新思维的中西比较史学著作。全书广征博引，纵横论述，有如行云流水，目

---

[*] R. Bin Wang, *China Transformed: Historical Change and the Limits of European Experience.* 中文版李伯重、连玲玲译，江苏人民出版社，1998。

不暇接。这里，我只就若干历史观点和方法论等作些讨论。

多元论是比较史学的出发点。多元论并非新论，尤其在人类学和文化史方面。汤因比的《历史研究》一度在中国颇受青睐，也许是有某些偏见。但中国文明决非源于《出埃及记》，则是无可置疑的。汤因比曾说："如果说21世纪是东亚人的世纪，并非惊人之语。"然而，在一些具体问题上，例如王国斌教授所着重讨论的资本主义发展和民族国家的形成这两个近代化的标志，它们是多元的吗？作者在《导论》中的回答是："要超越欧洲中心论，首先应当先回到欧洲。应当将欧洲民族国家形成与资本主义发展的实际发生情况，作为历史过程而非抽象的理论模式，认真进行讨论。"这是很有见地的。作为抽象的理论模式，它应当是放之四海而皆准的，这就会出现非西方世界所发生的一切都只是"回应"西方这样一种单元论。而作为实际的历史过程，与原来具有完整的文化和历史的社会的同类过程做比较研究，那就是另一回事了。

这里，作者显然不同意20世纪50年代以来在美国盛行的逻辑实证主义，即从一般前提和初始条件推出预言性的结论的研究方法。作者在本书上篇（即"经济变化"篇）中批判了当代经济学的"危机"：经济学变成了主题狭隘、远离尘世的数学讲演。而实际上，逻辑实证主义之引入人文和社会科学是从历史学开始的，并从历史学上开始证实和证伪的辩论。在历史学上，这种方法也常使主题狭隘，就事论事，"用时间变量代替历史思考"，并且，常常会导致目的论、决定论的历史观和预言式的结论。关于这种历史观以及历史不是预言，作者已在书中反复申论，我不再置言。我只想说，就比较史学而言，不需要一位就事论事的裁判官。

中西比较研究，是要找出双方在近代化经历中的"异"和"同"，并且对之做出评价。这就需要一个行为的价值标准或参照系。如果我们有一个独立的、可普遍运用的价值标准或客观参照系，那将是十分动人的，但也将是无济于事的。因为这样一种标准，如果不是抽象的假设，有如逻辑实证主义的前提，就是按照先入为主的原则建立的、即最终是出于西方经验的大杂烩。本书作者提出了一种独特的比较研究方法，即一方面用欧洲的经验来评价在中国发生的事情，另一方面则用中国的经验来评价欧洲。通过互为主体，得出新的行为模式和价值观念。我想，这也许是唯一可行的、至少是公平的比较史学研究方法。

这种方法很朴实，但应用起来并不简单。在我看来，当以该书中篇（即"国家形成"篇）中运用最为成功。这是因为根源于文化和历史传统的中西之间在国家理论和实践上的差异，远较双方在物质生活上的差异为大。政治比之经济有更大的选择性。例如，改变中世纪支离破碎局面的"民族国家的形成"，几乎是欧洲的特有语汇，而中国早已是、并且一直是具有民族认同感的统一国家了，因而，本书作者把国家组成追溯到秦汉和罗马帝国，并英明地把考察走向"近代"的起点定在公元1100年，进行"跨越长时段"的分析。这才能看清国家组成的道路，在基本不同的道路上也有诸如贵族独立和社会精英干政等相同或近似的问题，和不时会出现的两条道路的接触点。

作者主要是从国家与经济、国家与社会、国家维护社会秩序这三个方面来进行中西对比研究的。国家在这些方面的功能、行为规范及其效果，便是评价的标准。应当说，在很长的历史时期中，中国的国家在这些方面多半处于优势。到18世纪，欧洲已进入近代国家，这时中国情况如何呢？如何评价帝国晚期即清代中国，是近年来研究的一项重大课题。本书作者早就参与了这项研究，并曾经以关于清代粮食储运制度的专著而闻名。在本书中，他结合历史传统，对帝国晚期中国国家与社会和经济的关系做了全面的分析，并给予我以为是适当的评价。从本书的研究中可以看出，19世纪以来，欧洲国家思想和制度的影响，包括民主和公众领域等概念，在中国历史上并非完全陌生。而以个人为单位的和国家与经济分离、国家与社会分离的国家组成模式，迄今未在中国生根；而中国源于儒家政治哲学的一些国家组成原则，一直延续到今天。

这种双轨制的研究方法，在该书下篇（即"社会抗争"篇）中，运用得也很成熟。这篇着重讨论的，如粮食骚乱、抗税活动等，都是较小范围内的集体行动。就这些事件本身的发动、经过以至结局而论，在中国和在欧洲基本上是相同的。而王国斌的研究是把它们放在政治、社会的历史"大环境"中去考察，中西之间的差异性就明白显现出来了。据作者的考察，在18、19世纪，欧洲各国已大力推行全国性的以至国际性的自由贸易制度，食物骚乱常是随着市场需求的扩大，作为地方力量维护旧体制的斗争而出现的，到 19 世纪下半叶基本上停止了。在中国，除了商人贩运粮食外，18 世纪卓有成效的国家调剂粮食的漕运和仓储制度于 19 世纪遭到破坏，食物骚乱更多是由于供给方面的不稳定或不充足而来，到 20 世纪愈演愈烈。18 世纪欧洲的抗税行动，主要是由于增设新税尤其是城市工商税引起的，当新兴的民族国家完成财政制度的改革后，集体抗税在 20 世纪逐渐消失。中国的抗税行动则始终与田赋和农民以至士绅攸关。19 世纪以来，中央政权虚弱，以及地方团练、秘密会社分子参与抗税活动；到 20 世纪，抗税活动具有了"向前看"或说革命斗争的性质，这又是和西方迥异的。

作者进一步分析了大规模的起义和革命问题。在这里，作者基本上不采取经典诠释学专力于动机、意图的研究方法，但在用物质利益或理性抉择解释群众运动时，他十分重视文化和思想的作用："大规模的起义和革命，都包含着物质变化和新世界观的建立。"在其他一些有争议的问题上，作者似乎常持二元的或调和的观点，也许这正是作者的一种方法论的思考，他把本章命题为"起义、革命与比较史学"，而在结论中指出：比较研究在不同历史轨迹中发现相似的时段，在因果律预期的一致中发现不同的结局，比较史学给出更大范围的现象的积累，有助于使人们的认识具有更加普遍的意义。

该书十分重视社会发展的动力问题。在上篇（即"经济变化"篇）中，作者实际是把经济发展的动力作为比较研究的标准的。他认为：16 世纪至 18 世纪，欧洲和中国的经济发展都适用亚当·斯密的增长理论，即贸易和市场的扩大，通过交换中的比较优势，促进了分工和专业化，而后者带来的生产率的提高，乃是经济发展之源。在这种"斯密型动力"的推动下，欧洲和中国的农业经济，包括农村手工业，其发展道路大体上是相同的。但到 19 世纪，欧洲的农村手工业被城市的机械化工厂工业所代替，更适用于新古典主义的以储蓄和投资为动力的增长理论，遂与中国经济的发展分道扬镳。19 世纪西方的侵入，扩展了中国的贸易和市场，而其结果主要是扩大了斯密型动力运作的空间，并未根本改变了中国经济发展的动力，直到 20 世纪前叶还是这样。

新古典主义的经济增长理论，也许与斯密型动力并不是那样截然不同。用新古典主义理论研究传统农业，例如 T. W. 舒尔茨的《转变传统农业》（*Transforming Traditional Agriculture*，New Haven，1964.）不能说没有贡献。

不过，新古典主义经济学完全忽略了制度、结构、意识形态的作用，而本书作者始终重视这些方面以及国家的作用，这在中西比较研究中是十分重要的。古典主义增长模型给出一个人口与资源的悲观结构，成为史学家议论的焦点。在这个问题上，本书作者对中国和欧洲的人口行为与经济发展的关系做了精湛的分析，令人信服地说明：直到19世纪，尽管家庭和生产组织迥异，中国的人口危机并不比欧洲更大。作者认为：19世纪欧洲的工业革命摆脱了古典主义增长终极的限制，而中国则否。那么，20世纪的中国如何呢？对此，作者也有较详细的分析。这种分析，实际上也用了新古典主义的、发展经济学的和二元经济论的研究方法，而在最后的结论中，不免有若干不确定的因素以至怀疑论的情绪。这并不奇怪。就历史学来说，恐怕经常是要到下一个世纪才能议论前一个世纪的事情。

本书未曾提出，也许作者并不承认，有所谓历史哲学或元历史学（meta-history）。的确，自第二次世界大战以来，西方对历史的怀疑和忧虑在20世纪六七十年代消失后，在西方已没有人再谈论这种"超历史的"或"智慧的"思维方式了。据称历史学已变为科学。不过，本书中，至少在"经济变化"一篇中，作者似乎是承认有普遍发展规律的。这里，我想以一位中国历史学家的看法来结束这篇文字。傅衣凌教授在晚年提出"中国传统社会多元论"和"明清社会变迁论"。[①] 他认为，在16世纪，中国的经济和社会、文化已发生走向近代的变化，但由于中国社会的多元结构，这种变化起伏跌宕，以至中断、后退，但到最后，并未能摆脱世界经济发展的共同规律。

1995 年

（本文曾载《读书》1998 年第 12 期）

---

① 傅衣凌：《中国传统社会：多元结构》，《中国社会经济史研究》1988 年第 3 期；《明清社会变迁论》，人民出版社，1989。

治史要从考证开始

——序《中国近代经济史考证和探索》*

徐新吾同志和我是 1958 年在一个整理中国近代工商业史料的大型规划中开始共事的，他负责上海方面的工作。以后又在编写《中国资本主义发展史》和其他一些项目中合作。我们分处京、沪，而几乎每年都有会议、会面或书信往还，切磋经济史学，兼及时论；知无不言，言无不尽，堪称挚密无间。去年他这本《近代中国经济史考证和探索》编辑成卷，在医院里写信给我，说是"总结了一生研究所得"，嘱为作序，乃信未写完，即因心肌梗塞溘然长逝。悲夫！

新吾同志倾毕生精力于中国经济史研究，博赡修文，饮誉中外，而其治学之道是从史料考证开始的。他 1961 年开始系统考证上海发昌机器厂的始源，以后各项事件、专题的考证和探索接连不断，如本书所辑。同时，他十分重视统计数字的勘误、校订，对近代史说这亦是一项重要的考证。是以他的研究总是立足于扎实的史料，既能取信于人，也为自我发挥奠立基础。他在中国经济史上的一些创造性见解，大多来自考证和比较研究。他晚年主编的《上海近代工业主要行业的概况与统计》，拨误举正，可称经世之作。正如恩格斯所说："必须先研究事物，而后才能研究过程。"① 这是研究历史的

---

* 徐新吾：《中国近代经济史考证和探索》，上海社会科学院出版社即将出版。该书 1999 年出版改名《中国经济史料考证与研究》。

① 《马克思恩格斯选集》第 4 卷，人民出版社，1972，第 240 页。

正确途径。我这篇序也就取名"治史要从考证开始"。

经济史研究要有经济学的基础，又要有历史学的根柢；但是，对于研究具体的历史，例如中国经济史来说，这些都是方法——思考方法或分析、论证方法，而不是根据。不能从历史发展规律或经济学的模式中推导出历史来，历史研究的唯一根据是史料。然而，史料并非史实。所有史料（文献、文物、口碑）都是人为的，都不免失误、失真、夸大、隐讳以至伪造。都须经过检验或考证，才能代表（还不能说就是）史实。即以资料较详的近代史论，从本书看，最简单的如某厂设于某年，较大的如数万人从事同一生产活动，震惊一时的工人大暴动，乃至第一手资料，官方档案、商家账簿的记载，都有失实、谬误以至纯属杜撰者。从整个史学说，所有重要事件都是经历代史家考订，才成定论；对一个史学工作者来说，不先在史料考证上下一番功夫，没有鉴别考证史料的经验和修养，径行下笔为文，不是真正的史家。

我国史学有优良的考证传统，兴于两汉，盛于清代乾嘉。乾嘉学者贯彻顾炎武"实事求是"精神，不事华表，称朴学；他们集训诂、校勘、辨伪、类推诸法，钩沉稽隐，"无征不信"，蔚为大观。不过，乾嘉学派原以治经学为主，特重音义，取证限于古文献，称考据学；用于治史，反成以经训史，求微言大义，不免拘泥。

20 世纪早期，我国有甲骨文、汉晋简、敦煌卷子、吐鲁番文书等重大发现。史料既丰，历史考证亦进入辉煌时代。梁启超作古书真伪考，又著《中国历史研究法》，引进西方实证论。傅斯年倡历史语言学，又指导整理清大内档案，开档案史料学先河。而王国维创"二重证据法"，以出土文物与古文献对证。陈寅恪博引道藏、佛经、笔记、野乘入史，其"诗文证史"工作尤足称羡。王陈二公，史学一代宗师，也都是考据大师。陈寅恪论王国维治学时称："取地下之实物与纸上之遗文互相释证"，"取异族之故书与吾国之旧籍互相补正"，"取外来之观念与固有之材料互相参证"。[①] 考据之学，于焉大备。此外，如陈垣之校勘四法，顾颉刚之《古史辨》，对考据学都有发明。而胡适总结清人朴学方法，提出"大胆假设，小心求证"的原则，

---

① 陈寅恪：《金明馆丛稿二编》，上海古籍出版社，1980，第 219 页。

实在是我国考证之学的一个跃进。

马克思主义传入中国，到 20 世纪 30 年代，以唯物史观为基理的新史学，把中国史学推上一个新的发展阶段。马克思主义的世界观和历史观即历史唯物主义，是指导我们研究历史的最高原则，但对研究具体历史来说，它仍然是方法，而非根据。恩格斯说："马克思的整个世界观不是教义，而是方法。"① 列宁说："历史唯物主义也从来没有企求说明一切，而只企求指出'唯一科学'的说明历史的方法。"② 研究历史的根据仍然是史料，仍然需要考证。但当时未计及此，将过去中国的史学都划为"史料学派"，连同史料考证，予以批判。50 年代以后，转而重视史料，并进行大规模有计划地收集整理。但新史学重蹈"以经训史"的覆辙，选用史料以合乎经典著作者为准，考证功夫反成"封建性"余孽，到"文革"时又变成"走资本主义道路"的标志。至 80 年代初，拨乱反正，考证工作才重进史学，获得正确的评价。

然而，在这场大动荡的风雨中，具有敬业精神的历史学者，出于对真理的爱护，仍然自行从事史料考证不息。徐新吾同志就是这样一位学者。他的考证工作自 20 世纪 50 年代末接受整理上海工商行业、企业史料的任务时开始，历六七十年代不辍，文章发表则以八九十年代为多。其考证方法，判断和应用也迭有创新。如利用近代史的优势，大量采用访问和现场调查方法。在对甲午战前上海华商机器厂的调查中，访问了主办人后代和老职工等 58 户 213 人次，与其他资料核对，获两项重要成果：发现了史料无记载的中国第一家民营机器厂发昌厂；否定了档案有明确记载的源昌机器五金厂。又如，从当时社会形势作出判断。此即清朴学家所谓"理断"。不过清人所据之理主要是经义，是不可靠的。新吾同志所用主要是经济分析，诸如市场条件、价格与成本、技术水平以至定量分析等，是科学的、基本可靠的。再如，利用考证所得作比较研究，得出新的理解。此略似清人之"类推"。但清人类推只是词汇之归纳与演绎，新吾同志则从农家丝、棉手工业的调查中，并与日本同类产品比较，得出规律性结论：农家纺织业的专业化，必须

① 《马克思恩格斯全集》第 39 卷，人民出版社，1974，第 406 页。
② 《列宁选集》第 1 卷，人民出版社，1972，第 13 页。

有前道工序产品的充分商品化，才能使后道工序从农业中分离出来。此外，如民营机器面粉厂之前有个"机器磨坊"阶段；机器造纸厂出现后常转为"机造土纸"等论断，实亦考证之功。

西方史学，原来自近代史学之父兰克（Leopold von Ranke）以来，就是实证主义的，并创历史语言学派，仿佛清之考据学。19 世纪最优秀的史学家，如蒙森（Theodor Mommsen）、麦特兰（E. W. Maitland），也都是考据大师。1896 年阿克顿爵士（J. E. D. Acton）主编《剑桥近代史》时，他相信对过去"批判的可靠性"（指考证功夫）总有一天会写出"终极的"历史来。① 不过，随着新康德主义的流行，19 世纪后期西方史学界就不断出现批判实证主义的思潮。第一次世界大战后又出现历史怀疑论。这期间，较具系统的理论当推克罗齐（Benedetto Croce）和柯林伍德（R. G. Collingwood）之说。克罗齐认为史实并非独立存在，历史是由现代人的思想活动，即史学家对过去事物的选择、思考、解释、判断而产生的，故一切历史都是当代史。此说有助于说明史学家的著述都具有时代性。但克氏并不否定历史考证，他说："幸亏有了实证主义，历史著作才变得不那么幼稚。"② 柯林伍德强调历史是人们行为的发展过程，过去演变为现实，不是死亡，而是浓缩、囊括于现实中。史学家不能离开现实、从史料出发来研究历史，而是去重演前人的思想，并作出价值判断。柯氏提出了历史本是思想认识问题，但也没有根本否定史料和考证。他只是说"历史不是抄袭那些经过考订的最完善的史料，而是作出自己的结论"，要"知道我们的史料证据所没有告诉我们的东西"。③

第二次世界大战后，各种社会科学和行为科学理论被引入历史研究，西方史学发生革命性变化。在历史认识方面，则主要是相对主义思潮泛滥。这种思潮认为，客观的历史事实，或者我们并不知道，即使知道的也不能完全认识它。"如实地说明历史"是不切实际的幻想。今天所谓的历史事实，只

---

① 参见"历史观的变化"，载《新编剑桥世界近代史》第 12 卷第 1 章，中译本，中国社会科学出版社，1987。
② 克罗齐：《历史的理论与实际》，傅任敢译，商务印书馆，1982，引语见第 244 页。
③ 柯林伍德：《历史的观念》，何兆武、张文杰译，中国社会科学出版社，1986，引语见第 260、287 页。

存在于人们的头脑中，并随人们知识的增加而变化。不过，相对主义认识论者并不总是对历史研究持悲观态度。他们认为历史认识具有主体性、时代性，又都认为历史认识是一种价值判断，因而不是固定不变的；这些对于历史研究都有积极的意义。有人认为历史学家对历史事实的选择和处理会使历史事实由"一潭死水"变得"有意义"。[①] 有人说："为了一切实用的宗旨，对我们和对目前的一切来说，历史便是我们所知道的历史。"[②] 因而，他们不会否定史料，并且为了"有用"和"有意义"，还必须考证史料。

事实上，西方新兴的历史学派，如已做出重大贡献的法国年鉴学派，因主张"总体历史观"，所用史料之广博和考察的深入，超过已往各家史学。美国的计量学派对数据的搜集和验证也是不遗余力。20 世纪 80 年代兴起的新制度学派史学也是以资料广泛著称。新史学既然引入社会科学方法，史料就必须扩大范围，大都包括人口、地理、社会、经济、技术、文化各个方面，史料的考证、探索和比较研究，也就更为重要。"治史要从考证开始"，总还是必要的。

1998 年 3 月

---

① 卡尔：《历史是什么？》，吴柱存译，商务印书馆，1981，第 5 页。
② 贝克尔：《人人都是他自己的历史学家》，载《现代西方史学流派文选》，上海人民出版社，1982，第 260 页。

中国经济史研究的
系统工程

——序九卷本《中国古代经济史》[*]

这部九卷本《中国古代经济史》是一项巨大的系统工程。它原属全国哲学社会科学"七五"规划中的重点项目,课题名称"中国古代经济史断代研究"。由中国社会科学院历史研究所、经济研究所和首都师范大学、河北大学、郑州大学、山东大学的一批著名史学家担任各卷主编,组织各单位的学者参加,殚精竭虑,惨淡经营了十多个寒暑。部分分卷曾先行问世,饮誉海内外。现在九卷已全部完成,应经济日报出版社之请,一次付梓,除保留各分卷的名称之外,全书统一称《中国古代经济史》。这实在是中国史学界值得庆贺的一件大事。我受嘱写这篇总序,荣幸之余,首先是向各卷主编和作者祝贺,再就几个有关问题略抒管见。

本书分先秦、秦汉、魏晋南北朝、隋唐、宋、辽金夏、元、明、清九个分卷。自有文字的商代算起,亦跨越三十几个世纪。通古今之变,它是一部中国经济通史,今天我们也需要这样一部通史。经济史以研究过程为主,非如政治、军事史之着重事件,从编写体例说亦以通考长、中、短时段环境、社会和经济的演变为宜。据我所知,本书初衷原是想写一部中国经济通史

---

[*] 周自强主编《先秦经济史》,林甘泉主编《秦汉经济史》,高敏主编《魏晋南北朝经济史》,宁可主编《隋唐五代经济史》,漆侠主编《宋代经济史》,漆侠、乔幼梅主编《辽夏金经济史》,陈高华主编《元代经济史》,王毓铨主编《明代经济史》,方行、经君健、魏金玉主编《清代经济史》。《经济日报》出版社陆续出版中。该书 1999~2000 年出版改名《中国经济通史》。

的，但几经考虑，构成通史的各部分条件目前还欠成熟。一般说，制度史的研究较为深入，硕果丰实；而部门史、专题史则似有未足。有些经济部门的发展规律尚待探索，或如资源、技术、生态环境等史的研究尚多属新构。又我国幅员辽阔，区域经济史的研究颇不平衡；近年来少数民族和边疆地区有经济史问世，史学界欣忭之余，寄望更多的开发。相关学科如中国人类学、社会学、民俗学等史的研究正在兴起，假以时日必大有成果。以此，本书沿用了已有悠久传统、作者和读者都已熟稔的断代史形式，而将全面通论留待来日，这是一种实事求是的做法。

本书采取断代形式，各卷主编和作者都是多年从事相应断代经济史研究的学者。各卷都以马克思主义基本原理为指导，有基本一致的世界观和历史观。并通过研讨，对中国古代社会发展的总线索和经济发展的总趋势有大体一致的认识。本书认为中国经历了原始社会、奴隶制社会和封建社会的嬗递，而以战国时期各国地主土地私有制的形成作为进入封建社会的标志。经济演变受生产力和生产关系双重的制约，一般可以以一定的自然条件下生产力的增长、一定的社会制度下经济运行的效果作为考察的主线。这样看，中国古代经济的发展是曲折的，有进有退，但长期趋势是不断进步的。因而，本书不认为我国漫长的封建经济有个上升的阶段，以后就走下坡路，而是在生产力不断增长中，旧制度逐渐瓦解，新的因素于焉滋生。

在总线索和总趋势大体一致的认识下，各断代即各分卷，以至一个分卷的各专题的撰写，都具有相对独立性，并允许不同观点存在。这是本书强调的。这不仅是因为经济活动十分复杂，并受历代政治、军事、社会制度和时代思潮的制约，没有一个统一的模式，不可能有个统一的写作规范；更是因为，任何历史都是人们对过去的认识，这种认识总是不断有所发现，有所深入，有所创新的。一部新的经济史，不是已有文献和著述的选择与综合，而应该在总体上和部分上，在资料、方法、观点上都属新构，代表一个时代的学术水平。本书就是按照这样的要求，把各分卷的撰写建立在专题研究的基础上，其中许多都是作者埋首多年或倾力攻坚的课题；对于已有的结论，也参酌海内外最新研究成果和有关学科的新进展，予以再考察。因而，每个分册都有它自己的特色，都有一系列的创新见解。这种发挥个人专长与集体智慧、允许不同观点并存的办法，国外也不乏先例，如《剑桥欧洲经济史》《方坦纳欧洲经济史》等巨著都是这样，也都成为一个时代的代表之作。

本书各分卷各专题的研究方法不尽相同，但都是以实证主义作为基本原则的。"实证"原是"确实"的意思。历史研究首先是求实，无征不信，故实证主义可说是史学的第一原则。我国史学有实证的优良传统，并发展出优秀的考据之学。不过，乾嘉以前的考据常是以经证史，受微言大义的限制，囿于个别事物，未能用实证主义原则来考察历史发展的过程。今天，则是以经过考证的、自认可信的历史事实，包括长、中、短过程的历史事实作为唯一的根据。这种历史事实，代表历史的实践。"实践是检验真理的唯一标准"，这句话用于治史真是再好不过。因为它同时排除了20世纪五六十年代在我国一度出现的教条主义史学。那种教条主义史学等于重蹈"以经证史"的覆辙，并且具有目的论、决定论的倾向。这都是不符合实证主义原则的。

西方史学，自近代史学之父L.兰克以来，也是实证主义的，著名史学家T.蒙森、E.W.麦特兰等也都是考证大师。但是，自19世纪末起，实证主义就不断受到批判，20世纪五六十年代在美国并受到逻辑实证主义者的攻击。西方史学界之批判实证主义，抛开在本体论上所受新康德主义、新黑格尔主义的影响不谈，其批判是集中在对历史事实的认识论上。马克思主义相信历史事实是客观存在的，同时，我以为也应当承认人们对它的认识有相对性。我们也许不能"终极地"认识某些历史事实，但能不断地接近它，前面我用"自认可信的"和"不断地创新"，即指其相对性。西方批判者的有些见解，如B.克罗齐强调历史认识的时代性，R.G.柯林伍德把历史看成是人的行为、强调认识是对前人思想的重演，这对增进我们的认识来说也是有益的。事实上，西方史学迄今并未脱离实证主义，即使一个全部用经济分析构成的经济史著作，仍然先要考察其所用资料尤其是数据的正确性。至于五六十年代进入史学的逻辑实证主义，它要求从一个一般规律和所研究问题的初始条件推导出演变的结果；这只能用于边界分明的狭隘命题，在美国也没有多大发展。并且，其结论往往是预言式的，并包含目的论、决定论倾向，对历史研究来说是不可取的。

实证主义作为一种科学的方法论，按其原意，只是回答"是怎样"的问题，而不问所论事物或行为的是非善恶，即不作价值判断。孔德和斯宾塞都申明过这一点。这对于考察自然现象，亦可无碍。但用于史学，如果不作价值评判，怎能"以史为鉴"呢？不分析其利弊得失，怎能古为今用呢？历史学一向是有价值分析的，而在经济史中，价值分析比之一般历史道德伦理的规范分析，更有它的难处。质言之，我们是以历史上的价值观为准，还是以今天的价值观为准呢？对于这个问题，我的看法是，一部经济史本来应当具有实证分析（positive analysis）和规范分析（normative analysis）两种功能。在作实证分析时，应该把所论事物或行为放在它产生或运作的具体历史条件下来考虑。这就是说要采取历史主义的原则，正如列宁所说"马克思主义理论的绝对要求，就是要把问题提到一定的历史范围之内"。贯彻历史主义的分析原则，即使不作任何价值判断，也能实事求是地把问题说清楚，读者自会置评。而脱离历史条件，无论是正面或负面的评论，都是非历史的，不可取的。另一方面，在作规范分析时，则应当用我们今天的历史知识，现在的价值观，作为分析的规范，或评论根据。这种分析不仅研究历史事物或行为对当时经济发展的作用，还包括它对后代以至今人的影响或潜在效应。这也就是说克罗齐所说"一切历史都是当代史"的分析方法。这种分析应该放在实证分析之后，说明当时人的历史局限性。其实今天我们的认识也是有限的，当我们后代人有了新的历史知识、新的价值观，我们的认识也就陷入历史局限性了。

经济史作为一门学科，是19世纪晚期才从历史学中分立出来的，其所以分立出来，是因为经济学已经发展成为系统的科学。在我国这个分立过程更晚，大体在20世纪前期。这就发生一个问题，经济史是属于历史学系统呢，还是属于经济学系统呢？已问世的经济史著作，从其体例、论证方式以至文章风格看，有更近于历史著作的，有更近于经济著作的，大约以前者为多，本书似也属于前者。其实，这并不是个原则问题，两种类型的经济史并存大有好处，可收互补之效。我以为，重要的是经济史与经济学的关系问题。

在经济史刚从历史学分立出来的时候，西方有人主张经济史应完全按照经济学理论进行研究，如瑞典的赫克舍尔（E. F. Heckscher），他并主张历代经济史都是建立在一个基本经济理论即供求理论之上。他的主要著作即《重商主义》，确实是非常出色的。但不能所有的经济史都是这样。我曾多次提出，在经济史研究中，一切经济学理论都应视为方法论，任何伟大的经济学说，在历史的长河中都会变成经济分析的一种方法。这些经济理论或学说，大都是经济学家根据过去的而主要是作者当代的经济实践总结或抽象出来的，目的在指导当时的经济实践；但时代过去，它就只具有方法论（思维方法和具体分析方法）的意义了。我们可以根据历史上某些经济现象的时代特征、边界条件和资料的可能性，选用某种经济学理论来进行分析，但不能把全部经济史建立在某种单一的经济学理论上。供给与需求固然是历史上长期存在的经济问题，但究竟是供给决定需求还是需求决定供给，受多种因素的制约，在历史上并非是固定不变的。萨伊定律曾经被奉为圭臬，但边际主义出来就发生动摇，到凯恩斯主义就根本被否定了。与经济史关系密切的经济增长理论变化尤大，并且任何一个增长模式都只能包括三四个增长因素，其余只好"假定不变"，或设一个代表"余值"的不定因素。J. A. 熊彼特英明地把他那部繁浩而缜密的经济学说史定名为《经济分析史》，并在"经济分析的技术"一章中指出："经济学的内容，实质上是历史长河中的一个独特的过程。"经济史学者对于所有经济学理论都应当这样看。

另一方面，熊彼特把经济史作为经济分析即经济学四种基本学科的最重要的一种，它不仅"是经济学家材料的一个重要来源"，而且，"如果一个人不掌握历史事实，不具备适当的历史感或所谓历史经验，他就不可能指望理解任何时代（包括当前）的经济现象"。"历史感""历史经验"云云有点抽象，但确是很重要的。一部经济史不能像经济学那样只讲"纯经济的"现象（也是熊彼特语），而要求经济史家要有明确的历史观和整个历史学的修养，从自然条件、政治制度、社会结构、习俗心态等各方面来考察经济的发展和演变。近年来，文化方面日益受到重视，认为经济演变不能脱离文化思想的制约，本书还特别把历代经济思潮列入课题。当前经济学日益走向模型化和数学化，以至全部变成方程式解答。我们经济史也应注意定量分析，或根据资料可能，从经济学中吸取一些方法，如投入产出以至回归分析等，但不宜轻易"建模"，限制史学思路，更不能用时间变量代替历史思考。而是力求有更完整的经济史，给经济学提供材料，拓宽视野。总之，经济史有广阔的天地，无尽的资藏，它应当成为经济学的源，而不是经济学的流。

以上拙见，谨借本书出版之际，求教于读者。

1998 年 5 月

序斯波义信《宋代江南经济史研究》中文版[*]

斯波义信教授是国际上享有盛名的汉学家，也是当代最有影响的宋史专家之一。1968 年他的《宋代商业史研究》问世，一举成名，随即被译为英文版和中文版。此后 20 年，斯波先生又在一系列研究中国经济史著述的基础上，于 1988 年出版这部《宋代江南经济史研究》巨著。本书视野广阔，广征博考，蔚为大观，而持论极为严谨，凡肯定、不能肯定与怀疑者必详究之。我以"博赡"二字仰先生治学风范，以为本书实为汉学界一代珍葩。而本书的最大贡献，乃在以新的理论和新的方法，对宋代经济宏观和微观许多问题提出创新的见解；读之如入百花园中，流连思考而忘返焉。本书在国内已有介绍，史学界并有讨论，唯以文字隔阂，读者未能普遍，早盼有中文版发行。今有方健、何忠礼、李伯重先生合作之译本付梓，实为我史学界值得庆贺之事。斯波先生与我交往有年，今应邀为先生大作中文版作序，深感荣幸。

宋代上承汉唐，下启明清，在经济及制度上是古代与近世中国的一个历史转折期，一向为中外学者所重视。宋代国土日蹙，政治积弱，而经济迅速成长，市场空前繁荣，文化以至科技之昌盛尤引人注目。是以对宋代经济发展程度，其在中国历史上地位如何，例多考究。评价高者有宋代"农业革命""商业革命"之说，亦有偏荣一隅、南宋即告衰退之论。

---

* 斯波义信：《宋代江南经济史研究》，方健、何忠礼译，本书责任编委李伯重，江苏人民出版社，2001。

本书对宋代经济各项史实辨证甚详，论其大势，则以为宋之初，江南地区经济尚处于开拓阶段，长江三角洲的核心地带（即下三角洲）之土地利用仍相当粗放。殆北宋后期，兴起大规模水利工程，于北宋末臻于鼎盛。同时，人口之由长江三角洲北、西、南高地及丘陵地向低湿地、核心地带之移居，亦在北宋末显现成效。核心地带的开发，使江南稻米的平均亩产量显著提高。南宋时期，定居点移动趋势继续进行，江南水利网之格局大体形成，稻田耕作技术有较大改进，但仍有若干粗放耕作地带，江南农田的充分开发，要到明代中叶始告完成。商业方面，北宋中期，商人长距离贩运代替了军事后勤运输，加以城市化兴起，商业发展迅速。大城市中批发、零售以及金融等分业已颇为完整，农村集镇之扩张尤为迅速，已略具明代中叶之规模。唯南宋末，大体在开禧战败后，财政危机加剧，公田法之实施实际上提高了农民负担，江南经济开始步入衰退。

斯波先生一再谦称他的研究是初步的，有些论点是间接证据，有些尚难确证。在本书序章"考察的缘起"节中，他曾将宋代经济成就与 16 世纪（明代中叶）中国另一个经济大发展时期相对照。他认为，宋代的商业革命确属质的变化，可以确证。农业方面，若水利建设、二熟制之推行、优良作物和相关技术的改进等，宋代已"古典地"完成了。至于宋代与"16 世纪同样的农业革命、商业革命"相比，是否匹敌，以及交通、动力源等，尚有待实证云。

以上可见斯波先生立论极其谨慎，并具启迪思考之意，读者寻骥探索，固不必剧作断语也。而我以为更能启发学者，使思路盎然者，乃是本书的方法论。不过，这是我披阅本书后自己的体会，其有违斯波先生本意之处，责自在我。

一 结构主义的历史观

结构主义原属社会学研究方法，20 世纪六七十年代盛行于西方经济学界，基本上替代了过去线性增长概念。在史学上，经法国年鉴学派倡导，20 世纪 50 年代由布罗代尔（Fernand Braudel）大加发展，蔚然成为结构主义历史观。它有总体观察（holistic perspective）和多元时间、多层面分析的特点，适合经济史研究。斯波先生在本书中采用了这种新的历史观，但并非沿袭布罗代尔研究"地中海世界"的范本，而是按照宋史的具体情况，取其精华，并有创造。

首先，他在运用结构主义历史观时，并不否定传统的历史主义的研究方法。他盛赞并继承前辈历史主义者研究宋史的成果，发扬"博搜史实，积累正确知识"的传统，贯彻实证主义原则，甚至亦不时采用历史主义的叙事手法，因为这种手法适于概括复杂的事实和作比较研究。我觉得这是完全正确的，无论何种历史观，考证和实证的方法是不可或缺的。

其次，布罗代尔的体系是由长时段的构造史（自然地理环境和社会心态史）、中时段的动态史（社会经济和文化史）、短时段的事件史三者构成。布氏认为，事件的发生常由动态史的局势和节奏调节，而动态史又受环境的制约，故在研究中有重视长中时段而轻视事件史的倾向（恐怕也有改正传统历史主义专注重于事件的意思）。经济史属中时段史。宋代三百年，自然环境变迁不大，而事件甚繁，如与辽金之和战、厘定赋额（军需）、变法、迁都、引进占城稻、实行经界法和公田法等，都影响经济活动至巨。斯波先生在采用结构主义历史观时，对事件极为重视，这是实事求是的做法。

最后，布罗代尔的总体观察是基于他的多元时间论。人是生活在短时段的，生命有限；但同时也是在中时段和长时段之中，实际是"多元的我"。因此，考究人类社会的历史亦应从多元入手，层层相接，以收总体观察之效，不过，这种方法也常有叠床架屋、卷帙繁浩之虑。本书则是采取斯波先生所称"广义社会史学"的方法，提出从横向、纵向、多方位研究，并根据江南特点，综合出人口、社会流动、文化生态、经济生态、技术要素几个方面，应用有关的社会科学，进行史的分析。他把这种总体观察法形象地称为"人文科学者与社会科学者的学际对话"，这实际是一种新的方法，"有物有则"，并可收以简驭繁之效。

二　区域史理论

区域史研究亦倡自法国年鉴学派，即所谓"空间史学"。然而斯波先生根据中国地理的历史特点，创立了一套系统的区域史理论，道前人所未及，实在是本书的一大贡献。

首先，本书提出一种新的区域观。本书所称"地域偏差"即区域差异，已经超出了地理概念，毋宁说是历史形成的。斯波先生在"地域偏差问题"一节中列举了近20位中外学者论述中国区域史的观点。从中我们可以看出：（1）依人口移动或定居史形成的区域差异；（2）依土地利用或水利史、农田开发史形成的区域差异；（3）依社会精英流动或文化生态史形成的区域差异；（4）依宗法、家族、阶级等社会组织变迁形成的区域差异；（5）依军事、政治或行政建置史形成的区域差异。以致作者在本书"前言"中说："中国社会容量巨大，也许与其说时间的差异性大，还不如说空间的差异性更大。"区域史研究的重要意义，于兹可见。

其次，本书在地理概念上采取了西方学者通用的施坚雅（G. William Skinner）对中国经济区域划分的模型，但是作了修正和补充。他根据江南的开发史，重划其外围边界，调整了域内核心区和边缘地带的结构，重定江南在各大区域中的地位。更重要的是，原来施坚雅的区域模型是以地文学（physiography）为基础，以晚清市场分布情况为参照的，因而是一种静态的模型，没有考虑上述多种区域差异的历史因素。宋代的江南，按照斯波先生的考察，尚属于它周期发展中的"始发阶段"（burgeoning stage），自难适用施氏对长江下游大区的规定性。因此，斯波先生引进了生态系（ecosystem）作为考察的依据，生态系是一个包括人的活动在内的动态系统。他又参考了已有较详细研究的泰国湄南河水稻田的开发和定居点由山地向中游、下游流域移动的历史，从而把水利史、人口移动、土地开发、文化生态史都纳入他江南区域的研究，这实在是区域史理论的一大创造。

最后，斯波先生在本书中提出了社会间比较（cross-societal comparison）和社会内比较（intra-societal comparison）的研究方法。不同于一般的比较研究，他是按一定的课题，选定可比的社会，从中积累经验的知识，用于整个区域研究。上述泰国湄南河稻作区的例子，即属于社会间比较。而更多的是社会内比较，即书中的个案考察和亚区域考察，几乎占到本书一半篇幅。例如杭州，重点在研究大城市内商业和等级居民形成的功能区划制度；湖州，重点是考察其长期性的生态变迁；徽州，重点在地理环境与经济活动的关系；江西袁州，重点在其水利合作组织的兴衰；宁波亚区域，以内外贸易为主；绍兴亚区域，以水利史为主。原来区域史的优势之一就是因为划定空间，可以放长时间，考察多重变迁和长期趋势。本书的个案和亚区域的研究，往往上溯汉唐，下伸至明清，这就给宋代江南的研究增加十分丰富的比较和论证的内容。

三　空间的时间的趋向和周期研究

传统观点常把中国经济的发展看成是线性的，而地区差异乃是发展程度之不同，或是处于线性的不同阶梯。20 世纪 80 年代，美国一些汉学家提出一种新的观点，认为中国经济发展的趋向（trend）是线性的，而发展过程是周期性的，地区差异是结构的不同，并会有相反的运动，如某区是处于其周期的上升期，某区适处于其周期的下降期，这种研究方法称为"空间的时间的趋向和周期"（spatial and temporal trends and cycles）。1980 年在北京召开的中国社会经济史讨论会上，郝若贝（Robert M. Hartwell）提出了一篇用这种方法研究的论文，后经修订补充，包括七个大区，于 1982 年在美国发表。施坚雅的著作中也有同样的观点。1984 年在意大利贝拉丘（Bellagio）召开了以"空间的时间的趋向和周期"为主题的中国经济史讨论会，斯波义信教授提出了《江南农业与商业变迁》的论文。在这部《宋代江南经济史研究》中，他将该文修正，列入序章"社会之动态"节。

这种周期概念不是经济学中资本主义的商业周期（business cycles），也不同于熊彼特（Joseph A. Schumpeter）的以创新论为基础的长周期（50 ~ 60 年），而有点像布罗代尔的长周期（100 年）。布罗代尔虽然是考察 15 ~ 18 世纪欧洲，包括地区（国家）差异，但基本上仍属资本主义运动。对中国经济的这种周期考察则主要是前资本主义时代，一般是 10 ~ 20 世纪。斯波先生在本书中的考察是 960 ~ 1421 年，即宋开国至明永乐初。他划分为七个时段，即：（1）边境状态（开拓状态）；（2）上升始动期；（3）上升期；（4）实质成长期；（5）下降始动期；（6）下降期；（7）上升始动期。这七个时段完成一个 400 年的大周期。

原来关于经济周期的研究都是采用计量学方法，以见其升降幅度和平衡力量。这在缺乏统计资料的前资本主义时代颇为困难，我看最有成绩者当属

厄谢尔（Abbott P. Usher）、埃布尔（Wilhelm Abel）等人利用价格资料所作
14～18世纪欧洲农业的研究，明确得出两个下降期和两个上升期、各100
年以上的农业周期。他们运用价格资料之技巧，有如化腐朽为神奇。但这是
因为欧洲教会庄园的购买、出售、雇工等都逐笔记账，可计出价格。中国没
有这种资料，研究者是以人口及赋税为准。人口数不能直接反映经济盛衰，
赋税常是定额，且数据不实，以之作计量分析往往不能令人信服。斯波先生
在此项研究中，抛开计量主义，采取广义社会史学方法，以土地开发、生态
演变、居民移动、商业交通、社会流动、户籍、税制等作综合考察。而对这
些分散的史料，用政治史的创业、中兴、衰亡分期，以政权变动、战争与和
议、变法、迁都、建置等系年，则眉目清楚，自成体系，实际上这些政治事
件对经济的兴衰都有很大影响。又全文以叙事出之，类《通鉴》笔法，读
之引人入胜。

前资本主义经济运动有无周期，在前述贝拉丘会议上亦有不同意见。盖
周期运动必有其所以然的内在规律，此则研究者均未论及，故可不论周期，
而称之为阶段。我国学者对于周期论比较生疏，有论者亦限于近代史。不
过，历代经济有盛有衰，一地区之兴起常与他地区之衰落并行，则属史实。
且不称之为周期，亦应考察其原委。在这种考察中我以为斯波先生的广义社
会史学和以政治史分期系年之法，都是很好的方法，他的上述著作为我们提
供了研究的范例。

以上拙见，不免纰漏，谨借本书中文版出版之际，求教于读者。

序陈其广《百年工农产品 比价与农村经济》[*]

大约自有机器工业以来，在工农业产品的国内和国际交换中，就常有不利于农产品的价格偏向出现。尽管其偏向程度不同，并有相反运动，但无论在发达国家或发展中国家，它都是长期困扰着政府和经济学家的一个难以解决的问题；乃至在经过多次绿色革命的今天，许多国家仍然需要对农产品贸易给以不同形式的支持，直至价格补贴或出口补贴。在近代中国，这种不利于农产品的价格偏向甚为频繁，偏差幅度也较大，而在解放后实行计划经济的时期更加严重；以致在 1979 年实行改革开放后，如何治理这种不利于农产品的价格结构以利农村经济持续发展，成为一项重大课题。这个问题迄今尚未妥善解决，而在面临加入世界贸易组织之际更觉迫切。

本书作者陈其广博士早年致力于中国近代经济史研究，他的博士论文即以探讨工农业产品交换比价及其理论为题；1990 年以后他专业于现实经济的研究，并以市场问题为主。在本书中，他对 1860～1949 年近百年的工农业产品交换比价做了全面的、系统的、逐年的考察，深究这种比价形成的原因，这无疑是对近代经济史研究的一项重要贡献。同时，他根据历史经验和当前经济条件，对如何推动农村经济的持续发展提出自己的见解，这在历史研究与现实研究的结合方面又是一项创新之作。

---

* 陈其广：《百年工农产品比价与农村经济》，社会科学文献出版社，2003。

披阅本书，首先给我以深刻印象的是它运用资料的广泛和深入。除同类研究者常用的几种全国性物价指数，上海、天津、广州等大城市物价指数以及农民购买和销售物价指数外，作者还广泛检阅了地方的、专业的、专项的物价或物价指数记载，据称有5年以上序列的不下千种。为弥补早期资料之不足，作者还从1914年以前几个地方海关关册中选定几种工业品和农产品，逐年编纂其比价。经过筛选和综合，他在考察各时期工农业产品交换时，共有基础资料图表50余件，是我所见同类研究中基础资料最多者。

在考察中，作者采取相对水平分析和变动趋势分析两种方法评估其有利或不利于农产品的频率（年份）和有利或不利的程度（各分5级）。相对水平分析是逐年工业品价格指数除以农产品价格指数，其值小于1者为有利于农产品，大于1者为不利。变动趋势分析是考察两个相邻年份两类商品价格水平或其比价的变动趋势。不同基础资料会得出不同评估数值，则就其可比性予以加权平均，再逐级汇总。这两种方法所得结果不尽一致。据作者直观综合，大体在1860~1937年间，只有1890~1892年、1920~1929年、1934~1937年这三个小阶段工农业产品交换比价是有利于农产品的，其余时间段均属不利。至于不利程度，有时减轻，有时稳定，有时加重，隐约似有周期性。

目前已有几种对近代中国工农业产品比价或价格剪刀差的研究，所用资料和评估方法不同，结论不尽一致。我无意对这些结论置评，而想借本书出版机会，就经济史方面对价格研究的方法论问题略述拙见。

价格运动被看成是市场机制的功能信号，它对资源配置和消费结构起调节作用。而实际上，在整个经济运行中，价格乃是个因变量，价格水平和它的相对变动都是各种经济活动的结果。当代经济学家在研究现实经济政策或理论构架中，常把价格结构（相对价格）作为已有的存在，甚至把它作为经济运行模型中的一个自变量。这在研究短期或瞬间经济行为中是可行的，而在经济史研究中则不是这样。经济史研究是以过去的经济实践为根据，应该更加注意形成这种价格结构的过程和原因，尤其是社会内部的长期起作用的条件和因素。

在这一点上，本书可视为典范。本书第7章即"中国近代百年工农产品交换比价变化状况的成因"一章，是全书用功极深、取证綦详、节目最多的一章。作者从工农业产品的自然特性和对价格反应能力之不同；技术构成和劳动复杂程度之不同；商品流向、交易费用和价格决定方式之不同；运输过程和运输成本之不同；发展水平和有无创新利益之不同，以及国际贸易、非经济因素尤其是赋税的作用等多个方面详细分析工农业产品比价形成的原因，而排除了那些偶然的因素。作者在本书最后一章的总结中，批评了那种把不利于农产品的比价归之于"超经济强制"和帝国主义对半殖民地剥削的论点，指出"应该肯定工农业产品交换比价不利于农产品主要是符合于价值规律的因素在起作用，不符合价值规律的因素只是加剧了不利于农产品的程度"。

我完全同意作者这个判断。并想指出，这里所说"价值规律"是就其广义而言。原来马克思的价值规律是社会平均必要劳动决定商品价值，市场价格围绕价值上下波动。恩格斯说这种价值规律直到 15 世纪是普遍起作用的。16 世纪西欧进入资本主义，马克思提出价值转化为生产价格的理论。生产价格即成本价格加平均利润，是在市场竞争中表现的形式，也就是斯密的"自然价格"或李嘉图的"生产费用"。[①] 这可说是 16 世纪以后作用于市场的价值规律。进入 20 世纪，大量无形财产、权利、技术、信息参与市场交易，很多不是以成本计价，这时通行的是新古典主义的均衡价值理论，即最优价格决定于边际需求和边际供给的均衡，最优生产是边际收益等于边际支出的生产。这可说是作用于当代市场的价值规律。

经济史是研究不同时代、不同条件下的经济运行的。我一向主张"史无定法"，在历史研究中可选择适合本课题的经济理论作为分析方法，因为任何伟大的经济学说都不是永恒的，都会在历史的长河中变成经济分析的一种方法。本书作者首先阐明了马克思的价值理论，指出市场价格围绕价值波动，但它不可能长时期地（例如近百年）单向背离价值。而在具体分析工农业产品比价的成因时，他抛开了社会平均必要劳动的价值概念，而是"基本循着成本和利润（或曰价值）以及供求关系这两个线索来展开"（第 7 章开始）。他没有利用边际分析方法（资料也不允许），但包含了机会成本的概念。总之，他是基本上采用我上述第二种价值规律的概念，这是符合当

---

① 马克思：《资本论》第 3 卷，人民出版社，1975，第 221 页。

时中国市场发育的情况的。作者还在本书两个地方批评了一些学者在研究解放后工农业产品价格剪刀差时常用的"劳动生产率"还原法。解放后由于有了工农业总产值和全员劳动力统计，可大致计算出工业与农业劳动生产率的差距。但这种宏观差距，即使对人为的统购统销价格和计划调拨价格做出修正，也不能反映工业品和农产品比价差异的实际。作者的批评是对的。在我看来，其根本原因是以劳动生产率来分析价格，已不符合这时市场价格的规律了。

本书所用工农业产品的比价，即工业品价格指数除以农产品价格指数，就是通常所说的贸易条件（terms of trade）。本书所说不利于农业，实即二元经济论中由于贸易条件产生的农业向非农部门的"隐性流出"。农产品与非农部门的交换，即有形贸易或有形流通，是有补偿的，即本书中常用的"等价交换"。而由贸易条件产生的隐性流通，如果是正值（即净流出），则代表农业的亏损。如果有农产品的贸易额（以及较容易取得的农业税、农贷、储蓄等资金和资本流通额），则农业逐年的隐性流出（亏损）可以用一个简单的公式计算出来。① 有几位学者对解放后 1952 ~ 1992 年的农业隐性流出做过计算，其困难在于这期间的物价指数是以强制执行的统购统销价为基期价，不符合价值规律，须设法修正。解放前没有这个问题，但困难在于缺少农产品贸易额。我在《论二元经济》② 一文中曾粗略地估计出 1933 年农业向非农部门转移的过剩劳动力人数，但因缺少农产品贸易额，未能估计出农业的隐形流出。不过，我想进一步发掘资料，利用采样调查和农产品商品率变化，这个问题或许是可以解决的。用这种方法的好处是，它可以避开"劳动生产率"的纠葛，避开本书所说"亲农倾向"的干扰，完全客观地从历史数据中得出比价不利于农产品的数值。

2001 年 9 月

---

① 这个公式是：

$$农业隐性流出 = \frac{农业部门的流入}{农产品价格指数}\left(\frac{工业品价格指数}{农产品价格指数} - 1\right)$$

农业部门的流入 = 农产品贸易额 + 农业税、农贷等导致的资金资本净流入。

② 载《历史研究》1994 年第 2 期。

序叶坦《中国经济学术史研究——以经济思想为中心》[*]

　　《中国经济学术史研究——以经济思想为中心》是迄今我所见第一部系统研究中国经济学术历史的著作，既乏师承，本书所有主题和结构，并研究分析的理论和方法，皆作者新猷。本书作者叶坦教授是我在中国社会科学院经济研究所的同行，是中国新一代的经济学和历史学学者。她长期致力于历史学、文献学和中国经济思想史的研究，初攻宋史，继通古今，兼及国外，学识渊博，著述丰赡。

　　本书是叶坦承担的国家基金项目"中国经济学术史——传统经济研究史考察"的成果之一，前此，她已有《"中国经济学"寻根》一文（载《中国经济科学》1998 年第 4 期），曾获孙冶方经济科学论文奖。该文从语源学、语义学来考证中国经济学的渊源，实本书之滥觞。又，其著《传统经济观大论争》（北京大学出版社，1990）、《富国富民论》（北京出版社，1991），皆获中国社会科学院青年优秀成果专著奖，则已为本书讨论的经济思想问题提供要略。本书乃作者多年治学的积累，非一日之功也。作者承担国家基金项目的另一成果是工具书《1890～2003 中国经济思想史论著目录索引》，辛勤劳动的成功，与本书相互为用，同时完成。它们皆属新创，是相近的工具书中时间跨度最长，最为完备，并涵括中外相关研究内容之作，

---

[*]　叶坦《中国经济学术史研究——以经济思想为中心》一书即将由商务印书馆出版。

具有永久性价值。

本书是以经济思想的历史演进为中心，考察中国经济学术的发展，兼论学科的建立，以及经济教育、科研、文献等事业。原来中国经济思想源远流长，富于哲理，自成体系，并较早地传播于海外，有影响于近代西方经济学的建立。然而，迄前世纪早期，中国所有理论得和应用的各经济学科，差不多都是在欧美和日本相关学科乃至人员的协助下建立的。这就发生一个中国的经济学是本土生长抑或纯属"舶来"的问题，成为学术事研究的迷惘。对此，本书作者秉持的态度是，不去斤斤于义理和短长的争议，而是完全尊重历史，忠诚考证史实，听历史做出裁决。纵观全书，作者几乎把全部精力放在文献考证上，并且对中外文献等价看待，无所轩轾。我以为，这是一个真正的历史工作者的修养，是可贵的。

本书首先从"源头"上考证汉语"经济"一词的渊源，继查其内涵的历史变迁。同样，从希腊语"经济"一词的内涵，考察它向"经济学"转换的过程。在考察汉语"经济"内涵的变迁时，重点考证了始见于宋儒，更多为明清学者使用。而恰恰被前人忽视了的"经济之学"一词。叶坦对这一表述进行了研究，深入考证它与"经世之学"或者"实学"等等的不同。并且联系到科举制度"经济特科"的史实例证。则对中国传统学术如何向近代科学转型提供了线索。可惜"特科"很快随科举制的废除而终止，"经济之学"也无法完成向经济学的转化。不过，"经济之学"一词的使用，到梁启超，孙中山手中，已具有涵括西方经济学之义了。我想，这也是本书作者的一个发现。

作者在本书第2、3章中考察了"东学西渐"的过程。她检查了迄20世纪早期几乎所有的汉语经典文献的西文译本，以及西文研究中国经济的著述，包括海外华人的西文著述，这也是中国经济学书中海外部分的最初梳理。作者用第一手资料探讨了法国重农学派、特别是弗朗斯瓦·魁奈著作中的中国因素；亚当·斯密对中国的评述，分析了斯密学说与司马迁的思想；研究了马克思《资本论》中唯一提到的中国人王茂荫，及其货币理论的西传；对马克斯·韦伯的社会经济学中所论中国经济问题做了详尽的考释。

同样，作者在第4、5章考察了"西风东渐"和西方经济学之道马克思主义经济学的传入。经大量文献查证，早在1818年就有西方经济学的中译本，比今人知道得早60余年，并考出早期西书中译本中有不少是国人的贡献。对于重要的译著，如同文馆刊行的《富国策》、海关总税务司署发行的《富国养民策》、严复译《原富》等详细考证了原著、译文的取舍、历届版本，改正了一些误读，提出新的见解。对于历有争论的陈炽的《续富国策》是所续何书，叶坦作了十分详尽的考证和分析，通过大量有理有据、结合当时历史背景与学术情况进行的全面考察，提出陈著实际上既不是要续斯密的《国富论》，也不是续同文馆的《富国策》，而是他本人也像那时的其他人一样混淆了这两本书，他要续的就是"踵英而起"写出中国富强的经济学书，今人不必再投力于这桩"公案"了。这也是很见功力的一项考证。

作者把20世纪初，或者严复译《原富》问世后1903年，作为中国经济学术"转型"的标志。此后，就主要是国人负担起发展中国经济学的任务了。从1902年梁启超打算著《中国生计学史》起，有识之士中一直有人探讨建立独立的"中国经济学"。而最有成绩的是，从1911年陈焕章著《孔门理财学》（英文）问世后，一门中国经济思想史学科蔚然而兴。本书第6、7章以较大的篇幅，系统考察近一个世纪以来中国经济思想史的研究，特别是学科的创立和发展，重点叙述日本的田崎仁义、田岛锦治诸人的贡献，对甘乃光、唐庆增的著作和他们当时在国内大学讲授中国经济思想史的情况，进行了很好的梳理和论述。作者总结1949年以来中国经济思想史研究，对全国的学科分布、课程设置、科研基地、学术风格以及重点作品，都做了很好的研究，尤其冷静分析现在学术发展的机遇和挑战，提出了自己的看法，这就突破了原国家基金项目"传统经济研究史"的界限，划出了一条中国经济思想发展史的线索。

在完成经济学术史的"纵向"考察后，作者还通过"横向"的中西"经济伦理观念"和中日"商品经济思想"两个案例的比较，来补充、完善上述研究，以求展现中国经济思想的特点，进而"终论"中国经济学术史中经济思想史的学科优势与发展前景，对这门学科进行深入的学理分析，这也是作者多年治学经验的总结。

2004 年 7 月 31 日

序王玉茹《增长、发展与变迁——中国近代经济发展研究》*

　　王玉茹教授是中国新一代的经济史学家。她于20世纪80年代开始研究中国近代经济史，是从资料比较集中的个案即企业史入手的。80年代中期，转入宏观经济增长与发展的研究；20世纪末，又致力于制度史的研究。这种由微观到宏观，由经济到包括政府行为和文化传统的制度史的研究，是适应当时的学术潮流，对一位青年学者的成长来说，也是十分有益的治学途径。本文集是王女士从她已发表的学术论文中自选出来的17篇作品，分别列入"经济增长与发展""制度变迁""企业史研究"三组。他们代表王玉茹20年来辛勤笔耕的成果，也反映她在经济史研究中不断开拓、创新和渐臻成熟的道路。

　　在企业史研究一组中，最具创新性的当属《开滦煤矿的资本集成和经营效益分析》。本篇原是作者攻读硕士学位的论文，经过删修，于1994年用英文发表于剑桥大学出版的《现代亚洲研究》。开滦煤矿是旧中国历史悠久、利润丰厚的大型英商，一向引人注目。唯前人研究主要集中于该矿的矿权问题、特权和垄断地位以及劳动和包工制等问题。作者认为，该矿的丰厚利润除个别项目和战争年代得益于外商在华特权外，长期看主要还是企业本身的经营效益所致。因而她另辟蹊径，在生产方面，从生产要素的合理配置（主

　　*　王玉茹：《增长、发展与变迁——中国近代经济发展研究》，物资出版社，2004。

要是资本与劳动投入的比率）来考察其成本与利润的关系；在销售方面，则着重考察该矿以占领市场为目标的价格政策和长期效果。这里作者是运用当时流行的厂商均衡价格理论，并依靠开滦档案资料的优势，建立了连续33年的各种统计和估计系列，使整个论证建立在计量分析的基础上。不过，在研究生产要素配置时，她所使用的主要投入比率，即该文英文版中constant cost 与 wage cost 之比，实际计算的乃是马克思主义经济学中不变资本与可变资本之比，亦即资本的有机构成。这对于初建新式工业的中国来说（一如在 19 世纪的欧洲），无疑是更为适宜的。

此文为我国企业史的研究开辟了一个全新的途径，问世之后，令人耳目一新。但该文亦有专注于企业本身的经营，忽视它所处环境和历史条件的缺点，因此也未能避免计量经济学方法用于历史研究的局限性。例如该文结尾时，以资本有机构成的变动和吨煤成本售价的变动作自变量，与成本利润率做回归分析，得出高达 0.97 的复相关系数，启人疑窦。这也说明，个案研究详细深入是宏观研究的基础，但也需要以宏观研究为框架，避免孤立性。

进入宏观经济史研究后，王玉茹的第一篇代表作即文集中的《论两次世界大战之间中国经济的发展》。该文首先是从总体上，即以工农业生产总值、国民收入、人均国民收入的年均增长率为指标，将两次世界大战期间（1920~1936）的情况与前一时期（1887~1920）和后一时期（1936~1949）作比较，结果是两次世界大战期间的年均增长率为 1.4%~1.8%，而前一时期仅 1%，后一时期因战争关系均为负数。作者然后考察两次世界大战期间产业结构的变化。在工业与农业、机制工业与手工业、新式运输业与旧式运输业的产值比重上，均有显著的优化；且重工业的发展快于轻工业，农业方面则经济作物的发展快于粮食和牲畜。最后，在两次世界大战期间，中国资本产业的增长率大于外国在华资本；中国资本中，私人资本的增长率大于国有资本。又两次世界大战期间，中国工业产值的年均增长率（4.06%）高于同时期美、英、德、法（因受 1929 年危机影响），仅低于日本。因此判断，两次大战之间是旧中国经济增长最快的时期。

1987 年该文发表后，曾引起争议。一是因为此前原有一种流行观点，认为旧中国经济的黄金时代是在第一次世界大战期间，战后帝国主义卷土重来，加深了对中国的经济侵略，继之四大家族官僚资本由金融垄断进入工商业，加以帝国主义转嫁世界经济危机，造成中国农村凋敝，民族工业处于破产半破产境地。王玉茹文章的观点与之完全相反，一时难以接受。二是因王文的论据完全建立在计量分析上，而其所用数据几乎全部是估计的，难以确信。并且，当时我国官方是采用苏联式的 MPS（物质生产）统计系统，对旧中国原来统计数据的适用性有所顾虑。这种情况，在 20 世纪 90 年代有了很大变化。一方面，1993 年我国采用国际通用的 SNA 统计系统后，学者们对旧中国的统计资料重新整理，看法渐趋一致。另方面，兴起了过去几乎视为禁区的民国经济史的研究，王文中的观点逐渐得到认同。她本人也继续发表了系列论文（如本文集的第 2～6 篇），最后融入刘佛丁与她和于建玮共著，1997 年出版的《近代中国的经济发展》一书。

在宏观经济史研究方面，王玉茹用功最多的还是她对旧中国相对价格亦即价格结构史的研究。这原是她攻读博士学位时的论文，目的在考察 1860 年至 1936 年相对价格变动和中国经济发展的关系。后几经修订，发表专题论文，又于 1997 年出版《近代中国价格结构研究》一书，并参加关于亚洲历史统计的国际学术合作项目。

王玉茹在中国价格史研究中有两项重要创新：一是把价格变动放在近代中国经济发展的周期运动中来考察（指各种经济形态都客观存在的中长周期运动），这是前人不曾涉及过的；二是关于生产要素价格对经济发展的作用，这也是前人未曾系统研究过的。周期性同题，我已在为她的《价格结构》一书所做的序言中讨论过，这里就只谈关于生产要素价格问题，即本文集《近代中国生产要素市场价格初探》《生产要素相对价格变动与近代中国的经济发展》两篇。

由于资料限制，作者对生产要素价格的考察限于资本价格即利息率、劳动价格即工资率、土地价格即城乡地价三项，而不及技术。[①] 作者考察了这三种相对价格变动对于工农业生产结构的影响和对于国民收入分配的影响。工业生产方面，因利息率下降而实际工资上升有限，以及城郊工业用地供应不缺，促进资本集成和资本有机构成有所提高的效果是比较明显的。如 20

---

① 技术要素没有市场价格，一般是用余值法从经济增长实绩中测算中性技术进步所提供人份值。当时已有希·珀金斯将此法用于他的《中国农业的发展》，但因假设的前提过多，未入正文结论，只作附录。或因此之故，王玉茹将技术一项舍去。

世纪 30 年代棉纺织业的技术改革和生产资料生产较快发展等都与要素价格变动有关。农业方面，地价上升迅速而农业雇工实际工资甚至下降，使地主收益增加；而利息率的变化无何影响，土地经营资本甚少增长，农村一直保持小农模式。在分配方面，市场价格的相对变动也就是机会成本的变动会影响资源流动方向，但由于缺乏国民收入分配的统计，难以得出明确结论。大体上看，工资上升和利润水平低下，以至中国工业迄无自身积累能力，这由资本集成主要是业外投资可资证明。另方面，城乡租金收入占到非工薪收入的 70%，这就使得资源流向近代产业的流动异常缓慢，迄 1936 年，中国落后农业国的面貌没有什么改变。

利用相对价格和机会成本来说明经济的长期变动完全是新古典经济学的内容。但这种方法也进一步暴露研究的孤立性和计量经济学的局限性。新古典经济学的原则是，假定国家不干预经济活动，制度为已定的不变的，并完全忽略文化传统的作用。这都不符合历史学要求。而计量经济学在建模时就只能设定三几个自变量，其他因素都假定不变，或归入残值而无从解释。D. C. 诺斯在《经济史中的结构与变迁》中赞扬了相对价格分析是研究经济变动的"上乘"方法，同时指出，在现有的几种长期经济变迁的理论中，"马克思的分析框架是最有说服力的，这恰恰是因为它包括了新古典分析框架所遗漏的所有因素：制度、产权、国家和意识形态"。[①] 但马克思的框架过于理论化，缺少工具性，因而诺斯等另创新制度经济史学。新制度学派的经济史学仍是以新古典经济学为基础，但以结构改进代替古典的线性增长，加入了国家和意识形态两大要素，以及产权、交易成本等分析工具，成为比较实用的经济史理论。

这样，王玉茹将她的经济史研究转向于制度变迁。她与刘佛丁、张东刚共著的《制度变迁与中国近代工业化——以政府的行为分析为中心》2000年出版；在本文集中就是第 10～13 篇，特别是《中国近代政府的行为特征及其对国家工业化的影响》一篇。在这些研究中，作者对中国近代工业化过程的考察开拓了眼界，例如把它放在整个经济结构中，以至世界市场的组织中来观察；也对工业化进程加深了认识，例如对于产权、工厂制、公司制

---

① 陈郁、罗华平等译，上海三联书店，1991，第 68 页。

的历史分析，行业组织的演变等。在研究方法上，摆脱了单纯依靠计量分析的局限性，更多地采用了历史学的实证法和因果分析，有些地方并应用了中国史学特长的辩证观。这都显示作者的经济史研究渐臻成熟。

这项研究，因为是以政府行为分析为中心，着重于国家设定或认可的正式制度，而对于价值观、伦理道德、社会舆论、民间习俗等意识形态方面的制度，作者声明不在研究范围之内。只是在谈及制度的理论问题时，作者提出"文化是制度的基础，而制度是凝固了的文化"。这是个十分高明的见解。可惜限于主题，未能展开论证。

经济史是经济学和历史学交叉的学科，双方同等重要。A. 熊彼特在他的名著《经济分析史》中说："如果一个人不掌握历史事实，不具备适当的历史感或所谓历史经验，他就不可能指望理解任何时代（包括当前）的经济现象。"[①] 所谓历史感、历史经验，看来有些抽象，其实就是指历史观（历史哲学）和历史学方法（如语言学、诠释学、考证学等）。这样看，新制度学派的经济史理论并不是很完善的，因为它缺乏清晰的历史观和重要的历史学方法。在我看来，以 F. 布罗代尔为代表的年鉴学派整体观的经济史研究，似乎更完善些。当然，以 J. 哈贝马斯为代表的交往理论，以 M. 福柯为代表的后现代主义史学，又提出许多近乎马克思主义的观点，值得注意。而对中国来说，则应当发挥中国史学的优良传统，建立一个适合中国社会的经济史学。中国在经济学方面大体上落后于西方，但在历史学方面则一直具有优势。当然，建立中国的经济史学需要长期的努力，不断开拓，不断创新，逐步完善，恐怕不是一代人的任务。但是我对于世纪之交的新一代中国经济史学家，有厚望焉。

2004 年 5 月 8 日于北京

---

① A. 熊彼特：《经济分析史》第 1 卷，朱泱等译，商务印书馆，1991，第 29 页。

序萧国亮《中国社会 经济史研究》[*]

萧国亮教授是我国新一代的社会经济史学家。他思想开放、论证严谨,能够理论结合实际,对所论主题都有自己的创新见解,是以受到同行的尊重。本文集选录了自 1979 年我国实行改革开放政策以来萧国亮教授所做的社会经济史论文 28 篇,依其内容分编入 5 个专题。若按文章发表时间来读,亦可见作者与时俱进的治学经历和思想成熟过程,这在新一代史学家中是颇有典型的。

本文集中的《从〈清明上河图〉和〈东京梦华录〉看北宋汴京的城市经济》《清代上海沙船业资本主义萌芽的历史考察》以及论两淮盐业、江南纺织业等文,都是作者早期的著述。它们都以广征博引、考证綦详著称,盖已尽经济史研究的基本功夫;而在推理判断和考证方法上,都有新逍,故发表后即受到学界重视。

本文集中的《独特的"食货"之路》一文,可作为代表作者思想日臻成熟的杰作。该文概括地论述了五千年来中国经济发展的道路,即作者所称的"食货"之路,并着重指出该道路的独特之处。所谓独特之处,实乃作者所要倾吐的对中国经济史的一系列观点,我试择其要者三:一是秦汉以来中国的私有制是家族私有制,中国的社会是小农家族经济结构;二是在这种结构中,存在着一个土地所有权的竞争与垄断机制,它使中国成为一个以精

---

* 萧国亮:《中国社会经济史研究——独特的"食货"之路》,北京大学出版社,2005。

耕农业和人口繁茂著称的昌盛国家；三是专制国家干预经济是中国历史的突出特征，这种干预有利有弊，而其最终效果是阻碍了新的生产方式的产生。这些观点是作者长期研究中国经济史形成的，每个命题都可在本文集中找到相应的专论。老朽病目，并未全文阅读这些宏文，上举三要点也未必符合作者原意。不过，既应邀作序，务去空言，我仍拟对这三个问题略述己见。

"小农家族经济"是萧国亮教授独创的一个概念。据作者解释，它实际是指产生于战国、成熟于明清、扩大了功能的中国小农家庭。它不是像西方那样只有生儿育女功能的家庭，而是兼有事业功能（农业和家庭手工业）的家庭。因而它是中国传统社会结构的基本单位，或者说中国传统社会是小农家族经济结构。我以为，作者提出的"小农家族经济"这种家庭模式应当完全肯定。我国史学界过去热衷于宗法、宗族制的研究，近十几年来才注意到家庭史的研究（说也奇怪，在西方也是 20 世纪末家庭的研究成为热门）。宗法、宗族制的研究尽管堂皇，却不能动摇（尤其宋以后）上述家庭模式的基本地位。而近些年来关于历史上家庭、人口、结构、流动性的研究，主流意见都是支持这种家庭模式的。近些年来，史学界曾有几次关于小农经济的研讨会，从会议发言和会后发表的论文看，在评议农业内卷化、计算家庭纺织业的效率和农家边际收益上，大都是采用了这种家庭模式。还有人提出"集体主义经营思想"，也是这种模式的反映。

"土地所有权的竞争与垄断"，即土地兼并和反兼并问题，是中国史学界着重研究的老问题。但是，萧国亮教授把这种以土地自由买卖为基础的土地所有权的竞争与垄断作为中国特有的、调节整个社会结构的"机制"，是西方封建社会所没有的（土地不能买卖）。这就提出了一个全新的概念。作者还把商业资本权力的竞争与垄断、皇室和官僚权力的竞争与垄断也归到这个机制名下，因为他们竞争的根本目的也是为了土地。他高度评价了这个机制的作用：它促进了中国物质文明的发展，如举世闻名的精耕农业，占世界总数 1/5 到 1/4 的人口的繁殖；它促进了中国精神文明的发展，如博大精深的儒家文化。土地所有权的竞争与垄断究竟是怎样一种机制呢？

所谓"机制"，无论在经济学上或社会学上，都是指"均衡"作用。前者是指市场上商品或服务的供需和价值的均衡，后者是指社会各部门或系统的功能和行动的均衡。作者似乎是采用结构—功能学说，即调节各部门或系统的功能，维护社会整体结构的稳定，以利发展。这样，视野就扩大了，竞争与垄断的机制也不仅是一只看不见的手，还有看得见的手。实际也是这样，如国家干预、农民抗争，都是抑制兼并的能手。我无意在这里比较经济学理论和社会学理论的得失，因为现代经济学并不反对宏观调控，而结构——功能学说也因忽略内容冲突而受诟病。没有一种万能的理论，采用什么理论应视时空条件而异。事实上作者在对封建晚期的论述中就采用了批判理论，这个竞争与垄断机制就变成维护封建制度、阻碍中国现代化的机制了。

在"专制国家干预经济"的问题上，作者对历代王朝的土地政策基本上是肯定的，对于治水、荒政、仓储等政策赞誉有加；而对历代的商业政策则持基本否定态度，并谴责官商、专卖、榷关、牙商等措施，因为这些妨碍了商品经济的发展。作者虽亦将这个问题纳入其"竞争与垄断机制"，但具体研究时仍是从各项政策措施出发，逐一评其利弊，这是实事求是的做法。近些年来，受 D. 诺斯的新制度经济史学派的影响，我国史学界热烈开展了国家干预和意识形态作用两项研究。其意是把国家干预作为正式制度或成文制度，把意识形态作为非正式制度或不成文制度，来考察它们对经济发展的作用。作为制度来研究，比较客观，并可纳入体制或体系全面观察。但从已有的研究成果来看，仍然是用传统的历史学方法，从具体政策出发，或从意识形态规范（义利、本末、诚信）出发，详列实践经验，作出判断。这是历史学的特点，必须用实证主义方法，不能用概念推理（逻辑实证主义）来代替。

我想再谈点方法论问题，以结束这篇序言。本文集收有作者五篇关于史学理论和方法的宏文，我读之意兴盎然，尤其关于历史唯物主义的论述，启人深思。我于 1984 年在一次国外召开的经济史会议上首次提出"史无定法"的主张，其背景是会上有人菲薄"老方法"，要求新方法，而老方法实指实证主义。1995 年我在一篇文章中提出又一主张："在经济史的研究中，一切经济学理论都应视为方法论。"不仅如此，其他理论，包括马克思的世界观和历史唯物主义，在研究具体历史时，也应视为方法——思维方法或分析方法。① 其实，这是恩格斯和列宁都早已说过的。今天，受萧国亮文章的

---

① 吴承明：《经济学理论与经济史研究》，载《吴承明集》，中国社会科学出版社，2002，第316~318页。

启发，我想提出方法论的第三点主张，那就是在运用这些理论作为方法时，要考虑时间空间条件，不能"原教旨主义"式地照搬。一个伟大的思想之所以能流传下来，总是经过发展和修正的，不仅在学术研究上，在社会活动上"原教旨主义"亦无不碰壁。

历史唯物主义，包括它的历史观和认识论，是指导我们研究历史的最重要的思维方法。马克思逝世后，恩格斯就给它补充了合力论和完整的历史动力论。列宁的帝国主义论给历史唯物主义注入了时代精神。G. 卢卡奇的修正，强调了它总体论和辩证法的一面，削弱了它历史决定论的一面。自称"重建历史唯物主义"的哈贝马斯，等于在认识论上发起革命，以主客体统一代替传统的主客体二元论。人们也许不承认哈贝马斯的"交往行动"理论是历史唯物主义，但我很喜欢它，因为它很接近司马迁的历史观和宋儒的主客体统一的认识论。中国人是最有条件发展和修正历史唯物主义的，因为近百年来中国的历史实践和毛泽东思想、邓小平理论已给我们奠定了基础。

我一向认为，实证主义是历史研究的基本方法，不可须臾或离。在西方，从 19 世纪末期起，实证主义就受到史学理论家的批判，从 W. 狄尔泰、H. 李凯尔特到 B. 克罗齐，至 R. B. 柯林伍德达到高峰。但是，他们批判的实际是孔德的实证主义哲学，而不是用于历史研究的考据和实证方法。他们提出的一些主张，如"一切历史都是当代史""一切历史都是思想史"等，对历史研究其实是有益的。后来的批判者 E. G. 卡尔和 C. L. 贝克尔提出历史认识的相对性，也是不错的。到第二次世界大战后，在美国，由于受到逻辑实证主义和计量史学的冲击，实证主义史学有些衰落；在欧洲和日本则并未衰落。中国的实证主义史学始于司马迁和班固，历代都有发展，到清代乾嘉学派达于高峰；"五四"以后，汲取了西方实证主义精华，益臻完善；20世纪五六十年代一度受挫，然旋即恢复活力，发扬光大。今天，中国可称为世界上最兴盛的实证主义史学大国。孔德说，他首创的实证主义（positivism）一词在哲学上有五个含义。我曾说过，作为历史研究方法，我们只取他第一个含义，即"真实"。今天，我想补充说，决不能忽视他的第五个含义，即"不否定"。这个含义，用孔德自己的话说就是："对每一种见解都更公正，更能宽容"，"坚持从历史角度去衡量不同见解的各自影响、持续的条件以及衰落的缘由，决不作任何绝对的否定"。① 孔德屡次表明他的实证哲学是建设性的、相对性的。在作为历史研究的方法上，我把它理解为开放性的，在相信自己实证结果的同时，不否定别人研究的结果。

我常说，历史研究就是研究我们还不认识或认识不清楚的历史实践，如果已认识清楚就不要去研究了。历史有无限的实践，总有我们还不认识的东西；已认识清楚的，随着知识的增长和时代思潮的演进，又变得不清楚了，需要我们再认识。历史学就是永不停止的再认识，而所有认识都需要实证主义方法。

八十八叟吴承明

2005 年 8 月

---

① 孔德：《论实证精神》，黄建华译，商务印书馆，1996，第 30 页。

序刘兰兮主编《中国现代化过程中的企业发展》[*]

中国近代企业史的研究是一门新兴的学科。20世纪五六十年代，一些经济学、历史学科研单位和大学院系，开始有计划地发掘、整理各类大型企业的档案资料，工商行业的契约文书以及有关人员的口述记录，着手研究企业、行业的历史。惜受十年"文化大革命"干扰，到80年代才陆续完成，出版有企业、行业、工商团体和人物的历史、史料书五六十种。这是一项巨大的工程，为今后企业史的研究奠立了基础。90年代，本学科的研究向企业管理学和经营学方面发展，并由微观到宏观，特别在资本组织、集团化、市场营销、价格政策以及经营战略方面成绩斐然。近年来，本学科的研究颇受新制度学派的厂商理论和经济史学说影响。新制度学派认为，一国经济的兴衰受社会经济制度变迁的制约，也受新的制度思想的诱导。这在近代中国，就集中表现在传统企业制度向现代企业制度的转换上。为此，学者对我国传统企业的组织和运作进行深入探讨，重新评价它在向现代化过渡中的作用，又对不同历史时期新旧制度的交替和过渡的中间模式作了比较研究，总结其利弊得失，并由正式制度（法令、规章）的研究向非正式制度（伦理、习惯、价值观）发展，注意到人文因素和企业文化。这就大大扩充了企业史的研究领域，并有助于探讨当前我国企业现代化的途径。

---

* 刘兰兮主编《中国现代化过程中的企业发展》，福建人民出版社，2006。

本书辑录的23篇论文，都是提供2004年10月在北京召开的"中国现代化过程中的企业发展"学术讨论会的新作。这次会议曾就中国近代企业制度的演进、企业家与企业文化、企业发展与外部环境等问题进行了热烈讨论。论文作者大都属新一代的经济史学家。他们各有专攻，积累有丰富的史料和治史经验，论文概取实证主义，并有不少新发掘的资料，弥足珍贵。他们思想开拓，善于提出新的问题，文章富有创造性，论点犀利，读之爽然。论文概括了中国近代企业史研究多方面的前沿问题，堪能展示本学科研究的最新成果，辑之成书，贡献綦然。承本书主编嘱我作序，欣然命笔。唯以耄耋之年，兼患目疾，未能遍览全书，仅就注意所及三个问题，略述读后感，亦恐老朽所见，未免偏失也。

一，国家资本在我国近代企业发展史中一直居于举足轻重地位，自晚清的洋务派企业至今天的国有企业皆然。然而，它们的资本组织，它们与政权的关系，它们的社会功能和作用，在各历史时期颇不相同。从制度经济学看，这是属于体制的变迁。过去学者对于晚清和北洋政府时期的官办、官督商办、特许制度的企业已有详尽的研究。本书《试论近代中国国家资本主义股份制企业的三种类型》一文，则是研究南京国民政府时期的国家资本。作者从资本组织形式上，举1935年改组的中国银行为国家参股型代表，1934年创建的中国建设银公司为国家直接投资型代表，1948年改建的中国纺织建设公司为部分出售国有股份型代表。尽管资本组织类型不同，它们都是国家政权控制的企业，因定名为"国家资本主义股份制企业"，对于过去的官办、官督商办来说，已是一种新的体制了。这些企业资本较巨，内部管理较先进，效率也较高。突出者如中国建设银公司，利用控股制度，在三年内开办了五家电厂、四条铁路，拥有煤矿、棉业、木业公司，1936年纯益达191万元。从它们对南京国民政府实行"统制经济"的效益说（这是它们的主要功能），远超过已往的任何国家资本体制；然而，它们在集资和经营上主要依靠官场人事关系，置《公司法》于不顾，距离规范的股份制企业相差远甚。

本书《略论抗战时期内地省区企业公司的制度特征》一文，则是考察1939～1943年蓬勃出现的15个省区的"企业公司"，连同1933年设立的西北实业公司共16家。它们以地方政府投资为主，辅之以中央政府特别是国家银行的投资，成为国家资本的一种新的体制。它们都采用控股制度，经营业务广泛，形成母子体系。以贵州企业公司为例，它设立三年来已有自办、合办、投资的企事业 28 家，遍及工矿、农林、运输、商业、金融、勘探，实际运用资本达注册资本的 2～3 倍。作者认为，这种企业公司的出现固然与战时环境有关，但从企业发展史看，它实属中国公司制度演进的一个新阶段——投资公司、控股公司阶段。在这些企业公司中已有较为完整的法人治理结构，在一些公司中并有"政企分开"的迹象。特别是那些原由省政府直接经营的企业往往陷于困顿，作价卖给企业公司后，摆脱行政命令干扰，立即恢复生机。唯抗战胜利后，各省区企业公司多陷于分崩离析，为中央控制的垄断性国家资本所取代。

二，传统企业向现代化企业过渡，是中国近代企业史中一个重要问题，也是一个制度变迁问题，过去已有研究，尚不够全面。本书《传统与现代：近代中国企业制度变迁的再思考》一文，考察了南洋侨汇市场中侨批局与中国银行（闽行）30 多年来竞争与合作的历史。现代化的银行不能一举取代传统的侨批局，因为后者有侨民和侨眷都喜爱的信款合一、送款到家、代写回信（侨眷多文盲）等服务，形成一种乡情横溢、安全可靠，甚至"盗匪相戒不劫信差"的不成文制度。同时，银行也有它资金雄厚、调度灵活、掌握汇率信息等优势。于是银行学习侨批局的人文精神设侨汇科，与侨批局订立委托代理合同，两者由竞争、排斥变为合作、共生关系，共同对发展侨汇市场做出贡献。作者结论说：在由传统向现代化过渡中，不同市场各有它最佳模式。侨汇是一个侨民与侨眷构成的特殊群体的市场，银行与侨批局共生就是最佳的过渡制度。那种把现代与传统完全对立的"取代论"是站不住脚的，因为它完全忽视了传统制度中的积极因素。

本书《银行的"钱庄化"与钱庄的"银行化"》一文，研究了 19 世纪晚期上海新式银行建立时常要借助于钱庄的资金和业务人才，在贷放、票据清算、纸币发行上严重依赖钱庄，被称为银行"钱庄化"，而至 20 世纪三四十年代，钱庄业务日趋"银行化"，如做抵押放款，增设储蓄、信托、票据承兑业务，甚至改合伙为股份有限制。作者指出：银行的钱庄化实际是由西方引进的现代企业制度的"本土化"；而钱庄的银行化则是传统企业的"现代化"。两者方向相反，但都是必要的。现代企业要吸收传统制度的优良因素，传统企业要向现代制度发展。半个世纪以来，银行与钱庄就是以这种"双赢"的方式各自为中国金融业的现代化做出贡献。

三，非正式制度的研究是近年来新兴的一个课题。非正式制度中又以意识形态最为重要，而在中国就主要是儒家思想在企业发展史中的作用。本书《非正式制度的约束与中国民族资本企业经营理念》一文，认为儒家思想影响企业经营最大的是义利观和家族观，两者结合成为一种集体主义的价值观，这实为近代民营企业经营的理念。这种理念强调人的品质，重视人际关系，有利于集中管理和企业的稳定；提倡勤劳、节俭，强调诚信，讲礼法，重情义，有利于内外和谐发展。并因当时环境，激发儒家"齐家治国"、家国一体观念，掀起"实业救国"热潮。"制度只有与社会上普遍的意识形态相适应才能发挥其作用。"作者详细分析了这种集体主义价值观的经营理念的社会适应性与合理性，也逐一指出它的落后性，认为它"是与商品经济的发展要求不一致的"。因而结论比较悲观："从历史发展看，企业家的观念没有重大的改变，非正式制度没有重大的发展，最终将被时代所抛弃。"

本书《儒家伦理与中国近代企业制度》一文，集中研究了家族企业制度。受儒家思想熏陶，家族企业成为中国民营企业发展的必经阶段。在发展中，企业家也用忠诚笃敬的儒家伦理培训员工，将企业办成一个大家庭，同食共宿，甚至设置义冢。又将家族观念扩大及于乡土，结成同乡帮派，建立会馆，竞逐于市场。这种族谊、乡谊具有很大的社会价值，成为信用交易，合同承诺、人事荐举、担保的基础。作者前已有关于儒家伦理作为企业制度的论著，着重分析这种制度的合理性，本文则同时分析了它的负面作用，如分家析产造成企业的分崩离析；对异姓人员的不信任不利于所有权与管理权的分离，妨碍企业的规模经营；排斥外界融资，不利于资本市场的发展等。还有个特点，盖论意识形态常重论经史，本文则所有论点都有经验实证，即据历史上已发展并有结局的事情立论，实为难得的史笔。

关于意识形态，我想再谈点个人看法。意识形态作为一种非正式制度，亦应从制度变迁上考察其历史作用。意识形态的变迁并不与经济发展同步，不可以经济决定论。恩格斯说思想意识的发展有它自己的规律，但未说明其规律。大体看来，意识形态中伦理道德部分的变迁是缓慢的，常会"落后"

于经济发展的要求。但它（甚至最保守的宗教信仰部分）也会有革命性变迁，以至成为社会经济发展的先导，即历史上所称的"启蒙"运动。

伦理道德"落后"于经济发展要求不一定都是它本身的弊病，以近代西方而论，乃是因为启蒙运动以后，经济发展走入歧途，背离了道德理性（价值理性）。反映在经济学上，在古典经济学中，"经济人"的假设只是用作分析手段，亚当·斯密《国富论》中的真人仍保留他《道德情操论》中的角色。李嘉图开始淡化道德原则，到新古典主义就完全抛却，个人利益最大化的假设变成唯一信条，经济学变成典型的工具理性。20世纪，西方经济的发展终于陷入生态破坏、道德沦丧、社会动荡、战争不息、难以持续发展的危机。第二次世界大战后，人们进行深刻的反思，急谋补救之方。人们认为不能放弃道德理性，有人提出伦理经济学，甚者乃至完全否定19世纪以来的现代化理论。

道格拉斯·诺斯的新制度学派经济史理论是在新古典主义结构论的基础上，增加了国家论和意识形态两大支柱。据说这种增加是得自马克思的社会形态框架。不过，在诺思的历史分析中，意识形态的作用远逊于国家论。他把意识形态看作是对正式制度公正性或公平性的评判，而伦理道德只是"约束"个人行为，以克服诸如"白搭车"问题，似乎没有什么积极作用。这种论点恐怕过于狭隘。我以为，我国儒家思想早已融合了道家、法家思想，在17世纪并有了一次颇为热烈但终被扼杀的启蒙思想，19世纪后期又吸收了若干西方启蒙运动的理性思维。在近代中国社会制度变迁中有它的积极作用，即使在今天我们倡导"科学发展观"与"构建和谐社会"之际，也还有它积极的作用。

2005 年 2 月

序王述祖《经济全球化与文化全球化》[*]

从历史的角度看，文化全球化不是一个需要特别论证的课题，因为世界文明的进步和传承就是在不断走向全球、不断被人类共同欣赏、共同接受的基础上发扬光大的。没有这样一个文化的全球化就没有世界文明的不断丰富，就不可能有不断积累的灿烂文明。这种文明既包括物质文明，也包括精神文明。

但是如果将文化的全球化与经济的全球化联系在一起，问题就复杂得多了。经济总是与资源的有效配置，与获取最大限度的利益有关。特别是当国与国之间的经济利益还有差异、有冲突的时候，往往对文化全球化带有某种戒备，某种因经济利益的争夺引发的焦虑。当文化的全球化影响经济制度改变，乃至政治制度的调整时，文化全球化就是一个需要做出有条件选择的事情。

要将经济全球化与文化全球化的关系搞清楚，对于文化人而言是有些难度的。因为这种关系的复杂性不是由文化本身产生的，而是与经济利益或国家之间经济利益的差异密切相关的。所以经济学家们需要在权衡经济利益的基础上才可以判断出文化全球化的利弊。幸运的是文化全球化对它的传播方和接受方都是有益的。这种益处的关键是，文化全球化或融合有助于参与者

---

* 王述祖：《经济全球化与文化全球化》，中国财政经济出版社，2006。

经济的发展和经济利益的实现和扩大。同时，当我们论证这样一个问题时，绝不仅仅是一种理论上的推理，更多的是历史的证明，因为人类文明发展和演进的历史就是在接受物质文明的同时，思想上先出现变化，观念上先认同的过程。在此基础上引进借以实现物质文明不断进步的技术、制度和经济运行的方式。王述祖先生在本书中所要追求的就是这样一个历史和逻辑统一的分析。

不仅如此，该书特别重视历史和现实相结合，用世界上经济全球化和文化全球化相互推动的历史说明闭关锁国就是拒绝文化的全球化，包括先进的生产技术和先进的经济运行制度，结果是经济衰落，被动挨打。中国改革开放以后，我们从追求经济的迅速发展，加速经济进步，改善人民物质生活水平的角度出发接受了经济的全球化，问题在于接受经济全球化的同时我们经受得了文化全球化的冲击或融合吗？这使本书的研究更具学术意义和实践意义。

当然，我们接受文化全球化并非否定民族特色。世界永远是多样性的。中华文化的伟大之处不仅是她自身就存在一种融合能力和潜力，更重要的是她能够在继承民族传统文化的基础上，结合其他文化，并发扬光大，进而能够推动中国经济的发展。中国经济的迅速发展和崛起，使中国文化的优势不断展现，成为世界文化的一个重要组成部分，成为别国关注的重要对象。依笔者看来，我们在积极迎接经济全球化的同时，理性地迎接文化的全球化，中华民族一定能够赢得物质文明和精神文明的更大发展。

2006 年 3 月 5 日

总序 "南开经济丛书"[*]

  南开大学的经济史研究有着悠久的历史，在国内外经济史学领域享有盛誉。1927 年南开大学成立经济研究所，该所创始人何廉先生发表《三十年来天津外汇指数及循环》，首创用经济学理论和计量学方法研究中国经济史的范例。何廉在建所之初就请他在美国的好友方显廷主持该所的研究工作。方显廷在耶鲁大学的博士学位论文就是经济史研究的力作《英国工厂制度之胜利》。他来南开后，以近代工业发展为主，在经济研究所建立了多种研究项目。各地有志之士闻风来归，人才济济，成果累累。到 1937 年共出版经济史专著 45 种。

  南开大学经济研究所作为中国最早连续培养硕士研究生的科研机构，20世纪 30 年代开始招收研究生，在招生专业中经济史就列入其中。新中国成立后，南开大学经济研究所和经济学系分别设有经济史研究室和经济史教研室。以傅筑夫先生为首的南开大学经济史学科成为中国经济史研究的重要阵地。20 世纪 80 年代初恢复研究生招生制度后，南开大学是全国高校理论经济学科最早获得经济史博士学位授予权的两个单位之一（另一个为北京大学）。2001 年在全国重点学科评估中，南开大学经济史学科被确定为理论经

---

  * 载"南开经济丛书"之王玉茹、燕红忠著《世界市场价格变动与近代中国产业结构模式研究》，人民出版社，2007。

济学科中全国唯一的经济史国家级重点学科。

20世纪60年代南开大学与企业合作，整理开滦煤矿、启新洋灰公司、范旭东企业集团（永利、久大）的历史资料；从20世纪70年代后期开始，与中国社会科学院经济研究所、上海社会科学院经济研究所共同承担了《中国资本主义发展史》等重大项目的研究。20世纪80年代开始，以刘佛丁教授为首构建运用经济学理论研究中国近代经济史的新框架，形成了南开大学经济史研究的特色，承担和完成了数十项国家和省部级社会科学研究项目、国际合作研究项目，在国内外经济史研究领域产生了广泛的影响。

经过多年的积累和发展，目前南开大学经济学院和历史学院形成了一支实力较强的经济史研究和教学队伍，研究的主要领域包括：中国近代宏观经济的增长与发展、企业史、财政史、金融史、农村和区域经济发展、外国经济史（日本经济史、拉美经济史、美国经济史等）、比较经济发展等。为了更好地整合南开大学经济史学科资源，2005年南开大学成立了经济史研究中心，由王玉茹教授任研究中心主任。

为了促进学科的发展，南开学人决定出版"南开经济史丛书"。这套丛书的出版，旨在展示南开大学经济史学研究的新进展，弘扬南开经济史学科的特色，推出新人新作，促进经济史学的交流与繁荣。

我不是南开学人，而是受托写此序言。我欣然命笔，并衷心祝贺"南开经济史丛书"顺利出版。

2007年5月于北京蓝旗营

会议发言

明清农业生产力

1982 年 11 月 23 日　中国社会科学院经济研究所

多少年来，我们经济史只研究生产关系，不研究生产力，说是受苏联影响。其实，20 世纪 30 年代就是这样。1935 年农村社会性质论战，就是由研究对象开始争论的。王宜昌提出"转换方向"，要研究"人和自然的关系"，也就是生产力，结果被打成托派。当时的地政学派（唐启宇）、金陵大学（卜凯）、国民党农村复兴委员会研究生产力，都受批判。当时是土地革命，一切研究以地权、土地制度为中心，后来是以土改为鹄的，当然只研究生产关系。

在研究中，有个"生产关系要适合生产力性质"的问题。什么是"性质"，捉摸不到。因此有人把它改为生产力"水平"。水平可比较，例如落后多少年；也可计量，如说翻两番。这大约来自列宁，列宁说，把社会关系归结于生产关系，把生产关系归结于生产力的高度，才能研究历史（《什么是人民之友以及他们如何攻击社会民主党人》）。高度就是水平。但是，生产力不只是水平或高度，还有生产结构问题、经济效益问题。1981 年《若干历史问题决议》中改了，改为"生产关系一定要适合生产力的状况"。"状况"含混，什么都可包括。

今年夏天，辽宁大学历史系有个同学王广林写信给我，提出一个观点：资本主义社会最重要的是生产力水平，包括技术水平；前资本主义，使生产关系变革的不是生产力水平，而是自然条件和劳动分工。劳动分工其实就是生产结构。十五六世纪，英国农业的农具和亩产量都不如中国，但地广人稀，可以农牧结合，所以效果高。

结构学派近年流行。但也不一定。如拜占庭，在 15 世纪前是欧洲最文明的帝国，但不是农牧结合，而是单一农业，有点像中国。可说很像中国，因为拜占庭也是租佃制，实物地租；也有永佃权，一田三主；也是中央集权，有官手工业、禁榷制度，商业发达，最奇怪的是它也有太监。当时农业生产力状况，中国第一，拜占庭第二。拜占庭生产力为什么发达，就因为它很像中国。状况是个综合概念，只能说像谁。

王广林同学的观点有个益处，即封建社会生产力不能单看水平或高度，还有个质的问题。资本主义讲 GNP，不管质了。Perkins 的中国农业发展史说明清两代中国农业只有量的扩大，没有质的改进，因为还是手工牛耕。的确，技术在资本主义很重要，现在生产的增长 70%～80% 归功于科技。上海近三年来增产有 50% 由于科技，而在 20 世纪初只有 5%～20%。封建时期，大约不会超过 1%。但不能说，封建时代生产没有质的改进。劳动力的组织就是质的改进，经济作物、集约化都是质的改进。

怎样考察明清农业生产力？还没有好的办法。暂时我只能采用三个指标：（1）农业总产量，代表封建国家的经济实力；（2）亩产量，代表土地利用效率；（3）一夫产量，即劳动生产率。这里，我没有用西方惯用的"人均"，因为中国人太多了，一"人均"准落后。但我想用"剩余产品率"，因为我认为，传统农业的剩余还是很大的，起码 50%，从地租计算可知；不过，今天我不讲这个指标，因不能做历史比较。

农业总产量　没统计，只能用人口推算。从宋"盛世"到明"盛世"，人口增 50%（0.8 亿增为 1.2 亿），粮食生产也必增 50%，否则饿死了。这其中，由于耕地面积扩大而来的占 80%，由于其他原因占 20%。从明"盛世"到清"盛世"，人口增加 2.3 倍（1.2 亿增为 4 亿），粮食产量也增 2.3 倍，其中，由于耕地面积扩大而来的占 20% 强，由于其他原因占 80% 弱。就是说，清代生产力发展，比明代更多质的因素（用"盛世"，避免战争等非常因素。宋指仁宗、神宗，明指嘉靖、万历，清指乾隆、嘉庆）。

这里发生结构问题，问题有二：粮食结构，经济作物。粮食结构，宋代变动大，即引进占城稻，推广籼稻，有大效果。明代无何变化，但经济作物推广棉花是件大事，不过棉主要是代替麻，麻本是经济作物。

清代就不同了。清代粮食结构有两个变化：一是米麦比重，明代北方太糟糕，全国 70% 以上靠南方水稻。清代北方地力似有所恢复，又开发西北、东北，对稻的压力减轻；另一个是高粱、玉米、番薯推广，高产作物，养活人口。陈树平有研究。但作用不能估计过高。民国初，番薯播种面积才 2500 万亩，大量吃薯干是抗战和解放后的事，不得已。民初，玉米、番薯占耕地 7%，清代，约 5%。东北主要是高粱。

清代经济作物大有发展。其作用是价值高，可提高农业效益，增加积累，但往往夸大。最值钱的是烟，杨士聪说一亩烟抵十亩田，夸大；方苞说为种稻三倍，差不多。但成本也大，用工五倍于水田，用肥六倍于稻（包世臣）。烟的面积其实很小。发展最快的是甘蔗，我估计也不过 150 万亩，利益不如烟，有人说"其利百倍"，瞎说。茶的种植约 520 万亩，但算笔账，每亩收益只 0.4 两，不过，可种山坡，不碍粮田。

真正大量的是棉和桑。棉田大约不足 5000 万亩，占 5%，产原棉 970 万担~1000 万担。清代，种棉的经济利益已小于种麻，故发展有个限制。民初，种棉利益只有种麻的一半，但发展，因出口，说种棉利益"较稻田倍蓰""倍于二麦""五谷不及其半"，细查原文，都是包括织布利益，单卖棉恐怕和稻差不多。乾隆粮价、棉价，按亩产米 1.5 石、棉 40 斤计，几乎一样。

经济利益最大的是桑，清代桑扩大也快，太湖地区周围达 1000 里，江苏、广东也发展，因康熙时已出口。或云桑利"十倍农事"，以至 12 倍，都指养蚕缫丝，也有夸大。单就桑论，张履祥算的账较可靠，即植桑利益为种稻的 4.6 倍。但这是清初，乾隆后米价大涨，植桑利益没那么大了。

江浙经济作物发展，形成地区分工，以丝布交换川湘粮食，有利于提高生产力。如没有这种交换，四川人吃饱就行了，不去生产余粮。但这个作用不能夸大。我估计 1840 年前长途贩运的粮食约 3000 万担（旧制一担 = 150 斤），占总商品粮不过 20%，其中又有一部分供应城市居民，农业还没有地区分工、专业化。

亩产量　总产量除以耕地面积就是亩产量，但这是自证自，没意义。我们是找文献材料，只有江南资料，代表最好水平。其他地方亩产量，按江南

1/4～1/2 计。宋代只找到 10 个数据，明代也只 10 个，都是亩产米 2 石多一点点。但明石比宋石大 61%，亩也稍大，所以明比宋增 50%。清代有 40 个数据，比明代提高不到 50%。从绝对水平说，清代苏浙皖赣四省，平均亩产都在原粮 400 斤左右，高于近代。1931 年，苏 278 斤，浙 307 斤，皖 284 斤，赣 292 斤（张心一）。陈恒力也说清代比近代高。清代四川有亩产六七石的，应属特例。北方亩产 2 石原粮，已不少（有人说明代北方仅及江南 1/10）。

亩产量提高有二因：生产工具，农艺学。

宋代生产工具有大进步，犁多用途化，使用可锻铸铁，俗称熟铁，这就使牛耕技术达于最高水平。明清基本无工具革新。明开始淋钢技术，但犁铧不能用淋钢。

农艺学进步都很大。清代深耕、早播、选种都有发展。稻有"六十天""四十日""八月白"，指大田，不包括育秧。当然不好吃。我们在干校，连育秧 166 天，真是稻香流脂。复种是清代增产一大因素，其效果不见上述亩产量，因那只指秋粮。但复种因素不能夸大。张履祥说春花 1.5 石是指皮粮，在南方，大约增产不过秋粮的 20%。双季稻也差不多，因秋粮改种中稻，产量低。吴慧说，双季稻每亩只增产 2.6 斤，很小了。还有，复种面积并不大，20 世纪初复种指数不过 123，清代约 120。

有两个因素颇有作用：一是先进耕作方法向内地、边区、少数民族地区推广，消灭刀耕火种；一是种稻线北移，东逾淮水，西抵渭河，这实际是扩大灌溉面积。华北无霜期在 225 天以上，能灌溉就能种稻。

清代提高亩产的最大因素是集约化，即每亩投入更多人力，养活更多人口。所谓区田法，我看根本没推行，不过形成一个学派，文人拿它言论，反映集约化的思想，也反映肥料是充裕的。人多猪多肥就多，又有了饼肥。肥充裕就可集约化。清代农业理论，强烈反对广种薄收。张履祥提出"多种不如少种好"，以至提出佃户不得超过 30 亩。靳辅说一夫只耕十二三亩，当然包括家属。包世臣也主张 10 亩。还有"垦田不如粪田"说。

由于集约化，清人议论农业成本。明人无此议。章谦存《备荒通考》、顾炎武曾言，一亩投资需千钱。由于集约化，一家劳力不足，须雇工，于是论雇工成本、雇工得失。

劳动生产率 即"一夫产量",实含家属。陈振汉研究,在江南,一夫产 20 石,在北方,约 10 石,是指明末。到清代,据我看,下降了。

江南,明代一般一户种 10～20 亩,清代一般 12～13 亩,下户仅 4～5 亩,很少能种 20 亩(尹会一)。说"一夫所耕不过十亩",有三处,还说十亩要"雇工以助之"。集约耕种就是这样,亩产增加,人均下降。

投入劳动多,不能比例增产。包世臣说,水田增加一个工,只增产"二斗",即增 1/30,因土地报酬递减(通常一亩八九个工,亩产 1.5 石)。

所以,集约化提高了土地利用率,同时降低了劳动生产率,增大生产成本。最后,看效益,经济上划不来,集约过程中止。乾隆以来粮价上涨,高于布价,也高于地价,集约仍有效益。不过,也造成不良后果,妨碍农业结构调整,绝大部分人为果腹而劳动,商品率提不高,自然半自然经济打不破。

也有结构好的例子。如粮桑并作地区,不但亩产量高,劳动生产率也可提高 1～2 倍。又如堤塘耕作法,(明)谈参式经营法,广东桑基鱼塘等,劳动生产率都大提高,但不能推广。

总之,明清农业劳动生产率下降,令人悲观。

研究资产阶级的两点意见

——在上海"近代资产阶级学术讨论会"上的发言

1983 年 8 月 18 日　复旦大学

一、列宁的阶级定义是从经济上讲的，但资产阶级一词最早是出于政治概念。马克思用 Bürgertum，说这个阶级来自 Bürgerliche Gesellschaft（市民社会），是"从各城市的许多地方性居民团体中"产生的，是在同封建贵族做斗争中产生的。这是《德意志意识形态》。但直到《反杜林论》，还是这个概念。恩格斯 19 世纪 80 年代写的英文版、法文版序言，用 middle class，bourgeoisie。都是同一词义，都不包含"资本"的含义。

法国大革命，议会中代表资产阶级的三人，一个军官，一个律师，一个政客，没有资本家。戊戌变法，没有资本家。辛亥革命领导人，也没有资本家。同盟会会员，我们只查出六个人，可算资本家。新民主主义革命也是这样。北洋军阀坏透了，称他们为买办阶级。官僚资产阶级，蒋介石，查到他一张股票。统一战线，划分敌我友，主要看政治态度，不看资本。解放了，审定官僚股份，主要看人是逃台湾，还是留大陆，去香港的一般不算，因为还可争取回来。

资产阶级是个历史范畴。从大处着眼，讲资产阶级的历史作用，千秋功罪，恐怕是要从政治上考虑的，不能单看有多少钱。阶级斗争不是斗资本。我觉得这是对的。

二、从经济上看，资产阶级无非是资本的人格化。我们搞资本主义史，是要研究各种资本的职能和作用。看它对国民经济的作用，对发展生产力的作用，对中国现代化的作用，包括好作用和坏作用。研究到此为止。至于人格化，即上升到阶级，我们还没力量搞。原则上，一个资本好，人也大概是好的，当然也不尽然。但不能反过来，不能以人定资。人是好人，开赌场决非好资本。

从资本来研究，不能都定性。有些资本，按其职能说是中性的。如商业资本，生产什么卖什么，自己不能定性。有些资本，按职能说，就是二刘子。如金融资本，说不上有什么民族性，但也不都是坏蛋，没有还不行。比较能定性的是产业资本，即工交二项，但也不能都定性。有些在分化中、转化中、过渡中。恩格斯说，除了非此即彼，还要承认亦此亦彼。他是说自然现象，社会现象更是这样。外国资本、官僚资本、民族资本，从其作用说都有二重性。我们不想给每个企业都戴帽子，而是主张尽量少戴帽子，多作具体分析，三七开、四六开或对半开。估计恰当，就是科学。

对于资本，我是想这样做。对于阶级，应怎样做，我没研究。

附：1983 年 8 月 21 日在小组会上的发言

官僚资本 1923 年瞿秋白提出，有二种：第一种指官办企业，第二种指官商合办。系指北洋政府，亦可指洋务企业。1936 年吕振羽《中国政治思想史》，指洋务派。但此词不多见。抗战时期，1941 年 12 月《大公报》披露孔祥熙夫人用飞机运 6 条洋狗逃难，群情大哗，出现倒孔运动、倒孔委员会，大游行、贴标语，是三青团搞的。标语中有"孔祥熙在外国银行存款十七亿镑"，于是口诛笔伐官僚资本。当时指化公为私的，不反国营。资委会、大渡口钢厂、玉门油矿都是抗战有功。解放战争，提出三大经济纲领，没收官僚资本。这就指国营了，但不提国营，提蒋宋孔陈，国营即四大家族营。后来，解放逼近，要具体执行了，于是，解放军宣言："国营、省营、县营……"解放后，具体审查，主要看政治态度。如吴鼎昌没收，张嘉璈不没收，王正廷举手表决，没收。袁世凯儿子闻讯赶来，告诉他没你的事。

含义不同，主要从政治、政策、策略考虑。

民族资本 含义大体确定。有官僚关系，有敌伪关系。如贾汪煤矿，考虑很久，报中央，最后发还。卫辉华新纱厂，基本没收，照今天政策，肯定发还。民族资产阶级最大的问题是范围划多大。有雇工二、三、四之说，商业二人，服务三人，工业四人，都比今天严，马克思说七八人。资本，大城市三千论，中城市二千论，小城市一千论，这主要涉及工场手工业和小商人。统计上用 10 人以上，似乎较好。10 人以上工业户，79.1% 是手工业资本家。上层小资产阶级，算入资产阶级，主要是小业主。1956 年高潮，面宽了。小手工业者、小商人自己要求公私合营，那时觉得合营有保障，合作化无保障。所以一下子搞了 76 万人，即民族资产阶级队伍，包括 10 万资方代理人。1957～1958 年，大跃进，扫尾，一扫又扫出 10 万人，变成 86 万人。十一届三中全会以后，1979 年 11 月决定重划，1980～1981 年划了一年，结果划定 16 万人，这是民族资产阶级，其余 70 万是原来错划了，归队，占 81%。

买办资本 买办收入多，有几种估计。我们有同志再详细估了一下，包括九种收入，共 4.93 亿两（1840～1894）。但这不是买办资本，因为他们生活奢侈浪费，大部分花掉了。花掉多少，也毛估了一下，大体 60%。所以，积累没那么多。积累估 1.97 亿两。这笔钱哪里去了？也作了估计，最大部分是交存洋行作保证金和附股外商，两项占 57%。其次是投资商业和钱庄，约 5000 万两，再次是投资房地产，约 3000 万两。而投资近代工业很少，不过 500 万两，只占积蓄的 2.5%，其中官督商办企业 400 万两，商办 100 万两。

民族资本来源 我在文章中用过个材料。早期（1913 年前），地主投资不少，论人数，是一半以上；买办次之，几占 25%；再是商人，约占 20%。当然，有些挂名，不可靠。但这是指近代企业，加上工场手工业就不同了。工场手工业主要是商人投资，地主、官僚都很少，小生产者分化来的也不多。若在后期，1914～1922 年，则商人占一半以上，地主 20% 强，买办占 9%。事实上，买办投资，不如华侨投资。华侨投资在这阶段还赶不上买办，但以后就多了。华侨投资的作用远大于买办，如永安、南洋兄弟，再如东洋庄投资，也可算华侨。

到后期，地主比重甚小了。总的看，民族资本主要来自商业资本。在西方也是这样。马克思说，资本的产生不是来自土地财产，而是来自商业资本和高利贷资本，我们搞明清萌芽，也是这样。甚少地主投资，小生产者分化也不多，主要是商人投资。乃至农业中的萌芽，简直找不到什么经营地主，也甚少富农，而主要是富裕佃农。这是因为资本是货币转化的，不是土地转化的。照政治经济学来说，土地不是资本，也不能化为资本，只能在资本主义经营下转化为虚拟资本。中国因为土地自由买卖，似乎可转化为资本，其实不然。如我是地主，将地卖了，以10万元卖给你，投资工厂。这10万元实际是你的货币，到我手变成资本。那块地仍然不是资本。早期地主投资工业，我们找到113例，大都是和海关或洋务有关的人，有些就是二三流洋务派，几乎没有土地主。就是说他们的投资，主要不是地租转化来的，而是从和洋务有关的商业利润、利息、税款转化来的。地租（包括田赋）是个固定的量，在鸦片战争后，和在康熙以至乾隆时差不多。因为农业生产就这么多，而洋税、厘金、银行信用、商业利润则是无限的。洋务派投资也不是靠地丁钱银，80%是靠洋税。民族资本的来源则主要靠商业利润。

古代城市

1983 年 5 月 14 日初稿于中国社会科学院研究生院

1985 年 4 月 16 日修订稿于中国社会科学院研究生院

《资本论》说："一切发达的、以商品交换为媒介的分工的基础，都是城乡的分离。可以说，社会的全部经济史，都概括为这种对立的运动。"①

用城乡分工、城乡对立的观点来研究经济史，这是马克思的一个思想观点。"但是关于这种对立，我们不在这里多谈"。② 《资本论》就这么一句话。谈得较多的是在《资本论》的最初的手稿，即《马克思恩格斯全集》第 46 卷上的《政治经济学批判》（以下简称《批判》），旧译《政治经济学批判大纲》，刘潇然译。这手稿写于 1857 年 10 月至 1858 年 5 月。《资本论》有三份手稿，这是第一份。我们研究经典著作，应以后来的为准。例如马克思早期（19 世纪 40 年代）用黑格尔的异化论（《巴黎笔记，1844 ~ 1845》）。本手稿中已是劳动二重性、剩余价值，但还保留异化论观点。到《资本论》已基本改观。但有些问题，早期论述较多。《资本论》中略去。城市问题就是其中之一。《资本论》（1867）仍然提到原来的观点，只是没有详谈。

《批判》的话是："古典古代的历史是城市的历史，不过这是以土地财产和农业为基础的城市；亚细亚的历史是城市和乡村无差别的统一……中世

---

① 马克思：《资本论》第 1 卷，人民出版社，1975，第 390 页。

② 马克思：《资本论》第 1 卷，第 390 ~ 391 页。

纪（日耳曼时代）是从乡村这个历史的舞台出发的，然后，它的进一步发展是在城市和乡村的对立中进行的；现代的历史是乡村城市化，而不象在古代那样，是城市乡村化。"①

这就是对《资本论》那句话的解释。从历史实际看，这个观点基本上符合。社会的全部经济史，都可以概括为城乡对立的运动。不过，这只是经济史的一种概括，还可以有别种概括，例如生产力和生产关系的对立运动，这是更基本的概括。马克思还提出过货币权力与土地权力的对立，那也是一种概括，尤其是研究封建社会。城乡对立这种概括，对我们来说可作为研究经济史的一种线索，或一种方法。例如，从城乡关系上来研究唐宋社会的变化，来研究明清或者近代社会的变化，都是很好的硕士论文。1949 年 3 月，毛主席在七届二中全会报告中提出城市领导乡村问题，当时就有人根据马克思的理论从历史上研究这个政策，我也搞过。现在，社会主义城市政策中，这又是个时髦的问题了。

下面，我分别谈一下古代城市（奴隶社会）、西欧封建城市、中国封建城市，至于近代城市，恐怕没时间谈了。

古代城市

《批判》说："古典古代的历史是城市的历史。"马克思所说古典古代就是希腊罗马。众所周知，那时是城邦国家，一个城就是一国，或一个经济共同体。奴隶主或征服者住在城市，政府、总督、议会、神庙、竞技场都在城市，城市是政治、文化、工商中心。农村是城市的领土，供应城市食粮。不过，希腊主要是自耕农，罗马有奴隶主大庄园，被征服的人民也是在农村。

这种城市是怎样来的呢？是由于军事需要。原来的家庭公社或氏族就是个军事组织，因为对外战争、占领土地是生存的条件。为保卫战争成果，就筑起城来，"住宅集中于城市，是这种军事组织的基础"，这就形成了"古代所有制"，即希腊罗马所有制。马克思称之为第二种所有制，以区别于原始所有制。原始所有制是以土地为基础，村庄即居住点只是土地的附属物。

---

① 《马克思恩格斯全集》第 46 卷上，人民出版社，1979，第 480 页。

古代所有制则是以城市为基础，而耕地变成城市的领地。"把城市即已经建立起来的农村居民（土地所有者）的居住地（中心地点）作为自己的基础。在这里，耕地表现为城市的领土。"①

照马克思说，这种城邦经济是西方的。在东方则是另一种所有制，即亚细亚生产方式。他认为，在东方没有私有财产，是君主专制，其下就是公社或村社，城市只是君主驻地，所以，没有西方那样城乡对立，而是"无差别的统一"。

马克思这段话是在讲所有制中讲的。《批判》中，他讲亚细亚所有制时提到墨西哥、秘鲁、印度，没提中国。就中国说，我看这段话对封建社会是适用的，对古代社会并不适用。就奴隶社会，就先秦来说，我看中国也是城邦经济。马克思的东方学，是根据十八九世纪对落后地区的观察，不是根据考古发掘和古文献。那时考古还不发达，在写本文时，摩尔根的《古代社会》还未出现。

据考古发掘，山东章丘县城子崖、河南平凉台遗址，在 4000 年前原始社会末期，中国已出现城市。《吕氏春秋·君守篇》"夏鲧作城"，已是较晚传说。古文献中，已见商代城市，如商、殷、亳、蕃、雇、霍等。不过在盘庚以前，"不常厥邑"，经常大搬家。盘庚迁殷（今河南安阳小屯），城市固定化，并与邻近的朝歌、邯郸、沙丘连成卫星城。西周，八百诸侯，就是八百城市。城就是国，国君、贵族或征服者住在城内，称国人，或君子；四乡叫鄙或野，庄稼人、被征服者住在乡村，称野人。非野人无以养君子。西周城已规范化，王城方九里，公城方七里，侯伯城方五里，子男城方三里（《左传》鲁隐公元年，孔颖达疏）。大国大城，小国小城，城与乡构成自给的经济。一国不只一城，如鲁国，在春秋时已筑 19 个城市，但每个城同它的领地也是一个自给的经济单位。城市也是军事的，争城以战，杀人盈城。城的大小论雉，即箭垛，王城 540 雉，公城 430 雉；城墙外有护城河，故称城池。

不管城市的起源是军事或是别的，从政治经济学来说，城市的出现也就是城乡的分离，都是一种社会分工。原始部落就有战争，但只有生产力发展到社会分工的程度才出现城市。下面还要谈到，封建城市出现的原因有许多

---

① 见《马克思恩格斯全集》第 46 卷上，第 474～475 页。

学派，那是研究城市史的问题。从政治经济学来说，是分工问题。马克思这个思想早见于《德意志意识形态》："城乡之间的对立是随着野蛮向文明的过渡、部落制向国家的过渡、地方局限性向民族的过渡开始的，它贯穿着全部文明的历史并一直延续到现在。"并指出，城乡的分离是以分工和生产工具为基础，这只有在私有制之下才存在。城乡分离第一次把居民分为两大阶级，城市统治、剥削乡村。这又是精神劳动和物质劳动的一次大分工，城里人是精神劳动者。这又可看作是资本和地产的分离，资本开始不依赖于地产而存在和发展。所谓资本即商业资本，因而又说"分工进一步表现为商业和生产的分离，表现为特殊的商人阶级的形成"，① 等等。

总之，马克思讲城市的基本理论是分工论，是城乡对立。恩格斯在《反杜林论》中也有个概括，即"一切生产的基本形式是分工"，"第一次社会大分工是城市和乡村的分离。"② 注意这和他在《家庭、私有制和国家起源》中所说的第一次社会大分工是两回事，那次是畜牧业分离出来。城乡分离在这之后，是又一个第一次。其实这话也是马克思首先用的。

西欧封建城市

在西欧，一进入封建时代，即公元 476 年西罗马灭亡之后，来了一个乡村化。原来罗马的城市成为废墟，或者只成为主教的驻节地，失掉经济意义。封建主是住在乡村，建立一个个孤立的庄园。庄园是个有工有农的自给经济，领主、贵族的奢侈品需要也在庄园生产，领主在庄园发号施令，组织军队，修筑堡垒。城市则一片荒凉。原来条条大路通罗马，现在道路也毁了。整个西欧乡村化，政治、军事、经济中心都在庄园。《德意志意识形态》说："古代的起点是城市及其狭小的领地，而中世纪的起点是乡村。"③《批判》说："中世纪（日耳曼时代）是从乡村这个历史舞台出发的。"④ 就是这个意思。直到 11 世纪，商业复兴，才有新城市出现，才又有城市经济、

---

① 《马克思恩格斯选集》第 1 卷，人民出版社，1972，第 56~57、59 页。
② 《马克思恩格斯选集》第 3 卷，第 329 页。
③ 《马克思恩格斯选集》第 1 卷，第 28 页。
④ 《马克思恩格斯选集》第 46 卷上，第 480 页。

城市文明，出现新的城乡对立。

应当注意，这种乡村化的现象只出现在西欧。东欧、东罗马帝国领域并不是这样，拜占庭、阿拉伯世界并不是这样。中国，秦汉以来，也没有乡村化，城市是继续发展的。西欧的乡村化，看来是一种特殊性，是历史的偶然。是历史的曲折、退步和悲剧。不能说封建社会必然是从乡村开始。过去史学是西欧中心论，因为英法德意等资本主义列强都在西欧，便把它们的历史作为世界模式，这是不对的。

西欧的乡村化怎么来的？看来主要是日耳曼人入侵所致。日耳曼人那时还是野蛮人。"在日耳曼人那里，各个家长住在森林之中，彼此相隔很远的距离"。他们的公社，"只是存在于公社成员每次集会的形式中"；这种公社，"不是象古代民族那里那样，作为国家、作为国家组织而存在，因为它不是作为城市而存在"；"在日耳曼形式中，农民并不是国家的公民，也就是说，不是城市居民；相反的，孤立的、独立的家庭住宅是基础"。[①] 可见，日耳曼人是非城市、反城市的森林中的蛮人。他们入侵，自然要破坏城市，招致乡村化。

马克思在《德意志意识形态》中说："蛮人占领了罗马帝国，这一事实通常被用来说明从古代世界向封建主义的过渡。但是在蛮人的占领下，一切都取决于被征服民族此时是否象现代民族那样发展了工业生产力，或者它的生产力主要还只是以它的联合和现存的共同形式为基础。"[②] 所以，又要看被征服地原来的生产力如何。罗马的农业是古代最发达的，但水平还低，比中国差得多。罗马人已知道三圃制，但通行只是二圃制，地中海北大部分还是火种，收获量低。中国在汉代（1世纪），亩产量即合一市亩140斤粟，约为投入种子的5~10倍。罗马（5世纪），大约只有种子的2倍。西欧11世纪农业改良后，小麦才2~2.5倍，13~14世纪才达4倍。主要原因是工具落后。罗马还没有轮犁，没有翻土的犁壁（中国汉代已有，西方要到14世纪）。罗马用地中海犁，称 araire，两个手把，一条横木，硬土要一队牛来拉。但是，《剑桥经济史》说罗马农业发达，但被日耳曼人征服，原因是

① 《马克思恩格斯全集》第46卷上，第480~481页。
② 《马克思恩格斯选集》第1卷，第80~81页。

地中海气候不适用三圃制，被迫休耕，以及森林破坏，牧业不足等（Vol.1，p.136，2nd ed.）。中国也常被蛮族征服，如五胡十六国，在四五世纪，正是日耳曼人侵入罗马时，但没有乡村化。南方出现140万人口的特大城市建康。北方在拓跋魏统治下，有50万人口的洛阳，读《洛阳伽蓝记》，一片繁荣。洛阳屡遭兵燹，屡毁屡建，即因生产力在。元代蒙古族入主，攻陷城池后必屠城，但仍出现城市繁华，见《马哥孛罗游记》。据说，原打算把汉人都杀掉，改为牧场，郝经说不行，忽必烈从其议，建了北京城。

西欧，到11世纪，商业复兴，城市也复兴。首先是原来罗马帝国的城市开始活跃起来。主要在意大利，如威尼斯、热那亚、比萨、那不勒斯、阿马非、佛罗伦萨、米兰。罗马主要是朝圣，商业并不发达。其次是法国南方，如马赛、纳尔蓬、阿尔、尼姆、土鲁斯、波尔多，北方的奥尔良、雷姆斯、里昂，而最发达的是巴黎。德国城市发展较晚，都在莱茵河和多瑙河畔，科伦、美因茨、伏姆斯、斯波耶尔（莱茵）；奥格斯堡、伦琴堡（多瑙）。英国更晚，伦敦、约克；还有些原来罗马驻军地，格洛彻斯特、科尔彻斯特等。cheste（拉丁 castrum）即堡。

但更重要的是新城市的建立。11～13世纪，西欧兴起一个造城运动。国王、领主、大主教等都热衷于造城。城是建在自己的领地上，造城可以吸引商人来，向城市收税，也可推销领地的产品，购买外地奢侈品。造城也是争夺领土的方式之一，更是为了争夺居民。农奴不断逃亡城市，以至领地上劳动力缺乏。各领主都禁止自己的农奴逃亡城市，但又用自己领地上的城市吸引别人的农奴。这在法国尤为普遍。

造城运动在德国最热烈。因为德国的旧城即罗马帝国时代的城市不多，大城市像柏林、汉堡、律伯克、莱比锡、不来梅、马格德堡等都是11世纪以后新造的。而且随即成为北欧商业中心，所谓汉萨同盟，就是这些城市。马克思在《哲学的贫困》中说："德国为了建立城市分离这第一次大分工，整整用了三个世纪。城乡关系的面貌一改变，整个社会的面貌也跟着改变。"[1] 就是指此。说造城运动主要在德国，其次英、法。其实，还是旧城市复兴为多。原来乡村化，是说城市衰落，失掉政治和经济意义，不是说城

---

① 《马克思恩格斯选集》第1卷，第123页。

市没有了，还存在，工商业发展，随即复兴。

11 世纪以来的城市复兴，是什么原因？历来成为史学界争论的问题，有许多学派。波梁斯基的《外国经济史（封建主义时代）》中列举了五个学派，他自己又提出七条原因。这书比较普遍，大家都看过，我不重复。我要说的是：研究历史和研究政治经济学，方法不同。研究历史是根据具体事实说明城市起源。各城不同，原因不一。波梁斯基讲五个学派，只是讲西欧城市复兴，还有其他起源，例如军事起源、交通起源，不在其内。学派集中在对德国城市的研究，因这时德国新建城市最多。有些原因主要是某些城市的事，例如十字军东征，主要是意大利城市。研究历史，最好一个一个城市，或一类一类城市，分析其原因。对各学派，不必用一条杠子去批判。例如领邑论，说封建城市是领地经济的扩大，对某些新建城市说也有道理。但是，在研究政治经济学，像我们讲前资本主义，那就要用抽象法，找出它在经济规律上的共性原因。这就要以马克思的理论为基础，看看是否能有发展。对欧洲城市来说，马克思研究过，也有了结论。但对东方城市，中国城市，他研究得不多，或没有研究，那还大有发展余地。即使欧洲城市，例如东罗马、君士坦丁，马克思也只提到一句。看来，拜占庭商业始终发达，城市也始终发达，这也大有研究余地。但要搞前资本主义，又不能从马克思的已有理论作逻辑归纳，或思辨推论。而必须从经济史出发，从史实出发。先搞经济史，后搞前资本主义。这就回到历史上来。城市问题，又最好是一个一个，或一类一类，进行历史研究。例如，很多人搞了江南城市、江南市镇，还很少人搞其他地区。又如，秦汉城市比较清楚，唐宋反而研究较少。

马克思对 11 世纪以后西欧城市的兴起，仍然是用分工论来说明的。因为在那时，生产力的发展主要表现为分工的扩大。在《德意志意识形态》中说："在整个中世纪里，农奴不断地逃入城市（按：主要是新兴的城市）"，形成行会手工业（上次我谈过），那时手工业者还是自产自销，手工业者兼商人。分工的进一步扩大表现"为商业和生产的分离，表现为特殊的商人阶级的形成"。这首先是在历史上保存下来的城市，随即出现在新兴的城市中。商人的运动，使"城市彼此发生了联系"，形成不同于领地、庄园的城市经济。于是，"生产和商业间的分工随即引起各城市间在生产上的新的分工，在每一个城市中都有自己的特殊的工业部门占着优势"。① 这段分工论，完全是政治经济学的，因而也比较是普遍规律性的，对中国也基本适用。

农奴逃亡形成城市，特别是新兴城市。这是西欧特殊的东西。马克思在《批判》中说："如果说农奴逃往城市是城市制度的历史条件和前提之一，那么这决不是发达的城市制度的条件，决不是它的现实的要素"。② 意思是，农奴逃亡只是城市形成的历史条件，历史上有这么件事，而不是城市制度的现实的要素，在城市制度成立后，这一点，即农奴逃亡"已被扬弃"，不必要了。其实，在历史上，即城市形成上，也只是西欧的问题，不是普遍性问题。

11 世纪城市复兴时，有利于调整领地经济，巩固封建制度。它使领主获得税收，出卖庄园剩余产品，获得货币，购买奢侈品。但是，西欧的城市基本上是工商业城市，城市居民以手工业者为主，渐出现大商人、行东。开始了马克思所说的货币权力与土地权力的对立。他们要求摆脱领主的束缚，要求城市自治，要求行政上独立，这就是 12～13 世纪的行会革命运动，上次我已讲过。这次革命包括城市武装起义，与领主的城市警卫队作战，以至杀戮领主，焚毁领主在城市的财产，等等。寺院领主受损失尤大。他们要求是自己收税，取得审判权，进而成立城市公社，取得政治权。这样，城市就成为封建制度的对立物，招致 14 世纪的农奴解放，最后破坏了封建制度，建立资本主义制度。

城市自治运动发展是不平衡的。意大利的威尼斯、热那亚、比萨等成为真正的城市共和国，成为独立国家。德国的律伯克、纽伦堡、乌尔姆、奥格斯堡，实际上也是独立的，只名义上臣属于神圣罗马帝国皇帝。法国北部的堪伯雷、苏瓦柔、兰城等地成立城市公社，有自己的武装，但法国大部分城市仍属法王统治。英国城市则基本上没有独立政权，仍受领主统治，伦敦也没有城市公社。没有取得政治权利的法国和某些德国城市，也取得一定的自治权，即组织市议会，选举市长和参政员等，管理城市内部事务，但仍向领主纳税。同时，许多城市有了市场法，市场法保护商人，对商业纠纷有审判权。过去，领主、骑士可以任意抢劫、勒索商人，有了市场法，商人又可随

① 《马克思恩格斯选集》第 1 卷，第 57～59 页。
② 《马克思恩格斯全集》第 46 卷上，第 456 页。

意涨价，要挟领主了。

马克思对中世纪城乡关系的概括，见《资本论》第 3 卷第 902 页，即"农村在政治上剥削城市"，"（城市）在经济上剥削农村"：前一句指领主对城市的统治权、审判权、课税权。它是来自土地权力，因城市是在领主的领地上；后句是"城市通过它的垄断价格，它的赋税制度，它的行会，它的直接的商业诈骗和它的高利贷在经济上剥削农村。"这都是基于货币权力。马克思说："资本在历史上起初到处是以货币形式，作为货币财产，作为商人资本和高利贷资本，与地产相对立。"① 这种对立，在 11 世纪以后，是通过城市同乡村的对立集中表现出来。最后，货币权力战胜土地权力，城市战胜农村，进入资本主义。

中国封建城市

前面说在古代，在奴隶社会，中国也是城邦国家，与西方没什么根本区别。进入封建社会就不同了。首先，中国没有一个乡村化过程。如说西周就是封建社会，西周没有乡村化。反而发展出像临淄这样的大城市。据考古发掘，临淄总面积达 60 平方公里，有 11 个城门。《战国策·赵策》，临淄七万户，即 30 多万人，"车毂击、人肩摩，连衽成帷，举袂成幕，挥汗成雨"。若说秦汉进入封建社会，汉代有 19 个大都会，其中有八大市，长安、茂陵、临淄、洛阳、邯郸、阳翟、宛（南阳）、成都，人口都在 20 万以上。长安的规模比罗马城大三倍。

从秦汉起，中国城市就是郡县城市，即城市是各级行政中心。汉有 103 个郡，1578 个县，郡治、县治都建城。唐开元时有 328 个郡城，1573 个县城，长安人口达 60 万，洛阳有 30 万。北宋的汴京、南宋的临安，人口都逾百万。总之，中国封建城市是按历史规律不断发展的。外族入侵时，城市遭破坏，但随即恢复，总的仍在发展。

中国的封建城市，主体上是政治城市，郡治、县治，还有为驻军或为边防而建的城市，都是政治性的。王公、贵族、官僚住在城市，这些人都有大

---

① 马克思：《资本论》第 1 卷，第 167 页。

批仆从、奴婢，以及皇家的工匠、军队，都住在城市，他们都需要消费，买生活用品，这就出现城市商业、城市市场。原来"城"和"市"是两个概念。"市"是附设在城内的交易市场。汉长安有九个市，小城有一个市。市用墙围起来，早晨开市门，下午封闭。店铺只能在市内开。这种市是个消费品市场，这就和西方的城市有性质的不同。

马克思在《批判》中论及亚洲城市，颇为中肯："在亚洲各社会中，君主是国内剩余产品的唯一所有者，他用他的收入同自由人手（斯图亚特的用语）相交换，结果出现了一批城市，这些城市实际上不过是一些流动的营房。"① 在西欧，城市主体上是手工业和商业城市，因而，城乡之间的交换是小生产者之间的交换，即以我的产品换你的产品，这是真正的商品交换，基于分工而来的商品交换。在中国封建城市，也有手工业，但早期是官手工业，"工商食官"，供贵族消费。贵族、官僚及其仆从、士兵到市上买东西，是用"收入"（货币）买小生产者的产品，不是以自己的产品去换，因而不是商品交换。这"收入"哪里来的？归根到底是地租，地租的转化形态，是剥削来的。

马克思在《批判》中又说："在这里，与这些乡村并存，真正的城市只是在特别适宜于对外贸易的地方形成起来，或者只是在国家首脑及其地方总督把自己的收入（剩余产品）同劳动相交换，把收入作为劳动基金来花费的地方才形成起来。"② 这里，由外贸形成的城市是产品交换。由"收入"同劳动交换形成的城市，不是产品交换，也不是商品交换，因为收入是"剩余产品"，即地租，是货币。虽是货币，但不是资本，和商业货币不同。用资本买东西，是为了赚钱，买得愈多，生意愈大、愈富。用收入买东西是为了消费，买得愈多便愈穷。所以，这里虽用货币买东西，却不存在货币权力与土地权力的对立，也不存在城市与乡村的对立。

马克思在《批判》中还说："亚细亚的历史是城市和乡村无差别的统一（真正的大城市在这里只能干脆看作王公的营垒，看作真正的经济结构上的赘疣）。"③ 由于是消费城市，所以是经济结构上的赘疣。由于城市是封建各

---

① 《马克思恩格斯全集》第 46 卷上，第 466 页
② 《马克思恩格斯全集》第 46 卷上，第 474 页
③ 《马克思恩格斯全集》第 46 卷上，第 480 页。

级政权统治的中心——郡县城市，它自然不会要求向农村闹独立，要求自治，因而没有西方那种城乡矛盾，所以是"无差别的统一"。刘潇然译"亚洲的历史是城乡浑然一体的历史"。更确切些：城乡在构成封建制度上是浑然一体的。这话，并不包括城市剥削农民、压迫农民，如向农民征田赋、徭役、镇压农民起义等，那是另一个意义的城乡矛盾了。总之，中国封建城市不是封建主义的对立物，而是封建统治、封建经济、封建文化的中心。

不过，这是指宋以前的城市。宋以后有了变化，坊市制突破了，到处可以开店铺。民间手工业发展了，商业也发展了。出现商业城市、工商业城市。在宋代，大的商业城市先是由外贸出现的，如泉州、汀州、温州、明州（宁波）、漳州等。其后，沿江、沿运河因内贸而发展，如苏州、滇州、建康、鄂州、沙市、荆南、潭州等。明清商业城市继续增多，且其发展速度超过政治城市。如北京，明清首都，最大的政治城市，但人口远未超过百万。而苏州，丝织工业和商业城市，人口直线上升，道光时已逾百万。这样，城市的性质发生变化，有了反封建的作用。

更值得注意的，是市镇经济的兴起，即县以下的集市，发展成为商业手工业的市。镇原为驻军之地，明清以后不少发展为比市还大的商业城市。市镇经济是经济史的一个新课题。近来，我们体制改革中实行市领导县的经济区域制，市镇经济史的研究更有现实意义。这里有几种研究方法，除传统的文献学、考证学方法外，还可以用计量学方法、社会学方法，可作区域研究，也可作比较研究。我国台湾、外国都有人做。

明清以来，尽管中国城市有了变化，但始终未能像 14 世纪以后的西欧城市那样，成为反封建的主力。辛亥革命发生在武昌，几次大的运动发生在上海、北京，但革命还主要靠农村包围城市。这有种种原因，如资本主义萌芽迟缓，工业生产力水平不够，等等。城乡关系也是一个重要原因。中国的城市尽管是新兴商业城市，始终都是封建政府设官统治，没有一个市民阶级。在鸦片战争前，还没有一个真正的工商业城市。汉口镇完全由商业发展起来的，但属于军事政治重镇武昌统治。另外，货币权力也未形成与土地权力争胜负，反而是地主、商人、高利贷三位一体，货币权力与土地权力结合。这些都可作经济史研究的课题，也是前资本主义政治学研究的课题。

中国学者研究近代经济史的新趋向（提要）

中国经济自鸦片战争后发生根本性变化，19 世纪六七十年代的洋务运动尤为转折期。1911 年中华民国的建立在政治上是新的一章，但在经济上不是划时代的事情。因此我请求略改题目，从洋务运动谈起。

中国史学界的研究新趋向是在"文化大革命"之后开始的。"文革"中研究工作停顿，但有些学者转向收集史料的工作，"文革"后出版了一批新史料。因此，我想将报告分为三个部分：（1）新史料；（2）研究趋向；（3）研究方法的趋向。

新 史 料

近年来史料的收集主要有三个方面：政府档案；碑刻；民间文书。

政府档案的收集主要在第一历史档案馆（北京），尤以清代刑部档案的取用最有成绩。检阅了乾隆朝刑部题本近 60000 件，精选有 3800 余件，陆续出版。已出有"清代地租剥削"二卷，包括刑案 399 件。嘉庆朝的刑部档案主要是我们研究所的抄件，未出版。有趣的是，中国学者重视刑部档案，美国学者则专用户部档案。户部档案中有物价报告约 200 万件，美国学者已取用过半，有著作出版。

但是，民国政府档案的利用则令人失望。民国档案存第二历史档案馆（南京），"文革"时由公安部门接管，无法利用。最近始检阅了财政部、交通部、资源委员会档案的一部分。资源委员会的历史已基本编写完毕。唯盛宣怀的档案系存上海，曾经大力整理，已有部分出版。

碑刻资料的准确性胜过政府档案，很有价值。"文革"后出版三种，即上海碑刻选辑、北京工商会馆碑刻、苏州工商业碑刻。以清代为主，但有些包括民国时期。

民间文书范围甚广，出版物也较多。权择其最重要者介绍。

1. 徽州档案　内容丰富，惜分散各地。已出版章友义著《明清徽州土地关系研究》，收有地主收租账 600 余笔，从中发现不少新问题。

2. 孔府档案　包括 600 年的文献，直到 1940 年。已出版"孔府档案选集"二卷，惜删节过多。但经中外学者研究，亦发现不少新问题，有些趋向与徽州档案一致。

3. 满铁史料　新编"满铁史资料"共九卷，附录一卷，一千余万字。已出第二卷"路权篇"、第四卷"矿权篇"。文献丰富，唯对经济计划实行结果记录较差。

4. 汉冶萍公司史料　已出"旧中国汉冶萍公司与日本关系史料选集"一巨册，又汉冶萍公司史二卷已完成。

5. 开滦煤矿史料　已出版开滦工资研究一册，尚有"开滦矿权史料"一巨册在最后定稿。

6. 四川井盐史料　已出版"自贡盐业合同档案选编"一巨册，系收集了合同 3000 余件，精选 850 件，时间到 1937 年。

另外，还有几种丛刊性质的史料：

1. 我们研究所原出版有近代农业、工业、手工业、铁路等史料，"文革"后新出外贸、航运二种。

2. 上海经济研究所出版企业史多种，"文革"后新出荣家企业下册、刘鸿生企业、英美烟公司、江南造船厂等史料。

3. 人民银行金融研究所编写银行史，主要根据档案材料。重要外商银行、国家银行、私营银行均已成册，已出版金城银行一种。

4. 民族工商业史料，原由我主编，出版十种，"文革"后新出二种。现交由上海经济研究所主编，已有十种完成或接近完成。又南通编写的大生纱厂史，武汉编写的裕大华纱厂史，均已完成。

研究趋向

近年来中国学者对经济史的研究，由于摆脱了教条主义和"左倾"思想的束缚，十分活跃，提出不少新问题和新观点。新观点不一定是正确的，因而讨论和辩论非常热烈。下面就几个争论的问题略作介绍。

（一）洋务运动

这是"文革"以后在近代史方面讨论最热烈的问题。已开过三次全国性的讨论会，有250余篇论文发表，还有张国辉和夏东元的专著出版。这问题之所以讨论热烈，因为它涉及研究中国近代史的"中心线索"问题。过去从反帝反封建的观点出发，史学界有一种"三次革命高潮"的理论，即以太平天国革命——义和团运动——辛亥革命作为研究中国近代史的中心线索。"文革"后，有人提出近代中国的根本问题是国家现代化（工业化）的问题，因此提出应以洋务运动——戊戌维新运动——辛亥革命作为研究中国近代史的中心线索。也有人说，过去我们的史学是"革命史学"，今后应是"建设史学"。

这就发生一个对洋务运动重新估价问题，特别是在"文革"中把洋务运动视为卖国运动，估价尤其重要。在重新估价中，大体有政治、经济、思想三个方面。

过去一般把洋务运动作为地主阶级的自救运动。讨论中这个观点没有改变，但重新研究它"求强""求富"政策的价值，出现很大的分歧。政治方面争论最大的是外交政策。因为李鸿章等人的妥协外交和签订不平等条约，无论如何是不能归入现代化概念的。有一种意见认为洋务运动完全是内政问题，外交是国家（清朝）的另一个问题。有人则认为是不可分的。对洋务派人物则分别作全面考察，如对左宗棠一般是肯定的，对张之洞也有新的看法。

经济方面，洋务派确定是建立了现代企业，第一家钢铁联合企业，第一家新式煤矿和纱厂，第一条实用铁路，都是他们建立的。争论问题集中到洋务派企业有无买办性以及对买办性的看法上，意见分歧很大。另一争论焦点是"官督商办"的性质和它对民办企业的作用,观点迥异。这样,又归结到洋务派企业是不是官僚资本的问题,这点我下面再谈。

思想方面,争论的焦点是洋务派是否代表改良主义思想。过去认为康有为、梁启超是继承林则徐、魏源的早期改良主义思想,而与洋务派"中学为体,西学为用"的思想无关。现在则有人主张洋务派思想中也有改良主义的内容,并且不能把它和薛福成、郑观应等人的思想分开。还有人研究了"中学为体、西学为用"思想中的积极成分。

总的看,对洋务运动有由否定到半肯定以至大部分肯定的倾向,尤其在经济方面。

(二) 1927~1937 年国民党政府的经济建设

1978 年起,我所就对这一时期的国民经济状况进行考察,发现过去对 20 世纪 20 年代的经济变化论点过于简单化,对 30 年代的危机言过其实,对"帝国主义卷土重来"的理论有所修正,并基本上否定了民族工商业"破产半破产"的说法。

对国民党政府的经济政策,因涉及政治问题,史学界一直很少研究,视为禁区。但在考察这一时期国民经济状况后,不能不进行研究。1981 年 Arthur N. Young 的 *China's Nation Building Effort, 1927 – 1937* 一书译成中文出版,引起人们的重视。1983 年我召开了一次少数地区学者的讨论会,于是研究渐多起来,但有些论文没有发表。国民党政府这时期的政策是以增加财政收入为主,到很晚才有长期建设计划,这在 Young 的书中也是承认的。因而研究集中在几个具体问题上。

在这方面的研究,中国学者起步较晚,不如日本学者。中国方面的讨论,大体对关税改革是肯定的,着重探讨其具体效果。对法币政策也倾向于肯定,特别是改变了过去对导致通货膨胀的看法,但仍有许多争论。其他财政政策,如田赋转交地方、统税、直接税等,还没有进行研究。

对这时期经济总的评价,在工业和交通运输方面问题不多,而在农村方面讨论较多。据现有资料,20 年代以后农业生产萎缩和 30 年代农村经济破产的论点,还难否定。国民党政府的农村复兴计划,似无实效。

（三）抗日战争时期的西南经济

1979 年起，我所即对抗战时期西南（大后方）的工业发展进行考察，采用战前各种产品价格的办法，较之用物价指数的办法，结果较为乐观。但工业发展的实绩，亦不过战前全国（不计东北）的十分之一二。1984 年，先是军事科学院和历史研究所对国民党军队在抗战中的作用做出新的评价，继之西南几个学术团体对国民党政府的战时经济政策进行研究。1985 年秋即抗战胜利四十周年之际，在重庆召开了全国性的"战时西南经济学术讨论会"。

这次讨论会肯定了战时西南经济"跳跃"式的发展，对于工厂内迁、重工业发展、铁路公路建设都充分肯定。但对它在抗战中作用的估价，意见分歧。对于 1942 年以后的衰退，则主要归之于国民党政府"杀鸡取卵"的财政政策。但对战时通货膨胀问题，看法和过去有异，一般认为并未达恶性通货膨胀的程度。讨论中争论最多的问题仍是官僚资本问题。

目前研究中，对大后方经济的性质观点不一。一种观点认为已经摆脱了"半殖民地"的性质，进入独立自主。相反，有人则强调这时国家垄断资本的买办性，以致有成为"美帝国主义总买办"之说。对于国民党政府的"统制经济"看法也不一致。有人认为只是战时一般的经济管制，并且效率不高，尤其是物价管制。有人则强调其法西斯根源（学自德国）和对民族资本发展的危害性。

（四）官僚资本

官僚资本一词原来没有明确的含义。最早使用这一概念的如瞿秋白（1932）、吕振羽（1936），都是指洋务派企业。抗日战争时期这一词流行开来，是指一些大官僚利用国家政权积累起来的私人资本。1947 年毛泽东提出"国家垄断资本"的概念，而在解放战争中实行的没收官僚资本的政策，则主要是国民党各级政府所经营的企业和财产。因而在经济史的研究中常因概念不清而用法不同。

在近年来的讨论中，大体有三种意见：第一种意见认为官僚资本原是个政治概念，不能用来说明社会经济的性质，主张改用国家资本和私人资本；

第二种意见认为官僚资本的本质就是经济学上的国家资本主义，包括政府投资的企业和具有政治特权的私人企业。因此，洋务派企业和国民党大官僚的企业都属于官僚资本；第三种意见认为官僚资本的实质应该是国家垄断资本，应该专指国民党后期的国家资本。

这个讨论还涉及"民族资本"的问题。民族资本一词的使用更晚，它是相对于官僚资本而言，并且是由"民族资产阶级"一词产生的。在讨论中一个问题是，中国的资本主义是否一开始就有两个资本来源，就形成两个系统？从洋务运动时期的官办和民办来说是这样，而且两者之间的矛盾很显著。但有人认为洋务派企业也产生民办企业，是民族资本来源之一。还有人认为洋务派企业也是民族资本，这是相对于外国资本而言。还有一种看法，民族资产阶级是 1927 年以后从中国资产阶级中分化出来的，因此也在这时才有了所谓民族资本。

研究方法的趋向

中国史学界是以历史唯物主义作为研究历史的基本方法。历史唯物主义的核心是辩证法。按照恩格斯的说法，把观察自然界运动总结出来的辩证法用于观察人类社会运动，就是历史唯物主义。但是，过去史学界在运用这个方法时，过于强调了阶级分析和阶级斗争，以至形成教条主义。阶级斗争是马克思主义的科学社会主义部分的内容，不是马克思主义哲学（辩证法）部分的内容。现在的趋向是改变革命时期的做法，恢复以辩证法为核心的历史唯物主义。相于自然辩证法而言，钱学森把历史唯物主义称为社会辩证法，这是很有见地的。再有，哲学界认为马克思主义的哲学也是要发展的，尤其是容纳现代科学思想，有人正在"重新"解释历史唯物主义，容纳现代的历史观点。

历史唯物主义是一种指导性的思维方法，它并不排斥研究工作中的具体方法。中国史学界传统的文献学方法、考证学方法目前仍在盛行，在发掘古文献和民间文献上都有成绩。国外学者尤其是美国学者用计量学方法研究中国历史，已做出许多成果。中国在这方面落后了一步。但近年来中国学者已注意计量学方法的应用，尤其是青年史学家，并且也主要是用回归分析和相关系数找出关系。不过有人认为，计量学方法所得的结论要有文献学的佐证，否则还难以完全确认。

最近，在经济史的研究上，社会学的方法受到重视，过去这方面的研究限于政府的作用、地主制度和宗法制度三个方面，并主要是寻找它们阻碍社会经济发展的事例。现在有些学者重视社会结构和传统文化的作用，认为一国的现代化过程，决定性因素不是外来的力量，而是内部社会和文化；同样的外来力量，对不同民族会产生不同结果。在这方面的研究中，不同程度地引进了功能学说和行为学说。

由于中国科学院的地理学家对近三百年来中国气候的变化提供了较详细的资料，在农业史方面有利用气候学方法的趋向。还有人强调地理环境和中国大陆边区（大都是经济落后地区）的条件，用地理学方法来研究古代经济史。美国研究中国史的学者所提倡的区域经济的理论，在中国没有什么反应。但是，因为近年来各省、市、县都在修纂地方志，并采取史志结合的办法，对地方经济史的研究引起很大兴趣。

还有几位青年学者试图用系统论、控制论的方法研究中国的历史，主要是封建社会的历史，已有一批论文和专著发表。他们多数结论认为，中国古代社会是一个超稳定系统，阻碍了现代化的发展。对于近代，有人企图探讨半殖民地半封建经济的模式，但还未见成果。不过，模式论证的方法在现代经济史（1949 年以后）已被应用，因而对当前经济有一个模式转换学派。另外，投入产出方法也被应用于现代经济史，其用于古代经济史者（主要是外国学者）则在中国引起怀疑。

在经济史的研究中，比较经济学的方法已引起广泛的兴趣，打破了"就中国论中国"的传统。在封建经济史上，主要是同西欧作比较研究。在近代经济史上，是同西方工业化过程、特别是同日本明治维新的历史作比较。

1986 年 6 月于东京

6 月 18 日在东京大学社会科学研究所座谈会

6 月 21 日在京都立命馆大学人文科学研究所座谈会

关于中国近代经济史的研究

1987 年 9 月 1 日　上海社会科学院

　　两种看法，或历史观。一种是鸦片战争后即沦入半殖民地半封建，侵略日深，"九一八"事变后更到殖民地，工业衰微，农村破产，一代不如一代。其理论根据是半殖民地半封建经济不能自己发展，只有经过社会革命才能改观。而且愈穷愈革命。国外亦有这种理论，叫 Development of Underdevelopment，1978年 Victor D. Lippit 在 *Modern China* 上的长文，1980 年美国讨论中国史之论文集，均用此题。而其结论相反，不是愈穷愈革命，而是必有西方技术和资本援助始能改观。

　　近年来对此种看法提出怀疑。百年来中国经济并非每况愈下，工厂、铁路多了，人口增一亿，说明农业有发展。并且，如无发展，怎能进入社会主义？社会主义需一定的生产力水平。于是出现另一种看法，即鸦片战争以来，已进入工业化或近代化过程，进展极缓，但多少有所进展。王玉茹最近文章，以国民收入及人均收入为标准，1840～1894 年有所增长，1895～1920 年增长加速，1921～1937 年增长最快。即一代胜似一代，二三十年代最发展。国外也有，Thomas Rawski 写民国经济史，分论工、运、金融、财政，即作此观。Leone Brandt 亦然，估计还更乐观些。

　　这就发生一研究近代经济史的基本线索问题，以半殖民地半封建社会为线索，还是以近代化过程为线索。前者给人以每况愈下之感，后者则认为有所进步。这均指宏观。我们研究多属部门、专题，但亦受历史观影响。如研究商业、银行，确是日趋繁荣。按前一看法，则属畸形发展，是半殖民地半封建社会的病态，不正常的。按后一看法，则表示商品经济的发展，乃近代化之正常过程。

兹再谈方法论。非指具体方法，这我有一文载"研究资料"第 6 期。[①] 谈指观察问题的方式，即 approach 模式。过去研究可说有两种模式，即"冲击—反应"模式和"传统—现代"模式。

"冲击—反应"Impact-Response 一词大约始于 Fairbank（1953），但实际早已是如此，即近代中国一切变化均由于西方文明之冲击，洋务运动、戊戌变法、辛亥革命以至新民主主义革命皆由此而来。马克思亦有此观点，视中国原为停滞的、不变的、木乃伊式的社会，西方力量到来才发生变化。西方学者绝大多数人认为西方冲击，从大炮、租界到外贸、外资，对中国都是有利的，使中国走向现代化。其中自有不同学派，但在有利一点上是共同的。李荣昌文章介绍各学派，载"研究资料"第 7 期。[②]

中国人论点迥异，是把近代一切变化都归之于帝国主义入侵，但也是一种"冲击—反应"模式。平心而论，近代一切变化，确是泰半由于西方入侵引起，但非必由西方入侵决定。过去常以为由帝国主义入侵决定，因而一切变化都是坏的，好事也说成坏事。如洋务派企业，因是师夷长技以制夷所致，便无一是处。又如 1932 年瞿秋白论文，认为中国铁路太多，运输力过剩，是帝国主义需要所致。实则当时铁路运输 60% 为煤，次为农产品，均与外贸无关，洋货约占运力 5%；运输力不是过剩，而是不足。

"冲击—反应"模式的最大缺点是完全外因论，违反历史唯物主义。帝国主义入侵是世界性的，马克思所谓按自己面貌创造世界。但各民族、国家之反应迥异，这就由各自内因所决定。Roads Murphey 曾研究中国与印度反应之不同，但他虽比较了中印社会之不同，却主要归之于西方在中国的力量太弱，所谓苍蝇与大象，结果仍是外因论。[③] Francis Moulder 曾作中日比较

---

① 见吴承明《中国经济史研究方法杂谈》，载《中国近代经济史研究资料》第 6 辑，上海社会科学院出版社，1986。

② 见李荣昌《国外学者论对外经济同中国近代化的关系》，载《中国近代经济史研究资料》第 7 辑，上海社会科学院出版社，1987。

③ *The Outsiders：The western experience in India and China*，1977. 苍蝇大象理论见 *The Treaty Ports and China's Modernization*，*What went wrong？* 1970.

研究，她是帝国主义论者，认为中国已完全依附于西方世界，而日本尚有独立性，故中国经济不能发展，其实也是外因论。① Mary Wright 也作中日比较，注重内因。但她所列中国内部因素六七条，都是坏的，阻碍经济发展的。②

近年来，内因论渐抬头，还可举出 Phillip A. Kuhn、Keith Griffen 等。不过内因，不能只限于消极的、阻碍中国发展的内部因素，而应找出积极的、Dynamic 的内部因素。最新的著作是 Paul Cohen 的 *Discovering History in China*，1984，提出中国中心论。研究中国史，就要以中国为中心，对中国近代发生的一切变化，应从中国历史上来解释。

内因是根据，外因是条件，外因通过内因发生作用；毛主席这话是对的。找内因，就发生"传统—现代"模式问题。过去对落后国家的研究，认为有两种经济：一是传统的经济，即农业、手工业等；二是从西方输入的现代经济，即工厂、铁路、银行等。这就是二元经济论。要把传统的经济都排斥掉，变成现代化经济，国家就兴盛了。排斥的方法即劳动力由传统部门向现代化部门转移，因现代部门生产效率高，转移是必然的；这就是 Lewis 的二元劳动力市场理论。Bergère 把中国分为口岸经济和内陆经济，也是这种理论。总之，在"传统—现代"模式中，Tradition 和 Modernity 是对立的，互不相容的；前者是落后的、停滞的，后者是进步、能动的。而所谓传统经济，也就是土经济；所谓现代，就是洋经济。这种模式也就是全盘西化，是西欧中心主义。

在中国又常把一切传统的东西，包括传统农业、手工业、商业、票子、钱庄等都看成是封建的。以至在半殖民地半封建社会中，所有的经济活动不是封建性，就是买办性，没有一件好东西，都应打倒。破旧立新，才有出路。

20 世纪 60 年代以来，发展经济学起了很大变化。一方面有拉美学派、依附论兴起；另方面，突破了西欧中心论：一个国家的工业化，不都是走英国道路，有的是从农业入手，也可从重工业起飞，或者从贸易发家。在史学界，就逐渐批判了"传统—现代"模式。传统的东西不都是坏的，也有能动的因素，如 Dwight Perkins 即认为中国传统社会中，有许多观念能导致现代经济。③

① "Japan, China and the Modern World Economy: Toward a Reinterpretation of East Asian Development ca. 1600 to ca. 1918," *The China Qurterly*, 1979, Vol. 77, pp. 149 – 151.

② *The Last Stand of Chinese Conservation: The Tung-China Restoration*, 1965.

③ *Introduction, China's Modern Economy in Historical Perspective*, 1975.

近年来，这种研究逐渐流行了，即寻求中国传统社会中的能动因素。不过，除中国学者致力于资本主义萌芽的研究外，国外学者主要研究了文化和政治方面。五四新文化中有传统的遗产，毋庸置疑。尤其文学方面，李杜文章在，是不能否定的。戊戌变法、辛亥革命，都有传统思想发展的影响，例如十七八世纪的启蒙学者顾炎武、黄宗羲、龚自珍、魏源等。新民主主义革命更是这样，土地改革、农村包围城市都来自中国传统。唯经济方面尚少研究。上星期在南京开张謇讨论会，伍贻业提出"儒家工业"。儒家思想占支配的地方，如日本、韩国、新加坡，最后都有发达的工业；伊斯兰教的印尼，佛教的泰国、缅甸，就相形见绌。不过，儒家工业之说，还未得到充分论证。

总之，经济史研究，近年来突破了"冲击—反应"模式，突破了"传统—现代"模式，也就突破了西欧中心主义，突破了中国封建社会长期停滞的理论。我认为这都是好现象，是很大的进步。这么一来，打破框框、解放思想、道路广阔、前途无量。

于是，我想提出一种看法，即鸦片战争后，中国经济的发展，本来应当走一条有中国特点的工业化道路，或中国式的近代化道路，像今天我们建设中国特点的社会主义一样。历史是无情地失败了。但失败并不妨碍我们进行研究，总结失败的经验，毋宁是我们的任务。

中国式的近代化道路，就是根据中国特点，不能照搬西方，要把西方先进技术、先进思想，同中国传统中的积极因素、能动因素相结合。

这里首先是对传统的看法，传统的东西不都是坏的，不能一律否定。如传统农业，农史学家认为，中国传统农业的特点就是集约化耕作，所以亩产量特高，世界第一，至今还是世界第一。传统农业有缺点，如与牧畜结合差，结构单一化，等等；但集约化有一点是好的，是能动因素。至今，我们养活十亿人口，还要靠这个能动因素。

同时，不能把传统的东西都看成是封建，或封建性的。一个社会，如封建社会，有它本质的东西，即封建的东西；还有中性的东西，是各种社会都有的；还有异质的东西，即非封建以至反封建的东西。中性的东西总是大量的，如语言文字、科学技术、地理资源，几乎全部生产力都是中性的。有异质的东西才能运动、才能进步，这是系统论的观点。异质的东西也是自始至终都存在着，并有发展。

什么是封建？我认为，就本质特征来说，只有由封建土地所有制产生的与封建地租相联系的才是封建的（指经济方面）。如小农经济，它是与生产力相联系的，生产力达到一定高度，一家劳动可以独立生产经营，就出现小农经济。奴隶社会有，封建社会有，今天还有，即家庭承包。它并不是封建本质的东西。无论是耕种自有小块土地，或是租用地主土地，或是承租集体土地，只要生产技术无重大变革，都造成小农经济。租赋过高会影响小农生产积极性，这是它封建性的一面，但不是本质的一面；资本主义制度下租税过重，或集体所有制度下一平二调，同样影响其积极性。

商业资本、借贷资本，也是各种社会都有，不能说是封建的。马克思说，商业、高利贷资本是最古老的资本形式，是纯粹的资本形式，因为它的运动就是货币增值货币。马克思又提出，在中世纪货币权力和土地权力对立的理论，货币权力最后战胜土地权力，进入资本主义社会。所以，商业资本、货币资本在封建社会中是异质的，即非封建或反封建的东西。到资本主义社会就变成本质的因素。

封建主义商人，如盐商、十三行，具有封建性，依附封建政权。但这是一面，和真正的皇商、官商不同，他们同封建政权更有矛盾。最近汪士信研究徽商，追查家谱，非常深入。徽商大半以盐起家，积累了大量财富，没有投入工业，极少投入土地，嘉庆以后都垮了，大半破产。钱哪里去了？是个谜。看来主要被封建官僚勒索而去。

再以钱庄为例，过去常说它封建。看《上海钱庄史料》，不是那回事。钱庄没有地主开的，它的活动也与地租无关；在贸易中，它的作用超过银行，直到20世纪30年代。外国人称它为 native bank，其实它就是银行。所不同的是不做抵押放款，做信用放款；这不能说是封建性。这是中西文化之不同，西方人讲抵押，犹太人犹然。中国人讲信用，来自儒学，民无信不立。现代最高级借贷也讲信用，例如世界银行、亚洲银行对中国或某国贷款，只能看信用，不能把国土都押出去。

票号做官汇，与政府关系密切。但票号建立起汇兑信用来，不是凭封建政权，是山西人有了信用，保证兑现，官款才存入汇兑。山西人除了讲信用之外，特别讲义。票号、晋商都是东伙关系，东家把资本交给掌柜的去经营，不用契约，不用保人。有的掌柜做赔了，临死还告其子孙，无论如何要

550

赚钱还给东家。这叫"以行止相高，不肯背生忘死"。过去都说是封建性。其实，这也是东西文化之不同。中国有"义利"之辨，不义不立，义然后利。到今天还讲哥们义气。西方是认钱不认人，字典里没有"义"这个字。

我是想说，传统的东西不都是坏的，当然也不都是好的，是有好有坏，有中性的，即不好不坏。把传统都说坏了，是由于在近代中国，传统与现代的对立，变成了东方与西方的对立，土与洋的对立。要走洋的道路，就要把土的统统打倒。

传统与现代是一种辩证法的、历史的选择。人类社会发展中，总是根据自身发展的需要，从传统中吸取和利用有益于自身的因素，抛弃和改造不利于自身的因素。所谓"殷因于夏礼，所损益可知也。周因于殷礼，所损益可知也"（《论语·为政》）。夏商周三代，约两千年，经历原始末期、奴隶社会、封建社会，经历巨大变动；而对于过去，对于传统的东西，就是"损益"，即选择、增新。当然，这是指礼，即上层建筑的东西，经济基础应当也是这样。马克思说，人们自己创造历史，但不能随意创造，而是在"既定的、从过去继承下来的条件下创造"。① 又说，历史的每一阶段，"都遇到有前一代传给后一代的大量生产力、资金和环境，尽管一方面这些生产力、资金和环境为新的一代所改变，但另一方面，它们也预先规定新一代的生活条件，使它得到一定的发展和具有特殊的性质"。② 现在建设社会主义，这是完全新的，但只能是中国式的、初级阶段的，这是旧的生产力、资金和环境"预先规定"了的。

今天是这样，一百年前，鸦片战争后，中国开始近代化、工业化的时候，也是这样。所以我提出，中国近代本来应当有一条中国式工业化的道路。当时人见不及此，今天已成过去，倒可以总结历史了，哪些是对的，哪些是错的，这也就是研究中国近代经济史的任务。

1987 年 9 月写于上海

1988 年 5 月完于北京

---

① 马克思：《路易·波拿巴的雾月十八日》，《马克思恩格斯选集》第 1 卷，人民出版社，1972，第 603 页。
② 马克思：《德意志意识形态》，《马克思恩格斯选集》第 1 卷，第 43 页。

外贸和外资

——在中国革命博物馆的讲座

1988 年 1 月 5 日　中国革命博物馆

　　国际通商和引用外资本来是好事，但在旧中国是帝国主义侵略。因为是在不平等条约下进行的。

　　从外贸来说，第一是开埠。鸦片战争后，1842 年中英《南京条约》开五埠：广州、福州、厦门、宁波、上海。1858 年中英、中法《天津条约》又开九埠，一共开了 105 埠，有些是中国自开的。材料用严中平统计。开埠一事难说。论外贸，就得允许外国人来，有个地方做买卖与居住。过去清政府禁止通商，不能全禁，广州一口通商，于是开埠变成侵略。不过，开埠确有侵略一面，领事裁判权引起租界，成为外人行政乃至驻军据点。

　　第二是海关。包括协定关税和海关行政权。1842 年《南京条约》，进出口税"秉公议定"，即中外共定，失去关税自主权。次年中英《五口通商章程》议定，大约是值百抽五，以后外人一直保持 5%。实际抽税不是按值，因值每批货不同。一批货，如棉布，粗细、花色不一，价值也不一样，无法细算，而是从量。实际不到 3%，是当时世界最低税率。指进口，出口无所谓。进口税太低，等于敞开大门，任何商品都能进来。1902 年为偿付庚子赔款，修订部分，有限。1918 年再次修订。但实际进口税也不超过 4%。1929 年，国民党时期，"关税自主"，实非自主，而是与列强协商，提高进口税，平均提到 10.9%。1931、1933、1934 年再修订提高，最后提到 34.3%，但实际上从量约为 27.8%。

海关行政权，是在太平天国革命中丧失的。1853 年，上海小刀会起义，占领上海县。英领事派兵占领上海海关，宣布领事代征。1858 年中英《通商章程善后条约》，正式规定"邀请英人帮办税务"。从此海关由英国总税务司管理。直到解放才收回管理权。

第三是沿海贸易和内河航行。外贸是中国同外国贸易。沿海贸易，如上海货运天津，天津货运大连，应属国内贸易，但也由外国洋行经管，外国轮船载运。这始于 1844 年中美《望厦条约》，后由 1858 年中英、中法《天津条约》普遍化。内河贸易，如长江，上海货运汉口，应属中国主权。可是，《天津条约》开长江各口，允许英国船通航。内河贸易也由外商经营。

第四，洋行制度，这是实际上丧失外贸权最重要的东西，鸦片战争前广州即有外国洋行，战后集中在上海。每开一埠，洋行随之。外贸全部由洋行垄断。所谓进口，是洋行从国外进口，再在上海卖给华商；所谓出口，是华商将货卖给洋行，再由洋行出口。进出多少，尤其价格，操于洋行之手，赚钱主要洋行赚。这种情况，1920 年后才有些改变，华商直接外贸，但有限。20 世纪 30 年代有进步，但大宗贸易仍属洋行。

以上是特权，中外不是平等互利。现谈实际贸易，主要两问题：进出口平衡，进出何物。两者有关，如我们所需东西，不平衡也可以，现在我们每年有十几亿美元入超。

早期贸易主要是英国〔康熙二十四年（1685）开海禁，乾隆二十二年（1757）广州一口通商〕。1820 ~ 1833 年中英贸易额一千六七百万两，都是出超。英货主要是毛织品，在华无销路，年年亏本。出口丝茶则销整个欧洲，利厚。英运印度棉花来销，仍抵不上毛织品亏损，只好运白银来抵补。19 世纪 20 ~ 30 年代每年运来白银二三百万两，于是用印度鸦片来抵补。

18 世纪初已有鸦片输入，很少。19 世纪初，每年三四千箱（1 箱约等于 1.1 担），鸦片战争前二三万箱，战后再增，19 世纪 50 年代五六万箱。1858 年《天津条约》后，合法化。60 年代七八万箱。甲午战后，因中国自植，减少。到 1910 年以后已不多了。

鸦片贸易是中国耻辱，也是英国的耻辱。大约已有展览，不知据何材料。实际无统计，都是估计，大概用 Morse、班慈德，逐年数字见李康华等《中国对外贸易史简论》。外贸材料，可据杨端六、侯厚培等《六十五年来中国国际贸易统计》。此书权威，但到1928年止。以后可据李康华等书。当然，用关册更好。

海关统计自1864年起。从统计看，1864~1876年有入超，有出超，1877年以后则年年入超，即年年亏损，直到解放。所以1877年是个转折点。但早期统计不准确，主要是按市价，不是按起岸价CIF（进口）和离岸价FOB（出口）。如调整，则有些入超年变成出超。大体1890年前，出入相抵，有入超也不大，这以后，年年入超，不过，这是学术界争论的问题，我们展览只按海关统计。

海关统计，1877年以后年年入超，由每年几百万关两，增至几千万关两，1902年以后增至1亿余关两，20世纪20年代增至二三亿关两，30年代增至四五亿关两，即五六亿银元，损失可怕。但这有个银价问题。长期以来银价下跌。如按金价计算，20世纪初入超约1亿美金，到30年代是1亿多美金，增加并不大。中国用银，外国用金，所以外国人看，增长不大。入超一直占进出口总额1/4强。抗日战争后，入超大增，战后1946~1948年占40%。

长期入超，应当白银外流，以补亏损，实际不然，白银仍内流。1890~1936年，47年，净入超74亿关两，白银净流入4.6亿关两。这是个谜。学者有不同解释。主要问题发生在银价，即汇率上，白银的购买力在国内、国外变化不一致。这个问题学术上有争论，不去管它。不过，有一点可说，中国用银本位，而中国并不产银，自明清起，就靠银进口。不产银，银价也不能自主。这都完全看国际市场。直到1935年法币政策，废除银本位，这问题才解决。

再看进出口商品。落后国与发达国家贸易的特点就是出口初级产品，进口工业品，这里面总要吃亏。初级产品主要是农产品、矿产品、原料，量大价低。工业品是经过技术加工，价高。

早期，1895年以前，出口主要是茶、丝，占出口70%以上，进口主要是鸦片和棉布棉纱，也占70%左右。抛开鸦片，是一种茶丝换棉布棉纱的格局。茶丝是初级产品，但实际是手工业品，而棉布棉纱是机制工业品，价值不能相抵，即中国要以较多的劳动，换回较少的劳动。不过，早期的交换吃亏不大。因为，当时中国丝茶在国际市场上属垄断地位，价格也不坏。而棉布棉纱中国原可自给，是靠特权和倾销进入中国的。贸易基本平衡，乃至出超，吃亏不大。

1895~1920年这一时期，进口方面，鸦片渐趋消灭，主要是棉布棉纱，出口方面茶已无足轻重，主要是丝，加上了棉花。形成了出口丝棉换取纱布的格局，这是典型的殖民地贸易。尤其是出口棉花，在国外加工成纱布，又运销中国。不过，这时期进口的煤油、钢铁、机器、交通工具等增加了，1920年约占进口总值22%；同时，出口的大豆、籽仁、蛋品、皮革等增加了，1920年约占出口总值的30%，形成以农产品换重工业产品的格局。这也是初级产品和工业品交易，价值上吃亏，但钢铁、机器等都是中国发展工业所必需，从使用价值上说，这种交换是有利的。

再下来，1921~1936年这一时期，又有改变。从纺织品系统说，中国棉纺工业有了发展，进口棉纱骤减，1931年以后变成棉纱净出口了，进口棉织品也减少，到1936年已与出口相当，反之，棉花由净出口变成净进口。在这一点上，中国已是工业国，当然，包括外贸纱厂。在农产品与重工业品交换方面，1936年，石油、钢铁、机器、交通工具进口占进口总值33%，农产品出口占出口总值32%。这种贸易格局，不能说太坏。但另一方面，矿产品出口增加了，包括煤、铁矿砂、钨、锑、锡等，这是不利的。如出口铁矿砂进口钢铁，就和出口棉花进口纱布无异，这是工业落后的结果。解放后，我们同日本的第一个贸易协定还是出口铁矿砂进口钢铁，不过，没有特权了。过去，汉冶萍矿砂输日是特权条约规定的，因借日债，日人管理。

外　　资

外资的问题，过去和现在大不相同。首先也是特权。今天我们引进外资，是主权国家利用外国资本和技术，发展工业、交通运输业。过去的外资，是帝国主义国家凭借特权，换取利润。现在利用外资，干什么，主权在我。那时，主权在人家，所以外资主要投在商业、银行、运输方面，占一半左右，而工业投资很少，占不到1/4。再就是借款，那时主要是政治性贷款，占80%强，目的在掌握中国政治、财政大权，而铁路、工矿贷款，占不到1/3，这种贷款也有特权。如贷款于铁路，要掌握铁路工程，以至铁路管理。

现在外资和过去不同，不仅是个有无特权问题，而是流通情况大不相同了。过去外资是帝国主义国家有过剩资本，输出到殖民地、半殖民地、落后国去，因那里工价低，利润大。现在，资本多了，是多元化输出，美国资本向欧洲输出，日本资本向美国输出，各国也相互输出，而输往对象主要是工业发达国家，因为在这些国家有高技术、高利润。过去国外投资是着重劳动力便宜，现在是着重高技术，主要投入汽车、电子、石化、合成材料等。第二次世界大战后，美国仍是最大的资本输出国，60年代以来，它输出的资本中，4/5是输往工业发达国家，只有1/5输往第三世界。同时，美国由于工业比较发达，各国都向美国投资，美国的外国资本，1960年69亿美元，1970年132亿美元，1980年550亿美元，现在美国已由资本输出国变成资本净输入国。现在各国都在争取外资，中国也在争取，但争取不到很多，因为没有高技术。还有跨国公司，过去很少，现在成了直接投资的重要形式。跨国公司约有1万家，一个大的跨国公司在二十几个国家中设有子公司，什么地方利润好就投资哪里。现在，国际资本流通额已超过商品流通额，即资本输出超过外资。资本怎样流通（原来资本流动服从外贸，现在反过来，汇率由资本流通决定，不由外贸）呢？就看各国间利息、币值、汇率变化如何。例如，近来美元跌价，日元升值，日资输往美国，便有利。

我们所谈外资，完全不是这样。当时列强争向中国投资，为争夺投资，划分势力范围，长江一带是美国势力范围，山东是德国，北满是俄国，南满是日本，西南是法国。为争夺投资，各国妥协，成立国际银行团，有四国银行团、六国银行团、新四国银行团。像势力范围，连同租界地（租界地主要是香港）、铁路权、矿权都可画地图展览。

外资没有详细统计，都是估计，重要的有雷麦估计，到1930年，日本东亚研究所估计，到1936年，还有几十家估计。现在运用的是我的一本书《帝国主义在旧中国的投资》，是根据各家估计修正，加上抗日战争后资料，这本书1955年出版，最近我修正了1914年的估计，我们估计，即1914年企业财产原列10亿多美元，改为9.615亿美元，余未动。总的说，各国在华投资见表1。

表 1　各国在华投资的数额

单位：亿美元

年　份	投资数额	年　份	投资数额
1902	8.13	1936	41.79
1914	16.72	1941	90.95
1930	33.15	1948	30.99（日资没收）

最高峰 1941 年，90 亿美元，似不多，但那时美元不比今日。40 年代我在美国，地铁 5 分钱，去年去美国，25 分钱，一般物价增长不止 5 倍，所以合 400 多亿美元。

各国发展很不平衡，这是帝国主义发展规律。19 世纪末，支配中国的是英法俄德四国，并形成英德、俄法两个联盟。各国在华投资比率见表 2。

表 2　各国在华投资占外资总额的比率

单位：%

年　份	1902	1914	1930	1936	1941	1948
英	32.5	32.7	30.4	24.4	11.9	33.6
德	21.0	15.8	5.2	3.3	1.5	—
俄	30.8	15.4	—	—	—	—
法	12.1	11.6	7.4	6.6	2.8	9.6
日	0.1	13.4	41.8	49.8	75.1	—
美	3.3	3.7	8.0	7.9	5.2	44.9
其　他	0.2	2.6	7.2	8.0	3.5	11.9

英、俄都占 30% 以上，德占 20%，法占 12%，日本、美国微不足道。日俄战争后，日本崛起，俄国削弱。1914 年投资中，日已占 13%，俄减为 15%，到 1930 年，日本升到 42%，超过英国，英国仍保持 30%。俄国十月革命，没有资本输出了，德国世界大战战败，也所余无几，而美国上场，不过还只占 8%。以后，"九一八"事变，日本猛增。1936 年，日本已占总额一半。1941 年达最高峰，90 亿美元，其中 52 亿美元是日本在东北投资，连关内日本共占 75%。抗战胜利后，日资全部被没收，没有了。1948 年，只剩 30 亿美元外资，美国跃居第一位，占 45%，英国仍保有 33%，次为法国，其余俄、日、德都没有了（德资也没收了）。所以最后是美、英、法三国。但这时小国出来，比、荷、瑞士、丹麦等等，过去不占什么比重，这时共占 12%。

解放后，我参加处理外资。美国虽占第一位，但主要是给蒋介石借款，我们对借款一概不承认，没有处理问题。企业、房地产投资要处理，仍是英国最多，美国次之，法国再次之。处理有多种方式：管制、代管、转让、征用等等。到1953年都处理完，实际都归我国所有了。不过，法律上不算完结。例如代管，何时发还？征用，外国要求补偿。英国1949年就同中国建交了，未提此事，作为悬案。1972年尼克松访华，中美建交，提出此事。后来中美订立一个协议，一揽子解决。英国也于1987年订立一个协议解决，给一笔钱了结。

在华外资可分三类：企业投资、房地产投资、借款。企业投资占最多数（见表3）。

表3 外国在华投资类别

单位：亿美元

年　　份	1902	1914	1930	1936	1941	1945
企业财产	4.78	9.61	19.77(59.7)	26.94(64.5)	70.80	6.99
房地产	0.50	1.35	4.40(13.3)	6.71(16.0)	11.42	7.89
借　　款	2.84	5.76	8.97(27.0)	8.14(19.5)	8.73	16.12
外资总额	8.13	16.72	33.15	41.79	90.95	30.99

注：括号内数字为所占外贸总额的比重（单位:%）。

企业投资 特点是以贸易为主，生产投资很少。尤其早期，外人来华是做生意的。早期就是开洋行，因做生意必有轮船，早期洋行自备轮船，后来开轮船公司。轮船要修理，每航行一次要修理洗刷。先是木船，1870年以后才有轮船，可以开船厂。早期工业投资就是船厂。随之，贸易要汇款、结汇，于是开银行。所以，投资主要是洋行、银行、轮船。到20世纪初，这三项占企业财产的49%，即一半左右（见表4）。

表4 金融、贸易、运输等占外国企业投资之比率

单位：%

年　　份	1914	1930	1936(关内)
金　融	0.6	16.0	22.6
贸　易	14.2	28.1	29.0
运　输	33.9	20.6	12.4

年　份	1914	1930	1936（关内）
工　矿	16.9	23.4	25.7
公　用	2.7	6.0	9.7
其　他	31.7	5.7	0.6

这点很重要。中国工业发展，不是由外资出来的，是中国人为抵制外国开办的，最早是洋务派，首先开办机器制造，主要造兵器、枪炮，也造各种机器。安庆内军械所创办于1861年，最大的江南制造局创办于1865年。洋人始终没办像样机器厂，因为他们是机器、兵器的输出者。直到日本占领东北，才办机器厂。机械开矿，也是洋务派办的。最早在台湾基隆，1878年投产。最大的开平煤矿，1881年投产。到1900年，中国已有约30个机采煤矿，都是中国人开的，1911年，外国人才在中国开矿，而且是攫取现成的中国已开的矿。钢铁事业，也是中国人办的，最早是贵州青溪铁厂，1889年投产，最大的是张之洞办的汉阳铁厂，1894年投产。外国人不在中国炼钢铁，因为他们是钢铁输出国。1881~1891年，进口增加10倍。唯日本缺铁，日本控制东北后，才办鞍山制铁所，1911年投产，但那已是中国自办钢铁事业22年以后了。

铁路，也是中国人修的，即李鸿章修的唐胥铁路，1880年。这以前，英国人于1876年修了吴淞铁路，但那是个小铁路，仅18公里，用2.5英尺窄轨，像公共汽车一样，只坐人，不运货，一年后拆除。中国一开始就用标准轨，4英尺8.5英寸，85磅轨，运煤，这才是真正实用的铁路。外国人修铁路始于1901年，即中东路，已是21年以后了。

水泥工业，也是中国人办的，最早是1890年李鸿章办的唐山细绵土厂，最大的是周学熙1906年办的启新洋灰公司。洋人不办水泥厂，因为他们是输出者。约1891年英人在上海开了家上海洋灰公司，但那是进口洋灰，造水泥砖，给人铺地板。

基本化学工业，酸碱也是中国人先办的，不过较晚，即范旭东1918年成立的永利碱厂和吴蕴初1929年创办的天原化工厂。外国人不搞化工，因为他们是酸碱出口国，卜内门长期垄断中国市场。英国人早在1862年在上海办了个江苏药水厂，造酸碱，但实际是配硫酸来从中国银锭中提炼黄金，也有银行将纹银铸成银锭。

重工业方面，除造船外，洋人唯一的贡献是电力，先于中国人，即1865年创办的大英自来火房，后来发展成为规模巨大的上海电力公司。造船，则外厂用进口轮机，华厂系自造。

纺织工业也是中国人创办的，即1880年李鸿章创办的上海机器织布局，1881年左宗棠创设的兰州织呢局。

总之，进口替代型工业都是中国人创办的，砖茶、缫丝属出口主导型工业，外人创办。茶无足轻重，丝，英人最早于1861年在上海设（怡和洋行）失败了；1866年又有法国人设，也失败了，1867年美旗昌丝厂，200车，1879年开车，才成功。而这时，陈启沅在广东的丝厂早已生产了，1881年黄佐卿的上海公和永丝厂也建成。

总之，外国企业投资重点在作生意，不是要发展中国工业，到1930年，工矿投资也占23.4%，"九一八"事变后，东北不同，日本是要建立殖民地工业，着重是开发资源，供日本用。在关内，到1936年，工矿业投资额仍只占25.7%，加电力占31.3%（见表5）。

表5 1936年外资工矿业资产（关内）

业　别	资产(千美元)	所占比率(%)
电　力	77645	18.1
造船机器	31573	7.3
矿　业	69813	16.3
以上重工(合计)	179031	41.7
纺织业	132562	30.9
烟草食品	72321	16.9
火柴、肥皂、制药	17521	4.1
皮革木纸	11651	2.7
其　他	15994	3.7
以上轻工(合计)	250049	58.3
总　计	429080	100.0

外国工业投资虽不多，但因中国工业落后，在若干部门具有垄断性。1936年，全国机械采煤量中，外资矿和外国参加投资的矿，占65.7%，全国铁矿砂产量中，外资矿和有日本借款的矿占99%，因为中国大矿只有大冶铁矿，被日本借款控制了。同样，生铁产量外资占96.8%，电力，按设备容量计，关内外资占50.6%，即美商上海电力公司，关外日资占51%。

棉纺,中国最发达的工业,按纱锭计,外资厂占 46.2%,布机,外资厂占 56.4%。卷烟,英美烟公司垄断,外资占全国产量 63.1%。造船,外资厂占产值 57.8%,等等。

房地产投资 属外商企业者已计入企业投资,余为外国房地产公司、教会、机关团体所有。在东北还有日本占据的农地。按价值计,也是英国最大,法国次之,美国又次之。德国不少,因天主教,美国则基督教。教会遍全国,到处有天主堂、福音堂。他们不只传教,还出租房屋土地,但按价值说主要在城市,尤其在租界。租界房地产值钱,是投机事业。其价值是随地产价格上涨而来的,如上海公共租界 2.2 万亩,1890 年值 527 万两,1900 年值 4420 万两,1933 年值 75650 万两。他们的投资也如是增长。应说明,外国没有土地所有权,不平等条约是给永租权,但永租中国就不能收回了,外人把永租的契约叫“权柄单”,经领事馆注册,就可买卖,买来买去,愈卖愈贵,投机发财。

借款 借款始于 1895 甲午战争后。这以前也借外债,周转性质,随借随还。甲午战争,对日赔款 2.3 亿两,清廷拿不出,借外债,英法俄德都争着借钱给清廷,因可获取权利,于是有英德借款、俄法借款、英德续借款,以后外债就多了。外债的统计,以徐义生的《中国近代外债史统计资料》可作权威,但其统计只到 1927 年。国民党时代尚无标准本。大体债款皆外币,折合自不可靠,尤其抗战后。从平均每年借额看,有进步。前言及,82% 以上是军事、财政借款(见表 6)。

表 6　外债统计 (1895 ~ 1945)

年　　份	借款(次)	借款数额(亿美元)	年均借债(亿美元)
1895 ~ 1911(清)	155	18.06	1.13
1912 ~ 1927(北洋)	410	13.08	0.87
1928 ~ 1937(国民党)	14	2.56	0.28
1938 ~ 1945(抗战)	14	26.79	3.83
总　　计		60.49	

在我书中,则不是借款额。因讲投资,如截至 1930 年的外国投资,已还清的借款就不算了,所以是用结欠额,即 1902、1914、1930、1936、1941、

1948 年结欠额。结欠额无统计,我是一年一年估算的(小的毛估),按结欠额,借款用于军事财政,但从结欠额看还是有进步。铁路电信借款所占比重,由 1902 年的 13.2% 增至 1936 年的 42.5%,抗战后便糟糕了(见表 7)。

表 7 外债结欠额

单位:百万美元

年 份	总 数	军事财政	铁路电信	占外债结欠额的比重(%)
1902	284.4	246.8	37.6	13.2
1914	576.0	383.5	192.5	33.4
1930	897.1	540.5	356.6	39.7
1936	814.1	468.0	346.1	42.5
1941	872.9	679.9	193.0	22.1
1948	1611.8	1426.8	185.0	11.5

资本来源 资本输出,实际不然。资本输出是帝国主义的特征。19 世纪还是贸易掠夺,还有重商主义遗风。重商主义就是获取金银,观念是只有金很是财富。方式是武力掠夺,海盗抢劫,都属合法。那时也没什么过剩资本。事实上,外国投资的资本主要不是来自国外,而是来自中国。

先从借款看。前谈,1895 年后开始,三大借款,共 2.7 亿两(4800 万镑),在伦敦借的。这笔钱 90% 在伦敦交给日本做赔款,并未进入中国,但计入借款投资。还有庚子赔款,是最大一笔赔款,4 亿两,当时即计算好利息,共 9.8 亿两,按年付还。我们未计入外债,实际是最大一笔外债。外国人都把它视为借款,中国也叫庚子赔款借款。其他的外债,是在国外发行债券,确实是资本输出,但折扣大,九折以至八五折,还有手续费,等等。实际汇回中国的约 80%,我估计,到 1930 年,中国所借外债债额累计 15.9 亿美元(包括庚子赔款借款),其中实际从国外汇入中国的是 6.3 美元。即 60% 的债权并无资本输入,但要中国偿付。

再看企业投资。早期都是洋行,大洋行如怡和、太古、旗昌等都是鸦片起家,小洋行也贩鸦片。来自鸦片的积累,全自中国和印度赚来,英国人没有资本输出。还有苦力贸易,赚钱不少,没有资本输出。还有冒险家,光杆一个人到上海来,搞投机、诈骗,赚了钱,开洋行,像立德乐、包德、

Major，可举出好几个，白手起家，无资本输出。

开滦煤矿原是李鸿章所办，中国最大的煤矿。八国联军、英军占领矿区，强迫张翼"卖给"英国人，英国没给钱，只给股份等，就成为英资了。基本没有资本输出。东北抚顺煤矿，中国商人所开，俄国派40名兵要合办，就成为俄国投资了。

最大一项是吸收中国人投资。其一是买办，当买办要交保证金，估计1895年前，保证金一项达1亿两。再是华商入股。像旗昌轮船公司，琼记洋行、上海自来水，华股占50%以上；怡和丝厂，华股占60%；惠通银行，华股占80%；怡和纱厂，华股占73%，但无投票权（优先股），全归英国人管理。上海电力公司，1929年由美国向上海工部局收买，代价8100万两，只付了3000万两，而在上海发行1.1亿两公司债，大部分中国人购买。上海电话公司，1930年美商收买，作价1000万两，只付了184万两，在上海发公司债500万两和1400万元，也是中国人购买。

还有一项吸收中国资金最多的是外商银行存款。军阀、官僚、有钱人认为外行可靠，大量款项都存外行，有的不给利息，还收保管费。关税、盐税，因抵外债，规定要存外商银行；外商银行钱主要贷放给外商，基本上不放给华商。贷放不完，移放国外。外行存款，抗战前据说有9亿至12亿美元，也有估计在上海有五六亿美元。

Remer 1930年调查过在华美商，是要一家家填报，报告的公司在中国投资3715万美元，其中从美国汇来共1339万美元，占36%。有许多报告是白手起家，其余64%不是来自中国，就是在华的利润积累。

房地产投资，更是来自中国。从国外汇钱来买房地产的很少，教会有之，但在内地价值不大。价值大的在城市，大都是在中国发了财，买房地产。房地产公司则是买卖投机，积累起来，地价上涨，房地价值也上涨。外国人最初在上海永租土地，每亩约10两，到1930年，每亩值二万六七千两了。

我估计到1930年，外人在华企业和房地产价值24亿美元，到这年为止，汇入中国的企业投资约9.4亿美元，占39.2%，即60%左右的资本是来自中国。[1]

---

[1] 见吴承明《帝国主义在旧中国的投资》第3章第3节，人民出版社，1955，第90~93页。

15世纪以后中国科学技术落后于欧洲的原因

——应李约瑟教授之邀的书面发言

科学技术的发展也和任何发展中的事物一样，有它的高峰和低谷，或周期性运动。但这种辩证法的一般法则，还不能给15世纪以后中国科技落后于欧洲以满意的解释。

传统哲学和思维方法本身的保守性，是科技进步的障碍之一，但它们不是中国科技落后的根本的或主要的原因。宋代是中国科技的辉煌时代，也是儒学或新儒学（理学和心学）登峰造极的时代。中国确实缺乏像古希腊哲学那种逻辑思维方法，例如欧几里得几何学体系，但在代数学方法上，中国是先进的。日本和近代亚洲一些儒学文化地区的发展，也证明这一点。

我以为，解释这个问题要从中国封建社会的整体，尤其是它的经济、政治体系上来考虑。哲学和思维方法毕竟是建立在整个社会经济、政治体系的实践之上的。

科学技术的发展与其说是思维的产物，不如说是需要的产物。它主要来自人民物质生活和文化生活的需要，而作为先导的往往是军事上的需要。

中国较早地废除了领主割据，较早地由农奴制转入租佃制，生产力和商业的发展比较快，11世纪到13世纪，农业生产、基本手工业和科学技术的许多部门都居于世界先进水平，堪称一个发达的封建社会。但也因为这种发达和高度自给性，较好地解决了人民生活的需要，使它具有了高度保守性，缺乏竞争机制。

　　在这个社会中，最重要的是随着人口增长而日益迫切的农业增产的需要。整个明清时代，中国在农艺学方面仍有长足的进步，尤其是集约化耕作和复种、肥料的利用以及国外新品种的引进和推广。直到近代，中国仍是土地单位产量最高的国家；但在工业技术和理论科学方面，由于需要不是那么迫切，相对落后了。明清两代的闭关政策都是出于政治上的原因，但对经济发展起了消极作用。官工业的传统，在早期有集中技术人才和规模效益的作用，但它是皇家自给性生产，它的官僚主义和保守性，直到 19 世纪仍是新科技发展的障碍之一。至于新的科学理论，那是以新的生产方式即资本主义生产关系为基础的。15 世纪后期在中国开始出现的资本主义生产的萌芽，发展极其缓慢，始终未能导致一个工场手工业时代。稍后出现的以黄宗羲为首的启蒙思想，也始终未能形成像西方文艺复兴运动那样激动人心的洪流。

　　西欧在西罗马帝国灭亡后，即逐步形成几个势均力敌的国家和军事集团，在这里发展的竞争变成生存的竞争。军事需要成为促进科技发展的重要因素。中国则很早就是一个中央集权的统一的帝国，和平抵消着竞争。除个别时代（如宋代）外，军事上面对的大都是一些文化和技术较低的邻国，或是揭竿而起的农民，缺少从军事上促进科技发展的 incentive。

　　我想这就是 15 世纪以后中国科学与技术落后于欧洲的主要原因。

1989 年 7 月 25 日

在赵靖主编《中国经济思想通史》第一卷首发式座谈会上的发言

1991 年 9 月 21 日　北京大学临湖轩

我对思想史是外行,来学习。

星期一得此巨著,一口气读完,自是草率,学习则多多。赵靖同志治中国经济思想史 30 年,其余作者也都是行家,对各时代各学派思想都做过专门研究,然后通论,所以体大思精。

体大难,思精更难。孔子一章为例,研究孔子的太多了,有无所适从之苦。本书对孔子思想全面考察,而以两重性来分析,即辩证分析,并以"义主利从"把它系统化,使之一目了然。这是个创造。又如太史公的思想表现零星,怎样"成一家之言",我过去是搞不清的。本书把它集中起来,提出"善因论",再加上"治生之学",就成一家言了。这是个更大的创造。我举孔子、太史公为例,因这两家与我的业务关系较密,其实,本书每章都有思想体系,都有所创造,所以是思精。

体大的难处是时间这么长,学派这么多,怎样一以贯之,才成通史。这个一以贯之的东西就是历史唯物主义。本书的贡献就在于以历史唯物主义的观点和方法,解剖三千年来中国的经济思想,对各学派给以定位、给以评价,成为真正的通史。这是很难能可贵的。通史要全面,以本卷而论,如《周礼》,过去多所忽视;"商家",前人很少研究。今都以一家出现,有点像钩沉之作。这也是一大功绩。

我是搞中国经济史的,想谈点经济史与经济思想史的关系。这两者可说是姊妹学科。本书中，每个时代、学派，都先讲它出现或演变的时代背景，尤其是经济背景，即把每派思想放在当时历史条件上来考评。这就是历史唯物主义。可看出，本书作者对经济史都非常熟悉。反过来，搞经济史的也应当对当时经济思想状况非常熟悉，而事实不尽然。我们培养研究生，我主张要学一门经济思想史，结果大家都选了外国经济学说史。

研究经济史要学习思想史，还因为历史的发展，常是思想先行的。有了康梁和孙中山，才有戊戌变法和辛亥革命。有了马列主义，才有中国的社会主义革命。我们改革开放不是从农业家庭承包开始的，而是从"实践是检验真理的唯一标准"开始的，因为没有思想解放，不破"两个凡是"，是不能改革开放的。今天的改革开放是这样，战国时的变法，西汉初的"与民休息"，也是思想先行。从生产力来说，我国封建时期有三次高峰，考察起来，每次高峰都有思想先行。

说经济是基础，意识形态是上层建筑，谁决定谁云云，不是个时间先后问题。恩格斯晚年，即1893年，给弗·梅林的一封信中说，早年，马克思和他自己都想从经济基础上"探索出"政治观念、法权观念来。这是对的，因为当时是批判唯心主义。但也因此犯了一个错误，即忽视了每种思想都有它独立发展的历史。各种思想归根到底是经济造成的，但不必直接由经济原因造成。第二年，即1894年，恩格斯在给符·博尔乌斯的信中详述了这一点。他说，历史上，政治、法权、思想领域各有它自己的发展曲线，纯粹抽象的思想领域，发展曲线最为曲折。只是长期观察，如把这些曲线做出中轴线，用现代说法即回归线，它们总是与经济发展的中轴线平行的。归根到底离不开经济，这就是历史唯物主义。

据我看，经济与思想、经济史与思想史的关系，有长时期与短时期之分。用现代话说，短时期不能确定相关系数，不能确定回归线的斜率。个别研究是必要的，否则不能精；通史研究是必要的，否则不能找出回归线，不能确定相关系数。看来，经济史的研究是落后了，因为还没有一部通史。经济思想史先行了，有了通史。希望它能给我们经济史做出典范。

国民党经济政策与合作运动

——在"合作总社史"编写组的讲座

1989 年 2 月 25 日

对国民党政策研究原是禁区。讲近代史,从 20 世纪 30 年代土地革命就是反国民党,直到解放战争,打倒蒋家王朝,国民党都是敌人。对敌人只能说坏事,不能说好事,这是政治需要,无可厚非。1935 年钱塘江大桥通车,认为是搞内战,当时我是学生,也写文章反对。1936 年粤汉铁路接轨也是这样,当时是真信的,不是说假话。说在蒋介石统治下,工业破产半破产,也是真信的。1962 年我们搞《中国资本主义发展史》,才开始怀疑。我说,在上海可列出 100 名大资本家,没有一个破产的。

对国民党看法改变始于 1984 年。先是军事科学院研究抗日战争史,提出正面作战是国民党军队,抗战还是有功的。这年春,我在江南小县召开个小会,讨论国民党经济政策,说明不登报、不记录、不发简报、自由发言。有杭州大学一教授,说他开了个课,叫蒋介石,听众踊跃。这次讨论主要是前十年,即 1927~1937 年。

这时,胡耀邦来四川,说你们应当研究国民党的战时经济建设。于是大张旗鼓研究起来,成都西南财经大学、重庆社科所成为两个中心。1985、1986 年召开两次讨论会,对国民党评价大不相同了,西南是抗战经济基地,并且不是半殖民地半封建社会,是独立自主了。后来因为各种原因,研究也停顿了。

研究国民党政策,我是想作而未作。只是有些感性知识,耳闻目见。从感性说，我认为，前十年（1927～1937）大都肯定；抗战时期，要分开说，前三年基本肯定，后五年基本否定。这时我参加国家总动员会议，知道点决策过程，实在不敢恭维。

但研究问题不能凭感性知识，要有客观标准。这也是研究经济史的方法问题，这是说大方法（approach），不是具体方法。

可分两种：一种方法是先确定蒋介石政权的阶级性质，一切政策从此出发。例如，确定它是大买办、大地主、大资产阶级政权，一切政策为此服务。日本人是确定它是英美派，因而，如关税自主、法币政策、资源委员会都是代表英美反对日本的。这种方法，不妨碍有肯定的东西。日本人认为，虽是为反日，也是经济进步。最近接到一本《中国现代经济史》，主要讲国民党，即采此法，但大部肯定。

另一种方法是树立一个经济进步的客观标准，政策符合这个标准，就是好的。标准是什么？我认为，就中国经济史说，从古代到近代，有两个标准：一是生产力的发展，一是生产的商品化、社会化。只要生产力增长，就是进步；生产商品化，由自然经济向商品经济转换，也是进步。过去只注意生产，不注意流通，我看是个错误。我多次强调恩格斯广义政治经济学观点，生产与交换是两种不同职能，各有特殊规律，是"横座标"与"纵座标"。马克思说，有生产才有交换，其实不然。人类在没有生产时（攫取经济），就有劳动交换和物质交换了，几十万年，社会进步都靠交换。国民党时代，有人抱怨商业畸形发展，这是不公平的。那时和现在不同（现在是十亿人民九亿倒），我估计，20世纪30年代，商业资本约为工业资本的3倍。这是理所当然，因为当时交易量中，农产品占40%，手工业品占30%，新式工业品只占10%，洋货约12%。

生产力发展，有工、交、农。最重要的是农业。因国民收入70%来自农业，人口有80%是农民。农业状况为何有决定性？从合作化运动说，关系密切也是农业。不过，我下面再说。先说工业、交通运输业。

1927年至1937年十年，工业总的说是发展的。但其中有个30年代危机。危机时价格下跌，存货卖不出去，工厂停工减产，资本家跳黄浦江，都是事实，我亲身经历。其原因，主要受世界性危机影响，国民党无能为力。这时，国民党已实行关税自主，即提高进口税，1928～1933年提高三次，由3%～4%提到25%～50%，对缓和危机有一定作用，但不够。因1931年以后，各国陆续放弃金本位，中国还死守银本位，金价跌、银价涨，中国吃了大亏。1935年国民党实行币制改革，危机才复苏，1936年大有发展，1937年继续发展。这一套政策：关税自主、币制改革，连同有关的废除厘金、废两改元，我看都应肯定。还有，北洋政府靠外债，国民党靠内债（因借不到外债），内债肥了银行资本，但比外债好些。

总之，这十年工业有发展，问题是增长速度，因为近代工业是新生事物，有生命力，总是有所增长的，政策错误也会有所增长。速度研究，国外有章长基、Rawski，年率均在6%左右。30年代有巫宝三、叶孔嘉，年率约5%。速率不算太慢，甚至超过苏联、日本。但这是因为基数太低。又，这是包括外资（不包括东北）。单就华资说，也差不多。

但是，这种发展不能全归功于国民党政策。工业主要是民营，归功于资本家。如果不是以内战为专业的国民党统治，发展会更快些。这十年，蒋介石与资本家的关系愈搞愈坏，否则，发展更快些。国民党政策，专重财政，不重生产，这一点，杨格也承认。[①] 十年来，关、盐、统税都成倍增加，国库收入由8000万元增至13亿元，增加15倍（不计债款）。增加的钱打仗去了，军费占收入40%。最大支出是蒋桂战争、蒋冯战争、蒋冯阎大战，收买张学良、韩复榘、李品仙，五次"围剿"，但当时国库较裕，负担并不重。

抗战时期，后方大发展。到1942年，以后就陷入危机，每况愈下了。奇怪的是，日本对东北的开发，以及华北、华中的开发，也是1942年达于高峰，以后就每况愈下了。这有个规律。在日本方面，可说是竭泽而渔，终有一天垮台。在国民党大后方，可说是大好机会，政策错误。大好机会，因为战时人力、物力、财力都集中到大后方，受压迫没有了，正是发展经济的大好机会。任何国家都有个战时繁荣，看怎样运用它，运用最好的是罗斯

---

① Arthur N. Young：《一九二七至一九三七年中国财政经济情况》，陈泽宪、陈霞飞译，中国社会科学出版社，1981。原文 *China's Nation-Building Effort*，*1927 – 1937*，*The Financial and Economic Record*，Hoover Institution Press，1971；Parks M. Coble Tr.，*The Shanghai Capitalists and The Nationalists Government*，*1927 – 1937*，Harvard University Press，1980；张公权：《中国通货膨胀史》，杨志信译，文史资料出版社，1986。

福，发战争财，成为世界第一经济大国。运用最坏的是蒋介石，搞德国式的统治经济，什么都据为官办。没有民营基础，官办是行不通的。沙赫特的成功，即将国营建立在大资本集团之上，罗斯福其实也是这样，他们都是采取国家资本主义形式，即向民营加工订货。1944年，罗斯福建议蒋介石成立战时生产部，向民营加工订货。蒋介石不肯，翁文灏局长毫无办法，并且为时已晚，无法挽救了。

交通运输，战时还是有成绩的，湘桂铁路、黔桂路、滇缅路、叙昆路，新建2500公里（有些建后沦陷）。公路滇缅、天宝、西北，不下4000公里。水运，川江。

现在谈农业。农业是小农生产，生产状况如何，和政策关系不大。小农业是老天爷管着，皇帝、蒋介石都管不了。乾隆以来，问题是地少人多，人口压力大，政府毫无办法。修点水利，敌不上一场大旱。政府政策，只能从财政、税收影响农业。明一条鞭、雍正摊丁入地，有利农业生产，但作用有限，因中国历代农业税并不算重。税轻于租。1930年国民党土地法，规定田租不得超过产量37.5%，等于一纸空文。抗战时，革命根据地减租减息。以后土地改革，农民有了土地，50年代粮食产量增50%（1950～1957），这是不得了的。

近代农业生产力有无发展，还是个谜。过去的说法是土地荒废、生产衰退、农村破产，一代不如一代。这里面有政治因素，因为要动员农民起来革命。实际情况如何，却说不清楚。因为农业生产不能统计，外国也是靠选点统计。我国到30年代才有选点调查，而中农所和金陵（卜凯）两系统结果不同。不过，历来学者们的研究，还是肯定民国以来农业生产是有发展的。结论也只能如此。因为，就粮食说，如果没有增长，三五年可以，十年就饿死了。而民国以来人口年年增长，并未减少，抗战时期也未减少。进口粮食，30年代最多时不过2500万担，够500万人吃，不解决问题。最近我搞了个研究，当然都是以前人的研究为基础。就民国时期来说，1913～1949年人口约增23.6%，年率5.9‰。耕地约增16.8%，年率4.3‰。人均耕地减少了，这就是人口压力。但由于各种因素（难详说），压力并不大。农业生产，则以1936年为最高峰。这以前，即1913～1936年，粮食产量约增30%，年率1%强，比人口增长率还大些。而油料、棉花，其他经济作物增长率比粮食更快些，农业生产结构有所改善，商品率颇有提高。就是说，农业生产力和农业的商品化都是有所增进的。

抗日战争以后，糟糕了。到1949年，粮食产量下降22%，年率2%，油料、棉花等下降更甚。不过，这时痛在东北和华北、华中日本占领区，确实饿死人，不太多。不像太平天国战争时期，那时20年，人口损失2000万到3000万（统计6000万）。大后方国统区，有件怪事，即抗战八年风调雨顺，没灾害，归功老天爷。据国民党统计，抗战时期，川云贵开垦荒地约300万亩，西北陕、甘、宁开垦近100万亩。1936～1942年，西南稻谷产量由186亿斤增至254亿斤，增36%，麦产量由90亿斤增至115亿斤，增31%，棉花由6000多万斤增至1.5亿斤，增150%。战时西南人口增加100万，约增1.25%，多的是军粮。国民党在西南确实作了一些垦荒、水利、改良棉种等工作，但主要不能归功于政策。战时人口多了，自然要开荒、灌溉、增加复种等等，主要是民间办的，主要归功于老天爷。

过去我们评论战时国民党农业政策，最大一项是田赋征实，说这是恢复到封建王朝旧制，加重农民负担。从我前面说的"商品化、社会化"标准看，田赋改征实物确是开倒车。但征实有个发展过程，1939年山西征实，1940年福建征实，1941年浙江、陕西征实，下半年，召开第三次财政会议，决定全面征实。为什么征实？临汾战役把粮食市场打掉了，山西军粮只好征实物。后来还要供公务人员粮食。征实原为保证军粮公粮，市场靠不住，通货膨胀。抗日根据地、解放区，一直都是征实，缴公粮，也是为保证军用，解放后到现在，农业税还是征实。国民党征实，原是按原来田赋额折算，但田赋原归地方，这时收归中央，地方又附加。征实以外还定价征购，这就加重了。

战时国民党政策中，一项重要政策是农贷和合作社。后来银行的资金也都通过合作金库和合作社。合作社热闹一时。其效果如何，正是我们要研究的。我是外行，我看效果可说微乎其微。

合作运动最早是华洋义赈会。该会本来是为救济1920年华北五省旱灾，总组织叫北京国际统一救灾总会。救济款主要是买高粱放赈，到1922年还剩下170多万元，就用它组织华洋义赈会，这是简称，全称还有救灾二字。而英文名称就是国际救灾总会 China International Famine Relief Commission,

救灾为主旨。不过，这时旱灾已过，理论是救潜在的灾，因而办两项工作：一是工程，主要是打井、修河、修道路；一是信用合作社。成为中国合作事业的滥觞。

华洋义赈会是外国人创办的，有个好处，就是什么都写报告，印出来，洋习惯。所以资料较全。尽管如此，还要分析，才知实情。日本人没参加义赈会，所以日本人爱挑它毛病。有篇文章叫"透视"，刊在 1936 年 10 月 3 日天津《益世报》，可惜只透视了河北献县的合作社。后来增加河间县，刊在《满铁调查日报》第 19 卷第 5 本（1939 年 5 月）。[①] 1983 年，日本人川井悟写了一本《华洋义赈会与中国农村》，川井是我的朋友。因而我对华洋略有所知。

从它的资金来源看，主要一项是美国政府赠款，从 1922 ~ 1930 年共拨 300 多万元，这是美政府款，但是从美国救灾基金中拨的，每年几十万元，不过九牛一毛。说不上政治作用，只有宣传作用。其次是美国红十字会捐款和各国教会捐款，总的说没什么政治作用。中国的钱，就是海关救灾附加税，1922 ~ 1930 年共 600 多万元，这也是外国人主张，怕北洋政府挪用，故作海关专款，也不发生政治作用。

从该会人事关系看，成立时，总干事美国人艾德敷（B. W. Edwards）、副总干事章元善，后来总干事一直是章元善。成立时是 11 人执行委员会，6 名外国人，5 名中国人：梁如浩（交通总长）、刘芳（牧师）、蔡廷干（税务）、劳之常（津浦铁路）、孙仲英（未详），大都是留学生。而负责合作社的始终是章元善、于树德，卢广锦也在义赈会。不能说合作社是帝国主义的侵略机关，也不是北洋政府的剥削机构，银行未参加，没利、没税，和 20 世纪 30 年代国民党合作事业不同，它是从救济出发，办事的大都是好人。

合作社的实际成效十分可怜。主要搞河北一省，到 1933 年组织不过 400 个社，社员 1.2 万人，发放贷款四十几万元，每年几万元而已。贷款基本用于生产。恐怕还说不上杯水车薪，只能是沧海一粟。

对合作社的批判是地主富农操纵，这是实情。但华洋义赈会的合作社原

---

① Andrew James Nathan, *A History of china International Famine Relief Commission*, Harvard University Press, 1965. 这一资料较完整。

非如此。在 20 世纪 20 年代，义赈会的合作社，河北河间、献县两县有 20 个社、612 个社员，内 492 人是有地 40 亩以下的，包括无地户，占 80%。在北方，这是中农、贫农。100 亩以上的只 22 人，占 3.6%。30 年代的合作社不都是义赈会的了。1935 年，两县 20 个社、435 人，40 亩以下者 222 人，占 51%，100 亩以上者 67 人，占 15.4%。

义赈会对于合作社有个评分标准，评够一定分数的才承认，给予贷款。河北省的社，一半多一点未被承认。这个制度很好，于树德报告说，合作社信用最好的是中农贫农，地主富农信用差些。

义赈会的合作社比 30 年代的好。办的人都是热心农村救济、对农民同情，都有点西方合作主义思想。合作主义思想，从欧文到纪德（Charles Gide），都是改良主义，反对私有制的，不是拥护资本主义的。费边学派也是这样。他们反对阶级斗争，甚至否定阶级，但不能说拥护资本主义，拥护资产阶级专政。不过他们主张从消费合作入手，掌握运销，再及于工业，再及于农业。列宁《论合作制》说合作社性质决定于政权性质，资本主义制度下，合作社是资本主义性质。帝俄时代，合作社发展了富农经济，是资本主义。20 年代义赈会的合作社，一社不过 30 人，每人平均 1.1 股，1.5 元，连同存款，公积不过 50 多元，加上义赈会的贷款，所能支配资金不过 200 元，谈不上资本主义。即使有地富操纵，5 个执委，3 个监委，地富占不了多数，借款者主要是贫农、中农。后来的大合作社，例如 1931 年苏北新华棉产合作社，资本 2 万元，有四五千亩垦地，也许是资本主义性质。抗战时期，陕西有民营五大合作社，招垦民 5.9 万人，垦荒 26.4 万亩。但所招是难民。我们写《中国资本主义发展史》，把它并入农垦公司。发展资本主义是好事，垦荒也是好事。

20 世纪 30 年代，合作社大兴，背景是农村破产。破产主要指金融方面，农村入不敷出。从 1931 年起，物价下跌，进入危机，这是受世界危机影响。东北沦陷，长江大水，农业歉收。跌价中，农产品下跌远甚于工业品，1934 年达于顶点。

      1930 ~ 1934：天津　　　工业品下跌　　　17.2%

                  农产品下跌　　　39.8%

```
上海      工业品下跌        8.1%
          农产品下跌       31.6%
外贸      进口工业品上升   10.4%
          出口农产品跌     36.4%
```

农村，农购价，农售价

```
1930~1933   W. A. Lhewis 15 省   农购价下跌   13.5%
                                 农售价下跌   43.2%
            许仕廉 6 省 11 处      农购价下跌   23.9%
                                 农售价下跌   54.8%
            四川省 11 县          农购价上升    1.8%
                                 农售价下跌   11.3%
            武进县               农购价下跌   24.8%
                                 农售价下跌    30%
```

农村运出产品不足以抵付运入工业品，白银大量流入城市，农村金融枯竭。枯竭情况描写很多，没钱，也没钞票，发地方土票，有的商品也发票。所谓破产，即入不敷出，农村对城市负债。过去认为是农民逃亡，地富进城，把白银带进城市。这有之。但主要是价格关系。

另方面，货币集中城市、集中银行，没出路。因工商业不景气。这就倡导资金下乡，即农贷。合作社同时，农村金融枯竭，高利贷更高，银行资金下乡有利可图。故 20 世纪 30 年代合作社实际是银行资金搞起来的。1928 年成立江苏省农民银行，就开始。到 1930 年在江苏成立 605 个信用社。1929 年浙江省政府与中国农工银行合作，在杭州设行，办农贷，也是搞合作社。1931 年南京国民政府委托华洋义赈会在安徽、江西、湖南放农贷，也组合作社。1932~1933 年南方八省合作社大发展。

真正银行资本下乡，还是商业银行。以陈光甫的上海银行为首。1933 年上海银行设农村贷款部。张公权提倡资金下乡，中国银行办农贷。以后金城银行也是大户。1933 年设立四省农民银行（豫皖鄂赣），专办农贷。它是中国农民银行前身，但这时还不是 C C 系。于是合作社大兴。到 1935 年有 26000 多个社，100 万社员。

合作社功过，大家评论，看法可以不同，有些是肯定的。（1）这时可说杯水车薪。最发达的江苏、浙江、河北，入社户也不过占农户 5‰ ~ 6‰。资金有限，股款不过 200 多万，银行贷款四五百万。合作社利率低，高不过月息 1.5 分，而农村高利贷起码 2 分，但借不到。中农所调查，农民借款 42.6% 来自地富，38.1% 来自商人，16% 来自典当，银行钱庄占 7.9%，合作社仅占 2.6%（在河北省，合作社占 12%）。（2）要评论还是合作社是好事是坏事。如是好事，尽管少，也是个进步；如是坏事，愈多愈坏。

坏事论：（1）地富、土豪劣绅分肥，肥了他们就苦了农民。（2）地方官挪用。（3）政府提倡目的在收税，目的在"剿共"。（4）银行目的在剥削。

好事论：（1）资金多少回流农村，缓解金融枯竭。（2）就借款人说，绝大部分是小额，即贫困户。富农借的是户少额大，100 ~ 200 元，发展资本主义没什么不好。（3）银行，中间剥削确有，但借出利率应当低于高利贷。（4）生产社、运销社、信用社渐增。1935 年，2.6 万个社中，信用社占 58.8%。

这时办社的人不像 20 年代，多是商人意识了。不过，有代表性的是金融资本家。张嘉璈、陈光甫、吴鼎昌等都是新派银行家。参与合作问题的学者还是不少。全国乡村工作会议，第一次会议 1933 年山东邹平，70 多人；第二次 1934 年在河北定县，150 多人；第三次 1935 在江苏无锡，170 人，代表 104 个民间团体，主要是知识分子。1935 年国民政府召开全国合作会议讨论合作社法，也主要是学者，主持人像晏阳初、梁漱溟，都是爱国知识分子。批评方面，如骆耕漠、狄超白评合作社的文章，也不是全盘否定。批判重点放在改良主义上，合作社是改良主义。当时是革命问题，与改良主义对立。改良制造幻想，妨碍革命，所以反对。批判重点集中在改良主义要"维持社会秩序"，这就妨碍革命了。

到抗战时期，大不相同了。合作运动变成动员民众的一环，又是战时经济建设的一环，完全肯定，人也变成联合战线。1942 年刘少奇指示薛暮桥："你们应更进一步与乡村改良运动的团体合作，甚至在组织上与他们合并，成为他们中的一个派别——较有远见的派别。"

战时的工合，完全肯定。垦荒合作社，实际是救济难民，也是肯定的。

信用合作社，已纳入农民银行、合作金库系统，也不反对，并争取四联总处的农贷。但是，仍是杯水车薪。1942 年，四川合作社员约 166 万人，占农户的 40% 不到（《国民政府年鉴》，1944），比重不算小。但是，贷款额太少了。全部银行贷款中，农贷占 5% 左右。1941 年最高，占 8%，其中 85% 给合作社。1941 年给四川的合作贷款约 1.38 亿元，平均每社员 83 元，合战前币值约 6 角（重庆指数，《国民政府年鉴》）。贵州省，1942 年有 10465 个社，社员 62.5 万人，连股金带合作贷款 1896 万元，平均每人 30 元，合战前币值（贵阳指数）约 9 角。1935 年，按 24000 个社，100 万人，650 万元（股金、贷款）计，平均每人 6.5 元。所以实效更不如战前了。张嘉璈在《恶性通货膨胀：中国的经验（1939～1950）》中说："把农贷如此分散使用，即使能到农民手里，也是无济于事。而实际上，绝大多数合作社都是由地主和国民党党部所指定的党员仓促组成的。在这某些实例中，银行的贷款竟被用于囤积居奇，牟取暴利。这些投机活动为农民树立了样板，他们在取得农贷后，也用于囤积居奇而不用于生产。"张是供应学派。

在"纪念辛亥革命 80 周年国际学术讨论会"上的发言

1991 年 10 月　武昌东湖

各位领导、女士们、先生们:

我能参加这样一次盛会,非常荣幸。我对辛亥革命没有专门研究。参加大会主要是学习。

我是研究中国经济史的。提交大会论文是近代中国工业化的道路。辛亥前后中国工业的发展已有专家研究,十分丰富。我文中只用一项简单数字代表,即从甲午到解放前的新式工业和交通业的资本存量。此种宏观计量纯靠估计,正确性自属可疑,也许如哈耶克所说是"伪装精确的知识"。不过,我主要是比较各阶级的新发展趋势,而非绝对数。由于在估计时力求口径和方法完全一致,相对数仍能说明问题。例如我计算,辛亥革命至 1920 年,外国在华产业资本的年增长率约 4.5%,官僚资本 3.8%,民族资本仍保持二位数,10.5%,大体是合理的。

我文的目的不是研究中国新式工业和交通业的发展的过程,而是在当时条件下中国工业化可行的道路。在辛亥革命后,中国已是个二元经济结构的国家,既有汪洋大海的传统产业,也有一些引进西方机器建立的新式产业。中国有高度发达的传统农业,以家庭为单位的集约化农业有很高效率,单位产量为世界冠,食物自给,也有高度发达的传统手工业,产品精湛,自给有余。这就决定了在中国,机器不能轻易取代手工。中国的工业化必须走与传统产业协调发展的道路,而不能一举取而代之。一方面,传统是个巨大的力量,任何新事物都不能不尊重这个巨大的存在;另方面,我国传统产业也和传统文化一样,有它落后的东西,有糟粕,但也有精华,对中国工业化来说,有它积极的、能动的 dynamic 因素。因而,我认为,从长期来看,中国的新式产业可以与传统产业协调发展,由低水平的均衡到高水平的均衡,由无序到有序。这是我文的主旨。这与刘易斯的二元经济模型是不同的,该模型把传统产业看作完全消极的东西,只给新式产业提供无限劳动力。也与第二次世界战后在美国流行的传统—现代模式或范式 paradigm 不同,该范式把传统与现代看成是完全对立的,而且互斥的,互不相容的 exclusive,我认为这两种模式都不适用于中国。

我文从新式产业与传统农业、新式产业与传统手工业两方面来论证上述论点。

我国的传统农业有很大的潜在生产力。这是因为以家庭为单位的集约化耕作有很高的效率,亩产量为世界冠,并且,在边际生产率不提高的情况下仍能提高总产量和剩余量。在旧中国的政治腐败和外国势力的压迫下,这种潜在生产力不能发挥。它是在 20 世纪 50~60 年代,特别是在 80 年代家庭承包制下才发挥出来。在旧中国,潜在生产力虽未能发挥,它的现实生产力即历年产量,仍是有所增进的。增进很慢,年率也许不过 0.5% ~ 1.5%。但是,经济作物的比重增加,由 19 世纪占农产总值的 10% 增为 1920 年的 17%,1936 年的 23%,因而,能够满足当时工业发展对农产原料的需要。实际上,它也能满足工业化对粮食的需要。我不相信在中国,有一条 Fei-Ranis 的所谓粮食短缺线。进口的粮食确实增加了,但那是由于帝国主义不平等条约所造成的大口岸经济的结果,全国合计,粮食是够吃的。

传统农业对工业化最大的贡献是为工业提供积累。任何国家的工业化都依靠由农业提供原始积累。主要是通过工农业产品的不等价交换吸取农业剩余。我没有能计算在中国它提供了多少。但从工业发展最兴盛的两个阶段看,即 1913~1920 年、1926~1931 年,工农业产品的差价,即剪刀差,扩大了至少 30%。因而,农业对工业的资本帮助是很大的。不过,由于封建地租占据了几乎一半的农业剩余,农业提供资本的力量没有充分发挥。造成工业资金缺乏。这也是在解放以后,土改以后,农业对工业的巨大贡献才可充分发挥出来。

再看手工业。鸦片战争后，洋货入侵，有 8 个手工行业遭到摧残。但除手工纺纱外，都不重要。据我考察，鸦片战争到 1920 年，绝大部分手工行业和手工业总产值都是增长的。并且，机器工业发展最快的时候，也是手工业发展最快的时候。就是说，两者的互补作用大于两者互斥作用。旧中国发展最快的是棉纺与面粉。机器棉纺织，最初是主纺粗纱，用以供手工织户，这就能迅速扩大市场，积累资金。到 1920 年，机纱已占有纱市场 52%。这以后，转向机器织布，到 1936 年，占有布市场的 57%。这时，洋纺进口绝迹，洋布进口也很少了。棉纺发展得力于手工织布，尤其是高阳、淮县等新土布产区和手工布厂的出现。这是垂直互补。面粉业是 20 世纪初建立的。1913～1936 年，机制粉由 4700 万包增至 1.23 亿包，而同时，手工的土磨粉由 1.66 亿包增至 1.72 亿包。在机粉发展中，先是一种半土半洋的火磨，后来才用全洋的滚筒法，即洋磨，其实不是磨了。这种半土半洋的火磨的产量也由 1913 年的 90 万包增至 1936 年的 1476 万包。所以，是洋的、土的、半土半洋的三者并进，形成水平互补。这样，1913 年进口洋粉 260 万担，到 1936 年只进口 51 万担了。手工业不但帮助了机器工业的发展，而且在进口替代、抵制洋货上，也有其积极作用。

手工业的积极作用还表现在它能够通过工具改良，逐步过渡到新式机器工业。如丝织业，原是用投梭机，后来引进平拉机，再改用脚踏铁轮机，最后改为电力铁轮机，就机械化了。类此有好几个行业。

但是，在旧中国，手工业的这些积极作用却受到限制，发挥不出来。它受到腐败政治的限制，还受到大口岸经济的限制。30 年代，有许多著名的经济学家如方显庭、马寅初、刘大钧等，提倡农村工业、内地中小工业、工场手工业，但在大口岸经济的压力下，无由实现。张謇曾努力建立乡土工业，包括农、工、商、轮船、银行的南通实业体系。但最后败于大口岸经济之手，大生纱厂被上海银行家接管了。大口岸经济是以洋行、租界为背景的殖民地型经济，它是与农业脱节的、甚至与农村对立的。在中国，脱离农业基础、脱离农村的工业是没有生命力的。大口岸经济虽喧赫一时，终少成就，是故在此。

在我看来，中国的工业化不能全盘西化，也不能全盘苏联化，而应当走自己的道路，中国式的工业化道路。这就是利用传统经济的积极作用，与传统经济协调发展，逐步过渡的道路。在半殖民地半封建的条件下，这条道路没有实现，也可说是失败了，败于大口岸经济之手。但解放后的情况，给我们很大启发。解放后，在 50 年代行之有效的多种经济成分并存的战略方针，就是这样一条逐步过渡的道路。这条道路后来因故中断，但 80 年代又重新兴起，大放光彩。

我的话完了。谢谢各位。

从社会主义市场经济的角度
来研究私营经济

——在个体私营经济健康发展政策研讨会大会上的发言

1992 年 8 月 19 日　香山饭店

今天听了几位同志的大会发言，非常受益。我们这个会是讨论政策的会，同时也涉及理论，在有关私营经济这个问题上，我是很难讲话了，因为我完全是外行。我过去搞过一点私营经济的工作，我第一个工作单位就叫作"中央私营企业局"，第一件工作就是制定私营企业条例，不过那是 30 多年前的事了，和现在完全是两样。我对于现在私营经济的一些问题完全不懂，今天来了，主要是学习，所以只能讲些空话。

我们这个会是从政策、理论的角度出发的，政策和理论都是从实践中来的。这几十年我们在经济实践中有一条经验，就是需要多种经济成分并存。20 世纪 50 年代，我在私营企业局工作，当时曾打算实行单一经济，后来看不行，搞来搞去，还是需要多种经济成分。这一点，至少在社会主义初级阶段是这样，在高级阶段会怎么样，现在还不知道。

20 世纪 70 年代，勃列日涅夫说，苏联是发达的社会主义，但是它也有私营企业，不过是地下的，也有人称之为"合作"，相当于我们现在的"假集体"。历史上多种社会经济形态都是多种经济成分并存的。我研究过中国的封建社会。在封建社会，真正的封建经济大约占国民生产总值的一半还不到，但是它还是占主导地位的。资本主义社会也是这样。马克思的《资本论》采用抽象法，把非资本主义的部分都抽象掉了，专门研究资本主义。古典经济学里边，如德国学派西斯蒙第等人的理论中，就不是单一资本主义经济，因为它本来的社会经济构成就不是这样的。所以，现在私营经济的存在，是一个客观现实，不是谁说一句话的问题，也不是党的什么政策所促成得了或消失得掉的，它是国民经济的发展所决定的，是实践所决定的。现在说政策一百年不变，一百年以后是个什么样子，仍需要看将来的实践情况。私营经济是一个社会现象，它是客观存在的，这就需要研究。现在我们理论界对私营企业有专题研究的，今天发言的张厚义同志、晓亮同志都在搞这样的课题。但是总的来说，现在经济理论界很不重视私营经济的研究，我认为这是一个很大的缺陷。

现在的理论界好像很喜欢研究宏观经济，不喜欢研究微观，尤其是一些青年学者，特别是学校的学生。而我认为私营经济的研究却是要从微观入手的。再说许多政策问题，也是属于微观经济范畴，市场经济的本身也属于微观经济范畴。今天我们终于承认市场经济了，其实社会主义市场经济在20世纪60年代末就提出来了，但一直是被批判的，更没有人去真正地研究过它，真正研究它应该说是从现在开始，而且可以说是从中国开始，因为苏联已经解体了，实际上已是不可能研究了。

我认为，私营经济不是新的东西，它自古就有，从战国时期就存在。而社会主义的市场经济却是一个新的东西，其历史也不过是10年，因而从社会主义市场经济的角度去研究私营经济也将是一个新的课题。我认为研究的角度和出发点很重要。私营经济现在是客观存在，从纯理论的角度来看是一回事，从市场经济的角度去看却是另一回事。纯经济理论，也就是马克思主义经济理论，是抽象化的，是从范畴入手的，如从所有制、价值论、剩余价值的生产等方面入手的，如果我们仍然这样去研究的话，结果都会是空洞的。而市场经济是一个实践过程，特别是社会主义市场经济，还没有人把它抽象到哪一个范畴之中去，所以我们从实践入手去研究，这才是真正有效的研究，才真正能解决问题。我今天的讲话没什么题目，我的中心意思是说：我们对于私营经济要认真地来研究一番，尤其在我们理论界；而这种研究一定要从实践之中来，要从社会主义市场经济的角度来研究。

市场经济包括竞争、分工，竞争的结果就是分工。今天听到的一些政策性问题，如起跑线问题、公平竞争问题、私营企业的经营范围问题都是属于市场经济的产物。市场经济的机制也是我们研究的一个问题，如税收、税率、信贷、利息等问题，都是我们今天私营经济健康发展所必须研究的问题。总之，我们要把社会主义市场经济作为一个出发点，作为我们看问题、研究问题的一个重要方面，这样研究的结果才能有用。

在"纪念卢作孚先生百年诞辰会"上的讲话

1993 年 10 月 10 日　成都

各位首长、来宾、同志们：

今天能参加这个盛会，十分荣幸。曾记五十年前（1941）我曾有幸见过卢先生，亲聆宏教，至今印象犹深。卢先生是实业家，也是教育家；主张培养人才，并对民生公司进行全员培训，即每个职工都是先培训再使用。这一点我想是十分重要的，用今天话说，就是人力投资。六年前（1981）我在南京参加张謇先生国际学术讨论会。张先生也是实业家，又是教育家。他说实业是教育之母，教育是实业之父。张謇办了 20 多个企业，卢作孚先生投资 95 个企业，同时，他们都办教育，设学校，办图书馆、博物馆。在发展中国家，要提高群众文化水平，提高劳动者素质，企业才能办好。过去经济学家都遵守亚当·斯密的教条，以土地、劳动、资本为生产三大要素。到 20 世纪 60 年代，西奥多·舒尔茨提出人力资本理论，认为资本不只是物质的，还有人的素质，因此获得诺贝尔奖。其实，张謇先生、卢作孚先生早就提出过了。

当然，时代不同，要求也不同。卢先生当年提出"民生精神"，包括爱国主义、爱企业、做人做事的道理。今天，还要讲社会主义，用今天话说，就是物质文明和精神文明两手抓。昨天晚报，刊登成都长城特殊钢公司开展企业文化建设，提出"长钢精神"，内容很丰富，符合时代要求。科学是生产力，精神文明也是生产力；物质是资本，人的素质也是资本。不仅是企业家，在当前"下海"高潮中，每个人都要把好精神文明这一关，提出这点看法。

祝贺大会圆满成功！

谢谢！

在"近代市场与沿江发展战略研讨会"上的发言

1994 年 5 月 11 日　吴江

　　人类文明总是发源于大河流域，因有灌溉、有水运、有市场。进步来自分工，分工度受市场范围限制，亚当·斯密这个命题至今受人尊重。萨伊定律是在重商主义开拓大市场时有效，今天不行了。

　　经济增长，说到底要看资源利用是否合理，即资源配置优化。全都优化，所谓帕累托最优，是不可能的；但逐渐优化，或局部地区优化，历史上常见。当然也有劣化时候，经济衰退。

　　资源配置有二途，一靠计划，一靠市场。计划结果总是比例失调，我们多次调整，还是失调。苏联计划时间长，失调也厉害，最后崩溃。回过头来，还是靠市场机制。

　　今天的问题是：刚由计划转入市场，市场发育不全，尤其要素市场太弱，机制不起来，资源调配还得靠计划。是否这样呢？让我回到本题——经济史。

　　我刚看到一篇研究近代市场的博士论文，给我印象是：近代市场发育很不健全，要素市场更差。但是，由于市场不断扩大，海外交易扩大，资源配置是有变化的。我还看到三篇研究明清经济的论文，一是苏州，一是无锡，一是江南。三地都是在不改变传统生产方式和技术下，改进了资源配置或合理利用。关键在于利用了长江这个天然大市场，开拓了与外省、外区以至海外的交易。

欧洲工业化，过去强调工业革命，有大机器。第二次世界大战以后，观点改变，强调 16、17 世纪的重商主义，开辟世界大市场。马克思说过，西欧 16 世纪已是资本主义了。那时是商业革命，也叫价格革命，市场迅速扩大，导致工业革命。

其实，19 世纪德国历史学派早有这种观点，B. 希尔德布兰德，尤其 K. 毕歇尔都是。20 世纪 70 年代，J. 希克斯的《经济史理论》正式提出"市场经济"，世界经济史就是由习俗经济、命令经济向市场经济转换的过程，转换成功就现代化了。80 年代，D. 诺斯的经济史理论把市场经济上推到古代，加上个产权和交易费用，产权逐渐明晰，交易费用降低，市场就现代化了。

马克思提出人类社会进步的五种社会经济形态，但也提出可以越过"卡夫丁峡谷"。中国实际上就是越过资本主义社会进入社会主义的。但历史可以做出结论：资本主义可以越过，市场经济则不能越过。越过了，还得回来补课。

市场经济何意？各有各的说法。适应我们当前需要，我们说要"建立市场经济"，是指能调节生产、调节资源配置的市场，不是指有买有卖的市场。也就是说，是指现代化市场。希克斯《经济史理论》所说市场经济，即指现代化市场。但是，在欧洲史上，他列出一个"市场渗透阶段"，长达四五百年，即市场原则"渗透"到国家、法律、信用、农业、劳动制度等各个方面，即对各方面加以改造，才成为现代化的市场经济。

这种市场经济的机制作用是通过相对价格，或均衡价格。均衡价格即各要素的边际生产力相等。如劳动力在和部门的边际生产力相等，即工资相等或相近，劳动力就调配好了。从经济史角度看，资本存量（包括资源）是增长的，因而相对价格是变动的，需要调整到新的均衡，即经济增长。知识存量也是增长的，参加市场调整，因而增长的方向是进步的。

不过，这只是理论，而且只是一派（新古典）的理论。理论总是不可靠的（熊彼特语）。即专就理论说，资源配置也不是完全靠市场，而有社会、文化等因素，并且必然有国家干预，我们叫宏观调控。即就市场机制说，也不完全靠价格，因为价格信号系统之外还有非价格信号系统；均衡价格之外还有非瓦尔拉斯均衡；看不见的手之外还有看得见的手；平行交易之外还有垂直的、等级制的交易；等等。

不管理论上怎么说,现代化的市场在美欧日本许多国家是存在的,是看得见摸得着的。以此为模式,我想在经济史的研究上要注意两个问题,即商业发达不等于市场发达;商品经济不等于市场经济。

我国历史上商业一向是发达的,但不等于市场发育完全了。商业发达因为赚钱多,赚钱多因为交易量大或利润率高。交易量大不一定是市场功能完备了。一两种商品就可造成很大交易量,但不能形成均衡价格体系。利润率高,那正表示市场机能不发达,没有起边际成本的作用。

我国商品经济一向是比较发达的。我在过去文章中曾强调要区别:是使用价值的交换还是价值交换;是剩余产品的交换还是为市场生产商品的交换;是征课引起的单向流通还是生产者之间的双向交换。如果是在"还是"字样前的交换,那就谈不上市场经济了。在"还是"字样后的交换,是受市场价格调节的。但还要区别是小商品生产还是规模经济生产,因为前者是以谋生为主,贱价也得卖,后者是以谋利为主,受边际利润的支配。

在现代化市场概念中,要素市场非常重要,它在历史上几乎是不存在的。直到20世纪30年代,土地买卖还是偶然性的,没有土地市场。劳动力市场还是点,没形成面。金融市场是不统一、非全国性的,资本市场几乎没有。信息、技术市场也没有。

话说回来,资源调配、经济增长不一定靠市场,尤其不一定靠现代化的市场。但我们研究经济史时,要分析其原因,不要统归之于"市场经济"。目前研究商业史者甚多,可喜现象。但研究市场史者还甚少,似宜提倡。研究市场史,不宜只研究交易量、流通路线等,而要研究市场的功能有何变化。尤其要研究价格史,没有价格变化,就看不出市场功能。欧洲经济史17世纪以前是一片糊涂,因无统计。但有13世纪起教会庄园记的物价,14世纪起有英法官方的物价统计。从相对价格中推算出13~17世纪欧洲农业生产的三盛两衰,以及其他产业的兴衰过程。这门学向由 W. Abel 首创,由著名经济史学家 A. P. Usher 完成,载入《剑桥欧洲经济史》第5卷,是一门了不起的学问。希望我们商业史学会的同仁注意价格史研究,功莫大焉。

在"中国近代史研究的历史观和方法论问题学术讨论会"上的发言

1995 年 6 月 6 日　中国人民大学

　　历史观即历史哲学，指一种世界观，对历史发展一般规律（或无规律）的看法。我们研究具体历史，如中国近现代史，唯一根据是史科，历史观只是方法。恩格斯说，马克思的整个世界观都是方法；列宁说，历史唯物主义是方法。

　　历史观也是发展的。马克思之前有黑格尔，马克思之后有汤因比的文明史观、希克斯的经济史观。他们都未能超过马克思，但在若干问题上可以补充马克思。马克思的历史观主要来自欧洲经验，汤因比是文明多元论，突破欧洲中心主义。30 年前，他预言 21 世纪将是东亚人的世纪，中国将成为政治中心，这在当时是惊人之语。希克斯提出人类历史由习俗经济、命令经济向市场经济过渡，会有反复。欧洲曾有过大反复，出现中世纪乡村化。中国也有反复，魏晋南北朝，近 400 年，又有大反复。

　　在中国近代史研究中，我们常把近代化等同于资本主义化，特别注意资本主义萌芽、资本主义工业的发展。这是从马克思的五种社会形态来的。五种社会形态是一种历史哲学，马克思说过，其特点就是"超历史"的，而不是真历史。真历史，有的民族没经过奴隶社会，美国没有封建社会，事实上，中国就没有经过资本主义，而是越过"卡夫丁峡谷"到社会主义的。但是，我们的经验，资本主义可以越过，市场经济却不能越过，越过了，还得回来补课。去年，在两次讨论会上我曾提出，不要花那么大力气去研究资本主义萌芽，不如研究市场经济的萌芽，也就是希克斯的历史观。

为什么市场经济不能越过呢？按古典经济学理论（这种理论对研究具体历史来说也是一种方法），经济的发展是由于分工和专业化提高了劳动生产率，而分工和专业化是因为通过市场交换，获得比较优势。按照希克斯的说法，市场发展到一定程度，出现专业商人，就需要有明晰产权、维护合同的法律和信用制度，需要改革政府财政和行政制度，为了发挥市场合理调配资源的作用，农产品和劳动力也必须商品化。这就是市场经济了。

其实，马克思早就有这种理论。马克思在《德意志意识形态》中有一篇"交往与生产力"，讲16～18世纪的欧洲，由于市场扩大，出现"特殊的商人阶级"（指不受行会约束的商人），导致城市分工和工场手工业兴起，随着商业竞争、商业政治化，引起法律、政治的变革，最后出现机器大工业。马克思在《资本论》"商人资本的历史考察"一章中重复了这种观点。值得注意的是，马克思在这里几乎不提"资本主义"，而提"现代生产的发生"。现代生产发生于市场经济，至于是否资本主义组织，是次要的。

按照马克思的历史哲学，生产力是内容，而封建主义、资本主义等生产关系是形式。内容决定形式，其实也不尽然，一定的生产力可容纳于不同形式。从形式说，大约除了原始社会外，人类各种文明社会都是多种形式即多种经济成分并存的。单一的资本主义不曾有，单一的社会主义所有制也长不了。今天我们又回到多种经济成分并存了。这并不妨碍现代化。

按照马克思的历史哲学，经济是内容，上层建筑是形式。经济基础决定上层建筑，但不能鼓瑟胶柱。上层建筑的历史继承性远大于经济基础。今天我们国家的政治制度、法权思想、个人与集体关系、道德伦理观念，很多还是继承儒家的，或儒表法里，而不是西方的个人主义、个人民主、代议制等。过去把儒家文化都看成是封建的，不能工业化；其实不然，四小龙就是证明。

1883年恩格斯写信给弗·梅林，说政治、法权观念和其他一切思想观念，都有自己独立发展的历史，宗教尤其明显。他说，当初马克思和他强调从经济基础上推论政治、法权、意识形态，这是对的（因为那时是批判黑格尔唯心史观——我按），但也犯了个错误，即因内容而忽视形式的错误。他说，这实际是个因果关系论问题，他批判了那种把原因和结果"非辩证地看作永恒对立的两极，完全忽略了相互作用"。

因果关系，是历史研究中一个非常重要的方法论问题。恩格斯主张辩证地看因果关系，不能绝对化。不能绝对地说甲决定乙，因为乙也作用于甲。但后来的客观因果论，以《唯物主义和经验批判主义》为代表，确实绝对化了辩证的因果论，作为方法论，用于历史研究有个困难。因为历史是有时间顺序的，前事为因，后事为果，不能换位，这就是休谟所说的习惯因果关系。但是，中国传统史学所说"事有必至，理有固然"，是从历史经验和逻辑推理两方面来确定因果关系，也包括了休谟的习惯因果论，我觉得是可取的。20 世纪 50 年代以来流行于美国的逻辑实证主义，则反过来，先用逻辑推出结论，再用历史去证实或证伪，常把事情弄得支离破碎，我看是极不可取的。

附识：据我观察，这是从批判自由主义思想为中心的一系列讨论会。先是讨论经济学问题，我以"我不是经济学家"婉谢参加。后讨论历史学，我不能谢绝。会上，批判集中于外国和港台出版的当代史著作。戴逸代表中国史学会发言，做了个工作报告。我被视为代表中国经济史学会，发言如上。

1999 年 7 月 20 日

此会系由国家教委高校社会科学发展研究中心和北京市历史学会具名召开。

中央电视台、南通电视台
录像 "张謇" 解说词

1995 年 6 月 19 日

张謇的实业救国是一条中国式的工业化道路。南通原是产棉区和土布产区。大生纱厂生产 12 支纱，70% 供农村织户，近代化工业与传统手工业结合。办通海盐垦，开拓盐滩两千万亩，年产棉 50 万担，近代工业与传统农业结合。因大生办起炼铁、机器、面粉、油脂以及轮船、贸易、银行等 34个企业，称南通实业，造福一方。"实业"一词实张謇所创，"实业者西人赅农工商之名"，包括第一、第二、第三产业，张謇都有。

张謇以实业救国，是立足于本土，以大工业为中心，土洋结合，发展地区经济，他称"部落主义"，有类今之乡镇企业。但当时是半殖民地，盛行是以洋行为背景、脱离农业以至对立于农业的大口岸经济。1925 年大生被上海银行团接管，乡土经济败于大口岸经济。胡适称张謇是失败的英雄。今天看，张謇的道路是对的，今天正是生气勃勃。

附：张謇简史

1853 年生，1874 年入幕孙云锦，转入吴长庆，1882 年随庆军入朝鲜平叛。1894 年中状元，授翰林院修撰。戊戌变法为帝党，清末成为立宪派领袖，辛亥转拥护共和。主要问题在拥袁世凯，不过，任北洋农商部长时间甚短，而立法 20 余项。袁氏称帝，拂袖而去。

甲午后发愤实业。大生 1895 年创建，1899 年投产，1922 年后衰落，

1925 年为银行团接管。1900～1906 年创办各种企业 34 家。1900 年筹办通海垦牧公司，发展到 20 个公司，连同其他，垦区 2000 万亩，30 万人。大生资本 770 万两，其他 34 个企业 600 万两，盐垦 1000 万两，共 2370 万两，合 3300 万元。

倡母实业、父教育。从师范开始，设师范 3 所，专科 6 所，中小学 300 余所，兼及育婴堂、幼稚园、残废院、警察学校、伶工学校、博物院、图书馆、气象台、医院、体育场、公园以至模范监狱。

1914 年为沈寿办女工传习所。沈寿字雪君，苏州人，遗有《雪宦绣谱》。建欧梅阁，聘欧阳予倩、梅兰芳来南通演戏。

在"中国投资学会投资史研究会成立大会"上的讲话

1995 年 6 月 29 日　北京建银大厦

　　今天我能参加中国投资史研究会成立大会，非常荣幸。中国投资史还是一门新的学科。我理解，研究会的任务之一就是建立这门学科。但本学科亦非完全空白。中国投资学会已成立十年，对新中国 45 年来的投资研究已有丰硕成果，这就是投资史。我们计划要写一部中国投资史，我想恐怕也要以新中国的投资为重点。当然，旧中国投资的经验与教训也要总结，尤其要研究投资的社会传统。

　　我想，建立中国投资史学科就要对我国的投资行为及其效果，找出带有历史规律性的东西。但不是说，历年的投资行为积累起来就是投资史。有位获诺贝尔奖的经济学家 Robert Solow 说，经济史不能是以时间变量代替历史思考。投资是富有规律性的经济行为，投资经济学常可以若干公式表达，但不是把投资公式加上个时间变量就成为投资史。要考虑众多的历史因素，从政治、经济到文化传统。我国储蓄率一向较高，历史上投资率则颇低，不能以利息率概括，这就是历史条件不同。其中社会和文化传统，我觉得十分重要。

　　我是搞经济史的。搞史的有个倾向，也可说有个毛病，就是喜欢研究宏观。研究投资史，我想最好从微观入手。因为，第一，微观材料较实在，能反映各种历史条件，而宏观往往说空的。再说，宏观经济的理论本应以微观理论为基础，尤其是投资学，和市场是分不开的。前些年，大学学生喜欢宏观经济学，每讲课座无虚席，讲微观经济学，不感兴趣。现在不同了，要下海，要炒股票，就得微观经济学。研究投资史不能忽略微观，要研究企业史。这是我又一点建议。

　　谢谢！

要重视商品流通在传统经济向市场经济转换中的作用

关于传统市场与市场经济（笔谈）

去年十二月，本刊与《财政经济》《货殖学刊》《史学理论研究》联合召开"传统市场与市场经济"学术讨论会，与会学者或提交论文，或把发言整理为笔谈；一些未参加会议的学者也提供有关论文。现予发表，以飨读者。因篇幅所限，有些文章将安排以后刊登。我们希望这一问题的研讨能继续深入下去。

——本刊编辑部

看了大会准备的"综合评述"，大开眼界。它说明十年来在这个问题上的研究很兴旺，并真正是百家争鸣，卓见迭起。反观我过去的一些研究不过一孔之见，太狭隘了。因而想到，在这个问题的研究上，哪怕是个小专题，也要心怀大势。所谓大势，即古今中外。就古今说，我以为更要注意今天的社会主义市场经济，不了解今天，研究不好古代。就中外说，我以为要把握世界趋势。历史发展是有规律的，而每个国家所走道路又是不同的。傅衣凌先生晚年提出二论，即中国社会多元论和明清社会变迁论。因为多元结构，它在明清时期开始向近代社会转变中，千奇百怪、曲折跌宕，与欧洲迥异。但总的看来，仍未能脱离世界发展的共同规律。

再谈点生产与商品流通的关系。我看几乎所有文章都说："随着生产力的发展",市场如何如何。市场发展是否都是由于生产发达,有剩余要卖？16世纪欧洲的重商主义,不是由于生产力发展了,而是因为生产力太低,要到东方掠取东西。马克思说过,他们不是想输出什么,而是想拿来什么。而当时中国正因为"天朝物产丰盈,无所不有",拒绝了贸易。

人类受个人能力和环境的限制,只有通过交换才能获得经济上的增益。亚当·斯密的交换导致分工、分工增进社会生产力的观点,至今有效。但古典学派都是强调生产的,"供给创造需求"的萨伊定律深入人心。新古典学派马歇尔首创需求理论,但认为短期内是需求起作用,长期间仍是生产决定市场。直到凯恩斯主义,确立宏观经济学,需求变成第一位了,生产的发展要看市场,也就是有效需求的大小。

在对历史的看法上,德国历史学派原都是强调生产的。但到史学家出身的希尔布兰德,就把历史归结为由实物经济到货币经济、再到信用经济。新历史学派毕歇尔更从交换过程来看,由生产者与消费者直接交换发展到十分复杂的市场交换。

1969年,J. R. 希克斯发表《经济史理论》,认为世界经济发展的共同趋势是由习俗经济、命令经济向市场经济转换。这种转换始于"专业商人"的出现,经过二三百年的"市场渗透",即适应市场经济的政治、法律、社会的改造,最后出现工业革命和近代化。

马克思是十分强调生产的。但在传统社会向近代化的转变上,他提出那是始于16世纪"商人阶级"的出现,然后经过二百多年社会、阶级的演变,最后导致大机器工业的建立。我正是根据马克思的这种观点,写过一篇《试论交换经济史》。[①]

我说这些话的意思是,今天我们研究这个课题,要从传统经济向市场经济转换这一点出发。现实中的这个转换,还是邓小平时代的事。但它源远流长,历史上的顺流和逆流,成败得失,都为它提供材料和借鉴,这正是我们研究历史的目的。不过,我曾在另一个讨论会上提出,不能把历史上商品经济的发展等同于市场经济的发展,如果等同起来,就没有"转换"问题了。我在那次讨论会上还提过,资本主义是可以逾越的,市场经济却不能逾越,越过了,还得

———
① 载《中国经济史研究》1987年第1期。

598

补课。马克思说过"卡夫丁峡谷",中国实际上就没有一个资本主义时代,我们把它越过去了。因此,我想提出,在历史研究上,不要提研究资本主义萌芽了。与其说资本主义萌芽,不如叫近代化萌芽,即市场经济的萌芽。

(原载《中国经济史研究》1995年第2期)

在"虞洽卿学术讨论会"上的发言

1996 年 5 月 14 日　浙江慈溪

虞洽卿是个有争议的人物。虞先生去世已半个世纪，这个问题并未解决。我对虞先生没有研究过，参加会议主要是学习。

在史学界，评价历史人物向来是件难事，评价近代人物尤难。因为是个大变革时代，任何人要有所作为，都不能不跟着时代变，以致行为十分复杂，出现矛盾性格。因此，第一，要分析时代。时代不仅是背景，而且支配人的行动。

第二，要实事求是。评价人物不能先立框框，只能从史实中探讨。历史是活生生的，人物更是活生生的。清人以经训史，不合经义的全否定，对人物犹然。20 世纪五六十年代我们也是以经训史，这不是好办法。

第三，要全面看问题，金无足赤，人无全人。这里，我要提点看法。

虞先生在经济、政治、社会、群体上都是个重要人物，还有乡梓一面。要从多方面来考察，但要得出总结论，恐怕很难。我所谓全面看问题，不妨专业分工，你考察一个方面，我考察一个方面，不必下总结论，这也是一种史学方法。1973 年美国 Joseph Fewsmith 写过一篇论虞洽卿文章，主要讲他和国民党的关系；这是一个方面。结论是他有近代化志向，一生贯彻纯粹的民族主义运动；这是一家之言。法国白吉尔，研究中国资产阶级，她的《中国资产阶级的黄金时代》一书中提到虞洽卿。但她最近一篇文章是讲中国资产阶级为什么最后抛弃蒋介石，倾向共产党。这里没提虞洽卿，虞已去世了。但她提到 "社会精英"，西方所谓 public sphere，虞正是这方面的活跃人物。这个方面，我们还很少研究。1981 年丁日初论虞洽卿的文章是比较全面的，但是多于经济方面，而政治方面据说发表时曾受到限制。1983 年日本神户大学陈来幸的《论虞洽卿》一书基本上同意丁日初的观点，但是强调了一个 "同乡意识"，这指宁波帮，也是一个方面。"宁波帮" 一词过去是犯忌的，今天会上都公开了，但研究还不够。经营管理思想也是一个方面，过去注意不够，今天会上有好几篇这方面的论文，这是好的。

总之，我意思是，对于虞洽卿这样一个有争议的人物的研究，要方方面面分别进行，不能老是三北公司、上海总商会。研究结果可以汇成一本厚厚的文集，由读者去评价。我想，不同读者会有不同评价，这也不妨，因为实际就是这样。

参考文献：

Joseph Fewsmith, "Yü Hsia-ching and the Evolution of Kuomintang-Merchant Relations," 1973, paper for the panel "Merchant and Revolution in 20th Century Asia," American Historical Association.

Marie-Claire Bergère, "Shanghai Capitalists and the Transition from Nationalist to Communist Regime (1948 – 1952)," paper for the second conference on Modern Chinese Economy History, Jan. 5 – 7, 1989, The Institute of Economics, Academia sinica, Taipei.

陳来幸「虞洽卿について」，京都大学人文科学研究所『五四運動の研究』第二函 5，株式会社同朋舍出版，1983。

在中国经济史学会
第三届年会上的开幕词

1996 年 6 月 28 日　武夷山市

上次年会是 1993 年 10 月在张家界召开的，已有近三年。《中国经济史研究》对每年发表的经济史著述有个踪迹，并不完整，不过我只能据此回顾一下这期间本学科的进展。

据综述加上估计，1990 年约发表经济史论文 600 篇，1991 年 750 篇，1992 年 850 篇，1993 年近 1000 篇。这以后就不行了，1994 年约 950 篇，1995 年陡降至 750 篇。今年还不知道，看来更不景气。经济史专著，1991～1992 年最高峰约年出 100 部，1994 年约 30 部，1995 年不到 40 部（不包括官方出版物）。总之，这两年经济史出版萎缩，不知大家是否有同感。

据我看，原因是纸贵。几年来通货膨胀都在两位数，去年才抑制，但纸价仍涨。恐怕是文化市场化的结果，黄色书刊、痞子文学、内幕文学或揭秘史学泛滥，它们都不怕纸贵。还有大部头大批量和复制丛书占领市场，我们无法与之竞争。再有，广告发达，连《参考消息》也有 8～16 版，不知要用多少纸。现在是市场经济，国外学术著作都不给稿费，还得交版面费；但他们有研究基金，我们没有。我们竞争不过贾平凹，更竞争不过广告。数量上竞争不过，决非质量上差。我想用一句话安慰一下，"物以稀为贵"，出版物愈少，边际价值愈高。

上届年会的前两年，即 1991～1992 年，作为上期；这次年会的前两年，即 1994～1995 年，作为本期；比较一下：属于总论、专论的文章，由上期

30 余篇增为本期 200 多篇，大增，增加了经济史理论、方法论文章，显然，这是个大进步。先秦、秦汉史的文章，上期 250 余篇，本期 290 余篇，仍保持兴旺，并提出若干新问题。中古即魏晋隋唐两宋史，这一千多年的研究颇不景气，上期 390 余篇，本期只 280 篇。明清史原是热门，这两年也不景气了，由 500 余篇降为 300 余篇。不过，有新内容，从社会学、自然环境、文化习俗上来考察经济发展。近代史仍是热门，前期 450 余篇，本期 470 余篇，内容更集中到中国现代化问题上。发展最快的是现代史，即中华人民共和国史，由八九十篇增为一百八九十篇；限于经济史文章，不包括讨论当代经济的文章。这是个好现象。新中国已年近半百，变化突出，经验教训丰富，应当成为研究重点。并且，解剖现代是解剖古代的钥匙，用李泽厚的"积淀说"，它包括了历代文明和糟粕，或经验与教训，"文革"即可佐证。我还以为，无论研究哪个断代，都要了解现代，才能古为今用。事实上，所谓重新认识历史，或对历史的新解，都是受时代思潮启发而来的。

从研究内容说，农业始终占最大比重。本期 1700 多篇经济史论文中，农业 250 多篇，占 15%（指农业生产，不包括土地制度、租佃关系等）。这方面，《中国农史》《农业考古》很有贡献，《中国农业科技史稿》有划时代意义。农业研究的范围扩大，除粮食外，林牧副渔都有专论，并更加重视技术、水利、气候、灾害、生态环境的变迁。普遍应用计量，提出不少新见解。这显然是个极大进步。

这两年，突出现象是商品流通、市场和商人的文章激增，连同外贸和边疆贸易共 240 余篇，媲美农业。这些文章的特点是大都不仅叙史，而且有论，并多结合经济理论，定量分析。这种商贸论文，很自然地集中于明清和近代。不过，受开放政策影响，讲丝绸之路、唐宋外贸者也不少。一个中心问题是，商贸发展对社会经济结构和社会组织的影响，实际是把它作为研究传统经济与现代化这个总题目的一部分。除商贸外，专论传统经济与现代化的文章有 50 多篇。过去研究中国现代化或近代化的文章重点在新式工业和资本主义发展，从洋务运动讲起。现在注意到商贸、市场问题，从明后期大商帮的兴起讲起。这也是国际史学界共同趋势：过去十分重视工业革命、工业化，现在更重视 16 世纪重商主义和世界市场。在经济学上，则是从重视古典主义分工和生产驱动论转向凯恩斯以后的需求牵动论。由此可见，商贸史成为热门，对我们学科发展有重要意义。这次年会，中心议题即是传统市场与市场经济。

我再提近年来两个热门：一是小农经济，一是人口问题。

小农经济研究，20世纪80年代曾出现高潮。这两年有论文五六十篇，不算少，中心是对小农经济的评价。五六十年代社会主义改造时期，对小农经济评价甚低，说它是落后的生产方式，非消灭不可。上海有个"小农经济万恶论"。80年代改革，实行家庭承包，突然对小农经济赞扬备至，说它最适合国情，能最大限度调动农民积极性，精耕细作的创造者。评论主要集中在明清，在人地比例不断下降的情况下，国民经济维持不衰，全靠小农。1992年确立建立社会主义市场经济体制，论点又为之一变。认为小农经济耕织结合，妨碍分工和专业化，妨碍扩大市场和城市化，等等。

历史需要重新认识，历史事物需要再评价。如上所说，这种再认识常受时代思潮启发，这是对的。但是，也不能随机应变。研究历史最重要的是实证。近50年的实践，把小农经济的正面和负面作用都暴露出来，为重新评价小农经济准备了好的条件，但要做全面评价，就更需要历史主义。正面和负面作用，明清不同于唐宋，近代不同于明清，更不能将今天硬套，需要详研史料，历史地分析。同时，理论也要受历史检验，恰雅诺夫理论、舒尔茨理论、黄宗智理论，都需要实证主义检验。中国经济史从生产方式说，绝大部分是小农经济史。不仅自耕农是小农，地主制经济，生产上也是小农经济。改造后，土地集体所有，生产上还是小农；家庭承包后，仍是小农。小生产者与市场的关系基本上也没变。今天，是彻底研究小农经济的时候了。

人口问题，也是80年代中成为热门的，这两年发表论文近50篇，专著三四种，进入高潮。从方法论看，进步很大。第一，人口数量总搞不清，现在的考察，已从省一级进入府州县一级，这很好。有朝一日，把1/3或1/4府州县的人口变迁搞得精一点，总人口就清楚了。第二，更加重视移民，尤其后期的非官方移民，它与经济发展的关系更重要，造成不同类型的人口地区分布。因而不能笼统地说人口压力，也不能说没压力。第三，研究人口行为的渐多了，主要利用族谱，材料比较可靠，这种材料资源还大有可为。看来，人口爆炸说基本上不成立，传统人口模式究竟有什么变化，还不清楚。

最后，我想提一下近年来兴盛的两个领域：一是区域经济史和民族经济史，一是经济思想史。

1994～1995年这两年，区域和民族经济史的论文近130篇、专著四五种，大大超过前期，而且遍及全国。前期已有新疆、内蒙古的研究，现在已进入青海、西藏。前几年华北研究总不如江南、广东细微，这两年，从翰香等关于冀鲁豫的考察可说已入精微。东北原自成体系，现在向总体性发展，出现大部头著作。这都是十分可喜的。经济思想史过去已有根底，这两年突然极盛，有140篇文章、三四部专著，可谓空前。不过，文章中有一半左右是讲毛泽东、陈云经济思想的。但总的看，这个学科也由早期偏重诸子百家，转到宋和明清，与近代化研究接起轨来，这是个好现象。

我们前辈傅筑夫先生提倡宏观，经济史必须从宏观上考察。这是老德国历史主义的理论。后来苏联的国民经济史理论，也是宏观。老德国历史主义是在欧洲民族国家形成后，风行的英国经济史、法国经济史、德国经济史等等，所谓宏观，在我们看，等于省区。苏联的国民经济史其实名不符实，因为苏联虽有统一的经济计划，各加盟共和国的差异是很大的，这从苏联解体后的许多"斯坦"可知，俄罗斯和各"斯坦"原不应写在一起。我认为，要写好中国经济史，需要以区域研究为基础。西方在一次大战后，才有欧洲经济史。欧洲经济史，无论是剑桥或方坦纳，都是以各国经济史为基础的，除总论外，都是各国分讲的。有微观才有宏观。苏联国民经济史今后不会再有了，变成俄罗斯、乌克兰、各"斯坦"了。

近来我们提倡总体观察，不能就经济谈经济，还有影响经济变迁的非经济因素，尤其社会和文化因素，以至自然界的变迁。政治因素一向重视，不在话下。而这种整体观察（perspective holistic），只能按一定区域进行；全国太大，办不到。这方面的典范，布罗代尔的《菲利普二世时代的地中海和地中海世界》，就是区域史。有了区域，才能小而全，深入，找出规律。但是，区域研究并非限于本区，而要注意本区与外区以至海外的关系。又不限于物质关系，包括资本、人力、能源、文化、技术的交往。这种关系，有竞争、有互补、有依赖、有制约，照我看，总的说是互补的，因为中国总的说是统一的。有人重视 autarky，我不赞成。

中国是个历史悠久的大国，经济史要进一步发展，区域研究是基础，宏观研究也可并举，因为已经有一定的基础了。这两年有三部宏观巨著：一是朱伯康、施正康的二卷本《中国经济通史》；一是彭雨新、汤明檖主编的《中国封建社会经济史》；一是赵靖主编的《中国经济思想通史》（四卷本已出二卷）。主编者都是史学界前辈，老骥伏枥，实至名归，我们为他们庆祝。彭先生不幸去年仙逝，我们深为哀悼。不过，如果检阅一下近年来经济史和经济思想史学界的成果，更多和更有创意的研究，还是我们中年和青年一代。前已提到，这两年学术出版不景气，但如上分析，发表的文章总数是少了，可重点突出了，缺门补上了，质量大大提高了。我说，边际价值提高了，绝非过分。这种提高，绝大部分应归功于新一代的中青年学者。我以79岁老朽，向他们致敬。

在编写《中华人民共和国
经济史》第一卷
讨论会上的发言

1996 年 10 月 9 日

　　请各位专家学者来是想听取意见。我们目的是打算写一本 1949～1952
年的中国经济史。送给诸位的这本书，只是提出作者的一些看法，还不是一
本完备的经济史；这本经济史应当怎样写，我们实际上还是心中无数的。希
望各位对这本书的看法提出批评和意见，也希望对一本经济史应当怎样写，
给予指教。

　　当代史学可说有两大学派：一派可称为客观论学派。它源于 19 世纪的
兰克（Leopold von Ranke，1795～1866）学派，认为历史学就是要再现历史
的真实，因而非常重视类似中国考据学的求证方法，"无征不信"。写历史
则要十分客观，不掺杂自己的倾向，他们有句名言："让史实说话。"只要
所写历史是真实的，它自己就能说明一切了，不必作者多嘴。另一派可称为
认识论学派。认为要恢复历史的真实是不可能的，因为所谓历史只是今天我
们所认识的历史，千千万万认识不到的东西都是空白。历史也不会说话，你
怎样认识它，就怎样写，是你说，不是它说。不过，该派有个理论，即历史
是永远连续不断的，冤有头、债有主，过去的事，尤其是支配行为的思想并
没有死，而是被压缩在今天的现实之中。因而有两句名言，一句是克罗齐
（Benedetto Croce，1866～1952）说的"一切历史都是当代史"；一句是柯林
伍德（Robin G. Collingwood，1889～1943）说的"一切历史都是思想史"。

怎么看待这个问题呢？我想，两派都有道理，作为方法都有用处。马克思认为历史发展是有规律的，但不是用规律去推演历史，而是用历史去总结规律；所以，还是要求真求实。我们要研究的是40多年前的事情，记忆犹新，并且执笔者都是长期研究档案的，都是12大卷这时期经济档案选编的编者，把这段历史弄得比较真实是可能的。但是，许多问题还需要考证。愈是当时人、当事人的记载，愈有倾向性，愈多忌讳，这点应特别注意。

认识论学派也有道理。马克思主义讲批判史学，就是要有论，论只能根据认识，并且是今天人们的认识。他们两句名言很形象。历史是连续的，新民主主义经济已成过去，而今天好像又来了。但今天是有中国特色的社会主义，与过去不同，我们评论历史，也是根据今天的有中国特色的社会主义的认识，而不是根据40年前的认识。"一切历史都是当代史"，"一切历史都是思想史"，从思想上来研究新民主主义是蛮有趣味的，不但应追溯到革命根据地，追溯到孙中山，还可追溯到五四运动，17世纪的启蒙思潮，整个中国近代化过程都浓缩在这儿。

以上是关于历史学问题。我还想谈一下关于经济学的问题。我们要写经济史，就要作经济分析。中国是个发展中国家，40年前，还是个经济落后国家，比印度还落后。分析落后国家的经济，有人主张用古典经济学模型，如刘易斯（W. Arthur Lewis），有人主张用新古典主义模型，如舒尔茨（Theodore W. schultz），两人同时获诺贝尔奖。还有其他主张，如以 D. 诺斯（Douglass C. North）为代表的产权制度学派的经济史理论，近年来在我国很风行，诺斯也是诺贝尔奖获得者。

怎样看待这个问题呢？我的看法是：在经济史的研究中，一切经济学理论都应视为方法。任何伟大的经济学说，在历史的长河中都会变成一种经济分析的方法。不仅如此，马克思的经济学说，乃至马克思的世界观，在我们研究历史时也是一种方法，主要是思考方法。这话是有根据的。恩格斯说："马克思的整个世界观不是教义，而是方法。"列宁说："历史唯物主义也从来没有企求说明一切，而只企求指出'唯一科学的'说明历史的方法。"

我们写历史，唯一的根据是经过考证核实的史料，其他一切理论都是方法。"史无定法"，这段历史、这个事件，适合哪种方法，就用哪种方法。就经济分析说，传统农业的发展，可以用古典经济学模型，因为它把土地和人力作为主要因素。一般说，更多采用新古典主义模型，因为它采用边际分析方法，容易捉摸，加以机会成本等概念，比较实用。新古典主义的缺点是完全忽视制度、经济结构以及国家干预等因素。马克思经济学，包括了从国家、制度到市场机制的全部内容。但马克思经济学过于理论化，过于抽象，他所用的价值指抽象劳动，根本不能计量，不能形成一个模型。所以只能作理论分析，不能作实用的分析。诺斯的经济史理论也是使用新古典模型，但十分强调制度因素，加上国家干预、社会风俗以致道德观念等因素，但在具体分析上过于复杂。此外，还有其他学派，如合理预期的理论、混沌经济学的理论，在某些问题的分析上也有道理。

总之，把所有经济理论都作为方法，是可以根据需要和资料的可能，随时取用的。这就是"史无定法"。

在中研院人文社会科学研究所的讲稿[*]

承邀来贵所，衷心感谢。江太新和我都在中国社会科学院经济所，前身是中央研究院社会研究所，我们两所可谓同根。今终得见诸学长，非常荣幸，也分外亲切。第一次见面，想谈点自己研究中国经济史中一些问题，向诸位请教。

我研究经济史是半路出家，很浅薄。学生时代，在清华和美国都是学经济，只有两年在北大历史系。钱穆先生、姚从吾先生都是我的老师，惜不能拜见了。我后来教书和工作也是经济。1978年才正式搞经济史。所以根柢很浅，可已八十岁了。实在惭愧。

经济史作为一个学科，是19世纪晚期才从历史学中分立出来的。所以分立出来，是因经济学已发展成为系统学科。这就发生个问题，经济史是属于历史学呢，还是属于经济学？大约在英国和法国，经济史课是开在人文学院，属历史学。在美国和德国，则主要属经济学。在大陆，搞经济史的我想有三四百人，有历史系出身的，有经济系出身的，前者多些。我们社科院，历史所研究经济史，经济所也研究经济史，到定五年或十年科研规划时就发生问题，经济史课题是放在历史学部呢，还是放在经济学部？你定个课题，要申请立项，立项才给钱，是向历史学部申请呢，还是向经济学部申请？常要看哪里科研基金多。经济史是个不三不四的冷门，需要傍人门墙，投靠富

* 作者应邀拟于1997年9月20日～10月30日赴台北中研院人文社会科学研究所访问讲学，后因年事已高未得成行。本文是为这次访问讲学准备的讲稿。——编者

户。不知台湾有没有这个问题。

按理，研究经济史要有历史学修养，又要有经济学基础。但实际上，由于出身不同，侧重点、approach、方法上都会有不同。我看，不妨有两派，一个人文学派，近乎法国学派；一个经济学派，近乎美国学派。两派都可大张旗鼓，即使同一问题，也可从不同角度探讨，有好处。例如嘉道时"银贵钱贱"，我拜读林满江先生文章，专从供给和需求上分析，令人耳目一新。西方有个 Eli F. Heckscher，人称瑞典学派，认为经济史上一切问题都是供需问题。下面我还谈到这个问题。

我个人有些文章喜欢从经济上作些分析。这是因为我历史学修养太差，尤其文化思想史没学好，不敢从整体上、文化源流上研究，只好做点经济分析。不过，我有个想法，即经济史究竟还是史，唯一根据是经过考证、你以为可信的史料，其余一切都是方法，或是思考方法，或是论证方法。我常说，在经济史研究中，一切经济学理论都应视为方法论；任何伟大的经济学说，在历史的长河中都会变成分析经济的一种方法。不过，这涉及方法论问题，我想如有机会，以后再谈。

我研究经济史时间不长，成果很少。勉强说有两个课题：一是资本主义发展史，有个三卷本，是集体创作的；一是中国市场史，有七八篇文章。这两个课题都是从明代嘉万讲起，到 1950 年；都是研究中国现代化或近代化过程的。近代化、现代化我认为是同义语。今天提一些问题向诸公请教，也是关于现代化问题。

现代化是整个社会由传统向现代演变，不限于经济方面。不过我们谈经济史，还只讲经济。经济方面现代化的内涵，或人们对它的理解，是常变的。最早强调工业化，走西方工业革命道路，今天已不这么看了。近见魏丕信"无科学的现代化"一文，讲鸦片战争前中国和幕府时代日本的现代化活动，都与现代科学无关。20 世纪 50 年代美国学者提出"Impact and responce"理论，近代中国的一切变化都是西方冲击的反应，现代化就是西方化。这看法也已成过去，Paul A. Cohen 的 *Discovering History in China*，[①]

---

① Pierre-Étienne Will，"Modernisation Less Science？Some Reflections on China & Japan Before Westernisation," *East Asian Science：Tradition and Beyond*，Kansai University，Press，1995.

1984 年宣布"冲击—反应"模式的终结。50 年代国内流行的是现代化就是资本主义化,还掀起一个研究资本主义萌芽的热潮,如今这种看法也渐成过去了。过去经济现代化只讲物质,不讲人,规模经济,什么都要大,高效率,人人紧张。1973 年舒马赫有本书叫《小的是美好的》,提出人与环境问题,思路为之一变。70 年代经济观点上有很大变化,也许因为滞胀。原来对经济发展几乎是个线性概念,70 年代变成结构主义。原来以 GNP、人均收入衡量发展,70 年代提出人文指数,预期寿命、男女平等都包括在内,美国并不最现代化。80 年代提出精神文明,90 年代提出"可持续发展"。[①]的确,工业发达而道德沦丧,能说现代化吗?生态破坏、环境恶化,能说现代化吗?

这是说,现代化的概念,或人们对它的理解,是不断改变的。我们研究,也只有跟着改变。目前大陆讨论最热烈的两个问题,就是建设精神文明和可持续发展。研究经济史也要着眼于此,古为今用。[②] 近代史上有个谜,即乾隆以后我国农业是否已失去持续发展的能力?有种种理论。最近有本由中国大陆、中国台湾、美国学者合写的书——《清代粮食亩产量研究》,[③]我看解决了大半问题。本书最精彩处是开发了县一级的亩产资料,令人信服。亩产确有下降,但主因是生态破坏,还是"人口爆炸",还是过密化?还可研究。我个人看法,人口压力不是那么大,始终不曾在边际收益以下生产,19 世纪下叶以后有恢复和结构调整。不过,都还未证实。

研究现代化历史,观念要随时代改变,还有一层意思。西方史学,自近代史学之父兰克(Leopold von Ranke,1795~1886)以来,尤其 20 世纪上半叶新康德主义,都把对立、竞争作为核心。人与人是竞争,人与自然是对立,优胜劣败,征服自然。80 年代发生变化,提倡社会要协调发展,90 年代提出拯救地球,人与自然要和谐发展,有点"天人合一"思想。我看,西方史学思想向东方靠拢,向太史公"究天人之际,通古今之变"回归。

① 1992 年联合国环境与发展大会"里约热内卢宣言",提出"人类要生存,地球要拯救,环境与发展必须协调"。
② 生态环境史的研究已成新潮,台湾颇有成绩,刘翠溶院士曾主持 1993 年香港国际讨论会。经济研究所 1995 年出版《积渐所至:中国环境史论文集》。
③ 赵冈、刘永成、吴慧、朱金甫、陈慈玉、陈秋坤编著,中国农业出版社,1995。

总之，研究现代化，思想也要现代化。我这想法有点克罗齐味道（Benedetto Croce，1866~1952），"一切历史都是当代史"（当然，我不否定实证主义，只是在历史演变上要辩证法）。

欧洲的现代化，一般是从14、15世纪文艺复兴讲起。因为欧洲人要从天主教会的束缚下解放出来，才谈得上现代化。中国没有这个问题。中国的儒学，以至宋明理学，都是人文主义的。欧洲现代化从文艺复兴讲起，但经济上的变革则起于16世纪。我常引用两条理论：一是马克思恩格斯在《德意志意识形态》中所说，变革始于16世纪"特殊的商人阶级的形成"，指摆脱行会限制的长途贩运商人。由此引起工场手工业的勃兴，使欧洲进入资本主义；世界市场的征服，导致政治革命和产业革命，前后300年。① 另一条是希克斯在《经济史理论》中所说，变革始于16世纪"专业商人"的兴起，这引起法律、政治以及农业、劳动一系列变革；他叫"市场渗透"，直到工业革命，由中世纪的习俗经济、命令经济转变为市场经济，前后也是300年。②

我认为，中国的现代化也始于16世纪，即明嘉万间。有两条：一是资本主义萌芽，有人说宋代就有，我以为始于嘉万。二是商业革命，有宋代说，我以为始于嘉万。明后期徽商，山西、陕西商等这些大商帮的出现，有类于马克思所说的"商人阶级"和希克斯所说的"专业商人"，并引起相应的社会习俗的改变，接着出现思想方面的启蒙运动。当时在海外贸易上中国也有巨大的优势。傅衣凌先生曾提出"明清社会变迁论"，说16世纪开始，中国在政治、经济、社会和文化上都发生了一系列变化，他特别注意社会文化方面，说"出现一股活泼、开朗、新鲜的时代气息"，乃至产生"叛逆思想"。③ 我很钦佩傅先生的论点。

但300年后，中国并没有现代化，也没有产业革命。傅先生说，这些新因素，包括资本主义萌芽，经历了"中断、夭折、再继承"的曲折道路，

---

① 《马克思恩格斯选集》第1卷，人民出版社，1972，第59~66页；也见《资本论》第3卷第20章"关于商人资本的历史考察"及《共产党宣言》。

② John R. Hicks，*A Theory of Economic History*，1969，《经济史理论》，厉以平译，商务印书馆，1987。

③ 傅衣凌：《明清社会变迁论》，人民出版社，1989；《中国传统社会：多元的结构》，《中国社会经济史研究》1988年第3期。

原因是中国社会的多元化，但总的看并未背离世界经济发展的共同道路。我同意这个观点，但以为原因不在于社会多元化，而是因为 16 世纪的商业革命一直没有引起制度性变革，而以后逆流太多，湮没了现代化进程。像顺治的禁海迁边，康熙的紧缩政策，乾隆的一口通商，拒绝马戛尔尼（Lord Macartney）使团，闭眼不看世界，都是逆流。愈是盛世，愈保守，乾隆是最大的保守派，兴文字狱，17 世纪的启蒙思潮全被扼杀。现代化是制度的变革，无论商业、市场、生产力有多大发展，不引起制度性变革，总归无效。

这里，引起另一个问题。就欧洲经济的现代化来说，是由于 16 世纪重商主义，市场尤其是世界市场的扩大引起来，或如马克思恩格斯在《共产党宣言》中所说："不能满足随着新市场的出现而增加的需求了，工场手工业代替了这种经营方式"，"需求总是在增加，甚至工场手工业也不能再满足需要了。于是，蒸汽和机器引起了工业生产的革命"。[①] 那么，16 世纪以前和工业革命以后是不是也是这样呢？就是说，我们搞经济史，怎样看待经济发展的动力，是市场或需求牵动生产呢，还是生产或供给扩大市场、创造需求呢？

简单说，古典经济学、新古典经济学，都是供给论者。国富民强，必须发展生产，社会繁荣，必须增加供给。萨伊定律，似乎不言而喻，重本抑末，理所当然。反映在经济史上，最著名的剑桥欧洲经济史（成书于 20 世纪 20 年代），就是生产决定论。1929 年出现世界经济危机，市场货物山积，卖不出去，生产也不能维持。于是出现凯恩斯革命，提出有效需求问题，从此变成了需求牵动论。著名的 70 年代出版的 Fontana 欧洲经济史，就是先讲总需求，再从工农财贸上分析生产。

简单就是这样，实际很复杂。经济史上所谓"斯密动力"，即分工和专业化推动经济发展，可以用以解释 18 世纪以前的各国经济。但斯密说，分工起源于交换，又说分工受市场广狭的限制。[②] 其实，古希腊色诺芬就看出分工规模取决于市场大小，而这一点恰恰是马克思提醒人们的。[③] 马克思是

[①] 《马克思恩格斯选集》第 1 卷，第 252 页。
[②] 亚当·斯密：《国民财富的性质和原因的研究》，郭大力、王亚南译，商务印书馆，1972，第 14、16 页。
[③] 马克思：《资本论》第 1 卷，人民出版社，1975，第 405 页，注 81。

彻底的生产决定论者："交换的深度、广度和方式都是由生产的发展和结构决定的"。① 但他认为，在古代，是使用价值的生产，虽进入交换（如手工业品），但它"从属于作为前提的消费，供给从属于需求"。② 又说在资本主义竞争下，市场的扩大会"采取一种不以生产力为转移的自然规律"，③ 因而，在高度发展的资本主义中，"一切生产完全取决于交换"。④ 斯密、马克思这两位古典主义大师，强调供给，又重视需求。

欧洲大陆方面，德国历史学派是强调生产、强调工业化的，但都把贸易或保护贸易作为发展工业的手段。到晚期的 Karl Bücher，实际是讲市场经济了。⑤ 法国学派有重农主义传统，重本抑末，但西斯蒙第却是首先批判萨伊定律的，指出生产应服从于市场。⑥ 19 世纪 70 年代兴起的边际主义，因讲效用价值论，差不多都重需求的，瓦尔拉斯说，供给量分别由需求量决定，没有人为供给而供给，供给仅仅是需求的结果。⑦

新古典主义，马歇尔把边际主义纳入古典经济学，以供给和需求的均衡（边际相等）为理论核心。在瞬间或短期价格变动中，需求起决定作用，但在长期均衡中，价格几乎完全决定于生产成本，供给起决定作用了。

新古典主义主宰西方经济学垂 40 年。到凯恩斯主义和宏观经济学兴起，理论上变为需求决定论，许多国家并以财政、货币手段调节市场需求，谋求稳定和发展经济，一时成为主流。但到 20 世纪 70 年代出现滞胀，凯恩斯主义失灵，供应学派兴起，受到里根政府赞扬。80 年代兴起的合理预期学派也是供给论的立场，认为政府调节需求的政策无效。最近几年美国经济连续增长，供应学派几成主流；但在理论界，弗里德曼货币学派仍有优势。

---

① 马克思：《政治经济学批判导言》，《马克思恩格斯选集》第 2 卷，第 102 页。
② 马克思：《政治经济学批判》，《马克思恩格斯全集》第 46 卷上，人民出版社，1979，第 516 页。
③ 马克思：《资本论》第 3 卷，第 273 页。
④ 马克思：《哲学的贫困》，指工农业生产全部为了交换，所谓"二次方的交换"，《马克思恩格斯全集》第 4 卷，人民出版社，1958，第 79 页。
⑤ Karl Bücher, *Die Entstehung der Volks Wirtschaft*, 1893.
⑥ 西斯蒙第（J. C. L. Simonde de Sismondi）：《政治经济学新原理或论财富同人口的关系》，何钦译，商务印书馆，1964。
⑦ M. Léon Walras, *Éléments d'économie politique pure*, *théorie de la richesse Sociale*（《纯粹经济学要义——或社会财富理论》）第 1 册，1874；第 2 册，1877；合订本，1892。

总的说，究竟是需求决定还是供给决定，在经济学或经济理论上是解决不了的，这个问题只能由经济史来解决。经济史是考察过去各个时代的事，有的时代是供给重要，有的时代是需求更重要，要我们根据史料判断。历史的发展有多种因素，根本性的长期起作用的也许不是供给和需求，而是文化传统、社会结构、经济制度等。经济史只能从具体社会、具体环境中来考察，而各种经济理论只能作思考或分析的方法。

我在研究中国资本主义发展史中，首先感到的是 16 世纪出现的一些新的生产形式，即所谓资本主义萌芽，到 17 世纪忽然没有了。战争是主要原因，但战争并不直接破坏新的生产关系，而是农业衰退，市场消失。顺治时农业已恢复，但接着有康熙市场萧条，经雍正改革财政，"耗羡归公"，养廉银，到乾隆时资本主义萌芽又勃兴。西方机器工业介绍到中国后，工业化步履蹒跚，主要是受市场限制。20 世纪早期是发展最快时期，但外国资本的年增长率不到 5%，官营资本只有 3%，民间资本可达 11.9%，因为它更接近农村市场。纱厂的产品 80% 销农村。我还发现，新兴的橡胶业，其产品也 70% 销农村。1931 年起农村金融枯竭，购买力消失，导致 30 年代严重的经济危机。

因此，我在搞资本主义发展史中，就十分注意市场，尤其在第 2 卷、第 3 卷中。[①] 1981 年起，我就转入市场史研究，搞了十多年，没什么成绩。1992 年邓小平提出建立社会主义市场经济体系，研究市场史也变成热门，许多青年学者都动起来，前途乐观。因而有人说，我是需求导向论者。我想，就 16 世纪以来，即中国现代化过程中是这样。在这以前，如唐宋、秦汉，是否如此，我没研究过，还不敢说。

---

① 指许涤新、吴承明主编《中国资本主义发展史》第 2 卷，人民出版社，1990；《中国资本主义发展史》第 3 卷，人民出版社，1993。——编者

在"古代社会经济史研讨会"上的发言

1997 年 11 月 12 日　北京师范大学

　　关于地主制经济，我提三点看法：

　　一、明清时期，地主用奴仆或雇工自营庄园的很少，所谓地主制经济主要指租佃农业，与自耕农相对而言。租佃与自耕的比重很难肯定，但我以为，过去的研究往往高估了地主制，低估了自耕农。章有义先生改正了这一看法，我觉得章的估计还不够，在我看来，明清时期，自耕农占有的耕地，最少时也有全部耕地的 1/3，多时可达一半。栾成显研究了一户朱学源，他在万历四十年（1612）黄册上登记为有田 500 亩的大地主，但实际上早已析产分家为 40 多个独立户，除一户有地 80 亩外，都是有地十来亩的自耕农。他的材料是绝对准确的，还有许多大地主也是这样，但无准确材料。

　　自耕农存在于奴隶社会、封建社会、资本主义社会，也存在于社会主义社会。在封建社会，它从属于封建经济体制，服从封建国家的法律政令，但在经济运行上，即在生产、分配和消费上有自己的规律。我国是一个自耕农比较发达的国家，与西欧不同。研究地主制经济，应看到这点。李文治先生似乎太强调地主制经济了。

　　二、研究地主制经济，要看到地主或地主阶级本身的变化。这主要是由世族地主而衿绅地主，由衿绅地主而庶民地主，由庶民地主而新地主。新地主指以其他生计为主，土地只是投资之一，其中又主要是商人投资。地主成分的演变，地主的功能或作用也有不同。①

三、马克思说，人类最重要的分工是脑力劳动和体力劳动的分工，由此产生奴隶主，创造了人类文明。脑力劳动创造文明或文化，是因为他们有知识。封建社会中，地主阶级的功能，很大部分是因为他们有文化，知识较高，不是因为他们田地较多。著名的农业家——徐光启、沈氏、庞尚鹏、张履祥、章谦存、张英，都是地主，但是小地主。社会发展中，会出现一个知识分子的群体，代替家族，成为一个社会力量。在西方，这种群体叫 elite，译为社会精英，形成力量，叫 public sphere，出现于 16 世纪。在中国，大体也是 16 世纪以后，即所谓乡绅，代替家族，做一些公益事业，如兴修水利，调解争端，向官府抗争摊派税饷等。乡绅不一定是大地主，但有知识，起码是生员。他们形成政治力量则较晚，约在乾隆以后，乃至义学代替官庠，义仓代替常平仓，甚至团练代替守备。不过，不能把这些都说成是地主的功能，因为其功能主要不是凭土地，而是凭知识、功名和地位。

---

① 20世纪30年代，农村中约有一半是新地主，谭仪父说，四川有70%是新地主。1929年广东新会慈溪，191家地主，有115家海外经商，30家在广东经商，有22家是死了的绝户，只有24家是在乡地主。

关于酒的经营

——在"国有大中型企业的困境与出路：古井集团的思考与实践"学术座谈会上的发言

1998 年 2 月 27 日　当代中国研究所

　　王效金的著作刚拿到，还来不及看，只听介绍。"古井"成功之路，完全符合十五大精神。《总要比别人好一点》，好一点就是创新。熊彼特讲五个创新，但组织、驾驭创新的是企业家，企业家就是创新者。企业家是创新者，不墨守成规，企业才有希望，才能走出困境。

　　财贸委、企业家协会组织的中国企业史，我是近代卷的主编；但没做事，等于虚挂，向袁宝华先生道歉。今天能参加会，也许是因为知道我喜欢吃酒。确实，我 1990 年、1992 年曾参加茅台酒厂、青岛啤酒厂的厂志审查会，也去过绍兴等酒厂。

　　茅台是国酒，名誉很高，应说是皇帝女儿不愁嫁。但 1962 年发生亏损，一直亏损 16 年，1978 年才扭转。令人奇怪。其实，全员劳动生产率不足千元，怎能不亏？亏损原因在于没有创新。1989 年包销改为自销，本是好事，但恰逢市场疲软，茅台竟滞销，外债达 1500 万元。这是在市场即销售上没有创新。据说古井的办法是创低度酒，低到 27 度，打开销路。这不是个好办法，但将就说，也算创新。书上说"白酒革命"，未免夸张了。

　　青岛啤酒饮誉中外，1982 年改自销，是卖方市场，供不应求。但 1989 年"双紧"政策，全国 478 家啤酒厂，83 家亏损，青啤也受到影响，于是大做广告（过去从来不做广告），上电视，开啤酒节。而最重要的是搞了市场预测，年预测、季预测，指导生产。这是国外通行办法，但对青啤来说，也可算创新。

酒是老东西，没有完全的创新，全新酒不香，要吃老酒。茅台高温发酵，唐代就有了，创新在于勾兑，或配方。嘉道时有一次大的创新，得1915年巴拿马奖。新中国成立后，60年代质量下降，保守就会下降。再来一次大创新，改变勾兑，由老师傅把关，加上科学家帮助，完成酱香配方，重振威风。白酒有酱香、浓香（古井）、米香、清香、兼香五味，都要配方。茅台一窖产酱香、窖底香、醇香三种酒，三种勾兑成酱香。茅台生产周期一年，陈酿三年，勾兑一次，再陈一年，装瓶四年以上，才是好酒。这种酒已买不到了，只能内部。古井有五年酿、十年酿，也是这样。陈酒勾兑，便是创新。《儒林外史》上讲过，那是勾兑绍兴酒。绍兴酒最出名的是花雕，其实没有花雕这种酒，它是由加饭、女儿红、香雪三种酒勾兑而成的。勾兑属于技术创新。单技术创新还不行，茅台60年代改革配方，适逢"文革"，仍然亏损。1978年组织新领导班子，才重创天下。

青啤是德国底子，现在的创新也是引进新的德国设备和经验。我去青啤时，新厂刚建成，车间无工人，全由电脑在控制中心操纵，电脑旁边还坐着一位德国工程师。酒的质量关键在制曲，制曲的关键在发酵，啤酒尤其这样，麦芽发酵最重要。我们去青啤时，十来个人一半以上是发酵专家，山东大学有个发酵系。当然，还有酒花，要到青海去培种。发酵、生产、勾兑都要有记录，才能分析、改进。我们搞史的人最重记录。我不知古井有无日日记录、批批记录。苏格兰威士忌（Johnnie Walker），1820年创办，即天天有记录，每批生产有记录，有178年的记录，名闻天下。还应有销售记录，备作市场分析、市场预测，企业经营全靠预测。

就说这些，谢谢！

在"商会与近代中国国际学术讨论会"开幕式上讲话的要点

1998 年 7 月 21 日 天津

　　首先要庆祝《天津商会档案汇编》的胜利出版。商会的档案资料非常珍贵。珍贵在于它不同于一般官府档案。它十分真实,即使在行文中须作掩饰的,也意在言表,一看就知,与文人著述之故弄玄虚者不同。

　　不过,在有关商会的著述中,前期研究很深入,文献也多,1928 年以后就比较少了,可利用的资料也少了。我想,这与对商会性质的理解和如何评价它的作用有关。用今天"民间商会"来说,它的功能是参政议政,包括经济方面,也包括政治方面。在近代中国,商会也有这两种作用,必须兼顾,而对它评价的标准,就是看其活动是否促进了中国的近代化。

　　商会成立的前期,反封建反帝的斗争非常激烈,商会在拥护立宪、收回利权,反对二十一条以至在五四、五卅运动中都轰轰烈烈,做出很大的贡献。1928 年以后,共产党领导的是新民主主义革命、土地革命,工商业者害怕共产党搞工潮,要他们轰轰烈烈就不现实了。但是,这时商会的许多活动,如抵制洋货、关税自主、废除厘金、提倡国货、改革税制等,仍是很活跃的,并且这些活动也都是有利于促进中国近代化的。

　　中国商会是在行会、公所、同业商会的基础上建立的,总商会或商联会建立后,具体工作仍在同业公会,同业公会最了解情况。解放后,我们许多工作都是找同业公会,那时还没有计划经济,而是开专业会议,就是找同业公会。20 世纪 60 年代我们搞行业史,同业公会的档案已很难找到。所以,今天研究商会，我建议对同业公会的资料进行抢救。

通常我们说，商会代表资产阶级，或民族资产阶级，他们要求发展资本主义。其实，商会的成员很复杂，有绅商、买办、个体工商业，各时期不同。对商会成员作阶级分析或政治倾向分析，那是个专门的题目。我认为，把商会成员都当作民族资产阶级，都套上两面性、软弱性，并不合适。一般说，还是称"工商业者"为好。还有一层意思，强调资产阶级的提法，有个前提是近代化就是资本主义化。这个公式在19世纪是对的，到20世纪就不完全对了，因为后发展的国家，他们近代化或现代化的目标不一定就是资本主义。前面我说，中国商会的历史作用在于它促进中国的近代化，并不等于说他们的政治、经济活动都是要求资本主义化的。

在"商会与近代中国国际学术讨论会"上的发言

1998 年 7 月 21 日　天津

我能参加这次盛会，非常荣幸。我对商会没有研究，这次主要是来学习，得会见众多专家，亲聆宏教，实在难得。我对商会是外行，只是在研究近代中国时，有幸利用一些商会的档案材料，这要感谢研究商会的诸公。我觉得这些材料很珍贵，珍贵在于它不同于一般官府档案，它十分真实。即使有些行文必须作掩饰的，也意在言表，一看就知其含义，与文人著述故弄玄虚不同。这一点我感触特深。

不过，在研究商会的著作中，感到一个问题，就是前期的研究很深入，文献也多，1927 年以后就比较少了，可利用的资料也少了。只好改用小 Coble,[①] 或白吉尔的著作。[②] 美中不足。

所以发生这种情况，也许同中国商会的历史有关。中国商会在前期有段十分辉煌的历史，从拥护立宪、抵制洋货、收回利权、反对二十一条，到五四、五卅运动中都很轰轰烈烈。1927 年以后，商会害怕共产党搞工人运动，从政治上看，它的活动就不那么轰轰烈烈了。研究少了，对商会的评价也不同了。

这就发生一个商会的性质问题，如何评价它的作用问题。有人说商会是个代表工商业者的法人团体，应当主要从它的经济活动来评价。我对此没有

---

① Parks Coble Jr, *The Shanghai Capitalists.*

② Marie-Claire Bergère, *L'age d'or de la bourgeoise chinoise.*

专门研究。不过，解放以后，我曾参加工商联的组建工作，以及后来的改组工作，现在还是工商联的顾问。现在工商联已正式定名对外称"中国商会"，它的职能是参政议政。参政议政，包括政治方面，也包括经济方面。我觉得这个定义，也可应用于过去的中国商会，即它有政治活动，也有经济活动，应当两者兼顾，而评价的标准，就是它的活动是否促进中国经济的近代化或现代化。

早期中国商会搞政治活动多，是很自然的。因为一国经济上的近代化，必须有制度上的变革。不仅是一般经济制度，如商法、债权法、公司法等，还须有体制上的变革，constitutional 变革，在中国还有个帝国主义压迫问题，所以轰轰烈烈是好的。1927 年以后，我们是新民主主义革命、土地革命了，商会是代表工商业者，对土地革命当然没兴趣，但它在经济活动上仍然是很活跃的。如关税自主、废除厘金、提倡国货、改革税制等，这些活动也是促进中国经济的近代化的。到 1937 年以后，商会又是抗战派了。国民党召开过两次全国经济会议，都是工商界呼吁，为应付工商界要求而开的。第一次，我还是中学生，不知道。第二次在 1941 年，我在会议秘书处工作，管接收提案。提案主要是针对统制经济政策，反对官僚资本垄断。许多提案有事实、有数字、有分析，结果当然是敷衍了事，但作为资料，很有价值。保留了一些，后来丢了。

总之，我以为，我们研究商会既要看它政治活动，也要看它经济活动，而比较经常的恐怕还是经济活动。评价这些活动，就看它是否有利于中国经济发展，有利于中国经济近代化。这可说是我想提出的第一点意见。

第二点意见，中国的商会是在行会、公所、同业商会的基础上建立的。总商会或商联会建立后，同业公会仍是基层组织，仍是具体活动者。解放后组织工商联，是陈云同志领导这一工作，他就非常重视同业公会，叫我们逐一去拜访。当时，还没有计划经济，而是开专业会议，一行一业的订计划，基础就是同业公会。因为掌握情况，经济资料和市场资料，都在同业公会手里。从研究的角度看，同业公会更重要。20 世纪 30 年代白银问题，今天我们都是用李卓敏、谷春帆的材料。我问过谷春帆，上海存银实数，他说恐怕只有钱业公会知道，但他没找到。现在同业公会的档案已很难找到。60 年代我们搞行业史，只好找一些行业的老人，但还是有所收获。研究商会，最好抓紧抢救同业公会的资料。这是我想说的第二点意见。

还提个第三点意见。通常我们说商会是代表资产阶级,或民族资产阶级,他们的功劳是发展资本主义,这是不错的。但我觉得,不必强调。第一,早期商会,有绅商、买办,后来的商会,包括个体户,如马路商会。一个人有很大资本,但他经营的不一定是资本主义企业。对商会成员可作阶级分析,但那是专题研究。都当作民族资产阶级,都套上两面性,不妥当。可以都称工商业者,不去追究姓资、姓封、姓个。第二,这个提法的前提是近代化或现代化就是资本主义化。这个公式在 19 世纪完全对,20 世纪就不完全对了,因为后发展的国家,它的现代化不一定以资本主义为目标,也不一定全采取资本主义形式。

在“中国东南区域史国际学术讨论会”上的讲话

1998 年 9 月 8 日　浙江大学

能参加这次盛会，非常荣幸。我对东南的历史文化没有专门研究，这次来主要是学习，有这么多专家学者，精彩论文，实在是学习请教的大好机会。尤其我已逾耄耋，学习机会不多了。因此要特别感谢浙江大学、东方文化学会的领导，给我这个难得的机会。

我没有研究过区域史，只是拜读一些专家的文章。近见一本论文目录，1986～1995 年十年间，区域经济史论文有 614 篇，其中东南区的刚好 100 篇，数量不少，而且是逐年增加的，这还只是经济史。应当说这是个振奋人心的好现象，史学界愈来愈注意区域史研究了。

我以为，研究中国社会经济史或文化思想史都应当从区域史入手。为什么呢？中国太大，必须分开来研究；中国发展极不平衡，必须先有区域研究。这都是很重要的理由。但这是从研究方法上说，还不是区域论的根本理由。传播论认为文明的发展总是由一个区域传播到另一个区域，这是美国如 E. M. Hoover 的区域论，因为美国没有封建社会，没有封建割据，而是单一文化由东向西传播。中国也有传播，但不是单一文化的传播。反之，中国封建社会很长，因而有人把封建割据作为区域史的根据。外国人研究中国区域史，也有人强调中国各大区的孤立性（autarkic），如史坚雅（William Skinner）。但是，中国早就是统一的帝国了，政治和文化上基本是统一的，割据、孤立都不是充足理由。

区域史近年是个热门。据社科院经济所所编一本目录,1986～1995 年十年间出版区域经济史专著 176 种,其中江浙 22 种,福建 4 种,加广东共 40 种,更重要的是论文。这十年发表区域经济史论文 881 篇,是个很大数目。其中江浙 137 篇,福建、台湾 52 篇,共 189 篇,加上广东 62 篇,共 251 篇。这是否"东南"概念?"六五""七五"社科规划列江浙闽粤四省,限于经济史。这是很振奋人心的,史学界愈来愈重视区域研究了。

区域史的根据,或者说中国区域史作为一种学科的理论基础,是什么呢?我认为,是中国社会、经济、文化的多元性。傅衣凌先生有专著论中国社会的多元结构。他是从历史上各种社会制度的遗存来交论的,但是,直到近代,中国社会仍是多元结构。李根蟠先生提出中国农业是"多元交汇"的理论。历史上中国农业不是单元,而是多元的,已成共识。而农业是多元交汇,也就等于说历史上经济是多元交汇的。至于文化的多元性,更明显了。《诗经》和《楚辞》就代表两大文化,风格迥异。刘勰说《楚辞》里有四项内容是来自中州,也就是王逸所说"托五经立义"的部分。就是说,公元前 6 世纪到公元前 4 世纪南北两大文化就交汇了(《诗经》中也有"汉广""江有汜"),但楚文化还是楚文化。

我认为,多元史观是区域史这门学科的理论基础。如果是一元论,如说人类历史都源于《出埃及记》,或西欧中心论(egocentric),或线性历史观,或目的论史学,那就没有区域史这门学科;也作区域研究,那只是因为蛋糕太大了,须切开来吃。西方史学,一直是一元论、线性史观占优势,维科(G. B. Vico)到黑格尔都是。到 19、20 世纪之交,斯宾格勒(Oswald Spengler)、汤因比(Arnold J. Toynbee)否定欧洲中心主义,建立多元论。因多元论,出现结构主义;否定线性史现,出现周期论;这都是区域史学重要内容。中国,太史公的历史观,我看除"本纪"即王权部分外,并不是一元论的,特别在《史记》的精华即"列传"和"书"的部分。西汉以后,强调儒学,强调正统;但多元论也有传统,表现为地方志。地方志被称为"一方之全史",这是西方所没有的。今天我们研究区域史,还要继承这个优良传统。

这是我想谈的第一点,完全是个人看法。

第二点,区域史是一种"空间史学",研究一定空间的历史。这词出自法国年鉴学派，而法国年鉴学派更大的贡献是提出"总体史学"。不只研究政治事件，还要考察地理气候的变迁，社会经济的变迁，文化心态的变迁，长、中、短时段总体研究。总体史学被认为是理想的、最好的，但很难做到，要写一部世界总体史，几乎是不可能的。实际上，总体史学都是空间史学，典范就是布罗代尔（Fernand Braudel）的《菲利普二世时代的地中海和地中海世界》，实即区域史。

中国所说"一方之全史"，不仅是总体考察的含义，还因为限定空间，可延长考察时间，贯彻"通古今之变"的史学思想。我们习惯于断代史，但愈来愈感觉它的局限性。如研究宋代经济，必须从唐后期讲起，从两税法讲起。研究明清思想，必须从宋学中找根源，因为重要学派，差不多都来自宋学。全国研究，由于发展不平衡，存在许多差异，地区史研究则很明显。20世纪80年代西方有所谓"空间时间分析法"（spacial and temporal analysis），一般以千年为准。有人研究了唐天宝到民国中国七个大区社会结构和发展周期变化（Robert M. Hartwell, "Demographic, Political and Social Transformation of China, 750–1550," 1982），似乎并不成功，因为区域太多了，而斯波义信研究江南地区的发展阶段（《宋代江南经济史研究》，1988），我看是很成功的。又我国学者研究东南区域史，很多结合今天江南发展布局，以及温州模式、苏南模式；研究中西部地区史，结合六七十年代中西部发展战略的得失等；这都很有见地。

总之，区域史能够分离出地理和人文条件所造成的不均衡状态，深入探讨各种历史因素，这是本学科的特长，要充分发挥这种特长，这是我想谈的第二点。

第三点，也是最后一点，我想强调区域间的研究。我国社会早已是多元交汇，没有单元结构，西藏比较单纯，但也早已有交汇，交汇仍然保持有地区的历史特征，这正是我们要研究的焦点。

各地区之间的关系，究竟是什么样的关系呢？传播论不适于中国，前已言及。区域研究的前辈冀朝鼎先生，提出基本经济区的理论，谁掌握了基本区就可剥削、统治其他区，统一天下，否则就形成分裂局面（Key Economic Areas in Chinese History, 1936）。不过他是用"Key Areas"，如黄河中下游、长江中下游，不是我们所说区域（regions），不能说区域之间都是剥削被剥削、统治被统治关系。中心地理论,强调扩散效应;但是我以为如把各区域之间都看成是核心—边缘结构,或几级中心地的关系,那是不适宜的。我一向不赞成把核心—边缘的理论作为一种模式,特别是应用于宏观,因为中国各区域的发展,各有自己的道路,没有一个模式。

从经济发展说,各地区之间有竞争关系。因为,如原料和成品的输入输出,人力移入移出,以及资本、技术的流动,都可价值化,变成成本和效益的竞争。但在文化交流上就很难用竞争原则。何炳棣先生用科举成就来衡量各地区的发展成功率(*The Ladder of Success in Imperial China*,1368 – 1911),但不能说培养一名进士要多大成本。即从经济上来说,如唐宋前各地都产丝,北方最出名,到明清,北方不产了,集中到杭嘉湖一个狭小地区,到清代四川丝也衰落了。丝还可用竞争解释一部分,瓷器就不行了。宋代瓷窑遍布中国,河北定窑、河南钧窑、陕西耀州窑、浙江哥窑、福建建窑,名气都很大。到明清,变成景德镇一枝独秀,其他都关掉,或只出粗瓷,这是很难用竞争来解释的。如宜兴紫砂受宠,显然与成本无关。

总之,各地区之间关系非常复杂,正因其复杂,应作为我们研究的重点。如把"尔来四万八千岁,不与秦塞通人烟"的情况除外,即自秦而后,长期看,每个大区都是有所发展的,但都不是孤立地发展,都多少受外区的支持,又受外区的制约。区域之间,有时互补效应是主要的,有时排斥效应是主要的;而从整个历史看,应是互补为主,因为否则有的区域就要消亡,我们还没看见大区消亡。这就是马克思"交往"(Verkehr)的理论:一种文明,不与外区交往,可能灭亡;有交往,最终总有发展。和汤因比不同,汤因比认为文明是由"挑战和应战"而来,世界上有 26 种文明,其中 25 种都因为不能应付外部(有时是内部)的挑战而灭亡了,或者像中国那样僵化了,只有西方文明能应付挑战,并向别人挑战(这是汤因比早期思想,晚年他说将来也许是中国统一世界)。我们区域史的任务是根据史料,用实证主义,具体地研究一个地区同外区的经济的、社会的、文化的各种关系。要具体,才能够看出哪项有益,哪项有害;是互补的多,还是制约的多。

附 论

区域的划分可以有:(1) 自然生态环境:地形、土壤、气候、水文等。

（2）经济环境：生产、流通、城镇、消费、分配、GDP等。（3）人文环境：人口、种族、宗族、宗教、语言、文学、风俗等。（4）政治环境：行政管理、社会等级。其中，自然环境、人文环境应当说是基本的，但历史上它们都是由政治和行政力量，即封王侯和郡省区来支配和调节的。调节使一个省的经济（生产、赋役）在价值上和人文（民政、教育）在社会价值上相适应。自然环境变动较小，行政对自然也施与影响，如水利、垦殖等。所以，结果还是以省或大行政区作区域研究较为方便，资料也较方便，有档案、地方志等。

一个省区内与他区比，有先进甚至超前现象，也有落后现象。一个省区，可分小区，有的迥异。大行政区，如江南、湖广，更是这样。

在"中国经济史学会第四届年会暨城市发展与社会经济国际学术讨论会"开幕式上的讲话

1998 年 9 月 21 日　上海

女士们、先生们：

值此中国经济史学会第四届年会和城市发展与社会经济讨论会开幕之际，我想简略谈一下近年来我国经济史研究的概况，并提出一些我个人的看法。

中国经济史学会是 1986 年成立的。最近我们编辑了一个自 1986 年至 1995 年国内经济史研究成果的目录。这 10 年中，国内出版了中国经济史的专著 2000 余种，发表了经济史论文一万五千七八百篇。这是个不小的数目，论文数目超过这以前 50 年的总和。大致估算，在这一万五千七八百篇论文中，古代部分约占 65%，近代部分约占 23%，现代部分约占 10%，还有些是综合或通论性的。

现代部分，是指 1949 年新中国成立以来经济史的研究，有一千五六百篇，这是近年来我国经济史工作者一项新的贡献，是过去所没有的。这部分研究包括近半个世纪中国经济的发展变化，它部门齐全，并且非常重视经济制度的改革、经济效果和政策得失。由于这时期统计资料比较完整，学者曾以很大的精力整理和陆续出版了新中国成立以来的经济档案，可以采取计量学和多种现代化的经济分析方法，质量一般较高，可以给当代和今后的经济决策提供经验。我觉得，应当充分肯定我们经济史学工作者在这方面研究的成绩。

古代经济史仍然是中国经济史研究最广阔的领域，在论文成果中占65%的比重，有1万多篇。其中，先秦和秦汉部分约占33%，中古即魏晋至唐宋元部分占27%，明清部分占40%。在经济史学会1996年年会上，我曾提出我们对中古特别是唐宋的研究不足，希望有更多的投入。这次统计，情况有所改变。学者们对秦汉和先秦的兴趣仍然很浓，但中古研究的论文有所增加，特别是八九十年代之交，有个宋史热。宋代是我国经济发展的一个关键时代，尤其在商业、市场和思想方面。而宋代经济的发展都要追源于唐后期，至少要从两税法谈起。又18、19世纪的启蒙思潮，差不多都可在宋代思想变革中找到根源。因此，我认为中古经济史研究的加强，应视为我国经济史学科的一项成就。

明清部分，历来是古代经济史研究的重点。这10年间，有4000多篇论文发表，竟超过了近代部分（3600余篇），很出人意料。这也许是统计上的误差，我们的统计本不完整。不过，早在20世纪70年代末，就有个明史热，80年代又出现一个持久不衰的清史热。研究的重点也由土地制度、阶级关系等向小农经济的效率，商业和市场的发展等方面转移，提出不少新的观点。近代史方面，如关于帝国主义侵略、洋务运动、国民党经济政策等，也经过讨论，新的观点辈出。我认为，这些年来对明清和近代经济史的研究，总的说是个重新评价和再定位的过程。重新评价，是改变了明清是中国封建社会衰亡末世的看法，重新发现它经济上的活力和社会新的因素，改变了把近代社会只作为三座大山压迫下的牺牲品的看法，发现它经济上的成就和思想上变革的力量。所谓再定位，是从中国曲折地缓慢地走向近代化或现代化着眼，来研究明后期至民国的历史，已成为一种趋势。因而，每个时代、每件历史事物，都可在这个近代化过程中找到它正面或反面的位置。

这些年的经济史研究，一个显著的特点是研究领域的扩大。诸如人口和移民、历史地理和生态变迁，边疆和少数民族经济，都是新兴的领域。区域史和城市史，也是新兴领域，近年来并成为热门。

区域史的研究较早，在我们编辑的1986～1995年的目录中，已出版有专著176种，发表论文881篇。城市史提倡较迟，同时期统计，出版有专著

50 种，内上海 6 种，天津 4 种。发表论文 447 篇，内近 150 篇是通论性质。除通论外，近 300 篇论文中，先秦秦汉部分占 18%，魏晋至唐宋元部分占 28%，明清部分占 41%，而近代很少，只占 13% 强。与前面所说一般经济史的研究不同，在城市研究中，中古的部分远远超过秦汉和先秦。这可能是因为宋代城市在布局和功能上都有很大发展，学者对宋代城市的研究颇有兴趣。有人说，宋代城市人口的比重达到 20% 左右，这是非常突出的，因为在明清以至近代，城市和镇市人口，不过 5% ~6% 到 10% 强。

明清是城市研究的重点。明后期、特别是清中叶起，城市的功能已向近代城市转化，同时，集镇大量兴起，不同类型的城市和以城市为中心的经济区域大体形成。这以后的城市发展，也像我前面所说一般经济史研究那样，都可以在中国缓慢的近代化和现代化过程中寻找它的定位。

我国城市史的研究，是在近年来史学界的推动下逐步开展的，轨迹十分明显。1982 年，中央提出了以大城市为中心，带动农村，统一组织生产与流通，形成各种规模和各种类型经济区的战略思想。1985 年，《中国史研究》等单位，在北京召开了"中国古代城市经济史学术讨论会"，推动了城市史研究，一时有十大古代城市研究系列，并组成古代城市史学会。1986 年的哲学社会科学"七五"规划中，将上海、天津、重庆、武汉四大城市的研究列入重点项目。1991 年开始的"八五"规划，又提出东南沿海、华北沿海、长江流域等城市群的综合研究，和古代城市考古学的专项。1993 年，在上海社科院召开了"城市进步、企业发展与中国现代化"国际学术讨论会。1995 年，在北京召开了"城市历史与特征"的国际学术讨论会。这次会议，是第三次这样的国际学术讨论会了。

城市史和区域史都属于空间史学，它所涵盖的不限于经济功能，而是包括自然条件、社会、文化、思想以至习俗、心态等各个方面。尤其城市，城市一词的原态，几乎与文明是同义语。因而对城市史的研究，需要从不同的侧面，特别是从社会学、文化学、人类学和新兴的城市科学等不同的角度出发，分别进行，然后再作综合考察。因此，像今天这样的讨论会非常重要。会议的论文和讨论的结果，必将对中国城市史的研究，大大推进一步。我谨祝大会胜利成功。

谢谢！

在黄宗智《民事审判与民间调解：清代的表达与实践》演讲讨论会上的发言[*]

1999 年 3 月 9 日　中国社会科学院经济研究所

　　我没研究过清代民事审判问题，这方面完全外行。黄教授的书粗读过一遍，今又聆教，受益良深。尤其是所提"表达"与"实践"背离一节，对我启发尤大。不仅官方教谕，也不仅州县官的笔记如《牧令书》之类，就是他们对个案的传讯批示和堂审判词，这些表达也会与他们在审判中实际的考虑相背离。这是过去没有人注意到的，只有在详细研究 600 多件具体案件的处理过程中才能发现。而这种背离不仅在研究古代民事纠纷，我想在其他历史研究中也存在。所有文献史料，其实都是一种"表达"，都有个表达与实践背离的问题。

　　黄教授的书 1996 年英文版出版后，我曾见到 1997 年日本（东北大学）寺田浩明教授的评论，不说他对清代民事审判的见解，单就这一点，他说黄教授所说表达与实际"悖论"的观点，他"未能充分理解，不能置评"。因为黄书原文中用 Paradox，当作"悖论"解，确实难以理解的。

　　例如，我们如果看滋贺秀三教授"清代民事法源"那篇文章，列举那么多判例，都是根据"情"或"理"，极少是引据律例的。滋贺秀三的解释

---

　　* 中译本中国社会科学出版社 1998 年出版，英文版 *Civil Justice in China*, *Representation and Practice in Qing*, Stanford University Press, 1996.

是，法原是根据情理而定，或出自情理，即道德规范。黄教授的解释是，州县官的这些判词不必送给上级，不必写明律例根据。两种解释，其实并不矛盾。

我没研究过法制史，完全外行。不过，我父亲一生是民法律师，曾任北京律师公会主席，我的庆家公是南京地方法院院长。他们都是宣统年间北洋大学法科毕业，并经过殿试，由皇帝考试。但所学的是洋法，用英文教科书。所执行的是民国法，尤其是1930年的《六法全书》。不过，据我童年接触到的，实在与黄教授书中所写的差不多。当时律师办案，绝大部分是调解，律师的任务就是调解纠纷。即使进入法庭，首先也是合解厅，不仅离婚案、析产案、遗产案，本来无所谓胜负，就是商务案，我印象中有开滦矿地公司、启新洋灰公司等大案，打了很长官司，最后也是合解。一进法庭，像我父亲这样的律师就不出庭了，而是由助手出庭辩护，因为对方也有律师，都是熟人，见面不好意思，对方律师也是助手出庭。所谓调解，听他们口头所讲，总不外情和理。情指人情，理则指法理，即按法律应如何，不像清代人是讲天理，道德的理。依法律应如何，现在变通一点，如何如何，调解就成功了。不过，在合解书或判词上，常要写明依民法第几条第几款，就是说在表达上是依法的，与清代的表达相反，但实践上不一定。例如一所四合房，应有15间，实践上可算10间，把门厅、耳房去掉了，表达与实践背离。

在"中国传统经济与现代化国际学术研讨会"上的发言

1999 年 3 月 25 日　海口

我的论文包括我对现代化的认识和 16、17 世纪我国现代化因素两部分，前一部分不谈了，只谈后一部分。

我认为我国现代化因素产生于 16 世纪，即明嘉万时期。这本是傅衣凌先生的观点。我想从三个方面来考察它，即经济方面、社会方面、文化思想方面。其理论是：经济上的现代化因素必须引起不可逆的制度变迁，才能保证它的持续发展。经济和制度的变迁必然引起社会的变化。经济、制度、社会的变迁，在最高层次上都要受民族文化思想的制约。所以，要从经济、社会、文化三方面来综合考察，才能肯定所发生的新的经济现象属于现代化因素，而不是一种偶然现象，或者周期性的现象。

关于 16、17 世纪的经济变化，已有许多研究，我只提我认为属于新的、可看作现代化因素的，有六种：（1）大商人资本的兴起，即十大商帮；（2）工场手工业的出现，即所谓资本主义萌芽；（3）财政的货币化，包括田赋、里甲、均徭、匠役和课的货币化；（4）租佃制的演变，即押租和永佃制的产生；（5）雇工制的演变，即雇工人的人身自由化；（6）白银内流，估计使中国存银增加了 2/3，实现事实上的贵金属本位。这一条虽不是不可逆的，但白银内流延续到 19 世纪初，作用很大。

关于社会变迁，我想谈四点。

1. 就业结构的变化

士农工商四业中，工资劳动者和商人增加了，主要指城市。何乔远

《名山藏》说过去"人皆食力",而今"人皆食人"。食力指力田,食人即工资劳动者。何良俊讲"迁业",即由农民改为"蚕食于官府"、"乡宦家人"和"工商业者",这种迁业呈三倍、五倍、十倍增加之势,指 16 世纪上叶华亭县。估计到明末,苏州、杭州、扬州、松江、临清地区,非农人口约占一半稍多,其中主要是夫役匠等工资劳动者,商人约增三倍。

商人的社会地位提高了。王阳明理学即说士农工商"四业异业而同道",都可致良知。张居正提出"轻关市以厚商而利农"。朱国桢、庞尚鹏都有农商平等说,何心隐、李贽还有意抬高商人,至 17 世纪黄宗羲乃有工商皆本论。

2. 宗法制

明中叶后,兴起建祠堂、修族谱、置族田之风。或谓宗法制复兴。我不以为然。原来,士大夫祭于庙,庶人祭于寝,又庶民只准祭三代。成化八年(1472)还有谕未入品官不得立家庙。但民间私祭,嘉靖十五年(1536)礼部奏准民间得立祠、祭始迁祖。这一开禁,有钱者乃立祠堂、修家谱。族田始于宋范仲淹,行平均主义,为人称道。立庙、置族田都是在经济发展之区(李文治有族田表①)。这时早已无宗,实是家族制,这时家族制已是一种孝亲敬祖、敦睦族人的伦理观,是华夏特有文化。经济发展,有了钱,就修庙、修谱、置族田。这是经济发展的结果。不是什么宗族制复兴。"文化大革命"破四旧,家族制都破了,但 80 年代提倡市场经济,东南市场发达之区忽又兴起建祠、修谱、联宗祭祖的小高潮。因为家族制是有利于经商的。

3. 绅权的膨胀

16、17 世纪乡绅权力膨胀,土地大量集中于乡绅之手。这时,也是明王朝大兴皇庄、藩王庄、勋贵赐田之时。论者常以晚明皇权与绅权争夺土地论之。

其实不然。乡绅有的凭权势强占土地,但主要是买来的。何良俊说,弘治以前士大夫尚未"积聚",至正德,"诸公竞营产谋利",这是时代使然。又说,正德至嘉靖,华亭乡宦增加十倍,乡宦多了,又竞相置产谋利。

---

① 见李文治、江太新《中国宗法宗族制和族田义庄》附表"明代族田表""清代族田表",社会科学文献出版社,2000,第 90~100、234~276 页。——编者

乡宦之外尚有生员一级，人更多。顾炎武说，到明末大县有生员千人以上者比比也。生员原是一次性应试资格，到明代已成终身功名制，嘉靖二十四年（1545）又准生员赋役优免权。他们势力增大，设立书院，聚众讲学，组会结社，以至沟通东林党，评议朝政。这是一种"社区"力量，西称public sphere，是现代化过程不可避免的现象。

生员是当时的唯一知识阶级，乡宦又是其中学位较高者。不少是进士出身。我以为，这时的绅权膨胀，也是"知识价值化"的表现。知识阶层不为官，要表现自己，表现于地方。是现代化中常见现象。

4. 社会风气改变

这方面记载最多，主要是奢侈之风。奢风由于经济发展，工资劳动者增加了。王士性《广志绎》说，舆夫仆隶，奔劳终日，赚了钱就买酒大吃一顿，"明日又别为计"，形成一种新消费观。又说，这种消费观也侵及缙绅家，整个消费都增加了。

对奢风，当时人是谴责的，但也有人赞成，如陆楫，以其可以增加就业，散富人资财，"均天下而富"。其实，有这种观点的人不少，林丽月举出好多。这也是现代化过程中的现象。

关于文化思想变迁，制度、社会变迁最后都要受文化制衡。我用制衡（conditioned），有二义：一是不符合民族文化传统的制度不能持久，如人民公社；二是文化思想变迁又常成为新制度、新社会的先导，在思想史上叫"启蒙运动"。西方、东方的现代化都经过启蒙运动。

作为经济史学者，研究文化问题，不能像专业文化史学家那么详尽，可以只考虑居于主导地位的文化思想，就够了。这种居于主导地位的文化，在西方就是基督教文化，在中国就是儒家文化。

儒学，汉代起就不断吸收非儒思想，自身有个演进过程。宋代起，演变加速，形成朱子理学。到15世纪末，又盛行王阳明理学。怎样看待这个变化呢？一种看法，这是儒家吸取道家和佛学思想，使自身理性化，或哲学化，李约瑟称之为科学化。我同意这种看法。尤其王阳明的致良知论，有解放思想、提高自我思维的作用。王阳明说："学贵得之心。求之于心而非也，虽其言之出于孔子，不敢以为是也。"（《答罗整庵少宰书》）孔子之言可破，一切凡是都可破。

正是这样，在 16 世纪，出现了泰州学派、何心隐、李贽等反传统思潮，以及东林党的批判时政。反传统思潮很激进，《明儒学案》说他们"多能以赤手以抟龙蛇"，又说他们的学说真是"掀翻天地"。好像马克思说同时代的少年黑格尔学派"惊天动地"，是很有煽动性的。到 17 世纪，出现以顾炎武、黄宗羲、王夫之、颜李学派为首的启蒙运动，提出经世致用之学，并在哲学上建立新世界观。论述很多，我不赘言。这时期叫新思潮，或谓代表市民阶级，或谓是重商主义，我看都有点，都不恰当。思想与经济演变，不如影之随形，不可以经济决定论。

关于现代化研究的
一些看法

什么是现代化，没有个经典定义，每人都可按照自己的理解去研究，百花齐放，这样很好。不过总的说，现代化的初级阶段，总是从传统社会向近代社会的转变。近代社会是从传统社会来的，这就必须研究传统的作用，继承了什么，扬弃了什么。又，现代化是新制度的萌芽、产生和发展，与过去封建制度内部的演变不同，势必涉及整个社会、体制、思想、习俗的改变。我们搞经济史习惯从专题入手，这完全对，我一向主张专而后博，但在涉及现代化问题时，即使是一个小的专题，也要把时间放远些，不要就近代谈近代，把视野放宽些，不要就经济谈经济。

所谓向近代社会转变，也就是向理性化转变。西欧的传统社会是基督教社会，神权统治的社会，所以先要有个文艺复兴和宗教革命，他们叫人文化，然后才能理性化。西方史学讲现代化，也大都是从文艺复兴讲起。中国传统社会是儒家文化，它本来是人文主义的，并早已吸收法家，"儒表法里"。但这种儒学仍是伦理的，不是理性的。到宋代程朱理学兴起，才开始理性化。搞文化史的，不少认为宋代已有了现代化因素。内藤湖南1938年的《支那论》说中国的"现代时期"应从宋代算起。李约瑟说宋代的科学技术已达到英国工业革命前水平，但没能出现工业革命。麦迪逊（Angus Maddison）说"宋代革命"则是从经济上说的，他计算宋代人均GDP很高，世界之冠。

说宋代开始现代化，恐怕勉强，因为经济和政治制度还完全是封建的。据我看，程朱理学只是儒学理性化的开始，到明代王阳明才见功效，因而16、17世纪有泰州学派、李贽、东林党人的反传统思潮，黄宗羲、顾炎武、王夫之、颜李学派的启蒙运动。16、17世纪我国经济上有很大发展，社会和习俗有较大变化，我认为这都是现代化因素或萌芽，写了一篇《现代化与十六、十七世纪的现代化因素》（《中国经济史研究》1998年第4期）。

我这种看法是受傅衣凌先生《明清社会经济变迁论》的启发而来。后来发现不少人已有类似观点。最近我收到一部台北中研院近代史研究所出版的《近世中国之传统与蜕变》，是为刘广京院士祝寿的论文集。刘广京是主张中国近代史应从16世纪讲起，不宜从鸦片战争讲起的。文集中有许多文章同意他的观点，其中有两篇值得注意。

一篇是余英时的《士商互动与儒学转向》，讲16、17世纪"弃儒经商"之风和士人与商人合流，引起儒学义利观和价值观的转变。最后他说，鸦片战争后的求强求富和维新运动，是中国知识分子对西方价值观做出的选择，这种选择不是任意的，而是16世纪以来儒学转向给予了他们选择的"主动性"。因此要好好研究16世纪以来的社会思想史，才有"通古今之变"。他还说当前我们对近代史的研究过分强调了传统与近代的"断裂"，这就不能通古今之变。我想这是对的，不能割断历史，经济上也是这样。有的著述，好像鸦片战争一来就变成另一个世界，什么都是从"半殖民地"上另起炉灶。

另一篇是郝延平的《中国的三次商业革命》。第一次在宋代，第二次在康雍乾时期，第三次在1978年改革开放以后。三次革命之说不尽令人完全信服，但他强调商业的作用是对的。商业革命导致工业革命，这本是马克思"交往与生产力"的理论，西史讲工业革命也都是从16世纪重商主义讲起。不仅欧洲，美国、日本以至亚洲四小龙的工业化也是由商业特别是外贸大发展引动的。我在16、17世纪中国现代化因素那篇文章中，即把徽商、山西陕西商等十大商帮的兴起作为经济上首要的现代化因素，工场手工业（资本主义萌芽）还在其次。再者，郝延平这篇文章说，三次商业革命有继承性，因为造成革命的一些因素是延续下来的。三次商业革命又有差异性，因为每次都有新的，不同的动因。我想这是一种好的方法，通古今之变，就是要找出历史时期之间的继承性和差异性，比西方史学常用的"因果链"（来自休谟）方法要好。

我再谈一点现代化研究的方法问题。我们搞经济史，当然首先注意经济变迁。但经济变迁必须有相应的制度改革，才能持久运行下去。我考察，16、17 世纪确实在赋役制度、租佃制度、雇工制度、货币制度上都有较显著的改革，并且其改革趋势是不可逆的，因而可作为现代化因素。不过，要实现工业革命，单这种制度改革是不够的，还必须有体制的（systematic）以至根本法的（constitutional）的变革。这方面我们落后了，到 19 世纪下叶才见端倪。

经济的现代化因素不能孤立地考察。因为较大的经济变动，可能是由于偶然的机遇（如战争），或是周期性过程，必须从社会变动来验证，才能肯定是现代化因素。另外，比较大的经济创新和制度变革，需要有创始集团和社会群体两种力量才能完成。经济史考察社会变迁，只能选择有关的方面。我在考察 16、17 世纪现代化因素时，选择了就业结构、商人地位、宗法制变迁、乡绅权力和社区力量、奢侈风气五项，看来与经济变迁相吻合。

经济发展、制度改革、社会变迁，在最高层次上都要受文化思想的制衡。我用制衡（conditioned）一词有双重含义：一是违反民族文化传统的东西，如太平天国的圣库制度、人民公社制度是不能持久的；二是文化思想又常是社会制度变迁的先导，或"启蒙"。我前面讲了儒学的理性化，像后来的维新思想、五四运动更是这样。这里重要的是，文化思想的变迁不是与经济发展如影之随形，不可以经济决定论。我们搞经济史，只能考察占主导地位的思想，而不能面面俱到。就是占主导地位的思想，也和考察社会变迁一样，要依靠这方面的专业学者，并且学习面要广；因为在思想问题上，很容易一叶障目。

附记：1999 年 11 月 12 日在"中国现代化过程中传统经济因素的作用"学术讨论会上的发言（中国社会科学院近代史研究所），经整理改写。——编者

1949 年的中国

——在"1949 年的中国"国际学术讨论会上的发言

1999 年 12 月 30 日~2000 年 1 月 2 日　北京九华山庄

　　"1949 年的中国"是个很有意义的命题。20 世纪四五十年代中国发生了翻天覆地的变革，我生活在这个时代，也参与了这场变革，是历史的见证人。但我没作过专门研究，没有准备论文，今天也没有什么有价值的发言。不过，我也是研究历史的，我想在历史研究上，或方法论上，提些个人看法。

　　我想从历史的连续性谈起。我们所说的是中国历史上的一次大革命。任何革命都不能割断历史。马克思论法国大革命时说：人们创造自己的历史，但不是随心所欲地创造，而是在"既定的、从过去继承下来的条件下创造"。[①] 马克思在论历史观时又说：如果你不是把历史看成是"产生于精神"并"消融于自我意识"的那种历史观，那么，每个时代都必须承受上一代传下来的"一定的物质结果、一定数量的生产力总和，人与自然以及人与人之间在历史上形成的关系"。[②] 这三种历史连续性是非继承不可的。我们想把这场革命看成是一切都从新来，是在一张白纸上画最好的图画。但做不到。上月我们有人访问日本，东京大学一位教授[③]说：今天中国的 10 大钢

---

　　① 马克思：《路易・波拿巴的雾月十八日》，《马克思恩格斯选集》第 1 卷，人民出版社，1972，第 603 页。
　　② 马克思：《德意志意识形态》，《马克思恩格斯选集》第 1 卷，第 43 页。
　　③ 田岛俊雄。

铁企业，8 个是从国民党延续下来的，只有宝钢和邯郸厂是新建的（包钢和攀枝花还不算 10 大钢铁企业）。

1949 年的大革命，把眼光放长，它实际是近代中国社会大变革中的一个环节，即中国由传统社会向现代社会过渡，也就是中国现代化过程的一个环节，或开始一个新的阶段。中国的现代化过程，在 1949 年以前，已经经历了两个或三个阶段，而在这个过程中，都有现代化因素，也有传统因素。虞和平有个理论，叫传统的"潜在适应性"，即传统中有某种与现代化社会相适应的本质内涵。① 在我看来，恐怕还不只是适应，传统中还有走入现代化的能动因素。② 不管怎样，研究现代都离不开传统，历史不能割断。

历史的连续性，还指我们研究时不仅看到过去，还要看到未来。我们是研究过去，例如四五十年代，还要看到八九十年代的改革开放，以及整个世界现代化思潮的变动。否则，不能给四五十年代的新民主主义定性。

例如，什么是现代化？在 50 年代，我们还是把现代化概括为资本主义化，因为从封建社会向资本主义社会转变，就是现代化。因此，我们花很大力气研究资本主义萌芽。现在看来，恐不恰当。工业化是现代化的重要内容，现在可以肯定，中国的工业化肯定不是在资本主义制度下完成，而是在社会主义制度下完成。中国的科学化、民主化，恐怕也是这样。资本主义是现代化，新民主主义是现代化，社会主义也是现代化。其实，资本主义、社会主义都不能概括现代化。历史上，洋务运动、戊戌变法都对现代化做出贡献，他们并不是资本主义的。源源不断的新东西，绿色运动、可持续发展、信息化、数字化，这些东西是姓资还是姓社？

西方学者，尤其是韦伯以后，把现代化定义为理性化，即合乎科学的、合乎进化规律的，或合乎逻辑的发展。我以为，这个定义，到目前为止，可以接受。因为西方的近代理性观，完成于康德，而中国也有。我以为，宋明理学就是儒学的理性化，王阳明可比康德。李约瑟说是儒学的科学化，恐怕不妥。西方的启蒙理性，主要是工具理性，科学的理性和逻辑理性都是工具理性；而中国的理性主要是价值理性，以伦理为主的理性。这正是中国现代

---

① 虞和平：《商会与中国早期现代化》，上海人民出版社，1993，第 147、163 页。

② 吴承明：《论工场手工业》，《中国经济史研究》1993 年第 4 期；《论二元经济》，《历史研究》1994 年第 2 期。

化迟迟不前的原因，要学习西方的工具理性，才有了进展，学习最多的是在1949 年以后，先是从苏联学习，现代化加速。而西方正因为是工具理性，达到高度物质文明，但也因此受到后现代化主义的批判。

后现代化思潮，70 年代以后风起云涌，但迄今为止，还是对西方发达国家文明的批判，没有实践，所以不是现代化发展的又一阶段。唯一的实践就是在文艺上，创造了一些看不懂的诗、莫明其妙的画。不过，现代西方发达国家确实存在不少弊病，特别像官僚政治、恐吓外交、经济垄断、贫富分化、道德沦丧、犯罪横行等，我们研究历史，看看这些批判是很有益的。

不过，我想说的是后现代主义的历史观和方法论。他们一般承认多元论，尤其是文化多元论，这是对的。斯宾格勒（Spengler）《西方的没落》提出断裂的观点，但因此强调了个别性、差异性、异质结构论。于是有人提出"破裂论"。他们承认发展中国家各有特点，应各走自己的道路，这是对的，但因此否定了共同规律，乃至认为落后本身有其存在价值，提出所谓"隔断模式"。后现代主义大师福柯在《知识考古学》中说，历史学应当寻找"非连续的""断裂现象"。我觉得，这是不能接受的。

西方哲学一向强调主观与客观的对应，形成认识论的二元论、不可知论。后现代主义者要求主客观统一，这是对的，中国哲学就是主客观统一的。但他们常过分强调了主观的作用，因而常常反对历史有规律性，更反对因果律，因为历史的因果还原法原是工具理性的功能。批判工具理性，崇尚价值理性，因而主张历史不要着重写"是怎样"，而应着重写"应怎样"，也就是轻视历史的实证分析，强调规范分析。

我不同意这种方法论。我认为，实证分析实际是实践的分析、经验的分析，工具理性只是方法，如归纳、演绎、推理等。实证分析也有价值判断，其要求是历史主义，即放在当时的历史条件中，按当时的价值观，评其行为效果。实证分析是主要的，没有实证，便不是历史。规范分析，不是按照普遍适用的价值观来分析，因为没有一个普遍适用各国各时代的价值观，而是按照本国的现在的，或最新的价值观来分析，目的是古为今用，鉴往知来，即评其潜在效应，即对后世以至今天的正面或负面效应。

实证罗列历史，分析用理性工具得出因果，即实证分析；但非价值性，而是以历史主义的价值观为标准。

在"第三届张謇国际学术研讨会"上的发言

2000 年 8 月 20 日　北京

我没有专门研究过张謇，只在过去搞近代史时接触过一些。这些年转换课题，加以眼睛不行了，所知更少了。能参加这次盛会，非常荣幸，是来学习聆教，谈不出什么，只是祝大会圆满成功。

我曾参加 1987 年的会，没参加 1995 年的会，但看到一些论文。感觉我们对张謇的研究，是一步一步深入了。张謇是个多方面的伟大人物，对他的研究要面广，要全面看，但更要求深，不断深入。所谓深入，就是不只是历史事实本身，还要探求他行事的思想原委，他根本的思想原则。这也就是柯林伍德的史学，"一切历史都是思想史"。我想，不是所有的历史问题都要这样做，但对于像张謇这样的伟大人物，是要这样来研究的。

从这次会议的通知看，这次主要是研究张謇思想的。通知把张謇首先列为"思想家"，然后才是其他。通知要求"本着跨世纪的目光，审视张謇的思想和实践"，"着力反映张謇研究的当代价值"。这非常对。历史研究就是要随着知识的积累、时代的进步，用新的价值观重新认识历史，这就是深入。

胡适说张謇是个伟大的失败的英雄。这话不错。就事论事说是失败的，就思想立论说是伟大的。孔子就是个最伟大的失败的英雄。孔子周游列国，到处碰壁，一事无成。但孔子思想奠定儒学基础，成为万世师表，至今仍有时代价值。

张謇说："与其得贪诈虚伪的成功，不如光明磊落的失败。"这是他为人处事的精神，光明磊落，宁可失败，不苟且求成。这种精神和他的理论思想同等重要。

研究张謇，不仅是他的爱国主义思想，还有许多理论，我感到，张謇的一些理论思想，往往要经过历史考验才见其真谛，见其成败。试举三例。

第一件，20世纪80年代，我曾有文论张謇的实业路线，即南通实业体系，认为是一条立足于本土、工农结合、中国式的近代化道路。它失败了。败于立足于洋行、脱离农村以至对立于农村的大口岸经济。后来，我进行二元经济的理论研究以及乡镇企业的历史，才进一步理解张謇实业路线的理论意义，它成功地实现了。

第二件，张謇的"言商仍向儒"。状元办纱厂不只张謇，还陆润庠。张謇办大生本于"大德曰生"的思想，要赚钱，但仍讲儒家义理，或讥为封建残余。近年来，我研究宋明理学是传统儒学的理性化，李约瑟说是传统儒学的科学化，尤其是王阳明以后，引发泰州学派等反传统和17世纪启蒙运动。再有四小龙的兴起，儒家思想颇有利于工业化。再看到，张謇批评独尊朱子，为陆象山辩护，又尊崇顾炎武、黄宗羲，特别是颜元。这就了解他"仍言儒"的本义，是积极的，不是保守的。

第三件，张謇倡行地方自治，讲"村落主义"，也有人认为是封建保守。近年来，我研究明嘉万以来的所谓乡绅权力膨胀，用社区理论（public sphere），又因大量是科举出身，提出"知识价值化"观点，作为一种现代化因素。再看张謇的地方自治：实业、教育勿论，慈善是广义的，主要是社会保障。去年起，我们也大讲社区，讲社会保障。看来，张謇的地方自治理论又实行起来了。世纪之交，重现光彩。

"中心论"与"再评价"

——在"中国传统经济再评价"座谈会上的发言

2001 年 12 月 2 日　首都师范大学

　　从 Frank 这本书谈起。我较早看到，觉得很受启发，曾与李伯重电话，想写篇评介。李伯重刚自美归来，说在美引起大辩论，吵得一塌糊涂，还是不要写。一年后中译本出来，我一看"白银资本"，不对，原书不是最重点，而是从世界经济看中国。就白银说，Frank 夸张了。他估 16 世纪中到 17 世纪中流进 1.24 亿～3.2 亿两白银。我有过专门研究，估计不过 1.5 亿两白银流入，并非作为资本、作为投资，而是作为货币，促进流通，使中国建立银本位。这当然有利于生产、经济发展，但不是发展的主因。不像欧洲引起价格革命。实际，这次白银内流，不如 18 世纪大，18 世纪即康雍乾 5 亿两，超过 1.5 亿两，而 Frank 没说。那次白银流入，也没像欧洲引起工业革命。这是我想说的第一点。

　　第二点，即王家范文章批判的中心论。王文说有两种中心论，完全对。不过，王所说的第一种，即"世界史观"的中心论，实际是指整个文化或文明，亦称历史一元论、价值一元论，世界文明是由一个中心传播出来的。这种历史观源于《圣经》，康德加以论证，到黑格尔定型。西方兰克的史学和后来学者，都是一元论。但 20 世纪以来逐渐受到批判。汤因比研究了 21 种古今文明，各有其兴衰之道，结论是文明是多元的，而且是等价的，价值相等。最近，Isaiah Berlin 提出各种文化是不可通约的，没有一个共同的衡量标准，自然也无中心。反对派，如亨廷顿的文化冲突论，也是无中心的。

后现代主义认为世界本来是差异的、多样的，先进和落后都有其存在价值。
这是对的，我们应该是这种历史论。

另一种中心论，经济上的中心论，那要在地理大发现，世界各国经济联
系进入一个世界体系以后才有，是 16 世纪以后的事。这时的经济中心，实
际是谁最富有、支配剥削别人，便自然形成中心。拉美学派所称核心—边缘
说，布罗代尔中心转移说，都指这个。

王家范批判说 Frank 认为五千年都是中国中心，有点过分。因为 Frank
全书是说 15 ~ 18 世纪在世界经济中中国还居支配或霸权地位，19 世纪才失
手于欧洲。Frank 没有论五千年，不过看来有这种思想。这种思想是错误
的。其实，中国史家，特别是清代史家倒有种思想。我上面一段话，讲文明
多元论，目的就是说应该批判这种思想，批判历史一元论，主张多元论。其
实，中国史学原没有一元论，司马迁就是多元论者，从太史公论西南夷可
见。唐代史家也是多元论，协和万邦。宋人（张载、朱熹）提出"民胞物
与"，尤其伟大。在整体历史观上，不能因为反对欧洲中心论就变成中国中
心论。1984 年 Paul Cohen 的书 *Discover History in China* 出来，我看了非常高
兴，很想找机会介绍。后来也有了中文译本，用不着介绍了。Cohen 反对欧
洲中心论，但不是中国中心论，而是从中国发现历史，内因为主。这点比
Frank 高明。

第三点，中国传统经济的再评价，本题实际是指对清前期经济的再评
价。大体看，过去有一种看法，认为清代已是封建社会末期，走下坡路了，
反动、腐朽了。国外也有一种看法，以为 16 世纪世界和中国都有大发展，
17 世纪危机，以后西方工业革命，而中国衰落，黄学智编了一本《欠发展
的发展》（*Development of Underdevelopment*）的书持此种看法。还有一种看法
把宋代提得很高，而明清停滞，漆侠、Angus Maddison 都是。20 世纪 80 年
代后期、90 年代就兴起为清代经济翻案风，即再评价，这个风很盛，声势
很大，方行、李伯重都是翘楚，国外李中清、王业健，我曾称之为 pro-Qing
School。今年春与马若孟谈起，他说他也是。新出版的《中国经济通史·清
代卷》三大本，可说集再评价之大成。对此，我完全赞成。迄今的研究，
我看是实事求是的。这部书的总结：清代经济在农业、手工业、商业和财政
金融各方面都大大超过前代，是中国封建经济发展的高峰。我完全同意。

不过，还是有点个人看法。大家知道，我是认为16、17世纪，即明后期，中国经济的发展已引起社会结构的某些改变和制度上不可逆的变迁，赋税、租佃、雇工、货币以及思想上的反传统思潮与以"经世致用"为号召的启蒙运动。我把这些称之为现代化因素或萌芽。但是，这些因素在清人入主中原后被打断了，启蒙运动完全夭折了，又回到了经学。有清一代，虽有经济上或生产力上的重大发展，但只是在封建经济范围以内的发展，经济发展，制度保守，思想更保守。在制度上，像《清代卷》所说，也有由一条鞭到摊丁入亩、由定额租到永佃租、由短工人身自由到长工人身自由等制度的变迁，但其变革没有超出封建体制的范围，没有突破引起体制的改革。这正是18世纪开始中国落后于西方的原因。西方的启蒙运动比中国晚一个多世纪，其经济基础即生产力水平也不如清王朝，但它声势浩大，而且有效，有雷霆万钧之力，终于实现体制改革，建立宪法国家，完成工业革命，进入现代社会。这是我总的看法。

制度尤其是思想的发展并不是与经济发展如影随形。反之，在大变革时代它们乃是经济发展的先导，至于中国17世纪的启蒙思潮为什么无功而退，我以为主要是它缺乏工具理性，空言而无效。

郝诒纯院士

——在"一二·九纪念会"上的发言

2002 年 12 月 8 日　中国地质大学

　　一年半以前，郝诒纯同志逝世时，讣告上写的是著名的地质学家、教育家、社会活动家。地质学家、教育家不用说，她是中国微体古生物学的奠基人，对油气田勘探有重大贡献，这我都不懂。社会活动家，在"一二·九"时代就是革命家；因为"一二·九"运动是党领导的，诒纯同志是中华民族解放先锋队（简称民先）的西城区区队长。民先是 1936 年 2 月成立的。4 月，北平市委决定取消原有的共青团，团员转党，青年工作移交给民先。原来人数较多的华北武装自卫会也取消了。所以，民先成为党直接领导的唯一的青年革命组织。当然还有学联，学联是选举成立的社会团体，在学联工作不算参加革命工作，加入民先就算参加革命工作了。民先有 6 个区队，西城区学校多，队员也多，1936 年底大约有 100 人，任务十分繁重，郝诒纯就负责领导这个区。

　　那时我在清华，是清华民先的大队长，不属西城区，对郝诒纯的工作不清楚。我们大约见过面，不记得了。清华民先我很清楚。例如池际尚、李孝芳，都是民先，地质系的。很奇怪，当时地质系的积极分子最多，还有叶笃正，气象学家；傅国虎，学地理，也是民先，那时地理和气象都在地质系，叫地质地理气象系。后来池际尚和傅国虎都同我一起从军，到陕西。

　　1936 年秋我转学到北大。北大地质系也是个革命系。"一二·九"运动中高层领导人袁宝华、宋尔廉，都是北大地质系的。还有黄劭显、吴磊伯，

651

也是地质系。吴磊伯是民先东城区区队长，与郝诒纯职位相当，但是男的、大学生。民先区队领导人中只有诒纯是女的、中学生，所以可说是天才革命家，领导力很强。

后来郝诒纯到昆明西南联大，发起组织群社，社长邢福津（方群），也是联大地质系的。我说这些，是说中国地质学家一向有爱国主义、革命主义传统。搞地质要深入祖国大地，要刨根问底，可能也有关系。李四光先生我没见过。翁文灏在 20 世纪 30 年代有过接触，他有些社会调查的论文是爱国主义的。我希望我们地质大学发扬这个优良传统，郝诒纯、池际尚都是榜样。

"七七"事变后，郝诒纯同志到天津耀华中学，任天津民先总队部的组织委员，任务更大了。一年后，她到昆明西南联大，参加联大的民先。昆明原有个青年抗日先锋队，叫抗先。1938 年北平的老民先力易周到昆明，组织民先，抗先就结束了，并入民先，1939 年民先发展到 100 多人。这时，形势改变。民先这种组织已不适合学生运动需要，中央南方局建议撤销。于是，联大另组群社，郝诒纯是群社的发起人之一，也是后来的活跃分子，学生会第二、三届主席。群社是个公开、半公开组织，成立各种研究会，组织座谈会，出刊物，搞体育、歌咏、话剧等，十分活跃，对抗战做了许多工作。不过我 1940 年初就离开联大，情况了解不多。

在《中国经济思想通史》学术座谈会上的发言

2003 年 4 月 22 日　北京大学

记得 12 年前在临湖轩祝贺本书初版发行，当时陈岱老还在，宋涛先生说，经济思想有通史了，你们经济史还没有。我说我们落后了。现在经济史也有通史了，去年出齐共 9 卷 27 本的《中国经济通史》。但实际上是断代史，没通起来。

通，"通古今之变"是中国史学最伟大的特色，西方没有的。西方史学只是把前后事情用因果关系联系起来，这也可看出变化，但是线性变化不是真正的历史的变。司马迁所说"通古今之变"，是指质变，大变就是向对立面转化，小变就是"齐一变至于鲁"的变。这是真正历史的变。西方史学家不懂。只有黑格尔和马克思懂得这种变，但他们不是史学家，他们讲的是历史哲学，他们没写过通史。20 世纪 30 年代，西方兴起结构主义史学，结构变迁代替因果分析，在经济学方面结构主义代替线性增长，这才接近中国史学了。

这部书是赵先生毕生心血，集北大精英之力完成的，它博大精深，自不必说。而我以为它最精辟的地方，就是"通古今之变"。即"序言"中所说"思想内容方面的贯通"，找出思想发展的规律。这很不容易。因为思想变化不是随着经济的变化如影之随行。恩格斯说，思想变化有它自己的规律。什么规律，他没说，因为各种思想的规律是不同的。他只提到宗教思想。现在，中国传统经济思想的发展规律找到了，即本书"结束语"中的四条。

这四条，还可以议，百家争鸣，但无论如何是前无古人的，是个伟大的贡献。

我还想讲一点。这四条的第三条，说中国传统经济思想是国家本位的，完全对。是讲富国之道，讲富民也是指全民，就是说，只讲宏观经济，不讲微观经济。与西方完全相反，西方经济学基本上是讲微观的，到凯恩斯，才出现宏观经济学。但是，本书作者却用极大的努力，搜求"治生之学"的思想，"富家"的思想，也就是微观经济思想。这是了不起的。不但是为前人说不为，而且是极有远见的。因为，宏观经济学是以微观经济学为基础的，微观理论不强，宏观就无着落。所谓微观经济学，是研究人与人的经济关系，在资本主义社会是商品交换关系，但在资本主义以前就有物质交换，在物质交换以前就有劳动交换，所以马克思另创一词，叫"交往"，写了一篇叫"交往与生产力"，交往促进生产力，这就是微观经济学。本书收集了历代治生之学的材料，但是，除了司马迁以外，谈的都不是人与人的经济关系，而是讲怎样种地、怎样管家，属于管理学，不是经济学。因此，本书说，中国传统经济思想对微观经济理论是"消极的"，非常对。这就说到点子上。我看了以后，恍然大悟。

附记：座谈会因防"非典"停开。

经济史与社会学的关系

——在"中国历代农民家庭规模与农民家庭 经济学术研讨会"上的发言

2003 年 9 月 14 日　烟台

　　勉强讲一点，是题外之话。即经济史与社会学的关系。前些时有文章说，我们经济史不注意社会问题，近年才向社会学转移。我说不对呀，我作学生时，20 世纪 30 年代就是社会经济史，最早读物就是森谷克己的《中国社会经济史》。陶孟和主持的社会调查所，出版《中国社会经济史研究丛刊》，1932～1949 年，出版 18 年。陶希圣主编的《食货》，重古代，更多社会研究。不过，有一个时期，大体从抗日战争到"文革"前，40 多年，确实不注意社会问题了。新中国成立后，学校禁止社会学，"文革"后才恢复。这是为什么呢？

　　社会学晚出，1839 年才有。中国在 20 世纪 30 年代才有。社会学一出来就看不起历史。孔德（1798～1857）的学术体系中没有历史学，历史学是附属于社会学的。因为社会学讲社会发展的普遍规律，而历史学是讲个别的，英国史、法国史，没有普遍规律，当时是兰克史学，就是这样。社会学讲全社会，特别是基层社会，家庭、社区，而兰克史学只讲政治史，社会学家看不起政治。屈维廉（G. M. Trevelyan）说，我们研究除政治以外的全民史。还有，涂尔干（David. E. Durkheim，1858～1917）以后，社会学重心转移到美国。美国没有历史。社会学转向社会调查，讲究田野工作。我当学生时学的就是美国社会学，就是帕森斯（Talcot Parsons，1902～1979）功能主义社会

655

学，他们不讲历史。

社会学家看不起历史。历史学家尤其经济史家却注意社会史。最早是韦伯（Max Weber，1864～1920），但韦伯中国人不欢迎，因为他说基督教可以发展资本主义，儒教、道教、佛教都不行，所以中国不能工业化。像陶孟和、陶希圣、梁方仲的社会学都是帕森斯的功能主义。如研究家庭、家族、社区、乡绅都是从群体功能入手。西方讲基干家庭、核心家庭，核心家庭功能大，流动性大，所以社会进步。但有人研究，明清中国社会比西方更开放，因流动性大。何炳棣是看中科举制度，平民取得功名就能突破等级制度，到社会上层。西方只能当神父，农民儿子可以当主教。

这是老社会学。今天我们研究不能再抱着功能主义了，更不能回到行为主义。当前社会学发展我看有两大趋向：一是结构主义。在史学方面以法国年鉴学派最成功。布罗代尔（1902～1985）的整体史观，我看是当前最好的社会经济史学派，已经有不少介绍。后现代主义的福柯（Michel Foucault，1926～1984）也是结构主义，有些出色的见解。二是交换理论或交往理论（communication）。认为人与人必须要交换，才组成社会。交换不一定是经济的，更多是社会的。如婚姻就是社会交换，组成家庭（George C. Homans，Peter Blan）。哈贝马斯（Jürgen Habermas，1929～）是后现代主义者，认为人本来是自由交往的，组成社会，后来受制于权力或金钱，不能自由交往了，要找除妨碍自由交往的东西，恢复本然的社会。法国年鉴学派，尤其交往理论，都深受马克思影响。

现在，回到我最初提到的问题，为什么抗日战争后40多年我们史学界抛弃了社会史研究。原来，马克思的社会学是19世纪三大社会学学派之一（另两个是涂尔干和韦伯），后来的社会学五花八门，很多受马克思影响。但马克思学派在社会进化论上是冲突论，认为社会发展是由于内部矛盾，阶级斗争是动力；而传统社会学的主流是主张社会和谐、均衡有秩序地发展，从孔德、涂尔干到帕森斯都主张社会和谐、均衡。抗日战争后，中国是马克思主义史学，讲阶级斗争，认为社会学是资产阶级的，所以禁止讲授，史学界就抛弃了社会学。其实，社会应当和谐、有序，并不是行为主义、功能主义或结构主义的主要问题，不是社会学的根本问题。讲冲突也不只是马克思。马克思社会学之所以影响很大，不是因为他的冲突论，而是因为他首先提出人们的交往关系，这见于《德意志意识形态》；因为他首先提出结构变动，即生产方式；他首先提出远景社会，即自由王国。

马克思社会学的贡献：

1. 整个社会发展是辩证的，不都是阶级斗争。阶级斗争实指早期资本主义社会。今天中国就不是阶级斗争，而是安定团结了。

2. 最早提出交往理论。人们交往形成社会，交往好，社会进步；交往不顺，社会动荡。他用 Verkehr，不用 Austausch，犹 Communication 与 Exchange。

3. 最早提出结构概念，即生产方式。社会进步不是线性的，而是生产方式的更替。这种更替即辩证发展。

4. 提出人类社会发展的远景，即人道主义与自然主义统一的社会，见于《1844 年经济学哲学手稿》，亦《资本论》第 3 卷阐述的"自由王国"。这是个伟大的历史观，超过康德的世界公民。社会学界无人不佩服马克思这个伟大理想。

重新研究小农
经济史（提纲）

—— 在第二次"中国历史上的三农问题学术
讨论会"上的发言

2006 年 10 月 21 日　　中国社会科学院近代史研究所

一　把小农经济作为一种经营方式来研究

小农经济是封建社会的产物。到社会主义，怎样处理它？1859 年考茨基发表《论土地问题》，认为无产阶级专政后不能剥夺小农，可组织起来合作化。列宁基本同意。1929 年斯大林召开土地会议，说小农会自发产生资本主义，必须消灭，代之以集体农庄。

中国基本上采取了斯大林路线，1958 年实现人民公社化，消灭了小农。但 1983 年普遍实行家庭承包，包产到户，等于恢复了小农经营。当时学术界除赵冈外，多不愿承认恢复小农。或谓应称"小土地劳动者"，这本于恩格斯，而恩格斯所称"小土地经营者"，是指法国小农。或谓应称"集体制小农"，因是承包大队任务。然 1985 年废除统购、派购，并缩小合同收购，允许土地转包、出租、转让，至于农民从事运输、商业、乡镇企业、外出打工，都非集体任务。

当时，还以为家庭承包只是过渡措施，将来还要取消。2005 年发布"十一五"规划，温家宝总理说："给农民土地经营权以长期保障，十五年不变，三十年不变，就是说永久不变。"永久不变，到社会主义高级阶段还有家庭经营，还有小农。

这启发我，应把小农经济作为一种经营方式来研究，即由家庭经营农业。它只要求土地经营权，与土地所有权无关，自耕农和国有地、公有地、族田、学田的佃农都是小农，承包集体所有制的农户也是小农。经营方式是个中性概念，一如股份公司，它不姓封、不姓资，也不姓社，这样研究小农经济的历史更有好处。

二 小农经营的特点

中国小农经营有两大特点：精耕细作和多种经营。精耕细作农业史研究较多，李根蟠先生有全面论述。多种经营，我不用"副业"，因如不栽桑而缫丝，不种棉而织布，已超过"副业"概念，而属纯手工业了。陈翰笙调查保定农户（1930），经营手工业 17 种、商业 10 种、服务业 9 种，共 36 种。南方农户经营种类更多，而且有向第三产业发展的趋势。外出打工，今成主流，其实早有，如下关东、下南洋都是大宗。我小时还有不少厂矿"停年歇夏"，农忙季节要放假，让打工人回乡生产和过大年。

研究多种经营须有一村一户的历年收入材料，颇难。目前较完整的是无锡 11 村、保定 11 村调查。满铁 6 省 6 村调查，农业收入占 65.5%，非农收入占 34.5%。曹幸穗苏南 12 村调查，农业占 60.2%，非农占 39.8%。都是民国时期，早期尚待研究。

对小农说，多种经营的效果是通过市场优化资源配置，尤其劳动力配置。故研究市场非常重要。我较早研究市场，但有个错误。我是着眼于分工和专业化，剔除了地方小市场，认为使用价值的交换不能促进大生产。其实小农正是需要使用价值的交换，余缺调剂、品种调剂、季节调剂、为买而卖。龙登高、许檀先生的市场著作都注意到这一节。张忠民先生的"小生产、大流通"也很有见地。商人资本参与小农经营，应该说利大于弊。像发网、草帽辫都小得很，但拥有世界市场，并且原料也是商人从海外运来的。

市场研究中，土地市场很重要，小农发展依靠土地自由买卖。宋代不立田制、不抑兼并实际是大开放土场市场。方行先生这次会议的论文，指出定额实物租、押租制、永佃制的发展，实际是促进了土地经营权的自由买卖。

三 从家庭、社会方面研究小农历史

小农家庭是生产经营单位；通过宗法关系，也是社会群体单位；由邻里乡党组织起来，又是国家的基本单位。过去主要是从经济方面研究小农，需要加强从社会方面进行研究。

在西欧，血缘群体解体后，是职业群体的社会。职业群体由工商诸业的个体组成，农民也是个体农民，彼此没有联系，所以马克思说小农是"一袋马铃薯"。

中国不是这样。中国原来是宗法制社会，宗子统领土地和爵位。战国废除宗子，长子继承变为诸子继承。诸子继承是按房分产，个人是代表房执掌财产。李悝的五口百亩之家还不同于西方核心家庭，各家并非完全孤立，还保留有宗法关系、邻里关系。实际还有共同活动，如祭祀、乡饮酒、堂、社、会等组织活动；还有共同财产，祠堂、祭田、赡养田等。明代以后族田大发展，李文治考察清代族田 460 例，公户收入最大用于助族人入学、科举，以及济贫、赡养孤独等。同时，受儒家伦理思想影响，讲孝悌和互助精神。也有实际行动，如共修水利，建桥开路，义仓义冢，小至几家共买牛、换工，盖房子都是亲友动手，而非雇工。总之，中国小农有集体主义精神，与西方纯个人主义不同。

宗法制和伦理观念也有它消极的一面。如北魏行"宗主都护制"，荫客盛行，有的荫几百家、几千家，最多达五万八千家，蚕食了小农。南北朝出现的坞堡经济，是由大的宗族形成，实行集体劳动，消灭了小农。最盛行的是南朝的庄田经济，劳动者称徒附、私属、部曲，变成依附农。不过，魏晋南北朝时小农并未完全消失，那些为逃避官役而自愿投靠豪门的荫客和依附农，仍保有某些家庭经营。

宗法制延续最长的是干预土地买卖，即亲房优先购买制。土地权不能自由买卖，对小农极为不利。不过这种习俗亦已衰微，或徒具虚名。江太新先生研究，到乾隆时，亲房购买者仅占 4.4%，绝大部分是异姓交易。

四　小农理论

T. 舒尔茨说小农是理性的，能有效运用每种生产要素，这话不差，但其"一便士资本家"的论点绝对不适合中国的小农。黄宗智、秦晖先生更倾向于 A. 恰亚诺夫的理论，我也是这样。不过不能说中国小农就只是糊口经济，方行先生有清代小农中农化的论点。并且，黄宗智所说"实体主义"观点并不是恰亚诺夫提出的。而是 K. 波拉尼提出的。波拉尼的理论是建立在人与自然、人与人和谐发展的基础上，他的实体主义包括生态学和社会制度两个方面。生态学讲人与自然关系，社会制度讲人与人的交换。人与人的交换最初是"互惠"方式，即互相赠予，有来必有往，而不一定等价。有了阶级和权力中心（政府或教会）后，出现"再分配"方式，即每户农民向权力中心交纳税或贡品，权力中心再分配给每个成员。到很晚才出现市场交换，人们通过市场价格，谋取利润。有了市场交换后，互惠行为和再分配制度并未完全消灭，所以，经济人和利益最大化的假说是虚拟的，非实体的。我想，对于中国小农来说，尤其是这样。

中国小农有他自己的社会性格和经营特点，我们应从历史上考察他们与自然的关系和人与人的关系，建立中国小农的理论，这也是重新研究小农经济史的目的。

九十祝寿答词

——在"吴承明、汪敬虞先生九十华诞学术研讨会"上的发言

2007 年 4 月 14 日　中国社会科学院

　　今天这样一个盛会，听到各位专家学者的讲话，非常兴奋。我首先要感谢我们社科院的领导、感谢经济所的领导、感谢到会的贵宾。感谢领导和贵宾对我们老人的关怀，对我们的勉励和教导。

　　这使我想起，十几年前，我曾参加陈翰笙老先生百岁诞辰庆祝会，也是在这里开座谈会，到会中外人士百余人。翰老已双目失明，两人扶着到会，但神采奕奕。他讲了个故事，说"文革"时他与外界隔绝了，幸运的是有些青年常到他家中来，学德文，他非常高兴。而"文革"后，他们不来了，他很失望，希望还有青年来。翰老不仅是学界泰山北斗，也是我们经济史研究的创始人。用杜甫话说，是这门学科殿堂的"殿里第一人"。到了百岁高龄，还惦念青年学业，想与青年交流。这种伟大的治学精神，实在使人感动。

　　我还想起，大约 1985 年，我所庆祝巫宝三先生八十寿辰，也是这样一个座谈会。巫先生致答词时说：八十未云老，再读十年书。果然，此后十年，是巫先生治学硕果最丰的十年。到 1995 年给他祝九十寿辰的时候，西方经济思想史、中国经济思想史两种计划都基本完成了，真是了不起。巫先生不仅治学精谨，身体也健康，九十岁以后，还发表唐代经济史的著作，我是无法攀比的。

　　提到身体健康，我又想起，十年前，我所为八位八十岁老人祝寿。刘福

寿是我们第一届经济史研究生，那时在外地，打来一个贺电，说："老师庆杖朝"。"杖朝"是句老话，意思是进入八十岁，允许拄着拐杖议论国家大事。这是很不容易的。嗯，前年，2005 年，我们庆贺朱绍文先生九十大寿，在新世纪饭店开座谈会。朱公就当场议论国家大事，讲泡沫经济，而且不用拐杖。论身体健康，恐怕没人能和朱老比了。

十年前，1997 年，我所为八位八十岁老人祝寿时，在北京饭店开座谈会，我代表八位致答词。我说，人进入八十，称耄耋之年。耄，就是老了，胡子长了，老毛子。这个耋，有两个含义：一是太老了，老字下加个至字。另一含义是傻，用现代话说就是老年痴呆。当然，每个人情况不同。当年我们八人，今天大约只剩下汪敬虞和我两人。汪老身体不太好，但精神健全。我还能吃能喝，但头脑不行了，眼睛更坏，看书只是瞎猜。不过愈是这样，愈要多听别人的，听年轻人的。所以，我再次感谢今天的座谈，感谢各位的鼓励和教导。

谢谢！

在"中国经济史论坛"
上的发言辑录

　　编者按：中国经济史论坛是中国社会科学院经济研究所《中国经济史研究》编辑部主持的一个自发的、开放式经济史论坛。吴承明先生称是他最为感兴趣、有请必到的社团活动；认为那种亮出观点，不做结论，肯定自己却不否定他人的风格是自己最喜欢的。论坛的历次活动见下表。本材料是根据李根蟠先生提供的论坛历次综述和记录整理而成的，在发言的基础上整理成文单独发表的不收录在本材料中。

中国经济史论坛历年活动表

（《中国经济史研究》编辑部主办）

序　号	年　月	主　题	合办单位
1	1993/06	中国传统农业与小农经济	
2	1993/07	黄宗智学术理论1	
3	1993/12	黄宗智学术理论2	《史学理论研究》编辑部、《中国史研究》编辑部
4	1994/12	中国传统市场与市场经济	《财政经济》编辑部、《货殖学刊》编辑部，《史学理论研究》编辑部
5	1995/11	小农经济·市场·现代化	中国农史学会、中国经济史学会古代史分会
6	1996/05	加强少数民族经济史研究	
7	1997/06	中国封建社会前期和后期经济发展比较	

续表

序 号	年 月	主 题	合办单位
8	1998/06	中国古代地主制经济的发展机制和历史作用	中国社会科学院历史研究所
9	1998/08	中国经济史学理论与方法	中国社会科学院世界史研究所、历史研究所、近代史研究所、研究生院,中国农业博物馆
10	1999/06	中国封建地主制经济暨庆贺李文治先生九十寿辰	中国社会科学院经济所、首都师范大学历系,中国农业博物馆
11	1999/11	中国现代化中传统经济因素的作用	中国社会科学院近代史研究所
12	1999/12	中国经济史上的"天人关系"	中国农业博物馆、中国农史学会,中国经济史学会古代史分会
13	2000/04	中国历史上的商品经济1:商品经济发展的基本线索、特点和阶段性	首都师范大学历史系、中国社会科学院历史研究所、清华大学中国经济史研究中心
14	2000/06	中国历史上的商品经济2:中国历史上商品经济的发展变化及其与外国的比较	首都师范大学历史系、中国社会科学院历史研究所、清华大学中国经济史研究中心
15	2000/08	中国历史上的商品经济3:国家干预与商品经济的发展	首都师范大学历史系、中国社会科学院历史研究所、清华大学中国经济史研究中心
16	2000/11	中国历史上的商品经济4:要素市场与土地买卖	首都师范大学历史系、中国社会科学院历史研究所、清华大学中国经济史研究中心
17	2001/12	中国传统经济再评价1	首都师范大学历史系
18	2002/09	中国传统经济再评价2	中国农业展览馆、首都师范大学
19	2003/09	中国历代农民家庭规模与农民家庭经济	南开大学中国社会史研究中心、中国农业展览馆
20	2004/05	中国传统经济再评价3	中国农业展览馆、首都师范大学
21	2004/12	中国传统经济再评价4	首都师范大学
22	2005/11	环境史视野与经济史研究	
23	2006/04	中国历史上的三农问题1	河北大学宋史研究中心、首都师范大学历史系
24	2006/10	中国历史上的三农问题2	中国社会科学院近代史研究所
25	2007/10	"封建"名实问题与马列主义封建观	中国社会科学院历史研究所、经济研究所、《历史研究》编辑部

一

我对叶茂、兰鸥、柯文武整理的《传统农业与小农经济研究述评》中上篇"传统农业与传统文化"一节最感兴趣。世界文化是多元的，文化史最早摆脱西欧中心论。1918年德国斯宾格勒发表《西方的没落》一书，表明西方文化并非是神圣不可侵犯的。东西方的区别，在经济上政治上有时看不清楚，但反映在文化上则是泾渭分明的。专业文化史家往往从世界观、哲学思想入手，论述比较抽象。最近看到李根蟠先生《中国农业史上的多元交汇》一文，则是从具体的文化现象入手的。搞经济史的人来研究文化，把两者结合起来，可把研究提到一个新的境界。但要从具体东西入手，抽象的东西可留给专业研究者去搞。

经济史与文化史不同，经济史受经济学指导，经济学家往往认为经济规律是通用的，不免把西欧中心论套到中国。晚近的制度学派谈制度变迁。小农经济是个体制问题，也有它自己的变迁史，不能说小农经济万岁，但中国的小农变迁不一定与西欧是同一模式。道格拉斯·诺思等写了《西方世界的兴起》，这与《西方的没落》正好相对；但不要回到西欧中心论。

（1993年6月3日在"传统农业与小农经济"学术研讨会上的发言）

二

吴承明认为，把商品化必然导致经济发展和现代化作为"规范"，未免言之过重。"规范"（paradigm）和"规范危机"都来自库恩（Thomas Kuhn）的《科学革命的结构》（*The Structure of Scientific Revolution*）。规范指一个时代的科学共识，如牛顿力学，由它构成该时代的科学结构，如三定律、万有引力定律等。爱因斯坦的相对论出来，牛顿力学受到冲击，这就是规范危机。相对论构成新的规范体系，这是一种革命，与原来的规范并无逻辑关系。但是牛顿力学并未消亡，而是在一定范围内应用。库恩还指出，这种科学革命并不一定是向真理逼近，因为"科学理论不是对自然界的陈述"。从这一点来说，历史学很难有什么规范，因为历史是陈述的，历史是靠史实论证，不是根据规范或定律推论出来。即以马克思主义的历史唯物主义而论，它是世界观意义上的方法论，而非教条，这是恩格斯、列宁讲的。黑格尔、汤因比的历史哲学，也只能作为方法，不是规范。说商品化必然导致近代化，题目太小，连方法论都谈不到，更不能视为规范了。因而也就谈不到规范危机。至于商品化与现代化的关系，马克思的确说过商人资本的发展是资本主义的历史前提，但又说商人资本的独立发展与一般经济发展成反比例。在《资本论》第3卷《商人资本的历史考察》一章中，有七处讲商人资本对经济发展有促进作用，有六处讲商人资本对经济发展有妨碍作用。马克思从来没有肯定过历史上任何商品经济都必然要导致资本主义。他甚至明确说过，古罗马商业发展到空前水平，但绝不能出现资本主义。斯密的理论即"看不见的手"，主要是指市场能使生产要素合理配置。至于经济发展，斯密则更重视分工和专业化。现代经济发展靠科学，古代经济发展靠分工。如若用斯密理论，中国直到19世纪末，还是男耕女织，纺织业还没有完全从农业中分离出来，正是中国农村落后的原因，这是说得通的。实际上，明确提出商业发展促成现代化的是希克思（John Hicks）。他的《经济史理论》讲从习俗经济、命令经济到市场经济，一旦市场经济代替命令经济，现代化就开始了。尤其在第7章，讲农业的商品化完全是市场渗入农村的结果，先是商品渗入，后是金融渗入，农业变成为利润而生产，变成现代农业。希克思的经济史理论是从商业出发的，商业发展影响一切。而斯密和马克思都是从生产出发的，生产发展决定整个经济。把斯密和马克思关于商业的论述视为规范，就更不恰当了。

关于"过密化"与人口压力 "过密化"一词译自 involution，是与 evolution 相对而言，两者原来都是生物学名词。Evolution 译进化，involution 在生物学上指物种退化。1963年吉尔兹（Clifford Geertz）研究爪哇水稻经济，把边际报酬收缩的现象称为 involution，黄宗智译为"内卷化"是对的，改译"过密化"并非原意；日本学者则译"退化"。爪哇人口密度不是太大，稻田劳动投入远低于江南，但当地有个习俗，即收获时任何人都可以来割稻，并分得一点，这时边际报酬就很低了。江南农业生产是否过密化？我认为应该承认中国人口过多，农村有剩余劳动力。但怎样算过密，没个标准。以稻田每亩投入的劳动日计算，包括复种劳动，1921~1925年卜凯调查为25.6日，1981年白南生调查为28.7日。对比，1956年日本为35.3日，1960年韩国为33.2日，1961年台湾为31.3日。中国不算高。最好的计算方法是边际劳动产品，但很难，实际没人算过。落后国家农业边际产品等于零的说法，经刘易斯、费景汉（John C. H. Fei）、拉尼斯（Gustav Ranis）等大力提倡，在 20 五六十年代风行一时，但经舒尔兹、乔根森（O. Jorgenson）等批判，已没人相信了。中国人、日本人本来就不相信。按吉尔兹的说法，似乎是边际报酬开始下降时，就是收缩，即内卷化或过密化了。这又未免太苛刻。按此标准，大约明治时期的日本农业也是过密的。合作化后，我国农业实行工分制，各种劳动都记工分，给计算劳动日提供了方便。据白南生 1982 年对江西几家农户的调查，各户劳动力的总出工率为理论总工时（365 天）的 74%，其中投于农田劳动者占 42%，投于非农业农田劳动（包括饲养、社队企业和公共服务）者占 32%。劳均 10 亩以上的户，几乎把全部劳力投入农田劳动；劳均 3 亩以下的户，则有一半劳动日投于非农田劳动。有一家有 4 个劳动力，出工 1129.5 日，而投入农田的只 204.5 日，这就很难说过密不过密。当然，这是 1982 年的情况，但这时比之解放前，耕地减少了，人口大大增加了。我国历史上最好的农户调查，要算无锡了。这是陈翰笙、薛暮桥、孙冶方领导的几次挨户调查，可找出 11 个村、750 户、近 30 年的近 300 个可比数据。据该调查，20 年代末农户的纯收入中，种田收入只占 48.5%，包括植桑，而手工业、饲养业等副业收入占 29.6%，商业运输业收入占 7.7%，外出人寄回款及佣工等收入占 14.2%。这样的农户，过密不过密就无所谓了。因为过密是指农田劳动说的，非农田劳动没有过密问题。农业劳动即使边际产品为零，也不影响 48.5% 的比重。

关于增长与发展　在古典经济学中，宏观与微观不分，增长与发展不分，斯密讲发展，就是今天所说的增长。其后，边际革命以后，不谈这个问题了。二次大战后，重提这个问题，但随即出现发展经济学，有所谓结构学派，增长和发展变成两个概念：一般说增长指人均国民收入增加，发展指经济结构优化。但近年来，这两个概念又有合流之势，有人干脆不作区别，统称发展。这是由于新古典主义盛行，结构学派式微，新制度学说兴起，以及不均衡论渐不时髦等原因，这里不去细说。增长和发展本来没有明确定义，每人可按自己的定义去探讨。黄宗智的定义是：总产量的增加是增长，劳动生产率提高，或单位工作日边际报酬增加是发展。因此得出没有发展的增长，没有发展的商品化等观点。按照他的定义，这些结论自无可厚非。吴承明称自己是发展论者。他所谓发展又有不同定义：发展包括生产力的进步和生产关系的进化。明清以来，生产关系有很大改变，如地权之官退私进，地主之由绅到民，地租之由分成到定额以至永佃，赋役之由丁入地，雇工之人身自由，等等。这些变化都是朝着进化之路，不是退化之路。生产力的进步，近来有很多研究，尤其是《中国农业科学技术史稿》一书出来，使人大开眼界，闻所未闻。这主要是资料问题，今天不说。今天要谈的是：什么是生产力进步？进步就是资源配置合理化。这本是经济学的古老命题，也是经济学发展的根本道路，被凯恩斯革命给革掉了，今天又恢复其地位，成为增长经济学或发展经济学的首要问题。资源，包括劳动力资源，怎样才能合理配置？照希克斯的说法，古代是靠习俗；领主经济是靠命令；近代是靠市场，靠看不见的手；社会主义靠计划，也是命令。这话，太简单了，资源配置有多种因素，往往在生产实践中，不知不觉地走向逐步合理化；有知有觉时，如"以粮为纲"，反而破坏了合理化。兹举两个例子。一是李伯重对江南农业的研究。据他考察，唐宋以来，江南稻田即不断地集约化，但劳动投入渐达极限，明代、清代、民国都是每亩 10 ~ 11 个工日，而其他投入，尤其肥料投入增加了。棉田、桑田的投入，是另一种情况，加以副业的发展，就使得资源配置合理化，并扩大了同北方及其他地区的资源流动。另一是吴伯均对无锡的研究。在明末，从经济结构上说，无锡落后于苏州、嘉兴、松江、湖州等府。清前朝，由于棉手工业的引进和区域贸易的发展，引起资金和劳动力的重新配置。19 世纪 70 年代到 20 世纪 30 年代，随着桑蚕业和城市工业的发展，无锡出现更大的资源重新配置，这期间，农村劳动力的平均收入以年率 1.5% 的速度递增，农家经济总流量中有 59% 是通过市场的交换，由于多种经营和 13.7% 的人离村就业，农村中已出现劳力过剩现象。这都是在小农经营方式没有改变，技术也基本上没有变革的情况下完成的。这当然只是地区的现象，但大体上也适用于江南。说农民没有脱离糊口经济也可以，但应都是发展。没有脱离糊口经济，也可以说没有增长或增长小，但从农业经济结构上说，从资源配置来说，是发展。

关于黄氏研究方法 黄宗智在《华北》中把舒尔兹、恰雅诺夫、马克思的一些观点综合起来论述明清以来的中国小农经济，是十分恰当的。马克思的论点，小农是受剥削的劳动者，当然不错。恰雅诺夫认为小农生产不是为了追求最大利润，不能用资本主义经济学来研究，也是对的。不过，中国没有帝俄那种定期分配土地的制度，清代小农已部分卷入市场，恰雅诺夫理论不能完全适用。舒尔兹认为小农虽然穷困，但效率很高，能有效地利用资源配置，从事均衡生产，也是对的。看来这比和他同时获诺贝尔奖的刘易斯把传统农业看成完全是消极的理论，更适合于中国。在发展问题上，舒尔兹认为传统小农经济将由均衡走向不均衡，经过现代化达到新的均衡，看来也是对的。只是他把这种发展完全放在西方技术（包括人力资本）的输入上，忽视小农经济内在的积极因素，恐怕有问题。黄宗智主张把三种理论结合起来，这是完全正确的。尤其高明的是，他在《华北》一书中，将小农分为不同层次，有地主、有富裕户、贫困户，尤其是按商品化程度不同，分为四类。这样，上述三种理论对不同阶层的适用性也就不同。这是非常正确的。农民学中任何一种理论，都有它适用的方面和不适用的方面，根据研究对象的实际而定。在这一点上，黄的论述是对中国小农研究的极大贡献。黄宗智在《长江》中的重要贡献，是从华北与江南的对比中，从历史与当代的对比中来做实证分析，特别对江南雇工经营农庄的衰落提出独到的见解。在最后这一点上，并不奇怪。例如日本步入近代之始，即出现雇工农场瓦解的现象。不过，今天是谈理论问题，不谈实证。在《长江》一书中，黄宗智提出对江南小农经济的商品化，不应用舒尔兹的逻辑，而应用恰雅诺夫的逻辑去理解。这是因为，恰雅诺夫在解释劳力过多的农户生产时，是用边际效用，而不是用边际劳动生产率。多投入劳动，虽边际报酬很低，但总生产仍有所增长，对维持家庭生活有效用。恰雅诺夫正因此被斯大林驱逐出境，说他是奥地利学派。黄宗智在《华北》一书中就是用效用说解释小农生产的。我在《中国资本主义发展史》第 3 卷中，对黄氏此说曾表示赞赏。但在《长江》一书中，他实际改变了主意，提出边际报酬来说明过密化。到今天我们讨论的《悖论》一文中，就正式用"劳动生产率"和"单位工作日的边际效益"了。这就不是恰雅诺夫，而是回到新古典主义。恰雅诺夫认为，小农一年收获是全家全年投入劳动的成果，很难分别计算出一个劳动单位的成本或一个劳动单位的收益，他用 disaggregate，即分解。现代西方经济学实际也分解不出边际劳动生产率，而是假定与实际工资相等。多雇一个人要多花 5 元，此人的边际生产即值 5 元。

李根蟠按：1993 年 7 月，中国社会科学院经济研究所部分学者集会，讨论黄宗智的《中国经济史中的悖论现象与当前的规范认识危机》及相关学术理论。会议内容由我撰写题为《商品化、过密化与农业发展》的综述，用"叶茂"的笔名发表在《史学理论研究》1993 年第 4 期。吴承明先生提供了详细的文字稿，我只是把这些文字稿原原本本地分到不同的段落中而已。综述发表时，遵照老先生们的意见，隐去发言者的姓名。今补上。可惜现在没有找到吴先生的手稿和综述的原稿。

（1993 年 7 月在"黄宗智学术理论"第一次学术研讨会上的发言）

三

汉代、宋代和明清都是中国封建社会的盛世，很难评判其优劣，主要看有没有新东西。从根本上看，经济发展还是不发展，主要看资源配置合理不合理，是优化还是劣化。这在历史上看不见，但可以从两方面反映出来：一是国富，二是民富。国富是综合国力，国家的总供给能力，指标是 GNP，在历史上可以从人口和土地的宏观数据来推测，属宏观经济范畴。民富则属微观经济范畴，主要从亩产和家计即家庭消费上体现出来。关于农业剩余的问题，我认为，游牧时代农业就有剩余。西欧中世纪实行休闲制，耕地面积大，亩产不高，剩余也是 50%，意大利也是实行对分制。因此对农业的剩余不能低估。但对农业剩余如何合理利用，农业经济能否发展，主要看当时的制度如何。

而经济发展中生产与流通的关系，我认为，科斯定理讲的就是生产和交换的关系。农业生产要实行规模经营、市场化、专业化。实行专业化，提高劳动生产率是小农经济的前途，以自给为主是不行的。

（1997 年 6 月在"中国封建社会前期和后期经济发展比较"学术研讨会上的发言）

四

我谈点儿方法论问题。方行的文章是从需求入手研究商品经济的,我赞成这种方法。过去讲生产决定论,这种观点支配到20世纪的70年代。但历史上经济的发展有时是需求起决定作用的。1998年底《中国经济史研究》访谈时问我是不是主张需求导向论,我说我不能承认这点,现在也不能这样说。历史上有时是生产导向,有时又是需求导向。但研究商品经济的发展,从需求入手是一种方法,而且是一种好方法。齐波拉的《欧洲经济史》头一篇就是需求。问题是:什么是需求?需求不一定是有效需求。有效需求指用货币购买商品,这是凯恩斯的概念,但不一定要严格用这个概念。希克斯讲用商品购买商品,生产多了可以扩大商品生产,需求多了也可以扩大商品生产。所以需求包括整个需求,不一定是有效需求。宋以前很难说,宋代漕粮600万石是征实,商税是货币,其他仍是实物。不完全是通过货币的需求。

怎样研究需求?首先是人口,其次是人口的划分,因为各阶层需求不平均,GNP中各阶层各占多少,加起来是总需求。方行用的是这个方法。研究唐宋以后的商品经济,只有这个方法。不过,我认为在各阶层需求中,农民需求量最大。对鸦片战争前的粮食商品率,我的估计是10%,"文革"是11%,最高时17%。我的估计低了。不过估计为40%~60%,市场就太大了。

从需求入手研究是唯一的方法。因为从生产出发考察,无法决定商品率,就会成为一个先验的东西。

关于市场经济萌芽和资本主义萌芽问题,市场经济萌芽是邓小平提出的,资本主义萌芽是毛泽东提出的,但查《毛泽东选集》的老版本,没有这个话。

(2000年4月22日在"中国历史上商品经济"第一次学术研讨会上的发言)

五

我的看法是:历史上商品经济的发展与否主要是制度问题,与生产力水平无关。

会上提到赋税制、地租制、货币制都影响商品经济，完全对。但影响更大的是制度体系，即经济体制。进一步，还有根本制度，或政治体制，constitutional institution1，包括所有权、债权、人身自由等等。战国商品经济发达，因是城邦制，八百诸侯，"国人"不少于"野人"，奴隶劳动，但人民有经营自由。希腊商品经济发达，也因为是城邦制。魏晋南北朝商业衰落，因为是庄园制、坞壁制、依附农，人民没有经营自由。欧洲中世纪也是这样。

这种体制的变迁，与生产力水平无关。据吴慧，晋南北朝亩产量是略低于汉代，但唐代亩产量大增，商品经济并不很发达。宋代商业大发展，以至有人称为"商业革命"，但宋代亩产量反而低于唐代。明代生产力提高了许多。但朱元璋坚信实物主义。田赋不仅征实，还要农民把赋米送到对口的军户手中，不仅征布帛绢丝，还征红花、蓝靛，禁民间用银，一度还禁用铜元。而这种制度障碍，与生产力无关。

农业有剩余，即能有交易。汉代剩余至少50%，因为"见税什五"。到清代，生产力大发展，但剩余是50%，因分成租大多是对半分。这时欧洲的农业生产力低于中国，其剩余也是50%，叫 metayage（对半分）。

工业全是商品，但不一定有交易。斯大林时代生产力很高，可与美国匹敌，但采取计划体制，产品中3/4内部调拨，只有1/4最终消费品进入市场，商品经济很小。我国现行市场经济体制，商品经济发达。据说因为是社会主义"初级阶段"。到了高级阶段，生产力大发展，物质极大丰富，实行按需分配制度，各取所需，就没有商品经济了。

贡赋很重要，是国家财政的重要组成部分。但这还是个别的制度，更重要的是决定制度的体制。体制是制度的系统。体制之上还有根本性的制度，包括赵文洪先生所说的人民有多少自由，私有制有多少保障？战国西汉是城邦制度，八百诸侯，商品经济发达。魏晋南北朝是庄园、坞壁、依附农制度，商品经济发展不起来。

现在着重谈谈商品经济的发展与生产力无关。20世纪80年代我写《什么是自然经济》，谈了自然经济含义的几个层次，重点是第五项——自然经济是使用价值的生产。这个观点是从孙冶方那里来的。孙冶方的《社会主义经济论》就是这样主张的，但当时没有公开发表，我也不便多讲。斯大林搞的就是自然经济，苏联当时的生产力可以和美国媲美，比中国战国时代高得多。所以商品经济与生产力无关。朱元璋废止商业，田赋征收实物（米），还要农民把米送到指定的地方，中间不要商人，不要交换，实物到家，没有商品经济。但明初生产力比元代高，比宋代也不低。魏晋南北朝亩产不一定比西汉低，但依附农制度不产生商品交易。把商品经济发展的原因归结为生产力，是政治经济学教科书中的教条。实际情况不一定是这样。历史上好几次逆流，问题不出在生产力，而出在制度。

再介绍一下斯波义信的观点。斯波认为明后期发生了商业革命和农业革命，宋代则只有商业革命，没有农业革命。宋代政府在后勤方面已逐渐通过市场运作，和买发展起来，600 万石漕粮，宋末交给商人操办。北宋市场上批发零售各种产品往往混在一起，南宋分开了。新的县和集镇涌现（这方面的材料，斯波比不上龙登高）。但宋代水利田的开发有限，远远比不上明代。

（2000 年 6 月在"中国历史上的商品经济"第二次讨论会上的发言）

六

我认为方行对土地市场的分析很全面，很好。土地、劳动力、资金都是要素，不通过市场也能调配土地。我的看法比较落后，土地私有始终不完全，宋以后是否完全也还值得研究。现在研究土地的商品化，市场调配到什么程度，明清提高到什么程度，还没有一个明确的概念。土地不能流动，土地由市场调配的部分不会很大。市场调配主要靠价格，价格主要由什么决定的呢？方行用派生需求理论解释清代土地价格的形成，但我不这样看。土地对农业是基本需求，土地价格基本决定于土地的好坏（丰度）。供求有影响，但不起决定作用。土地不能流通。明代地价，涨到一定程度就不能再涨了。因为存在边际效益，价格再高，买地就划不来了。清前期三十几年到四十年间，地价是上涨的，但这以后就不能再高了，再高就是银价变动的因素。因为土地不能无限供给，也不能流通，产量有限度，地价也就不能无限提高。市场调配靠价格，价格也有限度。如果能按边际效益规定价格，就是完全的市场经济，这只是一种理想。

方行划分的几个阶段我基本同意，说得很好。关于亲邻优先的分析我也很同意，就我了解的明清时代而言，亲邻没有起决定作用。

清代土地买卖是否完全自由还不好说。江南土地调配在多大程度上通过市场可以研究，但量化有困难。土地自由买卖好不好？不怎么好。地权分配应合理化，地权以中农化最优。要做到这一点，国家干预不可避免。像历史上的均田制等，但没有做好。习俗干预更多合理，一般不可能达到最优分配。

（2000 年 11 月在"中国历史上的商品经济"第三次研讨会上的发言）

七

我认为，批判欧洲中心论而创立一个中国中心论，这是不健康的。柯文和弗兰克都有这种倾向。不过柯文主要是要求寻找近代中国变化的内因，弗兰克则明确 15~18 世纪中国是世界经济的中心，这以后让位给欧洲。第一种中心论是指整个文化或文明，亦称一元论，认为世界各种文明是由一个中心传播出来的。西方这种一元论源于基督教，经康德论证，完成于黑格尔。弗兰克建立的近代史学就是这种一元论的。汤因比研究了古今 21 种文明，各有其兴衰之道，其结论是：文明是多元的，而且是等价的。最近，如新自由主义大师伊赛亚·伯林提出，各种文化是不可通约的，没有一个共同的衡量标准，当然也没有中心。反对派亨廷根提出"文化冲突论"，同样没有中心。后现代主义者认为世界本来是差异的、多样的，先进和落后都有其存在的价值。中国史学原没有一元论，从太史公论西南夷可见。汉唐是文化"拿来主义"，明以后，西学东渐激发"西学中源说"，西方入侵激发"五千年中华中心"思想，清代史学强调夷夏之防，今天还有。这是应当批判的。

对中国传统经济再评价以前，有一种看法是清代已是封建社会末期，走下坡路，反动腐朽了，国外也有一种看法，认为 17 世纪世界危机以后，西方走向工业革命，中国走向衰败；黄宗智编一本书叫"欠发展的发展"即指此。还有一种看法，把宋代提得很高，而明清都是停滞的社会，如漆侠、麦迪逊等。20 世纪 80 年代末 90 年代初兴起的再评价，为清代经济翻了案；这股风很热，人才济济，国内国外，不少一代精英。集中表现在新出的《中国经济通史·清代卷》三大本，它总结说，清代经济在农业、手工业、商业和财政、金融各方而都大大超过了前代，是"中国封建经济发展的高峰"。我完全同意该书的论断，不过还另有点个人的看法。我认为 16 世纪和 17 世纪初，中国经济的发展已引起社会结构的某些改变和经济制度上不可逆的变迁，以及思想上的反传统思潮和以经世致用为号召的启蒙思潮；我把这些称之为现代化因素或萌芽，但这些因素在清人入主中原后全被打断了。有清一代，在经济上或生产力上确有很大的发展，但也只是在封建经济范围内的发展。因为在制度上虽也有由一条鞭到摊丁入地、由定额租到永佃制，由短工人身自由到长工人身自由等的变迁，但未能引起经济体制的变革，更无望政治体制（constitutional）的变革。尤其在思想上，不但启蒙思潮烟消云散，而且回到经学中去了，而这也是中国开始落后于西方的原因。西方的启蒙运动晚于中国一个世纪，其经济基础也不如中国，但它声势浩大而且有效，终于实现体制改革，建立宪法国家，完成工业革命。因而，对于清前期的再评价是：经济发展，制度落后，思想更保守了。

（2001 年 12 月在"中国传统经济再评价"第一次学术研讨会上的发言）

八

我同意彭慕兰认为 19 世纪前世界多元化而无中心，工业革命后又开始有中心；该中心是经济中心，而非文化中心、历史中心；历史中心论是康德尤其是黑格尔伪造的，历史是多元的；赞同霍金《时间简史》所述"宇宙膨胀，无中心"的观点；但经济出现中心是不能否定的，它不能作为批判、研究的中心，因为它是自然形成的。做经济史比较研究要有一个标准，通常是以谁更富，谁的消费水平高为标准，而麦迪逊用 GDP 计算的方法不准确；彭慕兰提出另外一个比较的标准，就是看谁的经济更接近新古典主义经济学说的原则,谁更接近,谁更好。彭慕兰将19世纪前江南和英国作比较,认为江南小农经济比英国大地主经济更接近新古典主义原则,这里的关键在于要对小农经济做深入研究。彭慕兰认为"美洲殖民地供应大量物资,解决了英国物资匮乏;煤矿更接近核心区"的观点正确,但过于简单化。工业化是多方面原因造成的,不但是经济上,还有制度、组织、思想、文化、科技等等原因。由传统经济向现代化经济转变的普遍规律是一个历史观问题。反对者认为过渡是一次性的,但是历史哲学承认它有共同规律;主要有两条规律,其一,这一过渡是从重商主义开始,商业繁荣、市场扩大引发工业革命。《共产党宣言》《德意志意识形态》和新制度学说都是此观点,彭慕兰也是这一观点,但不明确;其二,关于合理化原则。整个现代化是理性主义运动的结果。以"民主"和"科学"为旗帜促进了社会的现代化,这是一个文化思想运动;从培根、笛卡尔到欧洲经验主义都是理性大师,其结果对经济、科学、工业发展形成直接动力;共同规律出现的原因是中国16世纪开始有了资本主义萌芽,其标志是大商人、资本的出现;市场的扩大;明嘉万年间工场手工业的出现;经济制度方面如货币白银化、短工的解放等;社会风气、习俗方面如乡绅、社区运动的出现等。17世纪的思想启蒙运动失败后,理性主义运动断裂,资本主义萌芽也折断,至乾隆时方又重新出现,雍正时结束,所以中国无工业化。

(2002年9月11日在"中国传统经济再评价"第二次研讨会上的发言)

九

回顾20世纪初我国开展社会史大论战的情况,当时学人对社会史的认识为政治史以外的历史,直接吸取了美国社会学(如休谟等)的思想和方法;师从于潘光旦和陈达二位先生,使我们认为"实证主义是永远不能打倒的";在经济史的研究中,结构主义代替直线发展是一大进步,这并非是新创,在马克思的著作中完全能够找到;在看待事物的时候,有矛盾有统一,但更应该注重统一;人类社会的发展是从必然王国到自由王国,不管是康德的主张还是中国"天下为公"的思想，都是如出一辙。

> （2003 年 9 月在"中国历代农民家庭规模与农民家庭经济"学
> 术研讨会上的发言）

十

宋代有很发达的科技，何以明清时反而落后了？因在中国封建官僚体制下的资源是由政府支配的，科学技术的发明创造没有市场价值，因此不受重视；宋代理学是道德理性，但未能工具化，也是原因之一。

关于比较的方法，中西比较应当包括两方面，一是比较生产力的高低，二是比较制度的先进与落后。生产力的比较我们首先注意到生产，其次是消费，而我认为消费更重要；在生产力和制度的比较中，后者更重要。制度的好坏就在于能否更好地调配资源，能否使生产消费更协调。我强调搞制度研究不能忽视意识形态，制度有两种：正规制度和非正规制度。在清代正规制度有进步，但是进步太慢了，不如明代的嘉靖、万历时期。非正规制度如意识形态在清朝是倒退的，像文字狱、科举和思想僵化。没有思想解放就没有非正规制度的形成，就容易墨守成规，即习俗经济没有进步的可能。

> （2004 年 5 月在"中国传统经济再评价"第三次学术研讨会上
> 的发言）

十一

西方经济学讲要素生产率，分别计算土地、设备、劳动力等各种要素的贡献各占多少。劳动生产率的概念始于马克思，因为马克思讲劳动价值论。劳动量是按社会平均劳动多少小时计算的，活劳动可以计算，物化劳动无法计算，于是提出另外的标准——生产价格，把劳动生产率的评价交给了市场。现在劳动生产率是从市场的结果倒过来计算的。按马克思的说法，凡是价值都是劳动创造的，计算则主要看活劳动，实际上创造价值的不止劳动。

西方有"效用价值论""稀缺价值论"等等,因此效用价值、稀缺价值是存在的,特别是在服务业,不可一概而论。

(2004 年 12 月 7 日在"中国传统经济再评价"第四次学术研讨会上的发言)

十二

中外历史上有"天人观"和"主客观"的演变,马克思在经济学上是讲人与自然的"物质变换",在哲学上是讲人与自然的"同一","本质上是统一的"。但由于人被社会制度异化,与自然对立起来。要到共产主义,消除人的异化,复归统一。全部历史就是:自然经过改造人道主义化;人经过革命,舍弃利禄,自然主义化。这样才能真正解决人与自然、人与人之间的矛盾。而中国历史上一直都很注意人与自然的关系,从孔子、司马迁以来的历史观都是讲天人相通的。荀子的"参"与天地活动之说也是天人相通。到宋张载、程颢才正式提出天人合一,再到明代王阳明的主客平等达到登峰造极。西方历史观,自哲学之父泰勒斯以来就强调主客对立,到康德,尤其是黑格尔,就变成以我为主的历史观。直到第一次世界大战后,胡塞尔的现象学提出认识事物本质,才动摇了传统的主客对立。接着,存在主义兴起,海德格尔的诠释学、维特根斯坦的语言学,用时代的"先见"或"语境"来解释历史文本,消除了主客对立。到 20 世纪 80 年代,哈贝马斯提出"交往理性"论,讲人与人、人与自然的关系都是交往,这就完全是主与主的关系了。

(2005 年 11 月 17 日在"环境史视野与经济史研究"学术研讨会上的发言)

十三

我们要从社会学的角度研究小农。我认为,不能说中国小农就只是糊口经济，并且，黄宗智所说"实体主义"观点并不是恰亚诺夫提出的，而是卡尔·波拉尼提出的。波拉尼的理论是建立在人与自然、人与人和谐发展的基础上，他的实体主义包括生态学和社会制度两个方面。生态学讲人与自然关系，社会制度讲人与人的交换。人与人的交换最初是"互惠"方式，即互相赠予，有来必有往，而不一定等价。有了阶级和权力中心后，出现了"再分配"方式，即每户农民向权力中心交税或纳贡，权力中心再分配给每个成员。到很晚才出现市场交换，人们通过市场价格，谋取利润。有了市场交换后，互惠行为和再分配制度并未完全消灭，所以，经济人和利益最大化的假设是虚拟的，非实体的。对于中国小农来说，尤其是这样。其实，中国小农有他自己的社会性格和经营特点，我们应从历史上考察他们与自然的关系和人与人的关系，建立中国自己小农的理论。

　　　　（2006 年 10 月 21 在"第二次中国历史上的'三农'问题"
学术研讨会上的发言）

十四

　　秦以后的中国是有中国特色的封建社会。"封建"问题我没有专门研究过。我是来学习的。会议提供的材料很好，我大致看了一遍，收获不小，大开眼界。材料给我的印象是，封建主义是多种多样。我们今天所讲的封建主义，不一定是有明确标准的封建主义。诸如西周的封建，大家是比较清楚的。西欧的封建也是比较清楚的。但是，我们今天所讲的封建主要是采用马克思主义的封建主义学说。但是马克思主义的封建学说，如同马克垚教授所指出的，前后也不是一样的，早期和晚期也有不同。到了列宁、斯大林手里也有不同，究竟是哪一个也很难说。我想，今天所讲的，秦汉以后到了明清都是封建社会，这指的是有中国特色的封建社会。不必去同西方（封建社会）作对比，也没有方法同马克思的原教旨主义是什么来对比。原教旨主义，我们可以从马恩全集上找到一些，但是后来相关论述又有所变化。大概任何学说，我觉得原教旨主义都不可靠。像社会主义，我们是有中国特色的社会主义。我们今天讲封建主义也是有中国特色的封建主义。我想它最大的特色，一个就是宗法，或者说血缘关系。一直到明清都没有了断血缘关系。马克思的封建主义好像就没有强调这个。再一个是专制。专制，马克思是提到过西方的情形，似乎不是像中国的那么明显，那么的强调。在西方，教会，无论是罗马教、天主教和新教，它们的力量都很突出。中国则更多强调的是社会、伦理、道德这方面的问题。我们是很注重这个东西的。你说这个人是"封建"、是"老封建"，特别是指男女关系上的，也体现在穿着上。中国历史上"贞妇""节烈""牌坊"等，这些在西方恐怕就不是很普遍。马克思有无提到过，我不知道。但是这个东西也很重要。我们研究问题，比如研究经济，不能就经济谈经济。封建本来是一个社会形态，必须要从社会学方面，从民俗、伦理等各方面来看待。如此看来，我们现在所用的封建主义就跟标准的"封建主义"有着很大的不同，尽管实际上还没有一个标准。这样，我觉得也并不错。因为我们写历史就是要根据本国的情况，详细地写中国社会的特点，有中国特色的东西。你叫它"封建主义"也可以，你叫它别的什么也可以。我倒是同意陈支平提出的，"约定俗成"罢了，大家认为从秦汉到明清是封建社会，那你就叫它封建社会，这个无所谓的。不过，我们的封建社会，是指中国的封建社会，中国特色的封建社会。你不这么叫它也可以。我学秦汉史是跟钱穆先生学的，他讲秦汉史的时候，注重文化。他讲先秦是诸子百家异彩纷呈的时代，根本就没提过"封建"两个字，也没提过"封建主义"。我学清史，那老师更老了，是同孟森先生学的。他也根本没提到过"封建"两个字。但是他讲董小宛，讲得头头是道。他讲的更多的是血缘、宗法关系，更多的是社会习俗的东西。孟老先生倒是社会学家，但是他没有讲过"封建"两个字。所以用什么名词，我看都是无所谓，大家都用了就用了。所以，有学者说我用的"封建"及"封建社会"概念一定是"标准"的马克思主义，我看也不一定，这也很难做到。所谓"标准"的马克思主义，是否真正符合马克思主义的原意，这是一个需要继续讨论的问题。

（2007年10月11日在"'封建'名实问题与马列主义封建观"学术研讨会上的发言）